Amanecer

STEPHENIE MEYER

ALFAGUARA

Este libro está dedicado a mi agente/*ninja,* Jodi Reamer.
Gracias por mantenerme apartada del alféizar de la ventana.

Y gracias también a mi banda de música favorita,
los muy bien llamados *Muse,* por suministrarme una
inspiración tan valiosa para esta saga.

Libro uno

⇾

Bella

La infancia no va de una edad concreta a otra.
El niño crece y abandona los infantilismos.
La infancia es el reino donde nadie muere.

Edna St. Vincent Millay

Prefacio

Había tenido a estas alturas de mi vida un cupo más que razonable de experiencias cercanas a la muerte, aunque desde luego no es algo a lo que uno pueda llegar a acostumbrarse.

Parecía extrañamente inevitable el que sufriera otro nuevo enfrentamiento con la muerte. Daba la impresión de que estaba marcada por el desastre. Había escapado una y otra vez, cierto, pero continuaba viniendo a por mí.

Sin embargo, qué distinta era esta vez respecto de las otras.

Puedes huir de alguien a quien temes, puedes intentar luchar contra alguien a quien odias. Todas mis reacciones se orientaban hacia esa clase de asesinos, tanto monstruos como enemigos.

Te quedas sin opciones cuando amas a tu potencial asesino. ¿Acaso es posible huir o luchar si eso causa un grave perjuicio a quien quieres? Si la vida es cuanto puedes darle y de verdad le amas por encima de todo, ¿por qué no entregársela?

Comprometida

Nadie te está mirando, me convencí a mí misma. *Nadie te está mirando. Nadie te está mirando.*

Mientras esperaba a que uno de los tres semáforos de la ciudad se pusiera en verde, eché un vistazo hacia la izquierda y allí estaba la camioneta de la señora Weber, que tenía el torso totalmente torcido en mi dirección. Sus ojos me perforaban, así que me encogí, preguntándome por qué no bajaba la vista o al menos se cortaba un poco. Que yo supiera, todavía se consideraba grosero que alguien te clavara la mirada, ¿no? ¿Acaso eso no se me aplicaba a mí también?

Entonces recordé que mis cristales eran tintados y de un color tan oscuro que probablemente no tenía ni idea de la identidad del conductor, ni siquiera de que la había pillado en pleno cotilleo. Intenté extraer algo de consuelo del hecho de que ella realmente no me estaba mirando a mí, sino al coche.

Mi coche. Suspiré.

Dirigí la vista hacia la izquierda y gemí. Dos peatones se habían quedado pasmados en la acera, perdiendo la oportunidad de cruzar por quedarse a mirar. Detrás de ellos, el señor Marshall parecía observar embobado a través de los vidrios del escaparate de su pequeña tienda de regalos. Aunque no había apretado la nariz contra los cristales. Al menos, todavía no.

Pisé a fondo el acelerador en cuanto la luz se puso en verde, pero lo hice sin pensar, con la fuerza habitual para poner en marcha mi viejo Chevy.

El motor rugió como una pantera en plena caza y el vehículo dio un salto hacia delante tan rápido que mi cuerpo se quedó aplastado contra el asiento de cuero negro y el estómago se me apretujó contra la columna vertebral.

—¡Agg! —di un grito ahogado mientras tanteaba con el pie a la búsqueda del freno. No perdí la calma y me limité a rozar el pedal, pero de todas formas el coche se quedó clavado en el suelo, totalmente inmóvil.

No pude evitar el echar una ojeada alrededor para ver la reacción de la gente. Si antes habían tenido alguna duda de quién conducía este coche, ya se había disipado. Con la punta del zapato presioné cuidadosamente el acelerador, apenas medio milímetro, y el vehículo salió disparado de nuevo.

Me las apañé de mala manera para llegar hasta mi objetivo, la gasolinera. Si no hubiera tenido la cabeza en otra cosa, no se me habría ocurrido aparecer por la ciudad en absoluto. Había pasado todos los días de atrás sin un montón de cosas, como pan de molde o cordones para los zapatos, con el fin de no mostrarme en público.

A la hora de echar gasolina me moví tan deprisa como si estuviera en una carrera de coches: abrí la portilla, desenrosqué el tapón, pasé la tarjeta e introduje la manguera del surtidor en la boca del depósito en cuestión de segundos. Ahora bien, nada podía hacer para que los números del indicador se marcaran con mayor rapidez. Avanzaban con lentitud, como si lo hicieran aposta para fastidiarme.

No había mucha luz al aire libre, porque era uno de esos días típicos en Forks, Washington, pero me sentía como si tuviera un reflector enfocado en mí, centrado sobre todo en el delicado anillo de mi mano izquierda. En momentos así, cuando notaba ojos ajenos clavados en mi espalda, me parecía que el anillo latía como si fuera un anuncio de neón que dijera: «Mírame, mírame».

Era estúpido estar tan pendiente de uno mismo, y yo lo sabía. Aparte de mi madre y mi padre, ¿realmente importaba lo que la gente dijera sobre mi compromiso? ¿O sobre mi coche nuevo? ¿O respecto a que me hubieran aceptado tan misteriosamente en una universidad tan reputada? ¿O incluso sobre la pequeña y brillante tarjeta de crédito negra que sentía arder al rojo vivo en el bolsillo trasero de mis vaqueros?

—Eso es, a nadie le importa lo que piensen —mascullé.

—Eh, señorita… —me interrumpió una voz masculina.

Me volví, y entonces deseé no haberlo hecho.

Dos hombres permanecían de pie al lado de un lujoso todoterreno que portaba dos kayaks de última moda en lo alto del techo. Ninguno de los dos me miraba, sino que tenían los ojos clavados en el vehículo.

Personalmente, lo cierto es que no lo entiendo. Más bien soy de la clase de personas que se enorgullecen con ser capaces de distinguir entre los símbolos de Toyota, Ford y Chevy. El automóvil era de un reluciente color negro, esbelto, y en verdad bonito, pero para mí, no era nada más que un auto.

—Siento molestarla, pero ¿podría decirme qué clase de coche es el que conduce? —me dijo el hombre alto.

—Bueno, es un Mercedes, ¿no?

—Sí —repuso el hombre educadamente, mientras su amigo de menor altura ponía los ojos en blanco como reacción a mi respuesta—. Eso ya lo sé, pero me preguntaba si no estaría usted conduciendo… un Mercedes Guardian —pronunció el nombre con un respeto casi reverencial. Tuve la sensación de que ese tipo se llevaría bien con Edward Cullen, mi… mi novio, ya que no tenía sentido eludir la palabra teniendo en cuenta los pocos días que quedaban para la boda—. Se supone que ni siquiera están aún disponibles en Europa —continuó el hombre—, sino sólo aquí.

Entretanto, el desconocido recorría lentamente los contornos de mi coche con los ojos, unas líneas que a mí, la verdad, no me parecían tan diferentes a las de otros Mercedes tipo Sedan. Pero claro, en realidad, yo tampoco tenía mucha idea, porque mi mente ya tenía bastante con cavilar sobre palabras como «novio», «boda», «marido» y demás.

Simplemente es que no las podía meter todas juntas en mi cabeza.

Por un lado, me habían educado para que me estremeciera ante la mención de vestidos blancos voluminosos y ramos de flores; pero más aún, me costaba mucho trabajo reconciliar un concepto soso, formal y respetable como «marido», con mi idea de Edward. Era como comparar un contable con un arcángel. No podía visualizarle en ningún papel tan normal y cotidiano.

Como siempre, cada vez que empezaba a pensar en Edward me veía atrapada en una espiral vertiginosa de fantasías. El extraño tuvo que aclararse la garganta para captar mi atención, ya que estaba esperando todavía una respuesta en lo referente al modelo y al fabricante del coche.

—No lo sé —le contesté con toda honradez.

—¿Le importa que me haga una foto con él?

Me llevó al menos un segundo procesar eso.

—¿De verdad…? ¿De veras quiere sacarse una foto con el coche?

—Por supuesto, nadie va a creerme, salvo que lleve una prueba.

—Mmm, bueno, vale.

Retiré rápidamente la manguera y me deslicé en el asiento delantero para esconderme mientras aquel fan sacaba de la mochila una enorme cámara de fotos de aspecto profesional. Él y su amigo se turnaron para posar al lado del capó y después tomaron fotos de la parte trasera.

Echo de menos mi coche, me lamenté para mis adentros.

Fue muy, pero que muy inconveniente, que mi viejo trasto exhalara su último aliento unas cuantas semanas después de que Edward y yo acordáramos nuestro extraño compromiso, tan desigual, uno de cuyos detalles consistía en que podría reemplazar mi coche cuando dejara de funcionar de modo definitivo. Edward juraba que simplemente había pasado lo que tenía que pasar, que mi vehículo había gozado una vida larga, plena y que después había muerto por causas naturales. Eso al menos era lo que decía él. Y claro, yo no tenía forma de verificar esa historia ni de resucitar mi coche de entre los muertos contando sólo con mis fuerzas, porque mi mecánico favorito…

Detuve en seco el pensamiento, impidiendo que llegara a su conclusión natural. En vez de eso, escuché las voces de los hombres en el exterior, amortiguadas por las paredes del automóvil.

—… pues en el vídeo de Internet iban hacia él con un lanzallamas y ni siquiera se chamuscaba la pintura.

—Claro que no. Puedes pasarle un tanque por encima a esta preciosidad. Éste no ha pasado por el mercado, porque lo han diseñado sobre todo para diplomáticos de Oriente Medio, traficantes de armas y narcos.

—Oye ¿y tú crees que *ésa* es alguien? —preguntó el bajito en voz casi inaudible. Yo agaché la cabeza con las mejillas encendidas.

—¿Qué? —replicó el alto—. Quizá. Porque ya me contarás para qué quiere alguien de por aquí cristales a prueba de misiles y dos mil kilos de carrocería acorazada. Parece propio de sitios más peligrosos.

Carrocería acorazada. «Dos mil kilos» de carrocería acorazada. ¿Y cristales «a prueba de misiles»? Estupendo. ¿Qué tenían de malo los viejos cristales antibalas de toda la vida?

Bueno, al menos esto tenía algún sentido… si es que gozas de un sentido del humor lo bastante retorcido.

Y no es que yo no hubiera esperado que Edward sacara ventaja de nuestro trato, para que pudiera dar más, mucho más de lo que iba a recibir. Yo estuve de acuerdo en dejarle reemplazar mi coche cuando fuera necesario, aunque desde luego no esperaba que ese momento llegara tan pronto. Cuando me vi forzada a admitir que el vehículo no se había convertido más que en un tributo a los Chevys clásicos en forma de bodegón automovilístico pegado a mi bordillo, me di cuenta de que el cambio me iba a avergonzar a base de bien, convirtiéndome en el foco de miradas y susurros. Pero ni en mis más oscuras premoniciones hubiera concebido que fuera a buscarme dos coches.

Me puse hecha una fiera cuando me explicó lo del coche «de antes» y el de «después».

Éste no era más que el «de antes». Me contó que sólo lo tenía en préstamo y me prometió que lo devolvería después de la boda, lo cual carecía de todo sentido para mí. Al menos hasta ese momento.

Ja, ja. Aparentemente, necesitaba un coche con la resistencia de un tanque para mantenerme a salvo debido a mi fragilidad, pues era humana y propensa a los accidentes, a la vez que una víctima muy frecuente de mi propia y peligrosa mala suerte.

Qué risa. Estaba segura de que tanto él como sus hermanos habían disfrutado bien de la broma a mis espaldas.

O quizás, solo quizás, susurró una voz bajita en mi cabeza, *no es ninguna broma, tonta. Tal vez es que realmente está muy preocupado por ti. No es ésta la primera vez que se pasa lo suyo sobreprotegiéndote.*

Suspiré.

Aún no había visto el coche de «después». Permanecía escondido bajo una lona en la esquina más lejana del garaje de los Cullen. Sabía que la mayor parte de las personas ya le habrían echado una buena ojeada, pero la verdad es que yo no quería saber nada.

Lo más probable era que no tuviera una carrocería acorazada, puesto que no iba a necesitarla después de la luna de miel. Uno de los extras que me hacían más ilusión de mi transformación era precisamente la casi completa indestructibilidad. La parte más interesante de convertirse en un Cullen no eran los coches caros ni las impresionantes tarjetas de crédito.

—¡Eh! —me llamó la atención el hombre alto, curvando las manos y asomándose por ellas en un intento de ver algo a través de los cristales—. Ya hemos terminado. ¡Muchas gracias!

—De nada —respondí y después me puse en tensión cuando encendí el motor y pisé el pedal con la mayor suavidad posible…

Daba igual cuántas veces condujera hacia mi casa por aquella calle tan familiar; no podía hacer que los carteles deslucidos por la lluvia se fundieran con el fondo. Estaban sujetos con abrazaderas a los postes telefónicos y pegados con celo a las señales de tráfico, y cada uno era como una bofetada. Y una muy merecida, además, en plena cara. Mi mente se centró de nuevo en el pensamiento que acababa de interrumpir poco antes, porque no podía evitarlo cuando pasaba por esta calle. No al menos con las imágenes de mi mecánico favorito pasando a mi lado a intervalos regulares.

Mi mejor amigo. Mi Jacob.

Los carteles rezaban: «¿Han visto a este chico?». La idea no era del padre de Jacob, sino una iniciativa del mío, Charlie, que había hecho imprimir los anuncios y los había desplegado por toda la ciudad; y no sólo por Forks, sino también en Port Angeles, Sequim, Aberdeen y cualquier otra ciudad de la península Olympic. Se había asegurado de que todas las comisarías del estado de Washington tuvieran también uno de esos carteles colgado en la pared. Su propia comisaría contaba con todo un panel de corcho dedicado a la búsqueda de Jacob. Generalmente solía estar casi vacío, para su disgusto y frustración.

Aunque mi padre se sentía disgustado por algo más que la ausencia de noticias. Estaba enfadado con Billy, el padre de Jacob y el mejor amigo de Charlie.

Porque Billy no había querido implicarse en la búsqueda de su «fugitivo» de dieciséis años, ni había colaborado poniendo carteles en La Push, la reserva de la costa donde había vivido Jacob. Y por su aparente resignación ante la desaparición, como si no hubiera nada que pudiera hacer, y su cantinela: «Jacob ya está crecidito. Regresará a casa cuando quiera».

También estaba frustrado conmigo por haberme puesto de parte de Billy.

Yo tampoco era partidaria de los anuncios, ya que tanto Billy como yo conocíamos, por así decirlo, el paradero de Jacob; y también sabíamos que nadie iba a ver a ese «chico».

Me alegraba que Edward se hubiera marchado de caza ese sábado, porque ante la visión de esos carteles se me formaba un nudo enorme en la garganta y los ojos me escocían, llenos de lágrimas punzantes, y también él se sentía fatal al verme reaccionar de ese modo.

Ahora bien, el sábado también tenía ciertos inconvenientes y vi uno de ellos nada más girar lenta y cuidadosamente hacia mi calle. El coche patrulla de mi padre estaba aparcado a la entrada de nuestra casa. Hoy había pasado de ir de pesca. Todavía andaría enfurruñado con lo de la boda.

Así que no podía usar el teléfono allí dentro, pero *tenía* que llamar…

Aparqué junto al bordillo, detrás de la «escultura» del Chevy, y saqué de la guantera el móvil que me había dado Edward para las emergencias. Marqué, manteniendo el dedo en el botón de «colgar» mientras el teléfono sonaba. Sólo por si acaso.

—¿Hola? —contestó Seth Clearwater y yo suspiré aliviada, porque era demasiado gallina para hablar con su hermana mayor, Leah. La frase «te voy a arrancar la cabeza» no era una simple metáfora cuando la pronunciaba ella.

—Hola, Seth, soy Bella.

—¡Ah, hola, Bella! ¿Cómo estás?

Medio asfixiada. Desesperada por sentirme más segura.

—Bien.

—¿Llamas para saber las últimas noticias?

—Pareces un psíquico…

—Qué va, yo no soy Alice… Es que tú eres bastante predecible —se burló él. Entre los miembros de la manada de los quileute en La Push, sólo Seth se sentía cómodo al mencionar a los Cullen por sus nombres, y era el único también que hacía bromas con cosas como mi futura cuñada, casi omnisciente.

—Sé que lo soy —dudé durante un segundo—. ¿Qué tal está?

Seth suspiró.

—Igual que siempre. Se niega a hablar, aunque sabemos que nos oye. Procura no pensar de forma humana, ya sabes, y se limita a seguir sus instintos.

—¿Conocéis su paradero actual?

—Anda en algún lugar del norte de Canadá, no sabría decirte la provincia. No presta mucha atención a las fronteras entre los estados.

—¿Alguna pista de si…?

—No va a volver a casa, Bella. Lo siento.

Tragué saliva.

—Vale, Seth. Lo sabía antes de preguntar, pero es que no puedo evitar el desearlo.

—Ya, claro. Todos nos sentimos igual.

—Gracias por no perder el contacto conmigo, Seth. Ya sé que los otros se van a poner pesados contigo.

—No es que sean tus mayores fans, no —acordó conmigo entre risas—. Una tontería, creo. Jacob hizo sus elecciones y tú las tuyas; además, a él no le gusta la actitud que tienen al respecto. Ahora, que tampoco es que le emocione mucho que quieras saber de él, claro.

Yo tragué aire precipitadamente.

—Pero ¿no has dicho que no habíais hablado?

—Es que no nos puede esconder todo, por mucho que lo intente.

Así que Jacob era consciente de mi preocupación. Dudaba sobre qué debía sentir al respecto. Bueno, al menos él sabía que yo no había saltado hacia el crepúsculo olvidándole por completo. Probablemente, me habría creído capaz de eso.

—Espero verte el día… de la boda —le comenté, forzando la palabra entre mis dientes.

—Ah, claro, mamá y yo iremos. Ha sido muy guay por tu parte pedírnoslo.

El entusiasmo de su voz me hizo sonreír. Aunque invitar a los Clearwater había sido idea de Edward, me alegraba mucho de que se le hubiera ocurrido. Sería estupendo tener allí a Seth, una conexión, aunque fuera muy tenue, con el hombre ausente que debía haber sido mi padrino. *No será lo mismo sin ti,* pensé.

—Saluda a Edward de mi parte, ¿vale?

—Seguro.

Sacudí la cabeza. La amistad que había surgido entre Seth y Edward era algo que todavía me dejaba con la boca abierta, sin embargo era la prueba de que las cosas no tenían por qué ser como eran. Los vampiros y los licántropos podrían convivir sin problemas si se lo propusieran de verdad.

Pero esta idea no le gustaba a nadie.

—Ah —dijo Seth, con la voz una octava más alta—, esto, Leah acaba de llegar.

—¡Oh! ¡Adiós!

La línea se cortó. Dejé el teléfono en el asiento y me preparé mentalmente para entrar en la casa, donde Charlie me estaría esperando.

Mi pobre padre tenía mucho con lo que bregar en esos momentos. Jacob «el fugitivo» no era nada más que una de las gotas que casi colmaban su vaso. También estaba preocupado por mí, su hija, apenas mayor de edad y dispuesta a convertirse en una señora casada en apenas unos días.

Caminé con paso lento bajo la llovizna, recordando la noche en que se lo dije…

Cuando el sonido del coche patrulla de Charlie anunció su regreso, el anillo empezó a pesar de repente unos cincuenta kilos en mi dedo. Habría deseado ocultar la mano izquierda en un bolsillo, o quizá sentarme encima de ella, pero la mano fría de Edward mantenía firmemente cogida la mía justo por delante de los dos.

—Deja ya de retorcer los dedos, Bella. Por favor, intenta recordar que no vas a confesar un asesinato.

—Qué fácil es decirlo para ti.

Atendí a los sonidos ominosos de las botas de mi padre pisando con fuerza en la entrada de la casa. La llave repiqueteó en la puerta que ya estaba abierta. El sonido me recordó aquella parte de las películas de miedo en la que la víctima se acuerda de pronto de que ha olvidado echar el cerrojo.

—Tranquilízate, Bella —susurró Edward, escuchando cómo se me aceleraba el corazón.

La puerta golpeó contra el batiente, y me encogí como si me hubieran dado una descarga eléctrica.

—Hola, Charlie —saludó Edward, completamente relajado.

—¡No! —protesté en voz baja.

—¿Qué? —replicó Edward con un hilo de voz.

—¡Espera hasta que cuelgue la pistola!

Edward se echó a reír y se pasó la mano libre entre los alborotados cabellos del color del bronce.

Mi padre dio la vuelta a la esquina, todavía con el uniforme puesto, aún armado, e intentó no poner mala cara cuando nos vio sentados juntos en el sofá. Últimamente estaba haciendo grandes esfuerzos para que Edward le gustara más. Claro, la revelación que estábamos a punto de hacerle seguro que iba a acabar con esos esfuerzos de forma inmediata.

—Hola, chicos. ¿Qué hay?

—Queríamos hablar contigo —comenzó Edward, muy sereno—. Tenemos buenas noticias.

La expresión de Charlie cambió en un segundo desde la amabilidad forzada a la negra sospecha.

—¿Buenas noticias? —gruñó Charlie, mirándome a mí directamente.

—Más vale que te sientes, papá.

Él alzó una ceja y me observó con fijeza durante cinco segundos. Después se sentó haciendo ruido justo al borde del asiento abatible, con la espalda tiesa como una escoba.

—No te agobies, papá —le dije después de un momento de tenso silencio—. Todo va bien.

Edward hizo una mueca, y supe que tenía algunas objeciones a la palabra «bien». Él probablemente habría usado algo más parecido a «maravilloso», «perfecto» o «glorioso».

—Seguro que sí, Bella, seguro que sí. Pero si todo es tan estupendo, entonces, ¿por qué estás sudando la gota gorda?

—No estoy sudando —le mentí.

Me eché hacia atrás ante aquel fiero ceño fruncido, pegándome a Edward, y de forma instintiva me pasé el dorso de la mano derecha por la frente para eliminar la evidencia.

—¡Estás embarazada! —explotó Charlie—. Estás embarazada, ¿a que sí?

Aunque la afirmación iba claramente dirigida a mí, ahora miraba con verdadera hostilidad a Edward, y habría jurado que vi su mano deslizarse hacia la pistola.

—¡No! ¡Claro que no!

Me entraron ganas de darle un codazo a Edward en las costillas, pero sabía que eso tan sólo me serviría para hacerme un cardenal. ¡Ya le había dicho que la gente llegaría de manera inmediata a esa conclusión! ¿Qué otra razón podría tener una persona cuerda para casarse a los dieciocho? Su respuesta de entonces me había hecho poner los ojos en blanco. «Amor». Qué bien.

La cara de pocos amigos de Charlie se relajó un poco. Siempre había quedado bien claro en mi cara cuándo decía la verdad y cuándo no, por lo que en ese momento me creyó.

—Ah, vale.

—Acepto tus disculpas.

Se hizo una pausa larga. Después de un momento, me di cuenta de que todos esperaban que yo dijera algo. Alcé la mirada hacia Edward, paralizada por el pánico, pues no había forma de que me salieran las palabras.

Él me sonrió, después cuadró los hombros y se volvió hacia mi padre.

—Charlie, me doy cuenta de que no he hecho esto de la manera apropiada. Según la tradición, tendría que haber hablado antes contigo. No deseo que esto sea una falta de respeto, pero cuando Bella me dijo que sí, no quise disminuir el valor de su elección; así que en vez de pedirte su mano, te solicito tu bendición. Nos vamos a casar, Charlie. La amo más que a nada en el mundo, más que a mi propia vida, y, por algún extraño milagro, ella también me ama a mí del mismo modo. ¿Nos darás tu bendición?

Sonaba tan seguro, tan tranquilo. Durante sólo un instante, al escuchar la absoluta confianza que destilaba su voz, experimenté una extraña intuición. Pude ver, aunque fuera de forma muy fugaz, el modo en que él comprendía el mundo. Durante el tiempo que dura un latido, todo encajó y adquirió sentido por completo.

Y entonces capté la expresión en el rostro de Charlie, cuyos ojos estaban ahora clavados en el anillo.

Aguanté el aliento mientras su piel cambiaba de color, de su tono pálido natural al rojo, del rojo al púrpura, y del púrpura al azul. Comencé a levantarme, aunque no estaba segura de lo que planeaba hacer, quizá hacer uso de la maniobra de Heimlich para asegurarme de que no se ahogara, pero Edward me apretó la mano y murmuró «dale un minuto», en voz tan baja que sólo yo pude oírle.

El silencio se hizo mucho más largo esta vez. Entonces, de forma gradual, poco a poco, el color del rostro de Charlie volvió a la normalidad. Frunció los labios, y el ceño y reconocí esa expresión que ponía cuando se «hundía en sus pensamientos». Nos estudió a los dos durante un buen rato, y sentí que Edward se relajaba a mi lado.

—Diría que no me he sorprendido en absoluto —gruñó Charlie—. Sabía que me las tendría que ver con algo como esto antes de lo que pensaba.

Exhalé el aire que había contenido.

—¿Y tú estás segura? —me preguntó de forma exigente, mirándome con cara de pocos amigos.

—Estoy segura de Edward al cien por cien —le contesté sin dejar pasar ni un segundo.

—Entonces, ¿queréis casaros? ¿Por qué tanta prisa? —me miró, nuevamente con ojos suspicaces.

La prisa se debía al hecho de que yo me acercaba más a los diecinueve cada asqueroso día que pasaba, mientras que Edward se había quedado congelado en toda la perfección de sus diecisiete primaveras, y había permanecido así durante unos noventa años. Aunque éste no era el motivo por el que yo necesitaba anotar la palabra «matrimonio» en mi diario, porque la boda se debía al delicado y enrevesado compromiso al que Edward y yo habíamos llegado para poder alcanzar el siguiente punto, el salto de mi transformación de mortal a inmortal.

Pero había cosas que no le podía explicar a Charlie.

—Nos vamos a ir juntos a Dartmouth en otoño, Charlie —le recordó Edward—. Me gustaría hacer bien las cosas, bueno, hacerlas como es debido. Así es como me educaron —Edward se encogió de hombros.

No estaba exagerando, ya que había crecido con esa moral, ya pasada de moda, durante la Primera Guerra Mundial.

Charlie torció la boca hacia un lado, buscando un modo de abordar la discusión. Pero ¿qué era lo que podía decir? ¿«Prefiero que vivas en pecado primero»? Era un padre y en ese punto estaba atado de pies y manos.

—Sabía que esto iba a pasar —masculló para sus adentros, frunciendo el ceño. Entonces, de repente, su rostro se transformó en una expresión perfectamente inexpresiva e indiferente.

—¿Papá? —pregunté con ansiedad. Le eché una ojeada a Edward, pero no le pude leer el rostro mientras él miraba a mi progenitor.

—¡Ja! —explotó Charlie y yo pegué un salto en mi asiento—, ¡ja, ja, ja!

Observé con incredulidad cómo mi padre se doblaba de risa, con el cuerpo sacudido por las carcajadas.

Miré a Edward para que me tradujera lo que pasaba, pero él tenía los labios apretados con firmeza, como si también estuviera conteniendo la risa.

—Vale, estupendo —replicó Charlie casi ahogado—, casaos —le dio otro ataque de carcajadas—. Sí, sí, pero…

—Pero ¿qué?

—Pues que se lo tendrás que contar tú a tu madre, y yo ¡no le pienso decir ni una palabra a Renée! ¡Es toda tuya!

Y volvió a estallar en estruendosas risotadas.

Hice una pausa con la mano en el tirador de la puerta, sonriendo. Seguro que en aquel momento las palabras de Charlie me hicieron poner los pies en el suelo. La última maldición: contárselo a Renée. El matrimonio en la juventud ocupaba una posición muy alta en la lista negra de mi madre, figuraba antes incluso que el hervir cachorros vivos.

¿Quién podría haber previsto su respuesta? Yo no, y desde luego, Charlie tampoco. Quizás Alice, pero no se me había ocurrido preguntárselo.

—Bueno, Bella… —había dicho Renée después de que yo escupiera y tartamudeara las palabras imposibles: «Mamá, me caso con Edward»—. Estoy un poco molesta por lo que has tardado en contármelo. Los billetes de avión van a salirme mucho más caros. Oh —comenzó a preocuparse—. ¿Crees que le habrán quitado ya la escayola a Phil para ese momento? Va a quedar fatal en las fotos si no lleva esmoquin…

—Espera un segundo, mamá —repuse en un jadeo—. ¿Qué quieres decir con «haber tardado tanto»? Pero si nos hemos com… —era incapaz de echar fuera la palabra «comprometido»—, si hemos arreglado las cosas, ya sabes, hoy mismo.

—¿Hoy? ¿De verdad? Qué sorpresa. Yo pensaba…

—¿Qué es lo que habías pensado? ¿*Cuándo* lo pensaste?

—Bueno, ya parecía que estaba todo muy hecho y asentado cuando vinisteis a visitarme en abril, no sé si sabes a qué me refiero. No es que seas especialmente difícil de leer, corazón. No te había dicho ni una palabra porque sabía que no iba a servir para nada. Eres igualita que Charlie —ella suspiró, resignada—. Una vez que has tomado la decisión, no hay manera de razonar contigo, te apegas a ella.

Y entonces dijo la última cosa que jamás hubiera esperado escuchar de mi madre:

—No estás cometiendo un error, Bella. Da la impresión de que estás asustada tontamente, y adivino que es porque me tienes miedo a mí —soltó unas risitas—. O a lo que yo pueda pensar. Ya sé que te he dicho un montón de cosas sobre el matrimonio y la estupidez, y no es que las vaya a retirar, pero necesitas darte cuenta de que estas cosas se aplican específicamente a mí. Tú eres una persona muy diferente. Tú cometes tus propios errores y estoy segura de que tendrás tu propia ración de cosas que lamentar en la vida, pero la irresponsabilidad nunca ha sido tu problema, corazón. Tienes una gran oportunidad para hacer este trabajo mejor que la mayoría de las cuarentonas que conozco —Renée se echó a reír de nuevo—. Mi niñita de mentalidad tan madura. Afortunadamente, pareces haber encontrado un alma madura como la tuya.

—¿No te has vuelto... loca? ¿No piensas que cometo una equivocación monumental?

—Bueno, vale, habría preferido que esperaras unos años más. Quiero decir, ¿acaso te parezco tan mayor como para comportarme como una suegra? No me contestes a eso. Porque todo este asunto no tiene que ver conmigo, sino contigo. ¿Eres feliz?

—No lo sé. Me siento ahora mismo como si esto fuera una especie de experiencia extracorporal.

Renée volvió a soltar unas risitas.

—¿Él te hace feliz, Bella?

—Sí, pero...

—¿Acaso piensas que podrías querer a algún otro?

—No, pero…

—Pero ¿qué?

—¿Es que no me vas a decir que sueno exactamente como cualquier otro adolescente caprichoso tal como ha sucedido desde el comienzo de los tiempos?

—Tú nunca has sido una adolescente, cielo. Sabes lo que te conviene.

Durante las últimas semanas, Renée se había sumergido de forma totalmente inesperada en los planes de boda. Se pasaba todos los días unas cuantas horas al teléfono con la madre de Edward, Esme, así que no hubo preocupación alguna respecto a cómo se llevarían las consuegras. Renée *adoraba* a Esme, pero claro, dudaba que alguien pudiera evitar sentirse de otro modo con respecto a mi encantadora futura suegra.

Eso consiguió librarme del asunto. La familia de Edward y la mía se habían hecho cargo de los preparativos nupciales sin que yo tuviera que hacer, saber o pensar en ninguna cosa.

Charlie, claro, se había enfadado, pero lo mejor del tema era que no estaba furioso conmigo. La traidora había sido Renée, ya que había contado con ella como el peor oponente a mis planes. ¿Qué era lo que iba a hacer ahora, cuando la última amenaza, contárselo a mi madre, se había vuelto totalmente en su contra? No tenía nada a que agarrarse y lo sabía. Así que se pasaba todo el día de un lado para otro por la casa, mascullando cosas como que no se podía confiar en nadie de este mundo…

—¿Papá? —llamé mientras abría la puerta principal—. Estoy en casa.

—Espera un momento, Bells, espera ahí un momento.

—¿Eh? —pregunté deteniéndome de forma inmediata.

—Dame un segundo. Au, me has pinchado, Alice.

¿Alice?

—Lo siento, Charlie —respondió la voz vibrante de Alice—. ¿Qué te parece?

—Lo estoy manchando todo de sangre.

—Estás bien. No ha traspasado la piel, confía en mí.

—¿Qué está pasando? —exigí saber, vacilando en la entrada.

—Treinta segundos, por favor, Bella —me pidió Alice—. Tu paciencia te será recompensada.

—¡Ja! —añadió Charlie.

Golpeteé el suelo con un pie, contabilizando cada latido y antes de que llegara a treinta, Alice gritó:

—¡Venga, Bella, entra!

Avanzando con precaución, di la vuelta a la esquina que daba al salón de estar.

—Oh —me enfurruñé—, ¡oh, papá! Pareces…

—¿Estúpido? —me interrumpió Charlie.

—Estaba pensando más bien en «muy elegante».

Él se ruborizó y Alice le cogió del codo y lo empujó con ligereza para que diera una vuelta lenta y luciera un poco el esmoquin de color gris claro.

—Vamos a dejar esto ya, Alice. Parezco un idiota.

—Nadie que yo haya vestido ha parecido jamás un idiota.

—Tiene razón, papá, ¡tienes un aspecto fabuloso! ¿Y para qué es todo esto?

Alice puso los ojos en blanco.

—Es la última prueba para ver cómo queda. Para los dos.

Aparté por primera vez la mirada de un Charlie tan poco acostumbrado a ir elegante y vi el pavoroso traje blanco extendido cuidadosamente sobre el sofá.

—Aaahh.

—Vete a ese sitio feliz tuyo, Bella. No tardaré mucho.

Inhalé una gran bocanada de aire y cerré los ojos. Los mantuve así y subí tropezando las escaleras hasta mi habitación. Me despojé de la ropa hasta quedarme sólo con las prendas interiores y extendí los brazos.

—Parece como si te fuera a clavar palos de bambú debajo de las uñas —masculló Alice en voz baja mientras me seguía.

No le presté atención, porque me había escabullido a mi lugar feliz...

... un sitio en donde todo el rollo de la boda había pasado ya, lo había dejado a mis espaldas. Estaba reprimido entre mis recuerdos y olvidado.

En él, Edward y yo nos encontrábamos solos. El escenario era borroso y las imágenes fluían de modo constante, se transformaban desde un bosque neblinoso a una ciudad cubierta de nubes o a la noche ártica, porque Edward mantenía en secreto el lugar de nuestra luna de miel para darme una sorpresa, aunque la verdad es que no me interesaba especialmente dónde fuera.

Edward y yo estábamos juntos por fin, y yo había cumplido por completo mi parte del compromiso. Me había casado con él, que era lo más importante, pero también había aceptado todos sus extravagantes regalos y me había matriculado, aunque no sirviera de nada, para asistir a la facultad de Dartmouth en el otoño. Ahora era su turno.

Antes de que me transformara en un vampiro, su principal compromiso, tenía otra estipulación que hacer realidad.

Edward tenía una especie de interés obsesivo por las cosas humanas que tendría que abandonar, las experiencias que no quería que me perdiera. La mayoría de ellas, como el baile de promoción, por ejemplo, me parecían estupideces. Sólo había una experiencia humana a la que no quería renunciar. Y era la única que él hubiera deseado que olvidara por completo.

Y aquí estaba la cosa, claro. Sabía muy poco sobre cómo iba a ser cuando ya no fuera humana. Había visto de primera mano cómo era un vampiro recién convertido y había oído toda clase de historias a mi futura familia sobre esos primeros días salvajes. Durante varios años, el principal rasgo de mi personalidad iba a ser la «sed». Me llevaría cierto tiempo poder volver a ser yo misma. E incluso cuando recuperara el control, no volvería a sentirme exactamente igual que antes.

Humana… y apasionadamente enamorada.

Quería tener la experiencia completa antes de que cambiara mi cálido, vulnerable cuerpo dominado por las hormonas, por algo hermoso, fuerte… y desconocido. Deseaba disfrutar de una auténtica luna de miel con Edward, y él había accedido a intentarlo a pesar del peligro que, a su juicio, esto suponía para mí.

Apenas fui consciente de Alice y del modo en que se deslizó el satén sobre mi piel. No me importaba, en ese momento, que toda la ciudad estuviera hablando de mí. No pensaba tampoco en el espectáculo que tendría que protagonizar dentro de tan poco tiempo. No me preocupaba tropezar con la cola del vestido ni echarme a reír en el momento equivocado ni ser demasiado joven ni la audiencia sorprendida ni el asiento vacío donde debería haber estado mi mejor amigo.

Yo estaba con Edward en mi lugar feliz.

La larga noche

—Ya te echo de menos.

—No tengo por qué irme. Puedo quedarme...

—Mmm...

Durante un buen rato se hizo un silencio sólo roto por el golpeteo de mi corazón, rítmico como el de un tambor, la cadencia desacompasada de nuestras respiraciones y el susurro de nuestros labios mientras se movían de forma sincronizada.

Algunas veces era muy fácil olvidar que besaba a un vampiro. No porque pareciera corriente o humano, ya que no podía olvidar ni por un segundo que tenía entre mis brazos a alguien más parecido a un ángel que a un hombre, sino porque Edward hacía que pareciera natural tener sus labios contra los míos, contra mi rostro y mi garganta. Él aseguraba haber superado hacía mucho la tentación que le suponía mi sangre, pues la idea de perderme le había curado del deseo que sentía por ella, pero yo sabía que el olor de mi sangre aún le causaba dolor y que todavía ardía en su garganta como si inhalara llamas.

Abrí los ojos y me encontré los suyos abiertos también, clavados en mi rostro. Nada parecía tener sentido cuando me miraba de esa manera, como si yo fuera el premio, en vez de la afortunada ganadora por pura chiripa.

Nuestras miradas se entrelazaron durante un momento; sus ojos dorados eran tan profundos que imaginé estar mirando en realidad el mismo centro de su alma. Me parecía una sandez de tomo y lomo que alguna vez se hubiera puesto en tela de juicio la existencia misma de su alma, incluso a pesar de que él fuera un vampiro, pues no conocía un ánima más hermosa que la suya, más aún que su mente aguda, su semblante inigualable o su cuerpo glorioso.

Me devolvió la mirada como si él también estuviera viendo mi alma y como si le gustara lo que veía.

Pero Edward no podía ver en el interior de mi cerebro como sí podía hacerlo en el de los demás. Nadie sabía el motivo, pero algún problema extraño en mi cerebro me hacía inmune a todas las cosas extraordinarias y terroríficas que los inmortales pudieran hacer. Ahora bien, a salvo sólo estaba mi cerebro, porque mi cuerpo todavía permanecía expuesto a las habilidades de los vampiros que actuaban de manera distinta a la de Edward. A decir verdad, yo estaba muy agradecida a cualquier disfunción que fuera capaz de mantener mis pensamientos en secreto para él. Desde luego, resultaba bastante embarazoso considerar la alternativa.

Acerqué su rostro al mío otra vez.

—Definitivamente me quedo —murmuró un momento más tarde.

—No, no. Es tu despedida de soltero. Debes ir.

Dije las palabras, pero los dedos de mi mano derecha se trabaron en su cabello broncíneo, mientras presionaba la izquierda con fuerza contra la parte más estrecha de su espalda. Me acarició la cara con esas manos heladas suyas.

—Las despedidas de soltero están diseñadas para quienes se entristecen por el fin de sus días de libertad. Y yo no podría desear más el dejarlos a mi espalda. Así que realmente no tiene mucho sentido.

—Eso es verdad —suspiré contra la piel de su garganta, fría como el invierno.

Esto se acercaba mucho a mi lugar feliz. Charlie dormía ajeno a todo en su habitación, por lo que era casi lo mismo que si estuviéramos solos. Estábamos acurrucados en mi pequeña cama, tan entrelazados como era posible, considerando la chaqueta acolchada en la que estaba envuelta como si fuera un capullo. Odiaba la necesidad de estar enroscada en una manta, pero claro, lógicamente, cualquier escena romántica se arruina cuando los dientes te empiezan a castañetear. Y por supuesto, Charlie se daría cuenta si enchufaba la calefacción en agosto…

Al menos, si quería abrigarme más, tenía la camiseta de Edward en el suelo. Nunca conseguía superar la conmoción que me producía la visión de su cuerpo tan perfecto, blanco, frío, pulido igual que el mármol. Deslicé la mano por su pecho duro como la piedra, recorriendo los lisos músculos de su estómago, maravillándome. Le atravesó un ligero estremecimiento y su boca buscó la mía de nuevo. Con cuidado, dejé que la punta de mi lengua presionara su labio liso como el cristal, y él suspiró. Su dulce aliento sopló, frío y delicioso, sobre mi rostro.

Comenzó a apartarse, ya que ésta era su respuesta automática cuando decidía que las cosas estaban yendo demasiado lejos y su reacción refleja, a pesar de que él era quien más deseaba continuar. Edward había pasado la mayor parte de su vida rechazando cualquier tipo de satisfacción física. Sabía que ahora le aterrorizaba cambiar esos hábitos.

—Espera —le dije, sujetando sus hombros y abrazándome a él con fuerza. Liberé una pierna de una patada y le envolví con ella la cintura—. Sólo se consigue la perfección con la práctica.

Él se echó a reír entre dientes.

—Bueno, pues nosotros debemos de estar bastante cerca de la perfección a estas alturas, ¿a que sí? ¿Acaso has dormido algo en el último mes?

—Pero esto es sólo un ensayo general —le recordé—, y sólo hemos practicado ciertas escenas. Aún no ha llegado el momento de jugar sobre seguro.

Pensé que se iba a echar a reír, pero no contestó, y su cuerpo se quedó inmóvil debido a la tensión repentina. El color dorado de sus ojos pareció endurecerse y pasar de estado líquido a sólido.

Reflexioné sobre mis palabras y me di cuenta de lo que él habría oído en ellas.

—Bella… —susurró él.

—No empieces otra vez con eso —le contesté—. Un trato es un trato.

—No lo sé. Es muy difícil concentrarse cuando estamos así, juntos. Yo… yo no consigo pensar con coherencia. No soy capaz de controlarme y podrías terminar herida.

—Estaré bien.

—Bella…

—¡Calla!

Apreté mis labios contra los suyos para detener su ataque de pánico. Ya había escuchado esto antes. No le iba a consentir que rompiera nuestro acuerdo. No después de haberme exigido que me casara con él primero.

Me devolvió el beso durante un momento, pero quedó claro que ya no estaba tan implicado en él como antes. Siempre preocupado, siempre. Qué diferente sería cuando no tuviera que preocuparse más por mí. ¿Qué es lo que iba a hacer con todo el tiempo que le iba a quedar libre? Tendría que buscarse un nuevo pasatiempo.

—¿Qué tal están tus pies? ¿Fríos?[1]

—Calentitos —contesté de inmediato, sabiendo que no se refería a ellos de modo literal.

—¿De verdad? ¿No te lo has pensado mejor? Todavía puedes cambiar de idea.

—¿Intentas dejarme plantada?

Se echó a reír entre dientes.

—Sólo me cerciro. No quiero que hagas algo de lo que no estés convencida.

—Estoy segura de ti, ya me las apañaré con el resto.

Él vaciló y me pregunté si no habría sido mejor que me metiera el pie en la boca.

—¿Podrás? —me preguntó en voz baja—, y no me refiero a la boda, porque estoy bastante convencido de que sobrevivirás a pesar de tus quejas, pero después de todo… ¿Qué hay de Renée y de Charlie?

Suspiré.

—Pues que les echaré de menos.

Peor aún, porque serían ellos los que me echarían de menos a mí, pero no quería darle ninguna gasolina con la que alimentar su reflexión.

—Y a Angela, Ben, Jessica y Mike.

—Sí, también echaré de menos a mis amigos —sonreí en la oscuridad—. Especialmente a Mike. ¡Oh, Mike! ¿Cómo voy a poder vivir sin él?

---

[1] La frase hace referencia a la expresión inglesa *to get cold feet* que significa «echarse atrás en algo cuando se siente miedo»; de ahí el juego de palabras, intraducible. [N. de los T.]

Edward gruñó.

Me eché a reír, pero después me puse seria.

—Edward, ya hemos pasado por esto. Sé que será duro, pero es lo que deseo de verdad. Te quiero a ti y que sea para siempre. Una sola vida no es bastante.

—Quedarse congelado para siempre a los dieciocho —susurró él.

—El sueño de cualquier mujer hecho realidad —bromeé.

—No cambiarás nunca... No avanzarás jamás.

—¿Qué quieres decir con eso?

Él respondió pronunciando con lentitud las palabras.

—¿Te acuerdas de cuando le dijimos a Charlie que queríamos casarnos y él creyó que estabas... embarazada?

—Y pensó en pegarte un tiro —adiviné con una risa—. Admítelo... Lo consideró seriamente durante un segundo.

Él no contestó.

—¿Qué pasa, Edward?

—Sólo es que en ese momento deseé... bueno, me habría gustado que fuera cierto.

—Oh, vaya —exclamé, con un jadeo.

—Más aún, que hubiera alguna manera de poder hacerlo realidad. Que tuviéramos esa posibilidad. Odio arrebatarte eso también.

Me llevó un minuto contestarle.

—Sé lo que estoy haciendo.

—¿Y cómo puedes saberlo, Bella? Mira a mi madre, y a mis hermanas. No es tan fácil como crees.

—Pues Esme y Rosalie lo llevan estupendamente. Si luego se convierte en un problema podemos imitar a Esme, adoptaremos.

Él suspiró, y entonces su voz se volvió fiera.

—¡Esto no está bien! No quiero que hagas sacrificios por mí. Deseo darte cosas, no quitártelas. No quiero robarte tu futuro. Si yo fuera humano...

Le puse la mano sobre los labios.

—Tú eres mi futuro. Así que déjalo ya. No te pongas en plan deprimente o llamo a tus hermanos para que vengan y te lleven con ellos. Quizá es verdad que necesitas una despedida de soltero.

—Lo siento. Sueno deprimente, ¿verdad? Deben de ser los nervios.

—¿Tienes los pies fríos?

—No en ese sentido. He estado esperando todo un siglo para casarme contigo, señorita Swan. La ceremonia de la boda es la única cosa a la que no puedo esperar... —se interrumpió en mitad de la idea—. ¡Oh, por el amor de todos los santos!

—¿Pasa algo malo?

Apretó los dientes con fuerza.

—No vas a tener que llamar a mis hermanos. Parece ser que Emmett y Jasper no están por la labor de dejarme en paz esta velada.

Le estreché muy fuerte durante un segundo y luego le dejé ir. No tenía la más mínima posibilidad de ganar a Emmett en un tira y afloja.

—Pásatelo bien.

Hubo un chirrido en la ventana. Alguien arañaba el cristal con unas uñas como el acero hasta provocar un sonido horroroso, de esos que te obligan a taparte los oídos y te ponen el vello de punta. Me estremecí.

—Si no haces que salga Edward —susurró Emmett con voz amenazadora, aún invisible en la oscuridad—, entraremos a por él.

—Vete —rompí a reír—. Vete antes de que echen la casa abajo.

Él puso los ojos en blanco, pero se levantó con sólo un movimiento fluido y se puso la camiseta en otro más. Se inclinó y me besó la frente.

—Duerme algo. Mañana te espera un buen día.

—¡Gracias! Seguro que eso me ayudará a relajarme.

—Te veré en el altar.

—Yo soy la que va de blanco —sonreí por lo displicente que había sonado.

Él se echó a reír y repuso:

—Muy convincente.

Y después se agachó, con los músculos contraídos para saltar, hasta que se desvaneció fuera de mi ventana aterrizando tan rápidamente que mis ojos no pudieron seguirle.

En el exterior se oyó un golpe sordo y apagado; a continuación, escuché maldecir a Emmett.

—Será mejor que no le hagáis llegar tarde —murmuré, sabiendo que podían oírme.

Y entonces Jasper se asomó por mi ventana con su pelo del color de la miel brillando a la débil luz de la luna que se veía entre las nubes.

—No te preocupes, Bella. Le llevaremos a casa con tiempo suficiente.

De pronto, me sentí muy tranquila y todas mis quejas dejaron de tener importancia. Jasper era, a su propia manera, igual de efectivo que Alice con sus increíblemente precisas predicciones. Pero lo suyo no era el futuro. Jasper tenía un don natural para manejar los estados de ánimo. Por mucho que te resistieras, acababas sintiéndote exactamente como él deseaba.

Me senté con torpeza, todavía enredada en la manta.

—¿Jasper? ¿Qué es lo que hacen los vampiros en sus despedidas de soltero? ¿No le iréis a llevar a un club de *striptease,* verdad?

—¡No le digas nada! —gruñó Emmett desde abajo, pero hubo otro golpe sordo y Edward se echó a reír por lo bajo.

—Tranquilízate —me instó Jasper, y así lo hice—. Nosotros, los Cullen, tenemos nuestra propia versión. Sólo unos cuantos pumas, y un par de osos pardos. Casi una noche como otra cualquiera.

Me pregunté si yo llegaría a sonar igual de caballerosa cuando hablara de la dieta vampírica «vegetariana».

—Gracias, Jasper.

Él me guiñó un ojo y desapareció de la vista.

Afuera no se oía absolutamente nada, sólo zumbaban los ronquidos sofocados de Charlie a través de las paredes.

Me quedé echada sobre las almohadas, sintiéndome algo soñolienta. Miré con fijeza las paredes de mi pequeña habitación, que brillaban con una palidez deslucida bajo la luz de la luna, entre mis párpados pesados.

Era la última noche que pasaría en mi cuarto. Mi última noche como Isabella Swan. Al día siguiente sería Bella Cullen. Aunque toda la ceremonia matrimonial era como una lanza en el costado, debía admitir que me gustaba cómo sonaba.

Dejé que mi mente vagabundeara de manera perezosa durante un momento, a la espera de que el sueño me arrastrara con él, pero al cabo de unos cuantos minutos me encontraba más alerta, mientras sentía cómo la ansiedad inundaba mi estómago, retorciéndolo de la forma más desagradable. La cama me parecía demasiado blanda, demasiado cálida, sin Edward. Jasper estaba lejos y se había llevado con él todas las sensaciones de relajación y de paz.

Mañana iba a ser un día muy pero que muy largo.

Era consciente de que la mayoría de mis miedos resultaban estúpidos, sólo tenía que superarlos; pero preocuparse era una parte inevitable de la vida y no siempre podías fundirte con el ambiente, así como así. Lo cierto era que sí tenía una serie de problemas concretos, del todo legítimos.

El primero era la cola del vestido de boda. Alice había dejado que su sensibilidad artística predominara claramente sobre las cuestiones prácticas. Maniobrar por las escaleras de los Cullen con tacones y una cola me parecía casi imposible. Debería haber practicado antes.

Y luego estaba la lista de invitados.

La familia de Tanya, el clan de Denali, llegaría en algún momento previo a la ceremonia.

Habría sido poco delicado poner a la familia de Tanya en la misma habitación que nuestros invitados de la reserva quileute, el padre de Jacob y los Clearwater. Los de Denali no es que fueran muy amigos de los licántropos que digamos. De hecho, la hermana de Tanya, Irina, ni siquiera iba a venir a la boda. Todavía abrigaba el deseo de emprender una *vendetta* contra los hombres lobo por haber acabado con su amigo Laurent justo cuando él se disponía a matarme a mí. Debido a esa disputa los de Denali habían abandonado a la familia de Edward en su peor momento. Y había sido la alianza con los lobos quileute, poco deseada por ambas partes, la que habían salvado todas nuestras vidas cuando la horda de vampiros neófitos nos atacó...

Edward me había prometido que no habría ningún peligro en tener a los de Denali cerca de los quileute. Tanya y toda su familia, aparte de Irina, se sentían terriblemente culpables por haberles dejado abandonados a su suerte. Una tregua con los licántropos era un precio pequeño que pagar por aquella deuda.

Y ése era el gran problema, aunque había otro más pequeño, también: mi frágil autoestima.

Nunca había visto antes a Tanya, pero estaba convencida de que el encuentro no sería una experiencia nada agradable para mi ego. Hacía mucho tiempo, antes de que yo naciera probablemente, ella había jugado sus bazas con Edward; y no es que yo la culpara a ella o a nadie por quererle. Aun así, seguro que sería hermosa como poco y magnífica en el peor de los casos. Aunque Edward me prefería claramente —cosa que me costaba creer—, yo no podría evitar las comparaciones.

Le había refunfuñado un poco a Edward, que conocía mis debilidades, y ello me hizo sentir culpable.

—Somos lo más parecido que tienen a una familia —me recordó él—. Todavía se sienten huérfanos, ya sabes, después de todo este tiempo.

Así que cedí, ocultando mi descontento.

El aquelarre de Tanya era ahora casi tan grande como el de los Cullen. Contaba con cinco miembros: Tanya, Kate e Irina a los que se habían unido Carmen y Eleazar, de un modo muy parecido al que se habían unido Alice y Jasper a los Cullen. Todos ellos deseaban vivir de un modo más humano al que solían estar acostumbrados los vampiros.

Pero a pesar de toda la compañía, Tanya y sus hermanas se sentían solas en cierto sentido. Todavía estaban de luto, porque hacía mucho tiempo también habían tenido una madre.

Podía imaginarme el vacío que su pérdida les habría dejado, incluso después de mil años. Intentaba imaginarme a la familia Cullen sin su creador, su centro y su guía: su padre, Carlisle. No podía, ésa era la verdad.

Carlisle me había contado la historia de Tanya durante una de las muchas noches que me había quedado hasta tarde en la casa de los Cullen, aprendiendo todo lo que podía, preparándome para el futuro que había elegido. La historia de la madre de Tanya era una entre otras muchas, un cuento con moraleja que ilustraba una de las reglas que tenía que cumplir cuando me uniera al mundo de los inmortales. Sólo una regla, en realidad, una ley que luego se plasmaba en mil facetas diferentes: «Guarda el secreto».

Mantener el secreto significaba un montón de cosas: vivir sin llamar la atención; como los Cullen, mudándose a otro lugar antes de que los humanos sospecharan que no envejecían. O manteniéndose alejados de cualquier humano, excepto a la hora de la comida, claro, del modo en que habían vivido nómadas como James y Victoria, modo en el cual aún vivían los amigos de Jasper, Peter y Charlotte. Eso significaba mantener el control de los vampiros que hubieras creado, como había hecho Jasper cuando vivía con María, o como no había sido capaz de hacer Victoria con sus neófitos.

Y sobre todo significaba no crear cualquier cosa, porque algunas creaciones terminan siendo imposibles de controlar.

—No sé cuál era el nombre de la madre de Tanya —admitió Carlisle, y sus ojos de color dorado, casi del mismo tono que el de su cabello claro, se entristecieron al recordar el dolor de Tanya—. Nunca hablan de ella si pueden evitarlo, ni piensan en ella por voluntad propia.

»La creadora de Tanya, Kate e Irina (quien también las amó, creo) vivió muchos años antes de que yo naciera, durante el tiempo de una plaga que cayó sobre nuestro mundo, la plaga de los niños inmortales.

»No logro entender ni de lejos en qué estarían pensando aquellos antiguos para convertir en vampiros a humanos que eran poco más que niños.

Me tragué la bilis que me subió por la garganta mientras imaginaba lo que estaba describiendo.

—Eran muy hermosos —me explicó Carlisle con rapidez, viendo mi reacción—, tan simpáticos y encantadores que no te lo puedes ni imaginar. Bastaba su proximidad para quererlos, era algo casi automático.

»Pero no se les podía enseñar nada. Se quedaban paralizados en el nivel de desarrollo en el que estuvieran cuando se les mordía. Algunos eran adorables bebés de habla ceceante y llenos de hoyuelos que podían destruir un pueblo entero en el curso de una de sus rabietas. Si tenían hambre, se alimentaban y no había forma de controlarlos con ningún tipo de advertencias. Los humanos los vieron, comenzaron a circular historias, y el miedo se extendió como el fuego por la maleza seca…

»La madre de Tanya creó a uno de esos niños, y como me ocurre con los demás antiguos, no puedo tener ni una idea lejana de sus razones para hacerlo —inhaló profunda y lentamente—. Y por supuesto, eso implicó a los Vulturis.

Yo siempre me encogía ante la mención de ese nombre, pero claro, la legión de vampiros italianos, algo así como la realeza vampírica según ellos mismos, era una parte central de esta historia. No podía haber leyes si no hubiera castigos, y no habría castigo sin alguien que lo impartiera. Los antiguos Aro, Cayo y Marco controlaban las fuerzas de los Vulturis. Yo sólo me había topado con ellos en una ocasión, pero en aquel fugaz encuentro me había parecido que Aro, con su poderoso don para leer la mente, era su auténtico líder.

—Los Vulturis estudiaron a los niños inmortales, tanto en su hogar de Volterra como en todo alrededor del mundo. Cayo decidió que los más jóvenes eran incapaces de proteger nuestro secreto y que por eso debían ser destruidos.

»Ya te dije que eran adorables, y bueno, los miembros de los aquelarres lucharon con intensidad para protegerlos, por lo que quedaron diezmados. La carnicería no se extendió tanto como las guerras del sur en este continente, pero en cierto modo resultó más devastadora porque afectó a aquelarres que llevaban mucho tiempo funcionando, viejas tradiciones, amigos... Se perdieron muchas cosas. Al final, la práctica quedó completamente eliminada. Los niños inmortales se convirtieron en algo que no se debía mencionar, un tabú.

»Cuando yo vivía con los Vulturis, me encontré con dos de esos niños inmortales, así que conozco de primera mano su encanto. Aro estudió a los pequeños durante muchos años después de que tuviera lugar la catástrofe que habían causado. Ya conoces esa inclinación que siente por las incógnitas, y tenía la esperanza de que pudieran dominarse; pero al final, la decisión fue unánime: no se debía permitir que existieran niños inmortales.

Ya casi se me había olvidado la historia de la madre de las hermanas de Denali cuando él volvió a mencionarlas.

—En realidad no está muy claro lo que ocurrió con la madre de Tanya —siguió contando Carlisle—. Tanya, Kate e Irina vivieron completamente ajenas a todo hasta el día en que los Vulturis vinieron a buscarlas, a ellas y a su madre, por la creación ilegal del niño, y las convirtieron en prisioneras. Lo que salvó la vida de Tanya y sus hermanas fue su ignorancia. Aro las tocó y descubrió su total desconocimiento del asunto, de modo que no fueron castigadas como su madre.

»Ninguna de ellas había visto nunca antes al niño, o ni siquiera soñado con su existencia, hasta el día en que le vieron arder en los brazos de su madre. Sólo puedo suponer que ella mantuvo el secreto para protegerlas precisamente de esa situación. Pero en cualquier caso, ¿por qué lo había creado? ¿Quién era él y qué significaba para ella cuando no le importó el peligro de cruzar aquella línea? Tanya y las otras nunca recibieron contestación a ninguna de estas preguntas, pero jamás dudaron de la culpabilidad de su madre y no creo que la hayan perdonado del todo.

»Cayo quería hacer quemar a las tres hermanas, incluso aunque Aro estaba completamente seguro de su inocencia. Las consideraba culpables por asociación. Tuvieron mucha suerte de que Aro se sintiera aquel día bastante compasivo y fueron perdonadas, aunque les quedó en sus corazones heridos un respeto muy sano por la ley…

No estoy segura de cuándo el recuerdo de aquella conversación dio paso al sueño. Durante un instante me pareció seguir escuchando a Carlisle en mi memoria, mirando su rostro, y luego, en algún momento posterior, me encontraba contemplando un campo desierto, gris, y aspirando el olor denso del incienso quemado en el aire. Y no estaba sola.

Había un grupo de figuras en el centro del campo, todas envueltas en capas del color de la ceniza. Lo normal es que me hubieran aterrorizado, porque evidentemente no podían ser otros que los Vulturis y yo seguía siendo humana, en contra de lo que ellos habían decretado en nuestro último encuentro. Pero sabía, como sólo se sabe en los sueños, que no podían verme.

Dispersas en distintos montones por el suelo se veían piras que desprendían humo. Reconocí su dulzura en el aire y no me acerqué para examinarlas. No tenía ninguna gana de ver los rostros de los vampiros que habían ejecutado, temiendo que pudiera reconocer alguno en aquellas piras ardientes.

Los soldados de los Vulturis permanecían en círculo alrededor de algo o alguien, y escuché sus voces susurrantes que se

48

alzaban muy agitadas. Me acerqué al borde de sus capas, empujada por el mismo sueño, para ver qué cosa o persona estaban examinando con un interés tan intenso. Me deslicé sigilosamente entre dos de aquellos sudarios susurrantes y finalmente pude ver el objeto de tal debate, alzado sobre un pequeño montículo que se cernía sobre ellos.

Era hermoso y adorable, tal y como Carlisle lo había descrito. Todavía era un niño pequeño, con poco más de dos años. Unos rizos de color marrón claro enmarcaban su rostro de querubín de mejillas redondeadas y labios llenos. Estaba temblando con los ojos cerrados, como si estuviera demasiado asustado para ver cómo se le acercaba la muerte a cada segundo que pasaba.

Me abrumó una necesidad tan poderosa de salvar a aquel niño encantador y aterrorizado que dejaron de importarme los Vulturis, a pesar de la devastadora amenaza que suponían. Pasé de largo a su lado, sin preguntarme si ellos se daban cuenta de mi presencia. Salté hacia el niño.

Pero me quedé clavada en el sitio cuando tuve una visión más clara del montículo sobre el que se sentaba. No era de roca y tierra, sino que estaba formado por una pila de cuerpos humanos, vacíos de sangre y sin vida. Era demasiado tarde para no ver sus rostros. Los conocía a todos ellos: Angela, Ben, Jessica, Mike… Y justo al lado de aquel chico tan adorable estaban los cuerpos de mi madre y mi padre.

El niño abrió sus brillantes ojos del color de la sangre.

El gran día

Los párpados se me abrieron solos de sopetón.

Me quedé temblorosa y jadeante en mi cálida cama durante unos minutos, intentando liberarme del sueño. El cielo fuera de mi ventana se volvió gris y después pasó al rosa pálido mientras esperaba a que se calmara mi corazón.

Me sentí un poco enfadada conmigo misma cuando regresé por completo a la realidad de mi desordenada habitación. ¡Vaya sueño para tener la noche antes de mi boda! Eso era lo que había conseguido obsesionándome con historias perturbadoras en mitad de la noche.

Deseosa de sacudirme de encima la pesadilla, me vestí y me dirigí hacia la cocina mucho antes de lo necesario. Primero limpié las habitaciones que ya había ordenado y luego, cuando Charlie se levantó, le hice crepes. Estaba demasiado nerviosa para comer, así que me senté en el borde del asiento mientras él desayunaba.

—Debes recoger al señor Weber a las tres en punto —le recordé.

—Pues no es que tenga muchas más cosas que hacer además de traer al sacerdote, Bells. No es probable que se me olvide esa única tarea —Charlie se había tomado todo el día libre por la boda, y se sentía ocioso. De vez en cuando sus ojos fluctuaban furtivamente hacia el armario que había debajo de las escaleras, donde guardaba el equipo de pesca.

—Ése no es tu único trabajo. También debes estar vestido de manera correcta y presentable.

Él miró con cara de pocos amigos su cuenco de cereales y masculló las palabras «traje de etiqueta».

Se oyeron unos golpes impacientes en la puerta principal.

—Y tú crees que lo llevas mal —repuse yo, haciendo una mueca mientras me levantaba—. Alice no me va a dejar ni respirar en todo el día.

Charlie asintió pensativo, concediéndome que no le había tocado la peor parte en toda esta traumática experiencia. Me incliné para besarle en la parte superior de la cabeza mientras pasaba por su lado, él se ruborizó y refunfuñó, y luego continué hasta llegar a la puerta donde estaba mi mejor amiga y futura cuñada.

El pelo corto de Alice no tenía su habitual aspecto erizado: mostraba una apariencia suave debido a los pulcros tirabuzones alrededor de su rostro de duende, que sin embargo, por contraste, mostraba una expresión de mujer muy atareada. Me arrastró fuera de la casa con apenas un «Qué hay, Charlie» exclamado por encima del hombro.

Alice me evaluó mientras se metía en su Porsche.

—¡Oh, demonios! ¡Mírate los ojos! —chasqueó la lengua en reproche—. ¿Qué es lo que has hecho? ¿Has estado levantada toda la noche?

—Casi toda.

Me miró con cara de pocos amigos.

—No es que tenga mucho tiempo para dejarte asombrosa, Bella, la verdad es que podrías haber cuidado un poco mejor la materia prima.

—Nadie espera que esté asombrosa. Creo que el peor problema de todos será más bien que me quede dormida durante la ceremonia, no sea capaz de decir «sí, quiero» en el momento oportuno, y entonces Edward aproveche para huir de mí.

Ella se echó a reír.

—Te tiraré mi ramo de flores cuando se acerque el momento.

—Gracias.

—Al menos, mañana tendrás un montón de tiempo para dormir en el avión.

Alcé una ceja. «Mañana», musité para mí. Si nos íbamos esa noche después de la recepción, y todavía estaríamos en un avión al día siguiente… bueno, entonces no viajaríamos a Boise, Idaho. A Edward no se le había escapado ni una sola pista. Yo no me sentía demasiado emocionada por el misterio, pero resultaba extraño no saber dónde dormiría la noche siguiente. O era de esperar que no estuviera durmiendo…

Alice se dio cuenta de que me había dado en qué pensar y frunció el ceño.

—Bueno, ya estás lista y tu maleta preparada —me dijo, con intención de distraerme.

Y funcionó.

—¡Alice, me hubiera gustado que me dejaras empaquetar mis propias cosas!

—Eso te hubiera proporcionado demasiada información.

—Y tú hubieras perdido una oportunidad para ir de compras.

—Serás mi hermana oficialmente dentro de diez cortas horas… Va siendo hora de que abandones tu aversión a la ropa nueva.

Fulminé con la mirada el parabrisas, aunque un tanto grogui, hasta que llegamos cerca de la casa.

—¿Ha regresado ya? —le pregunté.

—No te preocupes, estará aquí antes de que empiece la música, pero tú no debes verle, no importa cuándo regrese. Vamos a hacer todo esto a la manera tradicional.

Yo resoplé.

—¡Tradicional!

—Vale, tradicional si dejamos a un lado a los novios.

—Ya sabes que él seguramente habrá echado una ojeada a hurtadillas.

—¡Oh, no! Yo he sido la única que te ha visto con el vestido. He tenido mucho cuidado de no pensar en él cuando Edward andaba cerca.

—Bueno —comenté mientras ella giraba hacia el sendero de la entrada—. Ya veo que has reutilizado la decoración de tu graduación —los cuatro kilómetros y medio que llevaban hasta la casa habían sido decorados con miles de luces titilantes, a las que había añadido esta vez lazos blancos de satén.

—Lo que desperdicias es porque no lo sabes apreciar. Disfruta de esto, porque no te voy a dejar ver nada de la decoración del interior hasta que llegue la hora.

Entró en el cavernoso garaje situado al norte de la casa principal. El enorme Jeep de Emmett aún no estaba allí.

—¿Y desde cuándo no se le permite ver la decoración a la novia? —protesté yo.

—Desde que yo me he quedado a cargo de la boda al completo. Quiero que percibas todo el impacto cuando bajes las escaleras.

Me colocó las manos sobre los ojos antes de dejarme entrar en la cocina e inmediatamente me asaltó el aroma.

—¿Qué es eso? —le pregunté mientras me guiaba por la casa.

—¿Crees que me he pasado? —la voz de Alice sonó repentinamente preocupada—. Eres el primer humano que entra. Espero haberlo hecho bien.

—¡Pero si huele de maravilla! —le aseguré. Era casi embriagador, pero no del todo abrumador, y el equilibrio de las diferentes fragancias resultaba sutil e impecable—. Azahar... lilas... y algo más, ¿estoy en lo cierto?

—Muy bien, Bella. Sólo has olvidado las fresias y las rosas.

No me descubrió los ojos hasta que llegamos a su gigantesco baño. Me quedé mirando la enorme encimera cubierta con toda la parafernalia de un salón de belleza y comencé a sentir los efectos de mi noche sin sueño.

—¿Realmente hace falta todo esto? En cualquier caso voy a parecer insignificante a su lado, no importa lo que hagas.

Ella me empujó hasta que me senté en una silla baja de color rosa.

—Nadie osará considerarte insignificante cuando haya acabado contigo.

—Sí claro, pero eso será sólo porque les dará miedo que les chupes la sangre —mascullé. Me incliné hacia atrás en la silla y cerré los ojos, esperando poder echar un sueñecito mientras tanto.

Me adormilé un poco y me desperté a ratos mientras ella ponía mascarillas, pulía y sacaba brillo a cada una de las superficies de mi cuerpo.

No fue hasta después del almuerzo cuando Rosalie se deslizó a través de la puerta del cuarto de baño con una relumbrante bata plateada y el pelo dorado apilado en una suave corona en la parte superior de la cabeza. Estaba tan hermosa que me dieron ganas de llorar. ¿Qué sentido tenía arreglarse tanto teniendo por allí a Rosalie?

—Ya han regresado —comentó ella, e inmediatamente se me pasó mi pequeño e infantil arranque de desesperación. Edward estaba en casa.

—¡Mantenlo fuera de aquí!

—No creo que se cruce hoy contigo —le aseguró Rosalie—. Le da mucho valor a su vida. Esme les ha puesto a terminar algunas cosas en la parte de atrás. ¿Necesitas ayuda? Puedo arreglarle el pelo.

Se me descolgó la mandíbula y allí se quedó, tambaleándose, mientras yo intentaba recordar cómo se cerraba.

Nunca había sido la persona más querida del mundo para Rosalie. Además, lo que hacía la situación aún más tensa entre nosotras era que ella se sentía personalmente ofendida por la decisión que yo había tomado. A pesar de tener su belleza casi imposible, una familia que la quería, y un compañero del alma en Emmett, ella lo hubiera cambiado todo con tal de ser humana. Y allí estaba yo, arrojando por la borda todo lo que Rosalie deseaba en la vida sin ningún remordimiento, como si fuera basura. Esto no hacía que le cayera demasiado bien.

—Claro —respondió Alice con soltura—. Puedes empezar con las trenzas, quiero que estén muy bien entretejidas. El velo va aquí, justo debajo —sus manos comenzaron a deslizarse por mi cabello, sopesándolo, retorciéndolo e ilustrando con detalles lo que pretendía conseguir. Cuando terminó, las manos de Rosalie la reemplazaron, dándole forma a mi cabello con el tacto ligero de una pluma. Alice volvió a concentrarse en mi rostro.

Una vez que Rosalie recibió los elogios de Alice por mi peinado, la envió a traer mi vestido y después a buscar a Jasper, al que habían encomendado recoger a mi madre y su marido, Phil, en su hotel. En el piso de abajo escuchaba el ruido leve que producía la puerta al abrirse y cerrarse una y otra vez. Las voces comenzaron a elevarse hasta donde estábamos nosotras.

Alice me puso en pie de modo que pudiera colocarme el vestido sobre el peinado y el maquillaje. Me temblaban tanto las rodillas que cuando abrochó la línea de botones de perlas a mi espalda, el satén bailaba haciendo pequeñas ondas hasta llegar al suelo.

—Respira hondo, Bella —me recomendó Alice— e intenta controlar tu pulso. Se te va a correr todo el maquillaje con el sudor.

Le dediqué la expresión más sarcástica que pude improvisar.

—Lo intentaré.

—Yo tengo que vestirme ahora. ¿Puedes apañártelas sola un par de minutos?

—Mmm... ¿a lo mejor sí?

Puso los ojos en blanco y salió disparada por la puerta.

Me concentré en la respiración, contando cada uno de los movimientos de mis pulmones y me quedé mirando fijamente los diseños que la luz del baño dibujaba en la tela brillante de mi falda. Me daba miedo mirarme al espejo, miedo de ver mi imagen vestida de novia porque ello podría provocarme un ataque de pánico a gran escala.

Alice regresó antes de que contara doscientas respiraciones con un vestido que flotaba alrededor de su cuerpo esbelto como una cascada plateada.

—Alice... ¡guau!

—Nada de nada. Nadie se me va a quedar mirando hoy, al menos no mientras tú estés en la habitación.

—Ja, ja.

—Y ahora dime, ¿estás bajo control o tengo que llamar a Jasper?

—¿Ya han vuelto? ¿Ha llegado mi madre?

—Acaba de entrar por la puerta y viene de camino hacia aquí.

Renée había realizado el vuelo hacía dos días y yo había pasado todos y cada uno de los minutos que había podido con ella, claro, cada minuto que pude escatimarle a Esme y la decoración. Creo que se lo estaba pasando tan bien como un chaval que se hubiera quedado encerrado en Disneylandia toda una noche. De algún modo, yo también me sentía igual de decepcionada que Charlie. Había pasado tanto miedo esperando su reacción…

—¡Oh, Bella! —chilló, demasiado efusiva incluso antes de haber entrado en la habitación—, ¡oh, cariño, qué hermosa estás! ¡Creo que me voy a echar a llorar! ¡Alice, eres increíble! Tanto Esme como tú deberíais montar un negocio para organizar bodas. ¿Dónde has encontrado ese vestido? ¡Es divino! Tan gracioso, tan elegante. Bella, parece como si acabaras de salir de una película de Austen —la voz de mi madre sonaba ahora algo lejana y todo en la habitación se volvió ligeramente borroso—. Qué idea tan original, diseñar todo el tema de la decoración a partir del anillo de Bella, ¡es tan romántico! ¡Y pensar que ha pertenecido a la familia de Edward desde el siglo XVIII!

Alice y yo intercambiamos una mirada conspirativa. Mi madre había metido la pata respecto al estilo de mi vestido en más de cien años. La boda realmente no se había centrado en el anillo, sino en el mismo Edward.

Hubo un alto y brusco aclararse de una garganta en la entrada.

—Renée, Esme dice que es hora de que te instales allí abajo —comentó Charlie.

—Bueno, Charlie, ¡pero qué aspecto tan gallardo! —replicó Renée en un tono que sonaba algo sorprendido. Eso quizás explicó el malhumor de la respuesta de Charlie.

—Es cosa de Alice.

—Pero ¿ya es la hora? —dijo Renée como para sí misma, sonando casi tan nerviosa como yo—. Ha ido todo tan rápido. Me siento un poco mareada.

Ya éramos dos.

—Dame un abrazo antes de que baje —insistió Renée—, con mucho cuidado, a ver si voy a estropear algo.

Mi madre me apretó cariñosamente la cintura y después se precipitó hacia la puerta, dándose allí una vuelta para mirarme de nuevo.

—¡Oh, cielos, casi se me olvida! Charlie, ¿dónde está la caja?

Mi padre rebuscó en sus bolsillos un minuto y después sacó de allí una pequeña caja blanca que ofreció a Renée, quien abrió la tapa y me la alargó.

—Algo azul —comentó.

—Y algo viejo también. Pertenecieron a tu abuela Swan —añadió Charlie—, hemos hecho que un joyero reemplazara los esmaltes con zafiros.

Dentro de la caja había dos pesadas peinetas de plata. Sobre los dientes, iban empotrados entre los intrincados diseños florales unos oscuros zafiros azules.

Se me hizo un nudo en la garganta.

—Mamá, papá… No deberíais…

—Alice no nos ha dejado hacer nada más —replicó Renée—, cada vez que lo intentábamos estaba a punto de cortarnos el gaznate.

Se me escapó de entre los dientes una risita histérica.

Alice apareció de pronto e insertó con rapidez las peinetas en el pelo sobre el borde de mis gruesas trenzas.

—Ya tenemos algo viejo y algo azul —reflexionó Alice, dando unos pasos hacia atrás para admirarme—, y tu vestido es nuevo. De modo que aquí…

Me lanzó algo y yo alcé las manos de forma automática para cogerlo; así es como aterrizó en mis palmas una vaporosa liga blanca.

—Es mía y la quiero de vuelta —me comentó Alice.

Yo me ruboricé.

—Ah, qué bien —afirmó Alice satisfecha—. Un poco de color… justo lo que necesitabas. Ya estás oficialmente perfecta —se volvió hacia mis padres con una pequeña sonrisa orgullosa—. Renée, tienes que bajar ya.

—Sí, señora —Renée me envió un beso y se apresuró a salir.

—Charlie, ¿te importaría ir en busca de las flores, por favor?

Mientras Charlie se ausentaba, Alice me quitó la liga de las manos y entonces se inclinó bajo mi falda. Yo jadeé y me estremecí cuando su mano fría me cogió el tobillo para poner la liga en su sitio.

Ya estaba de nuevo en pie antes de que Charlie regresara con dos espumosos ramos de flores blancas. El aroma de las rosas, el azahar y las fresias me envolvió en una suave neblina.

Rosalie, la mejor música de la familia después de Edward, comenzó a tocar el piano en el piso de abajo. El canon de Pachelbel. Empecé a hiperventilar.

—Cálmate, Bells —dijo Charlie. Se volvió a Alice con nerviosismo—. Parece un poco mareada, ¿crees que será capaz de hacerlo?

Su voz me sonó muy lejana y apenas sentía las piernas.

—Se pondrá mejor.

Alice se colocó de pie delante de mí, irguiéndose sobre las puntas de los pies para mirarme mejor a los ojos y me cogió las muñecas con sus manos duras.

—Concéntrate, Bella. Edward te espera allí abajo.

Inhalé un gran trago de aire, deseando recuperar pronto la compostura.

La música se transformó lentamente en una nueva canción. Charlie me dio un codazo.

—Venga, Bells, es nuestro turno para batear.

—¿Bella? —inquirió Alice, aún pendiente de mi mirada.

—Sí —chillé—. Edward, vale —y dejé que me sacara de la habitación con Charlie pegado a mi codo.

La música sonaba muy fuerte y subía flotando por las escaleras junto con la fragancia de un millón de flores. Me concentré en la idea de Edward esperando abajo para conseguir poner los pies en movimiento.

La música me resultaba familiar, la marcha tradicional de Wagner rodeada de un flujo de florituras.

—Es mi turno —replicó Alice—. Cuenta hasta cinco y sígueme.

Ella comenzó una lenta danza llena de gracia mientras bajaba la escalera. Debería haberme dado cuenta de que tener a Alice como mi única dama de honor era un error. Sin duda, iba a parecer mucho más descoordinada andando detrás de ella.

Una repentina fanfarria vibró a través de la música que sobrevolaba el lugar y reconocí mi entrada.

—No dejes que me caiga, papá —susurré y Charlie me colocó la mano sobre su brazo y la sujetó allí con firmeza.

Un paso por vez, me dije a mí misma cuando comencé a descender al ritmo lento de la marcha. No levanté los ojos hasta que vi mis pies a salvo en el piso de abajo, aunque pude escuchar los murmullos y el susurro de la audiencia cuando aparecí a la vista de todos. La sangre se me subió a las mejillas con el sonido; claro que todo el mundo cuenta siempre con la ruborosa novia.

Tan pronto como mis pies pasaron las traicioneras escaleras le busqué con la mirada. Durante un segundo escaso, me distrajo la profusión de flores blancas que colgaban en guirnaldas desde cualquier cosa que hubiera en la habitación que no estuviera viva, pendiendo en largas líneas de vaporosos lazos, pero arranqué los ojos del dosel en forma de enramada y busqué a través de las filas de sillas envueltas en raso, ruborizándome más profundamente mientras caía en la cuenta de aquella multitud de rostros, todos pendientes de mí. Hasta que le encontré al final del todo, de pie, delante de un arco rebosante de más flores y más lazos.

Apenas era consciente de que estuviera Carlisle a su lado y el padre de Angela detrás de los dos. No veía a mi madre donde debía de estar sentada, en la fila delantera, ni a mi nueva familia ni a ninguno de los invitados. Todos ellos tendrían que esperar.

Ahora sólo podía distinguir el rostro de Edward, que llenó mi visión e inundó mi mente. Sus ojos brillaban como la mantequilla derretida, en todo su esplendor dorado, y su rostro perfecto parecía casi severo con la profundidad de la emoción. Y entonces, cuando su mirada se encontró con la mía, turbada, rompió en una sonrisa de júbilo que quitaba el aliento.

De repente, fue sólo la presión de la mano de Charlie en la mía la que me impidió echar a correr hacia delante atravesando todo el pasillo.

La marcha era tan lenta que luché para acompasar los pasos a su ritmo. Menos mal que el pasillo era muy corto. Hasta que por último, al fin, llegué allí. Edward extendió su mano y Charlie tomó la mía y en un símbolo tan antiguo como el mundo, la colocó sobre la de Edward. Yo rocé el frío milagro de su piel y me sentí en casa.

Hicimos los votos sencillos con las palabras tradicionales que se habían dicho millones de veces, aunque jamás por una pareja como nosotros. Sólo le habíamos pedido al señor Weber que hiciera un cambio pequeño y él amablemente sustituyó la frase «hasta que la muerte nos separe» por una más apropiada que rezaba: «tanto como duren nuestras vidas».

En ese momento, cuando el sacerdote recitó esta parte, mi mundo, que había estado boca abajo durante tanto tiempo, pareció estabilizarse en la posición correcta. Comprendí qué tonta había sido temiendo este momento, como si fuera un regalo de cumpleaños que no deseaba o una exhibición embarazosa como la del baile de promoción. Miré a los ojos brillantes, triunfantes de Edward y supe que yo también había ganado, porque nada importaba salvo que me quedaría con él.

No me di cuenta de que estaba llorando hasta que llegó el momento de las palabras que nos unirían para siempre.

—Sí, quiero —me las arreglé para pronunciar con voz ahogada, en un susurro casi ininteligible, pestañeando para aclararme los ojos de modo que pudiera verle el semblante.

Cuando llegó su turno las palabras sonaron claras y victoriosas.

—Sí, quiero —juró.

El señor Weber nos declaró marido y mujer, y entonces las manos de Edward se alzaron para acunar mi rostro cuidadosamente, como si fuera tan delicada como los pétalos blancos que se balanceaban sobre nuestras cabezas. Intenté comprender, a través de la película de lágrimas que me cegaba, el hecho surrealista de que esa persona asombrosa fuera *mía*. Sus ojos dorados también parecían llenos de lágrimas, a pesar de que eso era imposible. Inclinó su cabeza hacia la mía y yo me alcé sobre las puntas de los pies arrojando mis brazos, con el ramo y todo, alrededor de su cuello.

Me besó con ternura, con adoración y yo olvidé a la gente, el lugar, el momento y la razón… recordando sólo que él me amaba, que me quería y que yo era suya.

Él comenzó el beso y él mismo tuvo que terminarlo, porque yo me colgué de él, ignorando las risitas disimuladas y las gargantas que se aclaraban ruidosamente entre la audiencia. Al final, apartó mi cara con sus manos y se retiró, demasiado pronto, para mirarme. En la superficie su fugaz sonrisa parecía divertida, casi una sonrisita de suficiencia, pero debajo de su momentánea diversión por mi exhibición pública de afecto había una profunda alegría que era un eco de la mía.

El gentío estalló en un aplauso y él movió nuestros cuerpos para ponernos de cara a nuestros amigos y familiares, pero yo no pude apartar el rostro del suyo para mirarlos a ellos.

Los brazos de mi madre fueron los primeros que me encontraron con la cara surcada de lágrimas, cuando al fin retiré con desgana los ojos de Edward. Y entonces me pasaron de mano en mano por toda la multitud, de abrazo en abrazo, y apenas fui consciente de a quién pertenecían los brazos de cada uno de ellos, con la atención prendida de la mano de Edward que aferraba firmemente la mía. Reconocí con claridad la diferencia entre los blandos y cálidos abrazos de mis amigos humanos y los cariñosos y fríos de mi nueva familia.

Pero un abrazo abrasador destacó entre todos los demás, el de Seth Clearwater, que había afrontado una muchedumbre de vampiros para estar allí ocupando el lugar de mi amigo licántropo perdido.

El gesto

La ceremonia desembocó suavemente en la fiesta de recepción, correspondiendo con el plan intachable trazado por Alice. En esos momentos se ponía el sol sobre el río: la boda había durado exactamente el tiempo necesario para permitir que el sol se desvaneciera entre los árboles. Las luces del jardín relumbraban mientras Edward me conducía hacia las cristaleras traseras, haciendo brillar las flores blancas. Allí había otras diez mil flores más que ejercían la función de carpa fragante y aireada sobre la plataforma de baile, alzada sobre la hierba entre dos de los cedros más antiguos.

Las cosas se detuvieron, relajadas como la apacible tarde de agosto que nos rodeaba. El pequeño grupo de personas se extendió bajo la suave iluminación que ofrecían las luces titilantes y los amigos que acabábamos de abrazar nos saludaron de nuevo. Ahora era tiempo de hablar, de reír.

—Felicidades, chicos —nos dijo Seth Clearwater, inclinando la cabeza bajo el borde de una guirnalda de flores. Su madre, Sue, se mostraba algo rígida de pie a su lado, vigilando a los invitados con una cautelosa intensidad. Su rostro afilado resultaba fiero, con una expresión que acentuaba su pelo corto de estilo severo; era tan bajita como su hija Leah y me pregunté si se lo había cortado del mismo modo como una forma de mostrar solidaridad. Billy Black, al otro lado de Seth, no estaba tan tenso como Sue.

Cuando miraba al padre de Jacob, siempre me sentía como si estuviera viendo a dos personas en vez de a una. Por un lado, estaba el anciano en silla de ruedas de rostro arrugado y sonrisa blanca que todo el mundo podía ver; y por otro, el descendiente directo de una larga línea de jefes de tribu poderosos y llenos de magia, envuelto en la autoridad con la que había nacido. Aunque la magia había esquivado su generación, debido a la ausencia de un catalizador, Billy todavía formaba parte del poder y la leyenda, que fluían directamente de él hasta su hijo, el heredero de la magia a la que había dado la espalda. Por eso, ahora Sam Uley actuaba como el jefe de las leyendas y de la magia…

Billy parecía extrañamente cómodo considerando la compañía y el suceso al que estaba asistiendo, pero sus ojos negros brillaban como si hubiera recibido buenas noticias. Me sentí impresionada por su compostura. Esta boda debería haberle parecido algo muy malo, lo peor que le podía pasar a la hija de su mejor amigo, al menos a sus ojos.

Sabía que no era fácil para él contener sus sentimientos, considerando el desafío que esta unión iba a proyectar sobre el antiguo tratado entre los Cullen y los quileute, el acuerdo que prohibía a los Cullen crear un nuevo vampiro. Los lobos sabían que se avecinaba una ruptura del tratado, y el aquelarre no tenía idea alguna de cómo reaccionarían. Antes de la alianza habría supuesto un ataque inmediato, una guerra, pero ahora que se conocían mejor unos a otros, ¿podría haber alguna posibilidad de perdón?

Como si fuera una respuesta a esa idea, Seth se inclinó hacia Edward con los brazos extendidos y Edward le devolvió el abrazo con la mano que le quedaba libre.

Vi cómo Sue se estremecía delicadamente.

—Me alegro de que te hayan salido las cosas tan bien, hombre —le dijo Seth—. Me siento feliz por ti.

—Gracias, Seth. Eso significa mucho para mí —Edward se apartó de Seth y miró a Sue y Billy—. Gracias también a vosotros, por dejar que viniera Seth y por apoyar hoy a Bella.

—De nada —respondió Billy con su voz profunda y grave y me sorprendió la nota de optimismo de su voz. Tal vez había una tregua más sólida en el horizonte.

Se estaba formando algo parecido a una fila, así que Seth nos despidió con un gesto de la mano y empujó la silla de Billy hacia donde estaba la comida. Sue apoyó una mano sobre cada uno de ellos.

Angela y Ben fueron los siguientes en reclamar nuestra atención, seguidos por los padres de Angela, y después Mike y Jessica, quienes, para mi sorpresa, iban cogidos de la mano. No había oído nada de que volvieran a estar juntos. Eso me parecía estupendo. Detrás de mis amigos humanos venían mis nuevos primos políticos, el clan vampiro de los de Denali. Me di cuenta de que estaba conteniendo la respiración cuando la vampira que estaba a su frente, Tanya, supuse, por el tono fresa de sus rizos rubios, avanzó para abrazar a Edward. A su lado, había otros tres vampiros de ojos dorados que me miraban fijamente con abierta curiosidad. Una de las mujeres tenía el pelo largo, de un rubio muy pálido, liso como la seda del maíz. La otra mujer y su acompañante tenían el cabello negro, con un matiz oliváceo en sus rostros de aspecto pálido como la tiza.

Y los cuatro eran tan hermosos que hicieron que me doliera el estómago.

Tanya seguía reteniendo a Edward.

—Ah, Edward —dijo ella—, te he echado de menos.

Él se echó a reír entre dientes y maniobró para deshacerse del abrazo, colocando con ligereza la mano en su hombro y dando un paso hacia atrás, como si quisiera verla mejor.

—Cuánto tiempo ha pasado, Tanya. Tienes un aspecto magnífico.

—Tú también.

—Déjame que te presente a mi mujer —era la primera vez que Edward pronunciaba esa palabra desde que se había convertido en una verdad oficial y parecía que iba a explotar de satisfacción al decirla. Todos los de Denali se echaron a reír suavemente en respuesta—. Tanya, ésta es mi Bella.

Era tan hermosa como habían predicho mis peores pesadillas. Me echó una mirada que era más especulativa que resignada, y después alzó la mano para tomar la mía.

—Bienvenida a la familia, Bella —sonrió, algo compungida—. Nos consideramos también parte de la familia de Carlisle y siento mucho el…, ejem, reciente incidente, cuando no nos comportamos como tales. Deberíamos habernos conocido antes, ¿podrás perdonarnos?

—Claro que sí —respondí casi sin aliento—, es estupendo conoceros.

—Los Cullen ya están igualados en número. Quizá sea ahora nuestro turno, ¿eh, Kate? —se dirigió sonriendo a la rubia.

—No dejes de soñar —le respondió la interpelada, haciendo girar sus ojos dorados; y cogiéndome la mano que acababa de soltar Tanya, la apretó cariñosamente—. Bienvenida, Bella.

La mujer de cabello oscuro puso su mano sobre la de Kate.

—Yo soy Carmen y éste es Eleazar. Estamos encantados de verdad de haberte conocido por fin.

—Y-yo t-también —tartamudeé.

Tanya echó una ojeada hacia la gente que estaba esperando detrás de ella, el ayudante de Charlie, Mark, y su esposa, cuyos ojos miraban redondos y enormes al clan de Denali.

—Tendremos oportunidad de conocernos mejor más adelante. ¡Dispondremos de millones de años para ello! —Tanya se echo a reír cuando su familia y ella avanzaron.

Se mantuvieron todas las tradiciones al uso. Me vi acribillada por el *flash* de muchas cámaras fotográficas mientras sostenía en alto el cuchillo sobre un pastel espectacular, demasiado grande, pensé, para el grupo relativamente íntimo de amigos y familiares presentes. Nos turnamos para darnos pastel el uno al otro. Edward se tragó valientemente su trozo mientras yo lo miraba con incredulidad. Luego, arrojé el ramo nupcial con una habilidad desconocida, justo a las manos sorprendidas de Angela. Emmett y Jasper aullaron a carcajada limpia ante mi rubor mientras Edward me quitaba la liga prestada (con los dientes, de forma muy cuidadosa) que yo había deslizado previamente casi hasta mi tobillo. Se la tiró a Mike Newton a la cara volviéndose para enviarme un rápido guiño.

Y cuando comenzó la música, Edward me tomó en sus brazos para el acostumbrado primer baile. Yo le seguí con ganas, a pesar del miedo que le tenía a bailar, especialmente ante público, sólo por el placer de estar entre sus brazos. Él hizo todo el trabajo y giramos sin esfuerzo aparente bajo el brillo de un dosel de luces y el de los relumbrantes *flashes* de las cámaras.

—¿Está usted disfrutando de la fiesta, señora Cullen? —me susurró al oído.

Me eché a reír.

—Creo que me va a costar un poco acostumbrarme a oírme llamar así.

—Tendremos tiempo suficiente —me recordó, con la voz llena de alegría y se inclinó para besarme mientras bailábamos. Las cámaras disparaban fotos de un modo casi febril.

La música cambió y Charlie le dio unos golpecitos al hombro de Edward.

Resultaba más difícil bailar con Charlie. No era mucho mejor para esto que yo, así que nos mecimos prudentemente de un lado al otro en una cerrada formación en cuadro. Edward y Esme giraron a nuestro alrededor como si fueran Fred Astaire y Ginger Rogers.

—Te voy a echar de menos en casa, Bella. Ya me siento solo.

Le respondí con la garganta hinchada, intentando hacer una broma.

—Me siento fatal dejándote guisar solo. Es casi una negligencia criminal, deberías arrestarme.

Él me dedicó una amplia sonrisa.

—Supongo que podré sobrevivir a la comida, pero llámame siempre que puedas.

—Te lo prometo.

Me pareció que había bailado con todo el mundo ya. Resultaba estupendo ver reunidos a todos mis viejos amigos, pero lo que yo quería de verdad era estar con Edward más que ninguna otra cosa en el mundo. Me sentí feliz cuando volvió a por mí, justo medio minuto después de que empezara una nueva canción.

—Todavía no te cae bien Mike, ¿eh? —comenté mientras Edward me alejaba de él dando vueltas.

—No cuando tengo que escuchar sus pensamientos. Tiene suerte de que no le haya echado de una patada. O algo peor.

—Ah, sí, claro.

—¿No has tenido oportunidad de echarte una ojeada?

—Mmm, no, creo que no. ¿Por qué?

—Entonces, supongo que no te habrás dado cuenta de cuán profunda y sobrecogedoramente hermosa estás esta noche. No me sorprende que Mike haya sido incapaz de evitar pensamientos impropios sobre una mujer casada. Me disgusta mucho que Alice no se haya asegurado de hacer que te miraras al espejo.

—Tú eres muy poco imparcial, ya lo sabes.

Él suspiró, hizo una pausa y se volvió para mostrarme la pared de cristal, que reflejaba la fiesta como un gran espejo. Edward señaló a la pareja que había en el espejo y se encontraba justo enfrente de nosotros.

—¿Que no soy imparcial...?

Capté justo un atisbo del reflejo de Edward, un perfecto duplicado de su rostro perfecto, con una belleza de pelo color oscuro a su lado. Su piel era del color de la crema y las rosas y tenía los ojos muy grandes debido a la excitación y enmarcados por espesas pestañas. La estrecha funda del deslumbrante vestido blanco destelló con sutileza en la cola, casi como si fuera una azucena invertida; estaba cortado de forma tan habilidosa que su cuerpo parecía elegante y gracioso, al menos, mientras se quedaba inmóvil.

Antes de que pudiera pestañear y hacer que la belleza se volviera hacia mí, Edward se puso tenso de repente y giró automáticamente en otra dirección, como si alguien le hubiera llamado por su nombre.

—¡Oh! —exclamó él. Frunció el ceño durante un instante y después se suavizó casi igual de rápido.

De inmediato mostró una brillante sonrisa.

—¿Qué pasa? —pregunté.

—Un regalo de boda sorpresa.

—¿Eh?

Él no contestó, sino que comenzó a bailar de nuevo, girando en dirección opuesta a donde nos habíamos encaminado antes, lejos de las luces y después hacia la profunda franja de la noche que rodeaba la luminosa plataforma de baile.

No se paró hasta que alcanzamos el lado oscuro de uno de los gigantescos cedros. Entonces, Edward miró hacia delante, hacia la parte de las sombras más oscura.

—Gracias —le contestó Edward a la oscuridad—. Esto es muy… amable por tu parte.

—Soy la amabilidad personificada —una hosca voz familiar respondió desde la oscuridad—. ¿Me permites?

Mi mano voló hasta mi garganta, y si Edward no me hubiera estado sujetando, me habría caído.

—¡Jacob! —exclamé, casi ahogándome, cuando puede respirar—. ¡Jacob!

—Estoy aquí, Bells.

Me tambaleé hacia el sonido de su voz. Edward mantuvo su mano bien firme bajo mi codo hasta que otro juego de fuertes manos me cogió en la oscuridad. El calor de la piel de Jacob me quemó a través del fino traje de satén cuando me acercó a su cuerpo. No hizo ningún esfuerzo para bailar, simplemente me abrazó mientras enterraba mi rostro en su pecho. Se inclinó para presionar su mejilla contra la parte superior de mi cabeza.

—Rosalie no me perdonará si no le concedo su turno oficial en el baile —murmuró Edward y me di cuenta de que nos iba a abandonar haciéndome a su vez un regalo de su parte.

—Oh, Jacob —yo estaba llorando y no podía emitir las palabras con claridad—. Gracias.

—Deja de lloriquear, Bella, te vas a arruinar el vestido. Sólo soy yo.

—¿Sólo? ¡Oh, Jake! Todo es perfecto ahora.

Él resopló.

—Ah, sí, la fiesta puede empezar. El padrino finalmente lo consiguió.

—Ahora todos los que amo están aquí.

Sentí cómo sus labios rozaban mi pelo.

—Siento haber llegado tarde, cariño.

—¡Estoy tan feliz de que hayas venido!

—Ésa era la idea.

Eché una ojeada hacia los invitados, pero no podía distinguir a través de los bailarines el punto donde había visto por última vez al padre de Jacob. No sabía si aún seguía allí.

—¿Sabe Billy que estás aquí?

Tan pronto como lo pregunté, supe que sí; era la única manera de explicar su animada expresión de antes.

—Estoy seguro de que Sam se lo ha dicho. Iré a verle cuando… cuando se acabe la fiesta.

—Estará tan contento de que estés en casa…

Jacob se echó un poco hacia atrás y se envaró. Dejó la mano izquierda en la parte más estrecha de mi espalda y sujetó mi mano derecha con la otra. Acunó nuestras manos contra su pecho y pude sentir su corazón latir bajo la palma de mi mano. Adiviné que no la había puesto allí de forma accidental.

—No sé si podré tener algo más que sólo un baile —me dijo él, y comenzó a empujarme en un círculo lento que no seguía el ritmo de la música que sonaba a nuestras espaldas—. Lo haré lo mejor posible.

Nos movíamos según el ritmo de su corazón bajo mi mano.

—Estoy contento de haber venido —añadió Jacob con lentitud después de un momento—, aunque no pensé que sería así. Pero es estupendo verte… una vez más. No resulta tan triste como me imaginaba.

—No quiero que estés triste.

—Ya lo sé. Y no he venido esta noche a hacerte sentir culpable.

—No. Me hace muy feliz que hayas venido. Es el mejor regalo que podrías haberme dado.

Él se echó a reír.

—Eso es estupendo, porque no he tenido tiempo para comprar un regalo como Dios manda.

Los ojos se me estaban ajustando y ahora pude contemplar su semblante, a más altura de lo que esperaba. ¿Era posible que aún siguiera creciendo? Debía de estar ya más cerca de los dos metros que del metro ochenta. Resultaba un alivio ver sus rasgos familiares una vez más después de todo ese tiempo, sus ojos profundamente encajados en sombra bajo sus hirsutas cejas negras, sus pómulos altos, y sus labios llenos se estiraron sobre sus dientes brillantes con una sonrisa sarcástica que iba muy de acuerdo con el tono de su voz. Tenía los ojos tensos en las comisuras, cautelosos; podía ver que estaba teniendo bastante cuidado aquella noche. Estaba haciendo todo lo posible para hacerme feliz, para que no se le cayera la máscara y mostrara lo mucho que le estaba costando.

La verdad es que no sabía qué era lo que había hecho de bueno en mi vida para merecer a un amigo como Jacob.

—¿Cuándo decidiste regresar?

—¿Consciente o inconscientemente? —inhaló con profundidad antes de contestar su propia pregunta—. ¿La verdad?, no lo sé. Supongo que estuve vagabundeando en esta dirección durante un tiempo, quizás porque algo me atraía hacia aquí, pero no fue hasta esta mañana cuando realmente empecé a correr. No sabía si llegaría a tiempo —se echó a reír—. No te haces idea de lo extraño que se siente uno andando sobre dos piernas otra vez. ¡Y con ropa! Y todavía es más raro porque te sientes así. No me esperaba esto. He perdido práctica con todo este rollo humano.

Ambos nos revolvimos incómodos.

—De todos modos, habría sido una lástima perderme el verte así. Ha merecido la pena hacer el esfuerzo de venir. Tienes un aspecto increíble, Bella. Estás muy hermosa.

—Alice ha invertido en mí un montón de tiempo y la oscuridad también ayuda.

—No está tan oscuro para mí, ya lo sabes.

—Cierto —sus sentidos de hombre lobo, claro. Era fácil olvidar todas las cosas que él podía hacer, ya que parecía humano. Especialmente ahora—. Te has cortado el pelo —advertí.

—Ah, sí. Me resulta más fácil, ya sabes. Aunque esto de usar las manos es una gran ventaja.

—Tienes buen aspecto —le mentí.

Él resopló.

—Vale. Lo he hecho yo solo, con las tijeras oxidadas de la cocina —sonrió ampliamente durante un momento, y entonces su sonrisa se desvaneció. Su expresión se volvió seria—. ¿Eres feliz, Bella?

—Sí.

—De acuerdo —sentí que encogía los hombros—. Creo que eso es lo más importante.

—¿Y qué tal estás tú, Jacob? De verdad.

—Estoy muy bien, Bella, en serio. No quiero que te preocupes más por mí. Deja ya de darle la tabarra a Seth.

—Pues no es por ti por quien le doy la tabarra, que lo sepas. Me gusta Seth.

—Es un buen chico y mejor compañía que la mayoría de la gente. Te voy a decir una cosa, si pudiera deshacerme algún día de las voces que tengo en la cabeza, esto de ser lobo sería casi perfecto.

Me eché a reír por el modo en que sonó.

—Ah, vale, tendré que decirle a las mías que se callen también.

—En tu caso, eso significaría que estás loca, pero claro, eso yo ya lo sabía —bromeó.

—Gracias.

—Pues, después de todo, quizá sea mejor la locura que compartir la mente de una manada. Las voces de los dementes no te envían niñeras para vigilarte.

—¿Eh?

—Sam está ahí fuera y también algunos de los otros. Sólo por si acaso, ya sabes.

—¿En caso de qué?

—Por si no puedo controlarme, o algo así. Por si me da el pronto y reviento la fiesta —durante un momento flameó una rápida sonrisa ante lo que sin duda era para él un pensamiento de lo más atractivo—. Pero no he venido hasta aquí para estropearte la fiesta, Bella. Estoy aquí para… —su voz se desvaneció.

—Para que mi día sea perfecto.

—Eso es algo difícil de alcanzar.

—Pues menos mal que eres tan alto.

Gimió ante mi chiste malo y después suspiró.

—Simplemente estoy aquí porque soy tu amigo. Tu mejor amigo, una vez más.

—Sam debería confiar un poco más en ti.

—Bueno, puede que yo me esté mostrando demasiado susceptible, y quizá sea mejor que permanezcan cerca, para echarle un ojo a Seth. Aquí hay un montón de vampiros, y Seth no se toma estas cosas lo bastante en serio.

—El chaval sabe que aquí no corre peligro alguno, porque entiende a los Cullen mejor que Sam.

—Vale, vale —replicó Jacob, intentando hacer las paces antes de que en realidad nos hubiéramos peleado.

Era extraño que, de los dos, fuera él quien se mostrara diplomático.

—Siento lo de todas esas voces —comenté—. Me gustaría haberlo hecho mejor. En muchos sentidos.

—No es tan malo. Sólo me estoy quejando un poco.

—¿Eres… feliz?

—Ando bastante cerca, suficiente para mí. Hoy tú eres la estrella —se echó a reír entre dientes—. Y apuesto a que estás encantada, con lo que te gusta ser el centro de la atención.

—Oh, sí, nunca me harto de despertar el interés de los demás.

Rompió a reír y después clavó la mirada por encima de mi cabeza. Estudió el brillo deslumbrante de la recepción con los labios fruncidos, el gracioso girar de los bailarines, los pétalos que revoloteaban al caer de las guirnaldas. Yo miré en la misma dirección. Todo parecía muy lejano desde aquel espacio tranquilo y oscuro. Era casi como observar las ráfagas blancas que giran dentro de una bola de nieve.

—Eso tengo que concedérselo —comentó él—, esta gente sabe montar una fiesta.

—Alice es una fuerza de la naturaleza imparable.

Él suspiró.

—Se terminó la canción. ¿Puedo pedirte otra o es demasiado?

Apreté la mano alrededor de la suya.

—Pide todos los bailes que quieras.

Se echó a reír.

—Eso suena interesante, aunque casi mejor si nos limitamos a estos dos. No quiero empezar a hablar de lo que tú sabes.

Dimos otra vuelta.

—No creas que ya me he hecho a la idea de decirte adiós, al menos no de momento —murmuró él.

Intenté tragar el nudo que se me había formado en la garganta, pero no pude obligarlo a bajar.

Jacob me miró fijamente y puso mala cara. Pasó los dedos por mi mejilla, capturando las lágrimas que se deslizaban por ella.

—No tiene sentido que seas tú la que llore, Bella.

—Todo el mundo llora en las bodas —dije con tono compungido.

—Pero esto es lo que tú quieres, ¿no?

—Correcto.

—Entonces, sonríe.

Lo intenté y él se echó a reír ante la mueca que me salió.

—Voy a intentar recordarte con esta cara. Para que me sirva cuando…

—¿Cuando qué? ¿Cuando muera?

Él apretó los dientes. Estaba luchando consigo mismo, de modo que pudiera mantener su decisión de hacer que su presencia fuera un regalo y no un juicio. Podía adivinar lo que quería decir.

—No —contestó finalmente—. Pero es así como yo te veo en mi mente, con tus mejillas rojas, el latido de tu corazón, y dos manos izquierdas. Todo eso.

Le pisé el pie de forma deliberada y con toda la fuerza que pude.

Él sonrió.

—Ésta es mi chica.

Comenzó a decir algo más y después cerró la boca con brusquedad. Luchaba de nuevo con los dientes apretados contra las palabras que no quería dejar escapar.

Mi relación con Jacob solía ser tan fluida, tan natural, como respirar, pero desde que Edward había regresado a mi vida, se había convertido en una tensión continua. Porque a los ojos de Jacob, al escoger a Edward, estaba escogiendo un destino que para él era peor que la muerte, o al menos equivalente.

—¿Qué pasa, Jake? Dímelo de una vez. Puedes decirme lo que quieras.

—Yo… yo… no tengo nada que decirte.

—Oh, por favor, escúpelo ya.

—Es verdad. Es que no… Verás, es… es una pregunta. Algo que quiero que me digas.

—Pregunta.

Luchó otro minuto más y después exhaló el aire.

—No debería. En realidad no importa, sólo es curiosidad morbosa.

Le comprendí, porque le conocía muy bien.

—No va a ocurrir esta noche, Jacob —le susurré.

Jacob estaba incluso más obsesionado que Edward con mi humanidad. Atesoraba cada uno de los latidos de mi corazón, sabiendo que estaban contados.

—Oh —dijo él, intentando suavizar su alivio—, vale.

Comenzó a sonar una nueva canción, pero él no notó el cambio esta vez.

—¿Cuándo? —murmuró.

—No lo sé con seguridad. Una semana o dos, quizás.

Su voz cambió, adoptando un borde defensivo, burlón.

—¿Y a qué se debe la demora?

—Pues porque no quiero pasar mi luna de miel retorciéndome de dolor.

—¿Y cómo la vas a pasar entonces? ¿Jugando a las damas? Ja, ja.

—Muy gracioso.

—No te engañes, Bells. Siendo sincero, no le veo el punto. No vas a tener una luna de miel de verdad con tu vampiro, así que, ¿por qué no hacerlo de una vez? Llama a las cosas por su nombre. Ésta no es la primera vez que lo pospones, lo cual me parece estupendo, la verdad —afirmó, repentinamente serio—, que no te dé vergüenza.

—No estoy retrasando nada —le repliqué con brusquedad—, y ¡sí, quiero tener una luna de miel auténtica! ¡Puedo tener lo que quiera! ¡Métete en tus asuntos!

Detuvo nuestra vuelta lenta de forma abrupta. Durante un momento, me pregunté si realmente se había dado cuenta del cambio en la música, y me rompí la cabeza intentando encontrar el camino para arreglar nuestra pequeña regañina antes de que me dijera adiós. No podíamos separarnos dejando las cosas tal como estaban.

Y entonces los ojos se le salieron de las órbitas con una clase extraña de horror y confusión.

—¿Qué? —jadeó él—. ¿Qué es lo que has dicho?

—¿Sobre qué…? ¿Jake? ¿Qué es lo que va mal?

—¿A qué te estás refiriendo con tener una luna de miel auténtica? ¿Siendo humana aún? ¿Estás de guasa? ¡Es una broma de muy mal gusto, Bella!

Le miré con mala cara.

—Te he dicho que me dejes en paz, Jake. Esto no es asunto tuyo, y yo no debería... no debería haber hablado de esto contigo. Es un tema privado...

Sus manos enormes me aferraron por la parte superior de los brazos envolviéndolos por completo, hasta el punto de que sus dedos se solaparon.

—¡Ay, Jake! ¡Vete!

Me sacudió.

—¡Bella! Pero ¿es que has perdido la cabeza? ¡No puede ser que seas tan estúpida! ¡Dime que estás de guasa!

Me sacudió de nuevo y sus manos, tan apretadas como si fueran torniquetes, comenzaron a temblar, enviando una serie de vibraciones hacia mis huesos.

—¡Jake... para!

De repente la oscuridad se atestó de gente.

—¡Quítale las manos de encima! —la voz de Edward sonó tan fría como el hielo y tan afilada como una navaja.

Se oyó detrás de Jacob un grave rugido que procedía de lo más negro de la noche, seguido de otro, que se superpuso al primero.

—Jake, colega, vámonos —escuché la voz de Seth, que le hablaba con tono urgente—, te estás descontrolando.

Por un momento pareció que Jacob estaba paralizado, con los ojos dilatados de puro horror aún clavados en mí.

—Le vas a hacer daño —susurró Seth—. Suéltala.

—¡Ahora! —bramó Edward.

Las manos de Jacob cayeron a sus costados y cuando se me restauró el flujo de la sangre a través de las venas, sentí casi dolor. Antes de que pudiera apercibirme de nada más, unas manos frías reemplazaron a las calientes, y de pronto el aire que me rodeaba sopló con fuerza a mi lado.

Pestañeé y cuando me di cuenta me encontraba de pie a unos dos metros de donde había estado justo antes. Edward había adoptado una postura muy tensa delante de mí y dos enormes lobos, agazapados entre él y Jacob, habían aparecido de repente. Aunque a mí no me parecieron agresivos. Más bien sentí como si estuvieran intentando evitar la pelea.

Y Seth, el desgarbado chaval de quince años, había envuelto el tembloroso cuerpo de Jacob con sus brazos, mientras intentaba apartarlo de la escena, pero si Jacob entraba en fase tan cerca de Seth...

—Vamos, Jake, vámonos.

—Te mataré —rugió Jacob, con la voz tan ahogada por la rabia que sonaba baja como un murmullo. Sus ojos, clavados en Edward, ardían de pura furia—. ¡Te voy a matar con mis propias manos! ¡Y va a ser ahora!

Seguía temblando de forma convulsiva.

El lobo más grande, el negro, aulló de forma aguda.

—Seth, quítate de en medio —susurró Edward.

Seth abrazó de nuevo a Jacob. Jake estaba tan apabullado por la ira que Seth pudo apañárselas para tirar de él unos metros más hacia atrás.

—No lo hagas, Jake, vámonos, venga.

Sam, el lobo más grande, el negro, se unió entonces a Seth. Apoyó su gigantesca cabeza contra el pecho de Jacob y empujó también.

Los tres, Seth tirando, Jake temblando, y Sam empujando, desaparecieron rápidamente tragados por la oscuridad.

El otro lobo los siguió con la mirada mientras se marchaban. No estaba segura del color de su piel, bajo aquella luz tan tenue, pero me pareció de un tono marrón chocolate. ¿Era Quil, entonces?

—Lo siento —le susurré al lobo.

—Todo va a ir bien ya, Bella —murmuró Edward.

El lobo se quedó mirando a Edward y no era una mirada nada amigable. Edward le dedicó un seco asentimiento, al que el lobo respondió con un resoplido y se volvió para seguir a los demás, desvaneciéndose como ellos.

—Bien —dijo Edward en voz baja, y después me miró—. Regresemos.

—Pero Jake…

—Sam le tiene controlado. Se ha ido.

—Edward, lo siento tanto, he sido una estúpida…

—No has hecho nada malo…

—¡He sido una bocazas! ¿Por qué…? No debería haberle dejado que llevara la conversación hasta ese punto. ¿En qué estaba pensando?

—No te preocupes —me tocó el rostro—. Hemos de volver a la recepción antes de que alguien note nuestra ausencia.

Sacudí la cabeza, intentando concentrarme de nuevo. ¿Antes de que alguien se diera cuenta? ¿Cómo era que no se habían dado cuenta?

Entonces me apercibí de que el enfrentamiento que tan catastrófico era a mis ojos, en realidad, se había producido casi en silencio y con rapidez, oculto entre las sombras.

—Dame dos segundos —le supliqué.

Mi interior era un caos debido al pánico y la pena, pero eso no importaba, porque ahora lo único que debía controlar era el exterior. Tenía que poner todo mi empeño en mostrar una buena imagen.

—¿Cómo está mi vestido?

—Tienes un aspecto estupendo, no se te ha movido ni un pelo de su sitio.

82

Inhalé en profundidad un par de veces.

—Vale, venga, vamos.

Me rodeó con sus brazos y me condujo hacia la luz. Cuando pasamos al lado de las luces titilantes, me hizo girar suavemente sobre el entarimado. Nos mezclamos con los otros bailarines como si no hubiéramos llegado a interrumpir jamás nuestra danza.

Eché una ojeada a nuestros invitados, pero ninguno me dio la sensación de parecer asustado o sorprendido. Sólo los rostros muy pálidos mostraban algún signo de tensión, y la escondían muy bien. Jasper y Emmett estaban al borde del entarimado, juntos, y adiviné que habían permanecido cerca de nosotros durante el enfrentamiento.

—¿Cómo estás...?

—Estoy bien —le prometí—. No puedo creerme que la haya pifiado. ¿Por qué lo hago todo mal?

—*Tú* no has hecho nada mal.

Estaba tan contenta de haber visto allí a Jacob, a pesar del sacrificio que aquello había supuesto para él... Y después lo había estropeado todo, convirtiendo su regalo en un desastre. Deberían ponerme en cuarentena.

Pero mi idiotez no iba a arruinar nada más aquella noche. Apartaría todo a un lado, lo metería en un cajón y lo cerraría para ocuparme de ello más tarde. Habría tiempo de sobra para flagelarme. En ese momento no podía hacer nada al respecto.

—Se acabó —le dije—. No pensemos más en ello por esta noche.

Esperaba un rápido asentimiento de Edward, pero él se quedó en silencio.

—¿Edward?

Cerró los ojos y tocó mi frente con la suya.

—Jacob tiene razón —me susurró—. ¿En qué estaría yo pensando?

—En absoluto —intenté mantener mi rostro tranquilo de cara a la multitud de amigos que nos observaban—. Jacob tiene demasiados prejuicios para ver nada con claridad.

Él masculló algo en voz baja que sonó casi como «debería haberle dejado matarme sólo por haber pensado...».

—¡Para ya! —repuse con fiereza. Sujeté su rostro entre mis manos y esperé hasta que abrió los ojos—. Tú y yo. Eso es lo único que importa, la única cosa en la que te permito pensar. ¿Me has escuchado?

—Sí —suspiró él.

—Olvídate de que ha venido Jacob —eso yo también podía hacerlo, es más, iba a hacerlo—. Por mí. Prométeme que vas a pasar de todo esto.

Me miró a los ojos con fijeza durante un momento antes de contestar.

—Te lo prometo.

—Gracias. Edward, no tengo miedo.

—Yo sí —susurró él.

—Pues haces mal —inhalé profundamente y luego sonreí—. Por cierto, te quiero.

Sonrió sólo un poco en respuesta.

—Ése es el motivo por el que estamos aquí.

—Estás monopolizando a la novia —intervino Emmett, acercándose a Edward por detrás de su hombro—. Déjame bailar con mi hermanita. Puede que ésta sea mi última oportunidad de ruborizarla —se echó a reír muy alto, tan poco afectado como le era habitual por la seriedad de cualquier situación que se presentara.

Resultó que había un montón de gente con la que no había bailado aún, lo cual me dio la oportunidad de que realmente pudiera recomponerme y recuperara el dominio de mí misma. Cuando Edward me reclamó de nuevo, descubrí que el asunto de Jacob estaba bien encerrado en su cajón correspondiente y con la llave echada. Cuando me envolvió entre sus brazos, me sentí capaz de liberar la alegría que había sentido antes y la certeza de que todo en mi vida ocupaba en ese instante su lugar correcto. Sonreí y reposé la cabeza sobre su pecho. Me atrajo con los brazos y me estrechó contra su cuerpo.

—Creo que podré acostumbrarme a esto —le dije.

—No me digas que has superado tus habituales recelos contra el baile.

—Bailar no es tan malo, al menos no contigo, pero estaba pensando más en esto —me apreté aún más contra él—. Y en no dejarte escapar nunca más.

—Nunca —prometió él, y se inclinó para besarme.

Y éste fue un beso de los serios, intenso, lento pero a pesar de ello, camino de algo…

La verdad es que se me había olvidado dónde estaba cuando escuché la llamada de Alice.

—¡Bella! ¡Es la hora!

Sentí una ligera irritación hacia mi nueva hermana por su interrupción.

Edward la ignoró y sus labios se endurecieron contra los míos, con más urgencia que antes. Mi corazón comenzó una carrera enloquecida y las palmas de las manos se me humedecieron al deslizarse por su cuello marmóreo.

—¿Es que queréis perder el avión? —nos urgió Alice, ahora justo a mi lado—. Estoy segura de que vais a pasar una luna de miel estupenda acampados en el aeropuerto, esperando el vuelo siguiente.

Edward giró el rostro lo suficiente para murmurar.

—Lárgate, Alice —y volvió a presionar mis labios con los suyos.

—Bella, ¿quieres embarcar con este vestido? —me espetó. Yo no le presté mucha atención que digamos. En ese momento, es que no me importaba en absoluto.

Alice gruñó en voz baja.

—Le voy a decir dónde la llevas, Edward. Te juro que lo hago.

Él se quedó paralizado. Alzó su rostro apartándolo del mío y le lanzó una mirada envenenada a su hermana favorita.

—Para ser tan pequeñaja eres de lo más irritante.

—No he comprado un vestido de viaje tan perfecto para ver cómo se desperdicia —le replicó con brusquedad, cogiéndome la mano—. Ven conmigo, Bella.

Me resistí un poco a su tirón, alzándome sobre los dedos de los pies para besarle una vez más. Ella volvió a tirarme del brazo con ademán impaciente, arrastrándome lejos de él. Se oyeron unas cuantas risitas entre los invitados atentos a la escena. Me rendí entonces y la dejé conducirme hacia la casa vacía.

Ella parecía enfadada.

—Lo siento, Alice —me disculpé.

—Tú no tienes la culpa, Bella —suspiró—. No parece que seas capaz de resistirte.

Se me escapó la risa ante su expresión martirizada y ella me miró con cara de pocos amigos.

—Gracias, Alice. Ha sido la boda más bonita que haya tenido nunca nadie —le dije con el corazón en la mano—, todo ha estado perfecto. Eres la mejor hermana, la más lista y la de mayor talento de todas las hermanas del mundo.

Eso la derritió y me dedicó una enorme sonrisa.

—Me alegra que te haya gustado.

Renée y Esme me esperaban en el piso de arriba. Entre las tres me desnudaron con rapidez y me pusieron un conjunto de color azul intenso que me había comprado Alice. Sentí verdadero agradecimiento cuando alguien me quitó las horquillas del pelo y me lo soltó por la espalda, ondulado debido a las trenzas, ahorrándome el dolor de cabeza de deshacérmelo luego yo. Mi madre no dejó de derramar lágrimas todo el rato.

—Te llamaré cuando sepa adónde vamos —le prometí cuando la abracé para despedirme.

Me imaginaba que el enigma en torno al destino de nuestra luna de miel la estaría volviendo loca, ya que mi madre odiaba los secretos, a menos que estuviera al tanto de ellos.

—Te lo diré cuando ella esté lo bastante lejos para no enterarse —me ganó Alice por la mano, con una sonrisita de suficiencia ante mi expresión herida. Me parecía de lo más desleal que dejara que yo fuera la última en saberlo.

—Tienes que visitarnos a Phil y a mí lo más pronto posible. Ahora es tu turno de ir al sur, y ver el sol aunque sea sólo por una vez —comentó Renée.

—Hoy no ha llovido —le recordé, evitando su demanda.

—Un milagro.

—Ya está todo preparado —intervino Alice—. Tus maletas están en el coche, las está poniendo allí Jasper —me empujó de vuelta a las escaleras seguida por Renée, todavía abrazándome a medias.

—Te quiero, mamá —le susurré mientras descendíamos—, y estoy tan contenta de que estés con Phil... Cuidaos bien el uno al otro.

—Yo también te quiero, Bella, cariño.

—Adiós, mamá, te quiero —repetí con un nudo en la garganta.

Edward me esperaba al pie de las escaleras. Cogí su mano extendida pero me incliné hacia un lado, registrando la pequeña multitud que nos esperaba para vernos marchar.

—¿Papá? —pregunté, buscándole con los ojos.

—Por ahí anda —murmuró Edward y me condujo a través de los invitados que se abrieron formando un pasillo.

Encontramos a Charlie detrás de todo el mundo, reclinado contra la pared con aspecto incómodo, como si, en cierto modo, hubiera estado escondiéndose. Los bordes enrojecidos de sus ojos explicaban por qué.

—¡Oh, papá!

Le abracé por la cintura mientras las lágrimas corrían de nuevo por mi rostro, había que ver lo que estaba llorando esa noche. Él me palmeó ligeramente la espalda.

—Vale, ya. No querrás perder ese avión.

Resultaba difícil hablar de sentimientos con Charlie, con lo parecidos que éramos, siempre huyendo hacia trivialidades para evitar las demostraciones emocionales que tanto nos avergonzaban; pero no era el momento de comportarse con semejante timidez.

—Te querré siempre, papá —le dije—. No lo olvides.

—Yo también, Bells. Siempre te he querido y siempre te querré.

Le besé la mejilla al mismo tiempo que él besaba la mía.

—Llámame —me pidió.

—Pronto —le prometí…

… sabiendo que eso era todo lo que podía prometerle. Sólo una llamada por teléfono. A mi madre y a mi padre no les estaría permitido volver a verme nunca más. Yo sería entonces tan diferente… y desde luego mucho, mucho más peligrosa.

—Vamos, entonces —dijo con voz gruñona—. No quiero que llegues tarde.

Los invitados volvieron a hacernos otro pasillo y Edward me pegó a su costado para preparar nuestra huida.

—¿Estás preparada? —me preguntó.

—Lo estoy —repuse y supe que ahora sí era verdad.

Todo el mundo aplaudió cuando Edward me besó en las escaleras de la entrada. Luego me arrastró hacia el coche mientras comenzaba la tormenta de arroz. La mayoría no nos alcanzó, pero alguien, probablemente Emmett, arrojó los granos con una precisión asombrosa contra la espalda de Edward.

El auto estaba decorado a todo lo largo con más flores extendidas en hileras y grandes lazos de tejido ligero y vaporoso atados a una docena de zapatos nuevos de diseño que colgaban del parachoques trasero.

Edward hizo de escudo para evitarme la lluvia de arroz mientras me subía y poco después entró él. Nos alejamos a toda velocidad mientras yo me despedía por la ventanilla y le gritaba «te quiero» al porche, donde se encontraba toda mi familia despidiéndome a su vez.

La última imagen que me quedó fue la de mis padres. Phil envolvía tiernamente a Renée con ambos brazos mientras ella tenía uno de los suyos muy apretado en torno a su cintura, pero con la otra mano libre extendida aferraba la mano de Charlie. Hay tantas clases de amor, y en ese momento todas convivían de modo armonioso. Me pareció una escena llena de esperanza.

Edward me apretó la mano a su vez.

—Te quiero —me dijo.

Recliné la cabeza contra su brazo.

—Ése es el motivo por el que estamos aquí —cité lo que él había dicho antes.

Él me besó en el pelo.

Cuando nos volvimos hacia la oscura autopista y Edward presionó de verdad el acelerador, escuché un sonido sobre el ronroneo del motor, procedente del bosque que quedaba a nuestras espaldas. Si yo podía oírlo, desde luego, él también, pero no dijo nada mientras el sonido se desvanecía lentamente en la distancia, ni yo tampoco.

El agudo aullido que partía el corazón fue perdiendo volumen y después, desapareció por completo.

Isla Esme

—¿Houston? —pregunté, alzando las cejas cuando llegamos a la entrada del aeropuerto de Seattle.

—Es sólo una parada en el camino —me aseguró Edward con una sonrisa de oreja a oreja.

Sentía como si apenas acabara de dormirme cuando él me despertó. Estaba medio grogui cuando me arrastró a través de las terminales, luchando por recordar que tenía que abrir los ojos después de cada pestañeo. Me llevó unos cuantos minutos captar lo que estaba sucediendo cuando nos detuvimos en el mostrador de los vuelos internacionales para revisar los billetes de nuestro próximo avión.

—¿Río de Janeiro? —pregunté con algo de miedo.

—Otra parada —comentó él.

El viaje a Sudamérica se me hizo largo, pero muy cómodo en los amplios asientos de primera clase, acunada entre los brazos de Edward. Me volví a dormir y luego me desperté inusualmente alerta cuando giramos hacia el aeropuerto con la luz del sol poniente entrando de forma sesgada por las ventanillas.

No nos quedamos en el aeropuerto para tomar otro nuevo vuelo como yo esperaba. En vez de eso, cogimos un taxi para atravesar las atestadas calles de Río, un oscuro hervidero lleno de vida. Fui incapaz de comprender ni una palabra de las que Edward le dirigió en portugués al conductor y adiviné que nos dirigíamos hacia un hotel antes de la siguiente etapa de nuestro viaje. Cuando comprendí esto, sentí una aguda punzada justo en la boca del estómago, algo que se acercaba mucho al miedo a salir a escena. El taxi continuó atravesando las multitudes como enjambres, hasta que se fueron disipando de algún modo y pareció que nos acercábamos al borde exterior occidental de la ciudad, en dirección al océano.

Nos detuvimos en los muelles.

Edward encabezó la marcha hacia la larga línea de blancos yates amarrados sobre el agua, negra como la noche. Se detuvo ante la embarcación más pequeña de todas, y también la más esbelta, obviamente la habían construido pensando en la velocidad y no en el espacio. Aun así, tenía un aspecto lujoso y gracioso. Él saltó dentro con ligereza pese a las pesadas maletas que acarreaba. Las dejó caer sobre la cubierta y se volvió para ayudarme a pasar por encima de la borda.

Observé en silencio cómo aparejaba el navío para partir, sorprendida de lo habilidoso y acostumbrado que parecía a esta tarea, ya que nunca le había oído antes mencionar que sintiera interés alguno por la navegación; pero claro, era bueno en casi todo lo que emprendía, como siempre.

Cuando nos dirigimos hacia oriente por el océano abierto, revisé en mi mente mis conocimientos básicos de geografía. Por lo que podía recordar, no es que hubiera mucho al este de Brasil… a menos que pensaras en ir a África.

Pero Edward aceleró mientras las luces de Río se atenuaban y luego desaparecían a nuestras espaldas. En el rostro tenía grabada su familiar sonrisa llena de júbilo, la misma que le producía cualquier forma de velocidad. El barco se sumergió en las olas y me roció con las salpicaduras procedentes del mar.

Al final, no fui capaz de resistir la curiosidad reprimida con tanta eficacia hasta ese momento.

—¿Vamos mucho más lejos? —pregunté.

No era frecuente que él olvidara mi naturaleza humana, pero me pregunté si estaba planeando que viviéramos en aquel pequeño yate durante algún tiempo.

—Pues como una media hora más.

Clavó los ojos en mis manos, aferradas al asiento y sonrió.

Oh, vaya, pensé. Total, era un vampiro al fin y al cabo. Lo mismo nos estábamos dirigiendo a la Atlántida.

Veinte minutos más tarde gritó mi nombre por encima del rugido del motor.

—¡Bella, mira hacia allí!

Y señaló justo delante de nosotros.

En un primer momento, únicamente vi la negrura de la noche acicalada por la estela blanca de la luna rielando sobre las aguas; pero un examen más atento de la posición indicada me reveló una forma baja y oscura que se interponía en el reluciente trazo de la luna sobre el oleaje. Entrecerré los ojos para fijar la vista en la oscuridad y el contorno se perfiló con más claridad. La forma terminó transformándose en un triángulo chato e irregular, con uno de sus lados más alargado que el otro, antes de hundirse en las olas. Nos acercamos más y pude comprobar que el contorno era tenue, oscilante ante la brisa ligera.

Seguí escudriñando hasta que todas las piezas cobraron sentido: delante de nuestra posición se erguía, por encima del mar, una islita donde se balanceaban las hojas de las palmeras y refulgía la media luna de una playa bajo la pálida luz de la noche.

—¿Dónde estamos? —murmuré, maravillada, mientras él cambiaba la dirección, dirigiéndose hacia el extremo norte de la isla.

Edward me escuchó a pesar del ruido del motor, y mostró una amplia sonrisa que relumbró bajo la luna.

—Es la isla Esme.

El barco se deslizó hasta colocarse con exactitud en la posición adecuada: pegado a un corto muelle de planchas de madera deslustradas que adquirían un tono blanquecino a la luz de la luna. Reinó un silencio absoluto cuando se detuvo el motor, pues no había más sonido que el chapaleteo de las olas contra el casco de la nave y el susurrar de la brisa entre las palmeras. El aire era cálido, húmedo y fragante, como el vapor que permanece después de una ducha de agua caliente.

—¿Isla Esme? —repetí con un hilo de voz, y aun así sonó demasiado alta y quebró la paz de la noche.

—Es un regalo de Carlisle, y Esme se ofreció a prestárnosla.

Un regalo. ¿Quién regala una isla? Fruncí el ceño. No me había dado cuenta de que la extrema generosidad de Edward era un comportamiento aprendido.

Dejó las maletas en el muelle y luego se volvió y esbozó aquella sonrisa perfecta suya mientras se me acercaba, pero en vez de darme la mano, me tomó directamente en brazos.

—¿No se supone que debemos esperar hasta llegar al umbral de la casa? —pregunté, sin aliento, cuando él saltó con agilidad fuera del barco.

Él sonrió con ganas.

—No soy nada si no lo hago todo a fondo.

Sujetando los asideros de las dos enormes maletas del barco con una mano y acunándome en el otro brazo, me subió hacia el muelle y se encaminó hacia el sendero de pálida arena que se perdía en la umbría vegetación.

Durante una parte corta del trayecto, a través de un follaje similar al de la jungla, estaba tan negro como la tinta, y más adelante pude ver una luz cálida. Estábamos a punto de llegar cuando me di cuenta de que aquella luz era una casa, y que dos brillantes cuadrados perfectos eran en realidad dos grandes ventanas que enmarcaban la puerta delantera. El miedo escénico me abrumó de nuevo y con más fuerza aún que antes, cuando pensaba que nos dirigíamos hacia un hotel.

Mi corazón latía de forma audible contra mis costillas, y el aliento se me quedó atascado en la garganta. Sentí los ojos de Edward fijos en mi rostro, pero rehuí encontrarme con su mirada. Clavé la vista justo hacia delante, sin ver nada en realidad.

No me preguntó qué era lo que yo estaba pensando, lo cual no era muy propio de su carácter. Adiviné que esto quería decir que se encontraba tan nervioso como yo.

Dejó las maletas en el ancho porche para abrir las puertas, que no estaban cerradas.

Él miró hacia abajo y me buscó con los ojos hasta que nuestras miradas se encontraron, sólo después avanzó hasta cruzar el umbral.

Ambos permanecimos en silencio mientras me conducía a través del edificio, encendiendo las luces a su paso. Mi vaga impresión de la casa era que parecía demasiado grande para una isla tan pequeña y extrañamente familiar. Me había acostumbrado al esquema de colores preferido por los Cullen, claros y luminosos, y ello me hacía sentir como en casa. Sin embargo, no me pude concentrar en nada en particular. El pulso me latía detrás de las orejas con tal violencia que todo me parecía borroso.

Entonces Edward se detuvo y encendió la última luz.

La estancia era grande y blanca, y la pared más lejana era casi toda de cristal, el tipo de decoración estándar de mis vampiros. Fuera, la luna brillaba con fuerza sobre la arena blanca y, justo unos cuantos metros más allá de la casa, refulgían las olas. Pero apenas me di cuenta de eso. Estaba más concentrada en la inmensa cama blanca que había en el centro de la habitación, sobre la que colgaban las nubes vaporosas de una mosquitera.

Edward me dejó sobre mis pies.

—Iré… a por el equipaje.

La habitación resultaba demasiado cálida y el ambiente estaba más cargado que la noche tropical del exterior. Se me formó una gota de sudor en la nuca. Caminé lentamente hacia delante hasta que pude llegar y tocar la red espumosa. Por alguna razón sentía la necesidad de asegurarme de que todo era real.

No escuché el momento en que regresó Edward. De repente, su dedo glacial acarició la parte posterior de mi cuello, restañando la gota de transpiración.

—Aquí hace un poco de calor —me dijo, como excusándose—. Pensé… que sería lo mejor.

—Perfecto —murmuré casi sin aliento, y él se echó a reír. Era un sonido nervioso, extraño en Edward.

—Intenté pensar en todo aquello que podría hacer esto… más fácil —admitió él.

Yo tragué saliva ruidosamente, todavía dándole la espalda. ¿Había habido alguna vez una luna de miel como la nuestra?

Sabía la respuesta a esa curiosidad. No, no la había habido.

—Me estaba preguntando —intervino Edward en voz muy baja—, si… primero… ¿te apetecería darte un baño nocturno conmigo? —inhaló un gran trago de aire y su voz surgió con más naturalidad cuando volvió a hablar—. Es probable que el agua esté muy caliente. Pensé que éste era el tipo de playa que te encantaría.

—Suena estupendo —se me quebró la voz.

—Estoy seguro de que necesitarás un par de minutos para atender tus necesidades humanas… Ha sido un viaje muy largo.

Yo asentí, orgullosa, aunque lo cierto era que me sentía poco humana en ese momento; quizás unos cuantos minutos a solas me ayudarían.

Me rozó la garganta, justo debajo de la oreja, con los labios. Soltó una sola risita y su frío aliento hizo hormiguear mi piel sobrecalentada.

—No tarde usted demasiado, señora Cullen.

Di un pequeño respingo al oír la mención de mi nuevo apellido.

Sus labios se deslizaron por mi cuello hacia abajo, hasta el extremo de mi hombro.

—Te espero en el agua.

Pasó a mi lado en dirección a la ventana francesa que se abría justo sobre la arena de la playa. Por el camino, se quitó la camiseta con un encogimiento de hombros, dejándola caer al suelo y después atravesó silenciosamente el umbral hacia la noche iluminada por la luna. El sofocante aire salino se removió en la habitación detrás de sus pasos.

¿Acaso me había estallado la piel en llamas? Tuve que mirar hacia abajo para comprobarlo. Ah, no, no se estaba quemando nada. Al menos no a la vista.

Me recordé a mí misma la necesidad de respirar y después avancé a trompicones hacia la maleta gigante que Edward había abierto sobre un bajo tocador blanco. Debía de ser la mía porque sobre todo lo que allí había estaba mi bolsa de baño y se veían un montón de cosas de color rosa, pero no reconocí ni una sola prenda de ropa. Mientras rebuscaba a través de las pilas de tejidos cuidadosamente doblados en busca de una prenda cómoda y que me resultara familiar, quizás un pantalón de chándal, me llamó la atención que tenía entre las manos una cantidad espantosa de encaje muy fino y transparente y diminutos artículos de satén. Lencería. Lencería francesa muy atrevida.

Alice iba a pagar por esto, no sabía cuándo ni cómo, pero algún día.

Me rendí y me fui al baño, donde escudriñé a través de las largas ventanas que se abrían a la misma playa a la que daban las del dormitorio. No podía verle, así que supuse que ya estaría en el agua, sin tener que molestarse en emerger para buscar aire. En el cielo que nos cubría la cabeza, la luna tenía un contorno asimétrico, casi llena, y la arena brillaba con un color muy claro bajo su luz. Un movimiento ligero captó mi atención, el de sus ropas que colgaban de una protuberancia de una de las palmeras que rodeaban la playa, balanceándose perezosamente con la ligera brisa.

Otro relámpago de fuego cruzó de nuevo mi piel.

Necesité un par de inhalaciones profundas y después me acerqué a los espejos que colgaban sobre la larga encimera del baño. Tenía el aspecto de alguien que se ha pasado todo el día durmiendo en un avión. Encontré mi cepillo y lo hundí con rudeza en las marañas que tenía en la parte posterior del cuello hasta que las desenredé y las cerdas quedaron llenas de pelo. Me cepillé también los dientes de forma meticulosa, dos veces. Después me lavé la cara y me eché agua sobre la nuca, que me ardía febril. Esto me hizo sentirme tan bien que me lavé los brazos también y finalmente decidí abandonar y meterme en la ducha. Sabía que resultaba ridículo ducharse antes de nadar en la playa, pero necesitaba tranquilizarme y el agua caliente era la única forma fiable que tenía de hacerlo.

Y afeitarme de nuevo las piernas me pareció también una buenísima idea.

Cuando terminé cogí una enorme toalla blanca del armario del baño y me envolví con ella, anudándola bajo los brazos.

Entonces tuve que enfrentarme a un dilema que no había considerado hasta este momento. ¿Qué se suponía que tenía que ponerme ahora? Evidentemente, nada de bañador. Pero también me parecía estúpido ponerme la ropa otra vez. Y no quería ni pensar en qué cosas habría metido Alice en la maleta para mí.

Se me empezó a acelerar de nuevo la respiración y me temblaban las manos a pesar del efecto calmante de la ducha. Comencé a sentirme algo mareada, a punto de sufrir un ataque de nervios en toda regla. Me senté en el frío suelo de baldosas envuelta en la gran toalla y puse la cabeza entre las rodillas. Recé para que no se le ocurriera venir a buscarme antes de que recuperara el autocontrol. Me imaginaba lo que pensaría si me veía caerme a pedazos de ese modo. No le resultaría nada difícil convencerse de que estábamos cometiendo un error.

Y a mí no se me estaba yendo la olla, no es que pensara de repente que estábamos equivocándonos. Para nada. El problema estaba en que no sabía cómo hacerlo y tenía miedo de salir de aquella habitación y encararme a lo desconocido. Especialmente vestida con lencería francesa. Para *eso* seguro que no estaba preparada todavía.

Me sentía como si tuviera que caminar por el escenario de un teatro lleno de miles de personas sin tener ni idea de mi texto.

¿Cómo podía la gente hacer esto, tragarse todos sus miedos y confiar en otra persona sin reservas, con todas sus imperfecciones y sus miedos, con menos que el compromiso total que Edward me había ofrecido? Si no fuese él quien estuviera ahí fuera, si no fuese consciente hasta la última célula de mi cuerpo de que me amaba tanto como yo a él, de forma incondicional e irrevocable y, siendo sincera, incluso de modo irracional, no sería capaz de levantarme del suelo.

Pero era Edward quien estaba allí fuera, así que susurré las palabras «no seas cobarde» entre dientes y me arrastré hasta ponerme en pie. Me apreté la toalla con fuerza bajo los brazos y me dirigí llena de decisión hacia el baño. Pasé al lado de la maleta repleta de encaje y de la enorme cama sin echarles ni una ojeada siquiera y salí por la puerta de cristales abierta hacia la arena fina como el polvo.

Todo estaba bañado en negro y blanco, desprovisto de color por la luz de la luna. Caminé lentamente por la cálida arena, haciendo una pausa al lado del árbol torcido donde él había dejado sus ropas. Apoyé la mano contra la rugosa corteza y comprobé mi respiración para asegurarme de que era regular. O al menos no del todo irregular.

Exploré las bajas ondas de la arena, negras en la oscuridad, buscándole.

No fue difícil de encontrar. Estaba de pie, dándome la espalda, sumergido hasta la cintura en el agua del color de la medianoche, con la mirada clavada en la luna de forma oval. La luz pálida del satélite confería a su piel una blancura perfecta, como la de la arena, y la de la misma luna, haciendo que su cabello mojado tomara el tono oscuro del océano. Estaba inmóvil, con las palmas de las manos descansando boca abajo sobre el agua. Las débiles olitas rompían contra su cuerpo como si fuera de piedra. Me quedé mirando las suaves líneas de su espalda, sus hombros, sus brazos, su cuello, su forma intachable…

El fuego dejó de ser un rayo que me cruzaba la piel para convertirse ahora en algo sordo y profundo, consumiendo en su ardor toda mi cobardía y mi tímida inseguridad. Me quité la toalla sin dudar, dejándola en el árbol con su ropa y caminé hacia la luz blanca, que también me transformó en algo pálido como la misma arena.

No pude oír el sonido de mis pasos mientras caminaba hacia la orilla del agua, pero supuse que él sí, aunque no se volvió. Dejé que las suaves olitas rompieran contra los dedos de mis pies y encontré que tenía razón respecto a la temperatura del agua, que era cálida, como la del baño. Di varios pasos, avanzando con cautela por el suelo invisible del océano, aunque mi precaución era innecesaria, porque la arena seguía siendo igual de suave, descendiendo levemente en dirección a Edward. Vadeé por la corriente ingrávida hasta que llegué a su lado, y después coloqué mi mano con ligereza sobre la mano fría que yacía sobre el agua.

—Qué hermoso —dije, mirando también hacia la luna.

—No está mal —contestó él, como si no fuera nada del otro mundo.

Se volvió con lentitud para enfrentarse a mí y su movimiento produjo leves olas que rompieron contra mi piel. Sus ojos tenían un brillo plateado sobre su rostro del color del hielo. Retorció la mano hasta que entrelazó sus dedos con los míos bajo la superficie del agua. Estaba tan caliente que su piel fría no me puso la carne de gallina.

—Pero yo no usaría la palabra «hermoso» —continuó él—. No cuando tú estás aquí al lado para poderte comparar.

Sonreí a medias, y después alcé la mano libre, que ahora no temblaba y la coloqué sobre su corazón. Blanco sobre blanco, por una vez, encajábamos bien. Él se estremeció ligeramente a mi cálido contacto y su respiración se volvió áspera.

—Te prometí que lo *intentaría* —me susurró él, de repente tenso—, pero si… si hago algo mal, si te hago daño, debes decírmelo corriendo.

Asentí con solemnidad, manteniendo mis ojos fijos en los suyos. Di un paso más hacia delante a través de las olas e incliné la cabeza contra su pecho.

—No tengas miedo —le susurré—. Somos como una sola persona.

De pronto me abrumó la realidad de mis palabras. Ese momento era tan perfecto, tan auténtico. No dejaba lugar a dudas.

Me rodeó con los brazos, me estrechó contra él y hasta la última de mis terminaciones nerviosas cobró vida propia.

—Para siempre —concluyó él y después nos sumergimos suavemente en el agua profunda.

El sol, caliente sobre la piel desnuda de mi espalda, me despertó por la mañana. Era muy tarde, quizás más del mediodía, no estaba segura. Pero aparte de la hora, todo lo demás quedaba totalmente claro. Sabía con exactitud dónde estaba, en aquella brillante habitación con la gran cama blanca, mientras los relucientes rayos del sol entraban por las puertas abiertas. Las nubes de la mosquitera tamizaban la luminosidad.

No abrí los ojos. Me sentía demasiado feliz como para cambiar nada, no importaba lo poco que fuera. Los únicos sonidos eran los de las olas allí afuera, nuestra respiración, el latir de mi corazón…

Me encontraba tan cómoda, incluso bajo el sol ardiente. Su piel fría era el antídoto acertado contra el calor. Tumbada, atravesada sobre su pecho helado, ceñida apretadamente por sus brazos, me sentía muy a gusto, muy natural. Me pregunté con pereza cómo había podido estar tan aterrorizada pensando en esa noche. Todos aquellos miedos me parecían ahora por completo estúpidos.

Sus dedos recorrían suavemente el contorno de mi columna, y supe que se había dado cuenta de que estaba despierta. Mantuve los ojos cerrados y apreté aún más los brazos en torno a su cuello, ciñéndome para acercarme todavía más a él.

No dijo nada; sus dedos seguían deslizándose arriba y abajo por mi espalda rozándola apenas mientras trazaba delicados dibujos sobre mi piel.

Me habría sentido del todo feliz si hubiera podido quedarme allí para siempre, sin perturbar para nada el momento, aunque mi cuerpo tenía otras ideas. Me eché a reír al escuchar mi estómago impaciente. Parecía algo prosaico tener hambre después de todo lo que había sucedido la noche anterior. Era como si te vieras obligado a aterrizar en la tierra, desde una gran altura.

—¿Qué es lo que resulta tan divertido? —murmuró él, todavía acariciando mi espalda. El sonido de su voz, seria y hosca, me trajo de nuevo un diluvio de recuerdos de la noche y sentí cómo se me enrojecían el rostro y el cuello.

Mi estómago gruñó, como queriendo contestar la pregunta y yo me eché a reír de nuevo.

—Parece que una no puede escaparse durante mucho rato del hecho de ser humano.

Yo esperé, pero él no se rió conmigo. Con lentitud, emergiendo a través de las múltiples capas de dicha absoluta que nublaban mi mente, se abrió paso la conciencia de que había otra atmósfera por completo distinta fuera de mi propia esfera reluciente de felicidad.

Abrí los ojos, y la primera cosa que vi fue la pálida, casi plateada piel de su garganta, el arco de la barbilla sobre su rostro. Tenía la mandíbula tensa. Me apoyé sobre el codo para alzarme y observar su semblante.

Edward tenía los ojos clavados en el vaporoso dosel que se alzaba sobre nosotros y no me miró mientras yo estudiaba sus rasgos severos. Su expresión me produjo una conmoción, una sacudida física a través de mi cuerpo.

—Edward —le dije, con un pequeño y extraño temblor en la garganta—. ¿Qué te pasa? ¿Qué es lo que va mal?

—¿Acaso necesitas preguntarlo? —su voz sonaba dura, cínica.

Mi primer instinto, el producto de toda una vida de inseguridades, fue preguntarme qué era lo que yo había hecho mal. Pensé en lo que había ocurrido, pero no pude encontrar ninguna nota desagradable en el recuerdo. Todo había sido mucho más simple de lo que yo esperaba, puesto que ambos encajamos como dos piezas fabricadas precisamente para eso, para formar las partes de un todo. Esto me produjo una secreta satisfacción, el hecho de que fuéramos compatibles físicamente, del mismo modo que lo éramos en tantas otras cosas. El fuego y el hielo, coexistiendo ambos de algún modo sin destruirnos el uno al otro. No podía haber prueba más definitiva de que nos pertenecíamos.

No era capaz de pensar en nada que le hiciera sentirse de esa manera, tan severo y frío. ¿Qué era lo que me había perdido?

Su dedo suavizó las líneas de preocupación que se habían formado en mi frente.

—¿En qué estás pensando? —murmuró.

—Estás enfadado y no entiendo por qué. ¿Es que yo…? —no pude terminar la frase.

Sus ojos se entrecerraron.

—¿Estás muy malherida, Bella? Quiero la verdad, y no intentes quitarle importancia.

—¿Malherida? —repetí; mi voz sonó más aguda de lo habitual porque la palabra me cogió por sorpresa.

Él alzó una ceja con los labios apretados formando una tensa línea.

Hice un rápido reconocimiento, estirando mi cuerpo de forma automática, contrayendo y relajando los músculos. Sentía una cierta rigidez, y una cierta sensación de dolor también, eso era verdad, pero sobre todo tenía la extraña impresión de que tenía todos los huesos descoyuntados y de que había cambiado su consistencia, para quedarse cerca de la de una medusa. Y no era para nada un sentimiento desagradable.

Y entonces me enfadé un poco, porque él estaba ensombreciendo la más perfecta de todas las mañanas con sus supuestos pesimistas.

—¿Y cómo ha sido que has llegado a esa conclusión? Nunca, en toda mi vida, me he sentido mejor que hoy.

Él cerró los ojos.

—Déjalo ya.

—¿Que deje qué?

—Deja ya de actuar como si yo no fuera un monstruo por haber permitido que ocurriera esto.

—¡Edward! —susurré, realmente enfadada ya. Estaba arrastrando mi maravilloso recuerdo a través de la oscuridad, manchándolo—. No se te ocurra decir eso.

No se dignó abrir los ojos, era como si no quisiera verme.

—Mírate, Bella, y dime entonces si no soy un monstruo.

Herida, atónita, obedecí su orden sin pensarlo y entonces se me escapó un jadeo.

¿Qué me había ocurrido? No comprendía qué era esa vaporosa nieve blanca que tenía pegada a la piel. Sacudí la cabeza y una cascada blanca revoloteó desde mi pelo.

Cogí un trozo pequeño y suave de aquello blanco entre los dedos. Era plumón.

—¿Por qué estoy cubierta de plumas? —pregunté, confundida.

Él resopló impaciente.

—Mordí una almohada, o dos. Pero no es eso de lo que estoy hablando.

—¿Que... mordiste una almohada? ¿Por qué?

—¡Mírate, Bella! —casi rugió. Me cogió la mano, con mucho cuidado y me estiró el brazo—. Mira *esto*.

Ahora me di cuenta de a qué se refería.

Bajo las plumas espolvoreadas se empezaban a formar, por toda la extensión de color pálido de mi piel, grandes cardenales de color púrpura. Seguí con la mirada el trazo que hacían hasta mi hombro, y después vi cómo descendían a través de mis costillas. Liberé la mano para presionar sobre un punto de piel descolorida en el antebrazo izquierdo, que repentinamente desapareció donde lo había tocado para reaparecer poco después. Sentí un ligero dolor punzante.

De una forma tan ligera que casi no parecía estar tocándome, Edward colocó la mano sobre los cardenales del brazo, y los siguió uno por vez, acomodando sus largos dedos al diseño que trazaban sobre mi piel.

—Oh —exclamé.

Intenté recordarlos, recordar el dolor que debían de haberme producido, pero no fui capaz. No pude recuperar ni un momento en que sus manos me hubieran apretado en exceso o en que hubieran resultado demasiado duras. Sólo recordaba que deseaba que me abrazara más fuerte, y que me sentí muy complacida cuando así lo hizo…

—Yo… lo siento tanto, Bella —susurró él, mientras yo miraba con fijeza los cardenales—. Ya sabía que pasaría esto. No debería… —emitió un sonido bajo, de pura repulsión, con la parte más profunda de su garganta—. Lo siento tanto que apenas puedo decirte cuánto.

Cruzó el brazo sobre su rostro y se quedó inmóvil.

Me senté durante un buen rato, completamente aturdida, intentando asumir su desesperación, ahora que sabía lo que la había causado. Tenía tan poco que ver con la manera en la que me sentía que era algo difícil de procesar.

Se me pasó el aturdimiento poco a poco, sin dejar nada en su lugar, sólo un gran vacío. Tenía la mente en blanco. No podía pensar en qué era lo que debía decir. ¿Cómo podía explicárselo de forma adecuada? ¿Cómo podía hacer que compartiera mi felicidad, o al menos, la que había sentido hasta hacía muy poco?

Le toqué el brazo, pero no respondió. Envolví su muñeca con los dedos e intenté apartarle el brazo del rostro, pero conseguí lo mismo que si hubiera intentado hacérselo a una estatua.

—Edward.

Él no se movió en absoluto.

—¿Edward?

Nada. Así que entonces esto iba a ser un monólogo.

—Pues yo no lo siento, Edward. Yo… no sé ni por dónde empezar. Soy tan feliz, pero eso no es bastante. No te enfades, no, por favor. De verdad, estoy b…

—No digas la palabra «bien» —su voz era tan fría como el hielo—. Si valoras en algo mi cordura, no digas la palabra «bien».

—Pero si es así —susurré.

—Bella —gimió, casi—. No lo hagas.

—No, no lo hagas *tú*, Edward.

Movió el brazo y sus ojos dorados me contemplaron con recelo.

—No me estropees esto —le pedí—. Soy-fe-liz.

—Ya lo he estropeado —replicó él con otro susurro.

—Corta ya —repuse con brusquedad.

Oí cómo encajaba los dientes de golpe.

—¡Agh! —gruñí—. ¿Por qué no podrás leer mi mente aunque sólo fuera por esta vez? ¡Qué cosa más inoportuna ser una muda mental!

Sus ojos se abrieron un tanto, interesados a su pesar.

—Eso es nuevo. Siempre te ha encantado que no pueda leerte la mente.

—Pues hoy, no.

Se me quedó mirando con fijeza.

—¿Por qué?

Lancé las manos hacia delante de pura frustración, ignorando el dolor que sentía en el hombro y las palmas aterrizaron sobre su pecho con un chasquido sonoro.

—¡Porque toda esta angustia sería del todo innecesaria si pudieras saber cómo me siento en estos momentos! ¡O mejor dicho, cómo me sentía hace cinco minutos! Estaba perfectamente feliz, total y completamente llena de dicha. Ahora... bueno, ahora estoy algo cabreada, la verdad.

—*Deberías* estar muy enfadada conmigo.

—Bueno, pues sí lo estoy. ¿Te hace eso sentir mejor?

Él suspiró.

—No. No creo que pueda haber nada que me haga sentir mejor en estos momentos.

—Eso es —repliqué con brusquedad—, eso es justo por lo que estoy enfadada. Me has *reventado el subidón*, Edward.

Puso los ojos en blanco y sacudió la cabeza.

Yo aspiré una gran bocanada de aire. Sentía algo más de dolor en ese momento, pero no era para tanto, se parecía a lo que sientes después de una sesión de levantamiento de pesas. Lo había hecho con Renée durante uno de sus periodos obsesivos por estar en forma. Sesenta y cinco levantamientos con cinco kilos en cada mano. Al día siguiente no podía ni andar; esto no resultaba ni la mitad de doloroso de lo que había sido aquello.

Me tragué mi irritación e intenté suavizar mi tono de voz.

—Los dos sabíamos que éste era un asunto peliagudo y pensé que ambos lo habíamos asumido. Y además, la verdad es que ha sido mucho más fácil de lo que pensé. Esto no ha sido nada en realidad —paseé los dedos a lo largo de mi brazo—. Yo diría que para ser una primera vez, sin saber muy bien qué tal resultaría, lo hemos hecho sorprendentemente bien. Con un poco más de práctica…

Su expresión se tornó de súbito tan lívida que me interrumpí de manera brusca en mitad de la frase.

—¿Asumido? ¿Es que tú esperabas esto, Bella? ¿Es que acaso habías anticipado que te haría daño? ¿Es que consideras el experimento como un éxito sólo porque has salido de él andando por tus propios pies? ¿Que no te haya roto un hueso… constituye una victoria?

Esperé, porque quería que lo echara todo fuera. Y después esperé un poco más hasta que su respiración volvió a su ritmo normal. Cuando también se le tranquilizaron los ojos, le contesté, hablando con lenta precisión.

—No sabía qué me aguardaba, pero lo que no esperaba de ninguna de las maneras es lo… lo… maravilloso y perfecto que ha sido —el volumen de mi voz bajó hasta convertirse en un susurro y mis ojos se deslizaron de su rostro hasta sus manos—. Quiero decir, que no sé cómo ha sido para ti, pero así ha sido para mí.

Un dedo frío me alzó la barbilla.

—¿Es por eso por lo que estás preocupada? —dijo entre dientes—. ¿Porque yo no lo haya disfrutado?

No levanté la mirada.

—Sé que no es lo mismo, porque tú no eres humano. Simplemente estaba intentando explicarte que, para un humano, bueno, no puedo imaginar que la vida pueda guardar algo mejor que esto.

Se quedó quieto durante un rato tan largo que al fin tuve que alzar la mirada. Su rostro se había dulcificado, y estaba pensativo.

—Eso sólo significa que hay algo más por lo que tengo que disculparme —puso mala cara—. Lo que no podría haber soñado ni de lejos es la manera en la que tú interpretarías el modo en que me siento por lo que te he hecho, como si la noche pasada no hubiera sido... bueno, la mejor noche de toda mi existencia. Pero no quiero pensar en que ha sido así, no cuando tú...

Se me torcieron un poco las comisuras de los labios.

—¿Ah, sí? ¿La mejor de todas? —pregunté con la voz casi ahogada.

Él tomó mi rostro entre sus manos, todavía pensativo.

—Hablé con Carlisle después de que tú y yo hiciéramos nuestro trato, con la esperanza de que él me ayudara. Y por supuesto me advirtió de que esto sería muy peligroso para ti —una sombra cruzó por su rostro—. Pero él tenía fe en mí, una fe que, sin embargo, no he merecido.

Comencé a protestar y él puso dos dedos sobre mis labios antes de que pudiera decir nada.

—También le pregunté qué era lo que yo podía esperar. No sabía cómo sería para mí... siendo un vampiro —sonrió casi con desgana—. Carlisle me explicó que era una sensación poderosa, que no se podía comparar con nada. Me dijo que el amor físico no se debía tomar a la ligera, porque siendo nuestros temperamentos tan estables, las emociones fuertes pueden alterarnos de forma permanente. Pero añadió que yo no debía preocuparme por eso, porque de todos modos tú ya me habías alterado por completo —y esta vez su sonrisa fue más genuina.

»También hablé con mis hermanos. Me dijeron que se sentía un gran placer que sólo va por detrás de beber sangre humana —una línea cruzó su entrecejo—. Pero yo ya he probado tu sangre, y no puede haber sangre alguna que sea más fuerte que *esto*... No creo que se equivoquen, la verdad, sino que simplemente es diferente para nosotros. Algo más.

—Fue *más*. Lo fue todo.

—Pero eso no cambia el hecho de que estuvo mal. Incluso aunque fuera verdad que te haya hecho sentirte de esa manera.

—¿Y qué es lo que quieres decir con eso? ¿Crees que lo estoy exagerando? ¿Por qué?

—Para que me sienta menos culpable. No puedo ignorar la evidencia, Bella. O esas historias que te traes entre manos para sacarme del atolladero cuando meto la pata.

Sujeté con fuerza su barbilla y la incliné de tal modo que nuestros rostros se quedaron apenas a unos centímetros.

—Escúchame de una vez, Edward Cullen. No estoy simulando nada por tu bien, ¿vale? Ni siquiera sabía que tendría que buscar alguna razón para hacer que te sintieras mejor hasta que empezaste a ponerte en este plan. Nunca jamás he sido más feliz en toda mi vida y ni siquiera fui más feliz cuando decidiste que me amabas más de lo que deseabas matarme, o aquella primera mañana cuando me desperté y tú estabas allí, esperándome... Ni cuando escuché tu voz en el estudio de *ballet* —él se encogió ante la mención del momento en que me salvé por los pelos de un vampiro cazador, pero no me detuve—, o cuando dijiste «Sí, quiero» y en ese momento me di cuenta de que te tendría para siempre. Ésos son los recuerdos más felices que tengo, pero éste es mejor que todos ellos. Así que acostúmbrate a la idea.

Tocó la línea fruncida entre mis cejas.

—Ahora te estoy haciendo infeliz y no quiero que te sientas así.

—Entonces no seas tú infeliz, porque eso es lo único que realmente va mal aquí.

Entrecerró los ojos y después inhaló una bocanada de aire y asintió.

—Tienes razón. El pasado es pasado y no podemos hacer nada para cambiarlo. No tiene sentido permitir que mi mal humor te amargue este momento. Haré lo que sea para hacerte feliz a partir de ahora.

Examiné su rostro con suspicacia y me devolvió su serena sonrisa.

—¿Cualquier cosa que me haga feliz?

Mi estómago gruñó al mismo tiempo que hacía la pregunta.

—Tienes hambre —repuso con rapidez y se levantó de la cama de un salto agitando una nube de plumas, y eso fue lo que me lo recordó.

—Y bueno, ¿cuál ha sido la razón exacta de que hayas decidido destrozar las almohadas de Esme? —le pregunté, sentándome y sacudiéndome más plumas del pelo.

Él ya se había enfundado unos amplios pantalones caquis y se detuvo en el umbral de la puerta, revolviéndose el pelo para desalojar unas cuantas plumas más.

—No sé si lo que hice anoche fue «decidir» exactamente —masculló—. Tenemos suerte de que fueran las almohadas y no tú —aspiró el aire con profundidad y después sacudió la cabeza, como si quisiera desprenderse de ese pensamiento sombrío. Una sonrisa de aspecto bastante auténtico se extendió por su rostro, pero adiviné que le había costado mucho trabajo simularla.

Me deslicé con cuidado de aquella cama tan alta y me estiré de nuevo, más consciente ahora del dolor y de los puntos lastimados. Le escuché jadear, volvió el rostro para no mirarme y sus manos se cerraron en puños, con los nudillos blancos.

—¿Es que tengo un aspecto tan horrible? —le pregunté, intentando mantener un tono casual. Tenía el aliento contenido, pero no se volvió, probablemente para ocultarme su expresión. Anduve hacia el baño para comprobarlo por mí misma.

Me quedé mirando mi cuerpo desnudo en el espejo de cuerpo entero que había detrás de la puerta.

Definitivamente, había estado peor otras veces. Una sombra suave me cruzaba un pómulo y tenía los labios algo hinchados, pero por lo demás a mi cara no le pasaba nada. Aun así, el resto de mi cuerpo estaba decorado con manchas de color azulado y purpúreo. Me concentré en los cardenales que serían más difíciles de esconder, los de los brazos y los hombros, pero no tenían un aspecto tan malo, y lo cierto era que mi piel se quedaba marcada con facilidad. Para cuando el cardenal tomaba color casi siempre había olvidado cómo me lo había hecho. Éstos estaban sólo al principio de su desarrollo y tendrían peor aspecto al día siguiente, lo cual no me pondría las cosas más fáciles precisamente.

Me miré el pelo entonces y se me escapó un gemido.

—¿Bella? —apenas había proferido el sonido ya lo tenía pegado a mis espaldas.

—¡No voy a conseguir sacarme esto del pelo en toda la vida! —me señalé la cabeza, que tenía el mismo aspecto de un nido donde estuviera criando pollos. Comencé a extraer las plumas.

—No sé cómo puedes estar preocupada por tu pelo —masculló él, pero permaneció de pie detrás de mí, quitándome las plumas a más velocidad.

—¿Cómo es que no estás partido de risa? Tengo un aspecto ridículo.

Él no contestó, simplemente siguió extrayendo plumas. De todas formas yo ya sabía la respuesta, porque nada le hacía gracia cuando estaba de ese humor.

—Esto no va a funcionar —suspiré después de un minuto—. Se me han pegado todas. Voy a tener que lavármelo para que salgan —me di la vuelta, deslizando los brazos en torno a su cintura fría— ¿Quieres ayudarme?

—Mejor si voy y te hago algo de comida —me dijo en voz baja y con suavidad se deshizo de mi abrazo. Suspiré cuando desapareció, a toda prisa.

Tenía la sensación de que había acabado mi luna de miel. Y la idea me provocó un gran nudo en la garganta.

Una vez logré quitarme casi todas las plumas, me puse un vestido blanco de algodón con el que estaba poco familiarizada y que ocultaba la mayor parte de mis parches violáceos, caminé descalza, sin hacer ruido, hacia el lugar de donde procedía el olor de los huevos, el beicon y el queso Cheddar.

Edward estaba delante de una cocina de acero inoxidable, deslizando una tortilla en un plato de color azul claro que había colocado sobre la encimera. El olor de la comida me sobrecogió, porque me sentía capaz de comerme el plato y la sartén también, de paso; me rugió el estómago.

—Aquí lo tienes —dijo; se volvió hacia mí con una sonrisa en el rostro y puso el plato en una pequeña mesa de azulejos.

Me senté en una de las dos sillas de metal que había y comencé a devorar los huevos calientes. Me quemé la garganta, pero no me preocupó.

Se sentó frente a mí.

—Creo que no te alimento con la suficiente frecuencia.

Tragué y luego le recordé.

—Estaba dormida. Y por cierto, esto está buenísimo. Impresionante, teniendo en cuenta que lo ha hecho alguien que no come.

—Ya sabes, con Internet todo es posible —comentó, haciendo relampaguear su sonrisa torcida, mi favorita.

Me alegré mucho de verle otra vez feliz, de que se pareciera de nuevo un poco más a sí mismo.

—¿De dónde han salido los huevos?

—Le pedí al equipo de limpieza que equipara la cocina, por primera vez, en este lugar. Les tendré que pedir que vean qué pueden hacer con las plumas.

Su voz se desvaneció, mientras su mirada se fijaba en algún punto por encima de mi cabeza. Yo no contesté, intentando evitar decir cualquier cosa que le alterara una vez más.

Me lo comí todo, aunque había guisado suficiente para dos.

—Gracias —le dije, y me incliné sobre la mesa para besarle. Él me devolvió el beso de forma automática, pero de repente se envaró y se alejó de mí.

Apreté los dientes y la cuestión que quería preguntarle sonó como si fuera una acusación.

—Imagino que no volverás a tocarme mientras estemos aquí, ¿a que no?

Vaciló y luego sonrió a desgana, alzando la mano para acariciarme la mejilla. Sus dedos rozaron suavemente mi piel y no pude evitar inclinar mi rostro sobre la palma de su mano.

—Ya sabes que no es eso lo que quería decir.

Él suspiró y dejó caer la mano.

—Lo sé. Y llevas razón —hizo una pausa, alzando ligeramente la barbilla y después volvió a hablar sin mucha convicción—. No haré el amor contigo hasta que te hayas transformado. No volveré a hacerte daño otra vez.

Distracciones

Mi entretenimiento se convirtió en la prioridad número uno de nuestra estancia en isla Esme. Hicimos *snorkel,* aunque más bien fui yo quien lo hizo puesto que él alardeó de su capacidad para pasar sin oxígeno de forma indefinida. Exploramos la pequeña sección de selva que rodeaba el pico rocoso. Visitamos los papagayos que vivían en el verde dosel formado por la jungla para ver qué había en el extremo sur de la isla. Contemplamos el crepúsculo desde una cueva rocosa que había en la zona occidental. Nadamos con las marsopas que jugaban en las cálidas y someras aguas. O al menos eso hice yo, porque cuando Edward estaba en el agua, las marsopas desaparecían como si hubiera un tiburón cerca.

Yo sabía qué era lo que pretendía, estaba intentando mantenerme ocupada, distraída, de modo que no pudiera continuar fastidiándole con el asunto del sexo. En el momento en que hacía el intento de abordarle sacaba uno de los millones de DVD que tenía bajo la pantalla gigante de plasma o me atraía fuera de la casa con palabras mágicas como «arrecifes de coral», «cuevas sumergidas» y «tortugas marinas». Estábamos todo el día de un lado para otro, de modo que cuando el sol se ponía me encontraba completamente famélica y exhausta.

Me quedaba casi dormida sobre el plato cuando terminaba de cenar todas las noches, incluso una vez me adormecí de verdad en la mesa y mi marido tuvo que llevarme a la cama en brazos. Parte del asunto era que Edward hacía demasiada comida para una sola persona, pero yo tenía tanta hambre después de nadar y escalar todo el día que me lo comía casi todo. Entonces, llena y molida, apenas podía mantener los ojos abiertos. Y esto formaba parte del plan, sin duda.

Mi agotamiento no ayudaba mucho a mis intentos de persuasión, pero no me rendía. Intentaba razonar con él, le suplicaba y rezongaba, todo ello en vano. Aunque la verdad es que generalmente estaba inconsciente antes de que pudiera llevar mi caso muy lejos. Y entonces mis sueños se convertían en algo tan real (en su mayoría pesadillas que se volvían más vívidas, suponía yo, por los colores demasiado brillantes de la isla) que me levantaba cansada no importaba cuánto durmiera.

Una semana o así después de que llegáramos a la isla, decidí intentar alcanzar un compromiso, porque eso ya nos había funcionado en el pasado.

Ahora dormíamos en la habitación azul, porque el equipo de limpieza no llegaría hasta el día siguiente, así que la habitación blanca todavía estaba bajo una manta de plumón como la nieve. La habitación azul resultaba más pequeña, y la cama de unas proporciones más razonables. Las paredes lucían oscuras, cubiertas con paneles de madera de teca y los accesorios eran todos de una lujosa seda marina.

Me había acostumbrado a ponerme toda la colección de lencería de Alice para dormir por la noche, la cual ni siquiera era tan reveladora como los breves bikinis que, terminé por darme cuenta, me había puesto en la maleta. Me pregunté si habría tenido alguna visión en la que podría haber deducido que me iban a hacer falta cosas como ésas, y después me estremecí, avergonzada por la idea.

Comencé poco a poco, con inocentes prendas de satén color marfil, preocupada porque al mostrar mi piel obtuviera justo el resultado contrario al que buscaba, aunque la verdad es que estaba dispuesta a probarlo todo. Edward no pareció notar nada, como si siguiera llevando los viejos pantalones de chándal raídos que solía usar en casa.

Pasados unos días los cardenales habían mejorado mucho, amarilleando en unos sitios y desapareciendo completamente en otros, de modo que esa noche me puse una de las piezas más intimidantes mientras me preparaba en el cuarto de baño de panes. Era negro, de encaje, y daba vergüenza nada más verlo, incluso sin llevarlo puesto. Tuve cuidado de no mirarme al espejo antes de salir del baño, ya que no quería perder los ánimos.

Tuve la satisfacción de ver cómo se le ponían los ojos como platos justo un segundo antes de que consiguiera controlar su expresión.

—¿Qué te parece? —le pregunté, haciendo posturitas para que pudiera verlo desde todos los ángulos.

Él carraspeó.

—Estás muy hermosa. Como siempre.

—Gracias —contesté en un tono algo amargo.

Estaba demasiado cansada para resistir la tentación de subir con rapidez a la cama blandita. Me envolvió en sus brazos y me apretó contra su pecho, pero esto ya era una rutina, y hacía demasiado calor para dormir sin su cuerpo frío tan cerca.

—Quiero hacer un trato contigo —le dije medio dormida.

—No voy a hacer ningún trato—repuso él.

—Ni siquiera has oído lo que iba a proponerte.

—No importa.

Suspiré.

—Maldita sea. Realmente quería... Bueno, vale.

Puso los ojos en blanco.

Yo cerré los míos y dejé que el cebo actuara. Bostecé.

Pasó un minuto escaso, ni siquiera el tiempo suficiente para que me quedara frita.

—De acuerdo, ¿qué es lo que quieres?

Apreté los dientes un segundo, luchando para reprimir una sonrisa. Si había algo que no podía resistir era la oportunidad de darme algo.

—Bueno, estaba pensando... Sé que toda la historia esta de Dartmouth se supone que es simplemente una cobertura, pero siendo sincera, creo que un semestre de facultad no me matará —le comenté, haciéndome eco de sus palabras hacía ya tanto tiempo, cuando intentaba quitarme la idea de convertirme en vampiro—. Y te apuesto a que Charlie se emocionará con el rollo ese de Dartmouth. Seguro que voy a pasar vergüenza si no puedo alcanzar el ritmo de todos esos cerebritos. Además... dieciocho, diecinueve... Tampoco es tanta diferencia. No es que me vaya a llenar de patas de gallo el año que viene.

Se quedó silencioso durante un buen rato. Después, en voz muy baja, me respondió:

—Estás dispuesta a esperar, a conservar tu humanidad.

Me sujeté la lengua, dejando que la oferta arraigara.

—¿Por qué me haces esto? —me preguntó entre dientes, en un tono súbitamente enfadado—. ¿Es que no es ya lo bastante duro? —cogió un puñado de encaje que se había arrugado en mi muslo. Durante un momento pensé que le iba a desgarrar las costuras, pero después su mano se relajó—. Pero no importa. No voy a hacer ningún trato contigo.

—Quiero ir a la facultad.

—No, no lo harás. Y no hay nada que merezca la pena tanto como para volver a arriesgar tu vida. Nada merece que te hagan daño.

—Pero yo quiero ir. Bueno, la cuestión no es exactamente el ir a la facultad, sino el hecho de que quiero seguir siendo humana un poco más.

Cerró los ojos y expiró por la nariz.

—Vas a conseguir volverme loco, Bella. ¿Acaso no hemos tenido esta discusión un millón de veces y tú siempre me estabas suplicando que te convirtiera en vampiro sin demora?

—Sí, pero… bueno, ahora tengo una razón para ser humana que no tenía antes.

—¿Cuál es?

—Adivina —respondí y me deslicé por las almohadas para besarle.

Él me devolvió el beso, pero no de una manera que pudiera hacerme creer que había ganado. Era algo más bien destinado a tener cuidado con no lastimar mis sentimientos. Estaba completa y enloquecedoramente bajo control. Con dulzura, me apartó después de un momento y me acunó contra su pecho.

—Eres *tan* humana, Bella, siempre arrastrada por tus hormonas —se echó a reír entre dientes.

—Pues ése es el asunto, Edward. Me gusta este aspecto de ser humana y no quiero perderlo tan pronto. No quiero tener que esperar un montón de años convertida en un neófito enloquecido por el deseo de sangre antes de volver a vivir algo como esto de nuevo.

Bostecé y él sonrió.

—Estás cansada. Duérmete, amor —y comenzó a tararear la nana que había compuesto para mí cuando nos conocimos.

—Me pregunto por qué estoy tan cansada —mascullé, en plan sarcástico—. No creo que esto forme parte de un plan ni nada parecido.

Soltó una sola risita y después volvió a tararear.

—Tú crees que cuanto más cansada esté, mejor dormiré.

La canción se detuvo de repente.

—Duermes como si estuvieras muerta, Bella. No has dicho ni una sola palabra en sueños desde que llegamos aquí. Si no fuera por los ronquidos me habría dado miedo que hubieras entrado en coma.

Ignoré esa burla respecto a los ronquidos. Yo no roncaba.

—¿Y no te he dado patadas? Qué extraño. Generalmente me muevo por toda la cama cuando tengo pesadillas, y grito.

—¿Tienes pesadillas?

—Unas muy vívidas. Por eso me siento tan cansada —bostecé de nuevo—. No me puedo creer que no haya estado parloteando sobre eso toda la noche.

—¿De qué van?

—Cosas distintas, pero parecidas, ya sabes, por el colorido.

—¿Qué colorido?

—Todo es tan brillante, tan real. Generalmente cuando sueño sé quién soy, pero en éstas no sé que estoy dormida, lo que las hace más terroríficas.

Sonó algo molesto cuando volvió a hablar de nuevo.

—¿Qué es lo que te asusta?

Me estremecí un poco.

—Principalmente… —vacilé.

—¿Principalmente? —me urgió.

122

No estaba segura de por qué, pero no quería hablarle del niño que aparecía en mis pesadillas recurrentes, había algo que quería mantener en privado en ese horror en concreto. Así que en vez de darle una descripción completa, sólo le mostré uno de los elementos. Ciertamente suficiente para asustarme a mí o a cualquiera.

—Los Vulturis —murmuré.

Él me abrazó con más fuerza.

—No nos van a molestar nunca más. Pronto serás inmortal y no tendrán motivo para ello.

Le dejé que me consolara, sintiéndome un poco culpable porque él me había malinterpretado. Para ser exactos, mis pesadillas no tenían que ver con eso, porque yo no tenía miedo por mí misma, sino por el niño.

No era el mismo chico que el del primer sueño, el niño vampiro con los ojos de color sangre sentado sobre una pila formada por gente a la que yo amaba, muerta. El chico con el que había soñado al menos cuatro veces en la última semana era definitivamente humano; tenía las mejillas coloradas y sus grandes ojos eran verde claro. Pero al igual que el otro niño, temblaba de miedo y desesperación cuando se nos acercaban los Vulturis.

En este sueño, que era nuevo aunque parecido al anterior, yo lo único que *tenía* que hacer era proteger al chico desconocido. No había ninguna otra opción, pero al mismo tiempo, sabía que terminaría fallando.

Él vio la desolación retratada en mi rostro.

—¿Qué puedo hacer para ayudarte?

Sacudí la cabeza negando.

—Son sólo sueños, Edward.

—¿Quieres que te cante? Cantaré toda la noche si eso mantiene a raya tus pesadillas.

—No son tan malas, algunas son estupendas, tan llenas de... colorido, bajo el agua con los peces y el coral. Todo tiene el aspecto de estar sucediendo en la realidad y no sé que estoy soñando. Quizá el problema sea la isla, porque aquí todo es tan alegre...

—¿Quieres volver a casa?

—No, no todavía. ¿Podemos quedarnos aquí un poco más?

—Podemos quedarnos aquí todo el tiempo que tú quieras, Bella —me prometió.

—¿Cuándo comienza el semestre? No me he preocupado por ello antes.

Él suspiró. Quizás empezó a entonar la nana otra vez, pero antes de darme cuenta, ya estaba dormida.

Más tarde, cuando me desperté en la oscuridad, estaba aturdida por completo. El sueño que había tenido era tan real, tan vívido, tan sensorial... Jadeé con fuerza, ahora desorientada en la negra habitación. Sólo un segundo antes me encontraba bajo el sol brillante.

—¿Bella? —murmuró Edward, con los brazos apretados a mi alrededor, sacudiéndome con amabilidad—. ¿Te sientes bien, corazón?

—Oh —exclamé de nuevo, respirando con agitación; no había sido más que un sueño, algo no real. Las lágrimas se derramaron de mis ojos sin aviso previo, para mi profundo asombro, chorreando por mi cara.

—¡Bella! —exclamó él, en voz más alta, algo alarmada ahora—. ¿Qué es lo que va mal? —restañó las lágrimas de mis calientes mejillas con unos dedos fríos y frenéticos, pero éstas caían más y más.

—Era sólo un sueño —no podía contener el sollozo sordo que quebraba mi voz. Aquellas lágrimas sin sentido me molestaban, pero no podía controlar la pena asombrosa que se había apropiado de mí. Deseaba tanto que ese sueño fuera real…

—Todo va bien, cielo, estás bien, y yo estoy aquí —me acunó hacia atrás y hacia delante, quizás con demasiada rapidez como para que realmente me ayudara a calmarme—. ¿Has tenido otra pesadilla? No es real, no lo es.

—No era una pesadilla —sacudí la cabeza, frotando el dorso de mi mano contra los ojos—. Era un buen sueño —y mi voz se quebró de nuevo.

—Entonces, ¿por qué lloras? —me preguntó, perplejo.

—Pues porque me he despertado —gemí, envolviendo su cuello entre mis brazos con tanta fuerza que casi lo ahogaba y sollozando contra su garganta.

Él se echó a reír ante mi lógica, pero el sonido tenía un matiz de tensión, debido a su interés por mi angustia.

—Todo va bien, Bella. Respira hondo.

—Es que era tan real —lloré yo—. Y yo *quería* que fuese real.

—Cuéntamelo —me urgió él—. Quizás eso te ayude.

—Estábamos en la playa… —la voz se me desvaneció, devolviendo la mirada de mis ojos llenos de lágrimas a su rostro de ángel lleno de ansiedad, apenas discernible en la oscuridad. Le miré con amargura mientras aquella pena irracional comenzaba a disminuir.

—¿Y? —insistió él, finalmente.

Parpadeé para limpiarme los ojos de lágrimas, alicaída.

—Oh, Edward…

—Cuéntamelo, Bella —me suplicó él, con los ojos desencajados por la preocupación que le provocaba la pena que destilaba mi voz.

Pero yo no podía. En vez de eso, colgué mis brazos de nuevo en torno a su cuello y trabé mi boca en la suya con un afán casi febril. No era deseo en absoluto, era pura necesidad, agudizada por el dolor. Su respuesta fue instantánea, pero seguida a continuación por su rechazo.

Luchó por deshacerse de mí con tanta dulzura como pudo debido a la sorpresa, apartándome mientras me sujetaba por los brazos.

—No, Bella —insistió él, mirándome como si le preocupara que hubiera perdido la cabeza.

Dejé caer los brazos, derrotados, con aquellas lágrimas derramándose por mi rostro como un fresco torrente y con un nuevo sollozo alzándose en mi garganta. Él tenía razón, debía de estar loca.

Me miró con ojos confusos, llenos de angustia.

—Lo ss... ssiento —tartamudeé.

Pero él me abrazó de nuevo, apretándome con fuerza contra su pecho marmóreo.

—¡No puedo, Bella, no puedo! —su gemido sonaba lleno de angustia.

—Por favor —supliqué, con la voz sofocada contra su piel—, por favor, Edward...

No sé si fueron las lágrimas que temblaban en mi voz lo que le conmovió, o que no estaba preparado para resistirse a lo repentino de mi ataque, o simplemente, que su necesidad era tan insoportable en ese momento como la mía. Fuera cual fuera la razón, presionó sus labios contra los míos, rindiéndose con un gemido.

Y comenzamos allá donde había terminado mi sueño.

Me quedé muy quieta cuando me desperté por la mañana e intenté mantener mi respiración acompasada. Tenía miedo de abrir los ojos.

Estaba tumbada atravesada sobre el pecho de Edward, pero él permanecía completamente inmóvil y no me había ceñido con sus brazos. Eso era mala señal. Tenía miedo de admitir que estaba despierta y enfrentarme a su ira, sin importarme a quién la dirigiera en estos momentos.

Con cuidado, espié entre las pestañas. Tenía la mirada clavada en el techo oscuro. Con los brazos detrás de la cabeza. Me alcé apoyándome sobre un codo de modo que pudiera ver mejor su cara. Su expresión era tranquila, impasible.

—¿Estoy metida en un buen lío? —le pregunté en voz baja.

—En uno muy grande —me respondió, pero volvió la cabeza y dejó ver una sonrisita de suficiencia.

Suspiré algo aliviada.

—Lo siento —confesé—, yo no quería… Bueno, no sé exactamente cómo fue la cosa anoche —sacudí la cabeza ante el recuerdo de mis lágrimas irracionales y aquella pena apabullante.

—Al final, no me dijiste de qué iba tu sueño.

—Supongo que no, pero creo que te he mostrado más o menos de lo que iba —comenté y luego me eché a reír con nerviosismo.

—Oh —respondió él y después pestañeó—. Qué interesante.

—Era un sueño muy, muy bueno —murmuré yo. Él no hizo ningún comentario, así que unos cuantos segundos más tarde yo pregunté a mi vez—. ¿Me has perdonado?

—Me lo estoy pensando.

Me senté, planeando examinarme el cuerpo, aunque al menos esta vez no parecía estar llena de plumas. Pero cuando me moví, me asaltó un extraño mareo repentino. Me tambaleé y caí de nuevo contra las almohadas.

—Guau… Se me va la cabeza.

Sus brazos me envolvieron de nuevo.

—Has dormido un montón de horas. Doce.

—¿Doce? —qué raro.

Me eché una rápida ojeada mientras hablaba, intentando que no se notase el examen. Tenía buen aspecto. Los cardenales de mis brazos amarilleaban ya porque tenían una semana de antigüedad. Me estiré para probar y seguía sintiéndome bien. En realidad, mejor que bien.

—¿Está completo el inventario?

Asentí algo avergonzada.

—Y las almohadas parece que han sobrevivido también.

—Desafortunadamente, no podemos decir lo mismo de tu, esto, camisón —señaló con un asentimiento hacia los pies de la cama, donde se encontraban los restos de encaje negro destrozados sobre las sábanas de seda.

—Qué mal —repliqué—, ése me gustaba de verdad.

—A mí también.

—¿Hay alguna otra baja? —le pregunté con timidez.

—Tendré que comprarle a Esme un cabecero nuevo —confesó, echando una ojeada sobre su hombro. Seguí la dirección de su mirada y me quedé atónita cuando vi que faltaban unos trozos grandes de madera de la parte izquierda del cabecero, que parecían haber sido arrancados.

—Mmm —fruncí el ceño—, supongo que debería haber oído esto.

—Creo que, en gran medida, pierdes la capacidad de observar cuando tienes la atención fija en alguna otra cosa.

—Sí, puede que estuviera algo absorta —admití, enrojeciendo hasta alcanzar un rojo profundo.

Él acarició mis mejillas que parecían arder y suspiró.

—De verdad que voy a echar esto de menos.

Me quedé mirando su rostro, esperando encontrar los signos de ira o de remordimiento que tanto temía. Me devolvió la mirada tranquilamente, con la expresión serena pero a pesar de todo ilegible.

—¿Qué tal te sientes?

Él se echó a reír.

—¿Qué? —le exigí.

—Tienes un aspecto tan culpable… como si hubieras cometido un crimen.

—Es que me *siento* culpable —mascullé entre dientes.

—Sólo porque has seducido a un marido que por otro lado lo estaba deseando. Pues eso no parece un crimen capital.

Me dio la sensación de que estaba de broma.

Se me enrojecieron aún más las mejillas.

—La palabra «seducir» implica una cierta cantidad de premeditación.

—Quizás sea una palabra equivocada —concedió él.

—¿No estás enfadado?

Él sonrió con arrepentimiento.

—No estoy enfadado.

—¿Por qué no?

—Bueno… —de pronto, enmudeció—. No te he hecho daño, para empezar. Me ha resultado más fácil esta vez controlarme, canalizar los excesos —sus ojos regresaron de nuevo al cabecero dañado—. Quizá porque tenía una idea más exacta de lo que podía esperar.

Una sonrisa esperanzada comenzó a extenderse por mi rostro.

—Ya te dije que todo era cuestión de práctica.

Él puso los ojos en blanco.

Mi estómago rugió y él se echó a reír.

—¿Hora de desayunar para los humanos?

—Por favor —rogué yo, saltando de la cama. Pero me moví con demasiada rapidez y tuve que trastabillar como una borracha hasta recuperar el equilibrio. Él me cogió antes de que me tropezara con el tocador.

—¿Te encuentras bien?

—Si no adquiero mejor sentido del equilibrio en mi próxima vida, plantearé una reclamación.

Esa mañana fui yo quien cocinó, y me freí unos huevos, ya que estaba demasiado hambrienta para hacer algo más elaborado. Con impaciencia, los puse en un plato apenas unos minutos después.

—¿Desde cuándo te gustan los huevos fritos sólo por un lado? —me preguntó.

—Desde hoy.

—¿Sabes cuántos huevos te has comido durante la semana pasada? —sacó el basurero de debajo del fregadero que estaba lleno de contenedores azules vacíos.

—Qué extraño —repliqué después de tragarme un bocado que quemaba—, este sitio parece que me desarregla el apetito —y también parecía alterar mis sueños y mi ya dudoso equilibrio—. Pero me gusta estar aquí. Probablemente tendremos que irnos pronto, supongo, ¿no?, si queremos llegar a Dartmouth con tiempo. Guau, y también es de suponer que tendremos que buscar un sitio para vivir y todo eso.

Él se sentó justo a mi lado.

—Ya puedes dejar de fingir que quieres ir a la facultad, porque te has salido con la tuya. Y no llegamos a ningún tipo de trato al que tengas ahora que plegarte.

Resoplé.

—No estaba simulando nada, Edward. No me paso mi tiempo libre conspirando como hacen algunos. *¿Qué es lo que podemos hacer hoy para dejar rendida a Bella?* —inquirí haciendo una pobre imitación de su voz. Él se echó a reír, sin rastro de culpabilidad—. Realmente me apetece seguir siendo humana un poco más —me incliné para recorrer con la mano su pecho desnudo—. Todavía no he terminado contigo.

Él me dedicó una mirada cargada de suspicacia.

—¿Por esto? —preguntó, cogiéndome la mano que ahora se deslizaba hacia abajo por su estómago—. ¿El sexo ha sido siempre la clave de todo? —puso los ojos en blanco—. ¿Cómo no se me ocurrió? —masculló en tono sarcástico—. Me hubiera ahorrado una gran cantidad de discusiones.

Me eché a reír.

—Ah, sí, ya lo creo, casi seguro.

—Eres *tan* humana —insistió de nuevo.

—Ya lo sé.

Una sonrisa casi inexistente elevó ligeramente las comisuras de sus labios.

—¿Quieres que vayamos a Dartmouth? ¿De verdad?

—Es probable que me carguen en el primer semestre.

—Yo te daré clase —su sonrisa se amplió ahora—. Te va a encantar la facultad.

—¿Y crees que se podrá encontrar un apartamento a estas alturas?

Él hizo una mueca, con aspecto culpable.

—Bueno, ya tenemos una especie de casa allí. Ya sabes, sólo por si acaso.

—¿Has comprado una casa?

—La propiedad inmobiliaria es una buena inversión.

Alcé una ceja pero decidí dejarlo estar.

—Así que estamos preparados, entonces.

—Tendré que ver si podemos mantener tu coche «de antes» un poco más de tiempo…

—Sí, no quiera el cielo que tenga un vehículo sin protección antitanque.

Sonrió con todas sus ganas.

—¿Cuántos días podemos quedarnos aquí? —le pregunté.

—Vamos bien de tiempo. Si quieres, unas cuantas semanas más. Y después, ir a visitar a Charlie antes de irnos a New Hampshire. Podríamos pasar las Navidades con Renée…

Sus palabras me pintaron un futuro inmediato muy feliz, uno libre de dolor para todos los implicados. El cajón donde estaba encerrado Jacob, aunque no lo había olvidado de ninguna manera, se agitó en mi memoria, así que corregí la idea, al menos para *casi* todos.

Pero esto no iba a ser nada fácil. Una vez que había descubierto lo bien que me podía ir siendo humana, tenía la tentación de posponer indefinidamente mis planes: hasta los diecinueve o los veinte o… ¿es que tenía alguna importancia en realidad? Y continuar siendo humana con Edward a mi lado… era algo que cada día se volvía más tentador.

—Unas cuantas semanas —accedí, y después como nunca parecía bastante, añadí—. Así que estaba pensando… ¿te acuerdas de lo que acabo de decirte acerca de la práctica?

Él se echó a reír.

—No creo que vayas a dejar que se me olvide… pero oigo una lancha. El equipo de limpieza debe de estar viniendo hacia aquí.

Él tampoco quería que le dejara olvidarse, o sea, ¿que no me iba a dar más problemas en cuanto a la práctica? La idea me hizo sonreír.

—Déjame que le explique el desastre de la habitación blanca a Gustavo, y después podemos salir. Hay un sitio en la selva, al sur…

—No quiero salir, no me voy a pasar todo el día de excursión por la isla. Deseo quedarme aquí y ver una película.

Él apretó los labios, intentando contener la risa ante mi tono contrariado.

—De acuerdo, lo que tú quieras. ¿Por qué no vas escogiendo una mientras abro la puerta?

—No he oído llamar.

Él inclinó la cabeza hacia un lado, atento. Medio segundo más tarde, se escuchó un golpe ligero, tímido, en la puerta. Sonrió y se volvió hacia el vestíbulo.

Me entretuve revolviendo en las estanterías que había debajo de la gran televisión y comencé a leer los títulos. Era difícil decidir por dónde empezar, ya que había más DVD que en un videoclub.

Escuché la baja voz aterciopelada de Edward mientras se acercaba por el vestíbulo, conversando de forma fluida en lo que supuse sería un perfecto portugués. Otra voz humana, más áspera, le contestaba en la misma lengua.

Edward los hizo entrar en la habitación, señalando hacia la cocina. Los dos brasileños parecían muy bajitos y de piel muy oscura a su lado. Uno era grueso y la otra una mujer delgada, ambos con los rostros arrugados. Edward hizo un gesto señalándome con una sonrisa orgullosa y percibí mi nombre mezclado con un chorro de palabras poco familiares. Me ruboricé un poco cuando pensé en el desastre lleno de plumas de la habitación blanca, con el que se encontrarían pronto. El hombre bajito me sonrió educadamente.

Pero la pequeña mujer de piel color café no sonrió en absoluto. Se me quedó mirando con una mezcla de sorpresa, preocupación y sobre todo, con ojos dilatados por el *espanto*. Antes de que pudiera reaccionar, Edward les pidió que le siguieran hacia aquel gallinero lleno de plumas y se fueron.

Cuando regresó, venía solo. Caminó con rapidez hasta mi lado y me envolvió en sus brazos.

—¿Qué le pasa a la mujer? —le susurré alarmada, recordando su expresión llena de pánico.

Él se encogió de hombros, imperturbable.

—Kaure es en parte una india ticuna. Se ha criado de modo que es más supersticiosa, o quizás sería más apropiado decir más consciente de lo sobrenatural, que el resto de la gente que vive en el mundo moderno. Sospecha lo que soy o anda bastante cerca —sin embargo no sonaba preocupado—. Aquí también tienen sus propias leyendas, el *libishomen*, un demonio bebedor de sangre cuyas presas son exclusivamente mujeres hermosas —me dirigió una mirada procaz.

¿Sólo mujeres hermosas? Bueno, eso sin duda era adulación pura y dura.

—Parecía aterrorizada —repuse.

—Y lo está, pero sobre todo preocupada por ti.

—¿Por mí?

—Tiene miedo del motivo que tengo para retenerte aquí, sola —se echó a reír entre dientes con aspecto misterioso y después se dirigió hacia la pared llena de películas—. Oh, vale, ¿por qué no escoges una? Es algo que podemos hacer y es propio de humanos.

—Sí, seguro que una película la convencerá de que tú eres humano —me eché a reír y junté las manos con firmeza alrededor de su cuello, estirándome sobre las puntas de mis pies. Él se inclinó para que pudiera besarle y entonces sus brazos se tensaron a mi alrededor, alzándome del suelo de modo que no tuviera que inclinarse.

—La película, calla, la película —murmuré cuando sus labios se deslizaron por mi garganta abajo, y yo retorcía los dedos entrelazados en su pelo de color bronce.

Se oyó un jadeo violento y él me puso en el suelo con brusquedad. Kaure estaba paralizada en el pasillo, con unas cuantas plumas enredadas en su pelo negro, un saco grande lleno en los brazos, y una expresión de horror pintada en el rostro. Se me quedó mirando con fijeza, con los ojos saliéndosele de las órbitas, mientras yo me ruborizaba y bajaba la mirada. Entonces ella se recobró de la impresión y murmuró algo que sonaba claramente a disculpa, incluso en aquel idioma que me era tan poco familiar. Edward sonrió y le contestó en un tono amigable. Ella apartó los ojos oscuros y continuó avanzando por el vestíbulo.

—Está pensando lo que creo que está pensando, ¿no? —masculé.

Él se echó a reír ante mi frase retorcida.

—Sí.

—Ésta —comenté, rebuscando con la mano al azar y cogiendo una película cualquiera—. Pon ésta y hagamos como que la vemos.

La portadilla mostraba un viejo musical lleno de rostros sonrientes y trajes de faldas ahuecadas.

—Muy típico de una luna de miel —aprobó Edward.

Mientras en la pantalla los actores bailaban al son de una animada canción introductoria, yo me apoltroné en el sofá acurrucada en los brazos de Edward.

—¿Nos vamos a mudar ahora a la habitación blanca? —le pregunté perezosamente.

—No lo sé… Ya he destrozado un cabecero sin remedio en la otra habitación… así que será mejor que limitemos los destrozos a una sola área de la casa, de modo que a Esme no le importe volver a invitarnos en otro momento.

Sonreí con todas mis ganas.

—¿Así que habrá más destrozos, eh?

Él se echó a reír al ver mi expresión.

—Creo que será más seguro si es premeditado que si dejamos que me tomes por asalto otra vez.

—Sería sólo cuestión de tiempo —admití como quien no quiere la cosa, pero el pulso se aceleraba en mis venas.

—¿Le pasa algo a tu corazón?

—No. Está sano como un caballo —hice una pausa—. ¿Quieres que vayamos ahora a explorar la zona en estado de demolición?

—Quizá sea más considerado si esperamos hasta que estemos solos. Puede que tú no te des cuenta de cuándo me pongo a destrozar muebles, pero probablemente a ellos les asustaría.

Siendo sincera, ya había olvidado a la gente que había en la otra habitación.

—¡Vale, vale!

Gustavo y Kaure se movían por toda la casa de modo silencioso mientras yo esperaba impaciente a que terminaran e intentaba prestar atención al final de la película en plan «vivieron felices y comieron perdices». Empecé a sentirme amodorrada, aunque según decía Edward, había dormido casi la mitad del día, pero me espabiló una voz brusca. Él se sentó, acunándome aún contra su pecho, y le contestó a Gustavo en un portugués fluido. El hombre asintió y caminó calladamente hacia la puerta principal.

—Han terminado —me dijo Edward.

—¿Y eso quiere decir que ya estamos solos?

—¿Qué te parece si almuerzas primero? —me sugirió él.

Me mordí el labio, ante el dilema. Tenía muchísima hambre.

Con una sonrisa, me cogió la mano y me llevó a la cocina. Conocía mi rostro tan bien, que no me importaba que no pudiera leerme la mente.

—Esto se me está yendo de las manos —me quejé cuando me quedé llena por fin.

—¿Quieres que vayamos a nadar con los delfines esta tarde para quemar las calorías? —me preguntó.

—Quizá más tarde, porque ahora tengo otra idea para quemar esas calorías.

—¿Y cuál es?

—Bueno, nos queda un montón de cabecero todavía…

Pero no pude terminar. Ya me había cogido en brazos y sus labios silenciaron los míos mientras me llevaba a una velocidad muy poco humana hacia la habitación azul.

Algo inesperado

La fila de hábitos negros avanzó hacia mí a través de la niebla como un sudario. Percibía sus oscuros ojos relucir como rubíes de puro deseo, anhelantes de sangre. Sus labios se retraían sobre sus húmedos dientes agudos, mitad rugido, mitad sonrisa.

Escuché cómo gimoteaba el niño a mis espaldas, pero no me podía girar para mirarle. Aunque estaba desesperada por comprobar que se encontraba a salvo, no podía permitirme ningún fallo de concentración en esos momentos.

Se aproximaron de forma fantasmal con las ropas negras agitándose ligeramente por el movimiento. Vi cómo curvaban sus manos como garras del color de los huesos. Comenzaron a dispersarse para acercarse a nosotros desde todos los ángulos. Estábamos rodeados e íbamos a morir.

Y entonces, tras la explosión de luz de un rayo, toda la escena se transformó, aunque no había cambiado nada, porque los Vulturis aún nos amenazaban, en posición de ataque. Lo que realmente cambió fue el modo en que yo contemplaba la imagen, porque de repente sentí un deseo incontrolable de que lo hicieran, *quería* que cargaran. El pánico se transformó en un ansia de sangre que me hizo encorvarme, con una sonrisa en el rostro, y un rugido enredado entre mis dientes desnudos.

Me incorporé de un salto, aún aturdida por el sueño.

La habitación estaba a oscuras y también hacía un calor bochornoso. Tenía el pelo empapado por el sudor de las sienes y el que me corría por el cuello.

Aparté de una patada las sábanas mojadas y encontré la cama vacía.

—¿Edward?

Justo en aquel momento, mis dedos tropezaron con algo de tacto suave, plano y rígido. Era una hoja de papel doblada por la mitad. Me llevé la nota conmigo y caminé hacia el interruptor de la luz.

En la parte exterior de la nota alguien había escrito a quién estaba dirigida: a la señora Cullen.

Espero que no te despiertes y notes mi ausencia, pero si fuera así, quiero decirte que volveré muy pronto. Me he ido al continente de caza. Vuelve a dormirte y estaré de vuelta cuando te despiertes de nuevo. Te quiero.

Suspiré. Llevábamos allí unas dos semanas, así que debería haber contado ya con que se marchara, pero no había estado pensando en el tiempo, porque aquí parecíamos vivir al margen de él, yendo a la deriva en un estado de perfección.

Me limpié el sudor de la frente. Ahora estaba completamente despierta, aunque el reloj del tocador dijera que era más de la una. Sabía que no podría volverme a dormir tan acalorada y sudorosa como me sentía. Y eso sin mencionar el hecho de que si apagaba la luz y cerraba los ojos, estaba segura de ver aquellas figuras negras rondando en mi cabeza.

Me levanté y vagabundeé por la casa a oscuras sin destino definido. Fui encendiendo luces. Me parecía tan grande y desierta sin Edward allí. Tan diferente.

Terminé mi paseo en la cocina y decidí que, quizá, lo que necesitaba era comida para consolarme.

Rebusqué por el frigorífico hasta que encontré todos los ingredientes necesarios para hacer pollo frito. El chisporroteo y siseo del pollo en la sartén resultó un sonido hogareño y encantador, que al llenar el silencio me hizo sentir menos nerviosa.

Olía tan bien que comencé a comer directamente de la sartén, quemándome la lengua mientras tanto. Al quinto o sexto bocado, sin embargo, se había enfriado lo suficiente para disfrutarlo y mastiqué más lentamente. ¿Había algo raro en el sabor? Comprobé la carne, y estaba blanca por todas partes, pero me pregunté si estaba bien hecha. Tomé otro bocado de forma experimental y lo mastiqué dos veces. Ay, qué asco, de verdad. Me levanté de un salto para escupirlo en el fregadero. De repente el olor del pollo y el aceite frito me revolvió el estómago. Cogí todo el plato y lo tiré sacudiéndolo sobre la basura, y después abrí las ventanas para dispersar el olor. Una brisa fresca se había levantado en el exterior y era agradable sentirla contra la piel.

Me encontré repentinamente agotada, pero no quería volver a la calurosa habitación, así que abrí más ventanas en el cuarto de la televisión y me tumbé en el sofá que había justo delante. Puse otra vez la misma película que habíamos visto el otro día y, en cuanto empezó la alegre canción inicial, me quedé dormida.

Cuando abrí los ojos de nuevo, el sol estaba ya a medio camino del horizonte, pero no fue la luz lo que me despertó. Me sentía envuelta en la frescura de sus brazos, que me estrechaban contra él. Al mismo tiempo un dolor repentino me retorció el estómago, casi como una réplica de lo que se siente cuando encajas un golpe en las tripas.

—Lo siento —murmuraba Edward mientras frotaba su mano helada contra mi frente pegajosa—, tanta meticulosidad con todo y no había pensado en que tendrías tanto calor cuando yo me marchara. Haré que instalen un aparato de aire acondicionado antes de que me vaya.

No me podía concentrar en lo que me decía.

—¡Perdona! —jadeé, luchando por liberarme de sus brazos.

Él me soltó de forma casi automática.

—¿Bella?

Salí disparada hacia el cuarto de baño con la mano apretándome la boca. Me sentía tan mal que ni siquiera me preocupó, al principio, que estuviera conmigo cuando me agaché sobre el váter y vomité violentamente.

—¿Bella…? ¿Qué te pasa?

No podía responder todavía. Él me sostenía lleno de ansiedad, apartándome el pelo de la cara, esperando hasta que recuperé de nuevo la respiración.

—Maldito pollo rancio —gemí.

—¿Estás bien? —su voz sonaba muy tensa.

—Bien —repliqué con voz entrecortada—. Es sólo que me he intoxicado con la comida. No es necesario que veas esto, vete.

—Ni se te ocurra, Bella.

—Vete —gemí otra vez, luchando para levantarme y poder lavarme la boca. Él me ayudó cariñosamente, ignorando los débiles empujones que le propinaba.

Después de haberme limpiado, me llevó a la cama y me sentó allí con cuidado, sujetándome entre sus brazos.

—¿Te ha sentado mal alguna comida?

—Ah, sí —grazné—. Hice un poco de pollo anoche. Sabía raro así que lo tiré, pero antes me comí unos cuantos bocados.

Me puso una de sus manos frías en la frente, y era muy agradable.

—¿Qué tal te sientes ahora?

Lo pensé durante un momento. La náusea se me había pasado tan violentamente como había venido y me sentí como cualquier otra mañana.

—Estoy bastante bien. De hecho, incluso algo hambrienta.

Me hizo esperar una hora y beberme un gran vaso de agua antes de freírme unos cuantos huevos. Me encontraba perfectamente normal, aunque un poco cansada después de haberme levantado en mitad de la noche. Él puso la CNN, ya que habíamos perdido todo contacto con la realidad, tanto que podría haber estallado la Tercera Guerra Mundial sin que nos hubiéramos enterado, y me acurruqué soñolienta en su regazo.

Me aburría escuchando las noticias y me retorcí para besarle. Justo como por la mañana, un dolor agudo me atravesó el estómago cuando me moví. Me arrastré lejos de él, con la mano apretada con fuerza contra la boca. Me di cuenta de que no llegaría ahora hasta el cuarto de baño, así que me dirigí hacia el fregadero de la cocina.

Él me apartó el pelo de nuevo.

—Quizá deberíamos ir a Río, a que te vea un médico —sugirió lleno de ansiedad mientras me limpiaba los labios después.

Sacudí la cabeza y me dirigí hacia el vestíbulo. Los médicos significaban agujas.

—Me sentiré mucho mejor después de lavarme los dientes.

Cuando mejoró el sabor de mi boca, rebusqué entre mis cosas el maletín de primeros auxilios que Alice me había preparado, lleno de cosas humanas como vendas, analgésicos y mi objetivo ahora, Pepto-Bismol. Quizá de ese modo se me asentara el estómago y Edward se quedaría más tranquilo.

Pero antes de encontrar el Pepto, hallé algo más que Alice había metido en la maleta. Cogí la pequeña caja azul y me la quedé mirando allí en mi mano, olvidándome de todo lo demás.

Entonces comencé a contar en mi cabeza. Una vez. Dos. Y otra vez más.

Un golpe en la puerta me sobresaltó y la cajita se me cayó de nuevo dentro de la maleta.

—¿Te encuentras bien? —me preguntó Edward a través de la puerta—. ¿Te has mareado otra vez?

—Sí y no —le dije, pero mi voz sonó estrangulada.

—¿Bella? ¿Puedo entrar, por favor? —inquirió ahora en tono preocupado.

—Va… le.

Llegó y evaluó mi postura, sentada con las piernas cruzadas al lado de la maleta, y mi expresión en blanco y ausente. Se sentó a mi lado y rápidamente me puso la mano en la frente.

—¿Qué es lo que va mal?

—¿Cuántos días han pasado desde la boda? —le susurré.

—Diecisiete —me contestó de forma automática—. Bella, ¿qué pasa?

Volví a contar de nuevo. Alcé un dedo para advertirle que esperara y articulé con los labios los números para mis adentros. Antes me había equivocado con los días, porque llevábamos allí más tiempo de lo que yo creía. Comencé de nuevo.

—¡Bella! —susurró en tono de urgencia—, me estás volviendo loco.

Intenté tragar, pero no funcionó. Así que volví a la maleta y rebusqué por todos lados hasta que apareció la cajita azul de nuevo y la levanté en silencio.

Se me quedó mirando lleno de confusión.

—¿Qué? ¿Estás intentado hacerme creer que esto que te pasa es un simple síndrome premenstrual?

—No —me las apañé para contestar sin sofocarme—, no, Edward. Estoy intentando decirte que se me ha retrasado el periodo cinco días.

La expresión de su rostro continuó impertérrita. Era como si no hubiera hablado.

—No creo que me haya intoxicado —añadí.

Él no contestó, se había convertido en una estatua.

—Las pesadillas —mascullé, para mí, con voz monótona—, el sueño que tenía, los lloros, toda esa hambre… Oh, oh. *Oh.*

La mirada de Edward se había vuelto vidriosa, como si fuera incapaz de verme.

La mano se me apoyó en el estómago de forma casi involuntaria, como si fuera un acto reflejo.

—¡Oh! —chillé de nuevo.

Me puse en pie tambaleándome para salir de entre las manos inmóviles de Edward. No me había quitado los pantaloncitos de seda azul y la camisola que me había puesto para dormir, así que alcé de un tirón la tela y me quedé mirándome fijamente la barriga.

—Imposible —susurré.

Aunque no tenía ninguna experiencia con embarazos, bebés o cualquier cosa relativa a ese mundo, no era ninguna idiota. Había visto suficientes películas y programas de televisión para saber que esto no funcionaba así. Sólo se me había retrasado cinco días. Si de verdad estaba embarazada, mi cuerpo no podría haber registrado aún ese hecho. No podía tener mareos matutinos, y desde luego, no habrían cambiado mis rutinas de alimentación y de sueño.

Y aún más claramente, no podía tener un pequeño, pero definido, bulto sobresaliendo entre las caderas.

Giré el torso hacia delante y detrás, examinándolo desde todos los puntos de vista, como si fuera a desaparecer debido al modo en que incidía la luz. Recorrí aquel pequeño bulto casi imperceptible con los dedos, sorprendida por lo duro que se sentía bajo la piel.

—Imposible —repetí otra vez, porque con bulto o sin él, con periodo o sin periodo (y desde luego no lo había, porque jamás se me había retrasado ni un solo día en toda mi vida), no había forma posible de que estuviera *embarazada*. La única persona con la que había practicado sexo en toda mi vida era con un vampiro, hablando alto y claro.

Un vampiro que aún estaba paralizado en el suelo sin dar signo alguno de volver a moverse jamás.

Así que tenía que haber alguna otra explicación, entonces. Tenía que haber algo que iba mal en mí. Alguna extraña enfermedad sudamericana con los síntomas del embarazo, sólo que acelerados…

Y entonces recordé algo, una mañana en la que hice una exploración en Internet que ahora parecía haber sucedido hace mucho tiempo. Sentada en el viejo escritorio en mi habitación en casa de Charlie con aquella luz gris mate brillando a través de la ventana y con la vista fija en mi viejísimo ordenador ronroneante, leí con avidez una página web llamada «Vampiros de la A a la Z». Habían pasado menos de veinticuatro horas desde que Jacob Black, intentando distraerme con aquellas leyendas quileute en las que ni siquiera él creía, me había dicho que Edward era un vampiro. Yo había buscado con ansiedad en las primeras entradas del sitio, dedicado al mito de los vampiros en todo el mundo. El *Danag* filipino, el *Estrie* hebreo, el rumano *Varacolaci*, los *Stregoni benefici* italianos, una leyenda que se basaba en realidad en las primeras hazañas de mi nuevo suegro con los Vulturis, aunque en aquel momento yo no sabía nada de eso... Cada vez prestaba menos atención a las historias conforme se volvían menos verosímiles. Apenas recordaba vagos detalles de las últimas entradas, que parecían principalmente excusas ideadas para explicar cosas como los índices de mortalidad infantil y la infidelidad. «No, cariño, ¡no tengo una aventura! Esa mujer tan sexy que viste salir con disimulo de la casa no era más que un perverso súcubo. ¡Tengo suerte de haber escapado con vida!» Desde luego, con lo que sabía ahora acerca de Tanya y sus hermanas, sospechaba que algunas de esas historietas no habían sido otra cosa más que hechos. Había también algo para las señoras: «¿Cómo me puedes acusar de haberte estado engañando, sólo porque acabas de regresar de un viaje de dos años y estoy embarazada? Fue un íncubo, que me hipnotizó con sus místicos poderes vampíricos...».

Esto formaba parte de la definición de un íncubo, su capacidad para tener hijos con su desafortunada presa.

Sacudí la cabeza, aturdida, pero...

Pensé en Esme y especialmente en Rosalie. Los vampiros no podían tener hijos. Si eso fuera posible, a estas alturas Rosalie hubiera encontrado la forma. El mito del íncubo no era más que una fábula.

Salvo que... bueno, *había* una diferencia. ¡Claro que Rosalie no podía concebir un hijo!, porque estaba paralizada en el estado en el cual había pasado de humana a inhumana y nada podía cambiar en ella. Y los cuerpos de las mujeres humanas tenían que *cambiar* para tener bebés. En primer lugar, estaba el cambio constante del ciclo mensual, y después las grandes transformaciones necesarias para acomodar un bebé en crecimiento. El cuerpo de Rosalie no podía cambiar.

Pero el mío podía, sí, y de hecho lo estaba haciendo. Toqué el bulto de mi barriga que no había estado allí el día anterior.

Y los hombres humanos… bueno, ellos continuaban en el mismo estado desde la pubertad hasta la muerte. Recordé al azar una trivialidad, que había sacado de sabe Dios dónde: Charlie Chaplin estaba en los setenta cuando tuvo a su hijo más pequeño. Los hombres no han de soportar dificultades como los años o los ciclos de fertilidad para poder tener hijos.

Claro, ¿cómo había nadie de saber si los hombres vampiro podían tener hijos, cuando sus compañeras no podían? ¿Qué vampiro en este mundo tendría el autocontrol necesario para probar esa teoría con una mujer humana? ¿O la inclinación a hacerlo?

Sólo se me ocurría el nombre de uno.

La mitad de mi cabeza estaba intentando organizar hechos, recuerdos y compaginarlos con las especulaciones, mientras que la otra mitad, la que controlaba la capacidad de mover mi cuerpo, estaba tan aturdida que no era capaz de desempeñar ni la operación más sencilla. No podía mover los labios para hablar, aunque quería pedirle a Edward que me explicara *por favor* lo que estaba pasando. Necesitaba regresar adonde él estaba sentado, tocarlo, pero mi cuerpo no seguía mis instrucciones. Sólo podía mirar a mis ojos atónitos en el espejo, mientras mis dedos apretaban con cuidado la pequeña hinchazón de mi vientre.

Y entonces, como había sucedido en la vívida pesadilla que había padecido la noche anterior, la escena se transformó de repente. Lo que veía en el espejo tenía un aspecto del todo diferente, aunque en realidad *nada* era diferente.

Lo que cambió todo fue sólo un suave y pequeño golpecito que chocó contra mi mano, desde dentro de mi cuerpo.

Al mismo tiempo, el móvil de Edward sonó un tono agudo y exigente. Ninguno de los dos nos movimos. Sonó una y otra vez. Intenté dejar de escucharlo mientras presionaba los dedos contra mi barriga, esperando. En el espejo la expresión de mi rostro ya no era de perplejidad, sino expectante. Apenas noté las lágrimas silenciosas y extrañas que comenzaron a manar de mis ojos, y a correr por mis mejillas.

El teléfono siguió sonando. Deseaba que Edward contestara de una vez, porque yo estaba ensimismada en el momento que estaba viviendo, quizá el más importante de mi vida.

¡Ring! ¡Ring! ¡Ring!

Al final el fastidio pudo con todo lo demás. Me arrodillé al lado de Edward y noté que lo hacía con más cuidado, mil veces más consciente del modo en que percibía mis movimientos; rebusqué por sus bolsillos hasta que encontré el teléfono. Casi esperé que me lo arrancara de las manos para contestar él mismo, pero continuaba perfectamente inmóvil.

Reconocí el número y pude adivinar con facilidad por qué estaba llamando.

—Hola, Alice —le dije. Mi voz no había mejorado mucho, así que me aclaré la garganta.

—¿Bella? ¿Bella, te encuentras bien?

—Ah, sí. Mmm. ¿Está Carlisle ahí?

—Sí, aquí está. ¿Cuál es el problema?

—No, no estoy al cien por cien… segura…

—¿Está bien Edward? —me preguntó recelosa. Oí cómo llamaba a Carlisle apartándose del teléfono y luego siguió inquiriendo de forma exigente, «¿por qué no ha cogido el teléfono?» aun antes de que pudiera contestar su primera pregunta.

—No estoy segura.

—¿Bella, qué está pasando? Sólo he visto...

—¿Qué es lo que has visto? —se hizo un silencio.

—Ya ha llegado Carlisle —repuso al fin.

Sentí como si me hubieran inyectado agua helada en las venas. Si Alice hubiera tenido una visión mía con un niño de ojos verdes y rostro de ángel en los brazos, me habría preguntado algo al respecto, ¿no?

Mientras esperaba, en el segundo que le llevó a Carlisle hablar, la visión que había imaginado para Alice bailoteó detrás de mis párpados. Un diminuto y bello bebé, incluso más bello aún que el niño de mis sueños, un diminuto Edward en mis brazos. Una cierta calidez me inundó las venas, alejando la frialdad.

—Bella, soy Carlisle. ¿Qué pasa?

—Yo... —no sabía qué contestarle. ¿Se reiría él de las conclusiones a las que había llegado, pensaría que estaba loca? ¿Era sólo que estaba teniendo otro de esos sueños en color?—. Estoy un poco preocupada por Edward... ¿Pueden entrar los vampiros en estado de *shock*?

—¿Está herido? —la voz de Carlisle sonó repentinamente urgente.

—No, no —le aseguré—. Sólo... es efecto de la sorpresa.

—No lo entiendo, Bella.

—Creo... bueno, creo que... quizás... es que yo podría estar... —inhalé profundamente—. Tal vez esté embarazada.

Como para reforzar mi afirmación, sentí otro golpecito en el abdomen. Mi mano voló hacia allí.

Después de una larga pausa, el entrenamiento médico de Carlisle entró en acción.

—¿Cuándo fue el primer día de tu último ciclo menstrual?

—Dieciséis días antes de la boda —había hecho los cálculos mentales matemáticos las veces suficientes para poder contestar con certeza.

—¿Cómo te sientes?

—Extraña —le conté, pero la voz se me quebró y otro hilo de lágrimas comenzó a descender por mis mejillas—. Esto te va a sonar como una locura… Mira, sé que es demasiado pronto para esto. Quizás es que me he vuelto loca. Pero tengo sueños muy raros y tengo hambre a todas horas, y no quiero más que llorar, y vomitar y… y… te juro que algo se me ha *movido* justo ahora en el interior del cuerpo.

La cabeza de Edward se alzó de repente.

Suspiré aliviada.

Edward extendió la mano para que le diera el teléfono, con el rostro pálido y endurecido.

—Mmm, creo que Edward quiere hablar contigo.

—Dile que se ponga —contestó Carlisle con voz contenida.

No estaba segura del todo de que Edward pudiera hablar, pero le entregué el móvil.

Lo apretó contra su oreja.

—¿Eso es posible? —susurró él.

Escuchó durante un largo rato, mirando de forma inexpresiva hacia la nada.

—¿Y Bella? —preguntó y me envolvió con su brazo mientras hablaba, apretándome contra su costado.

Escuchó durante lo que pareció un rato muy largo y después dijo:

—Sí, sí, lo haré.

Apartó el móvil de su oído y presionó el botón de apagado. Sin detenerse marcó un número nuevo.

—¿Qué ha dicho Carlisle? —le pregunté con impaciencia.

Edward respondió con voz inanimada.

—Cree que estás embarazada.

Las palabras enviaron un cálido estremecimiento a través de mi columna. Aquel pequeño «pateador» se removió en mi interior.

—¿A quién estás llamando ahora? —inquirí mientras volvía a ponerse el teléfono en el oído.

—Al aeropuerto, volvemos a casa.

Edward estuvo al teléfono durante más de una hora sin parar. Supuse que estaría arreglando nuestro vuelo de regreso, pero no podía estar segura porque no hablaba en inglés. Sonaba como si estuviera discutiendo, habló entre dientes durante un buen rato.

Mientras discutía, iba haciendo las maletas. Revoloteaba por la habitación como un tornado furioso, pero dejando orden en vez de destrucción a su paso. Arrojó un puñado de ropas mías sobre la cama sin mirarlas, así que supuse que era hora de vestirme. Él continuaba en plena controversia mientras yo me cambiaba, gesticulando con movimientos repentinos y agitados.

Cuando ya no pude soportar más la violenta energía que irradiaba, abandoné la habitación en silencio. Su concentración maníaca hacía que me estuviera mareando, no como con aquellas náuseas matutinas, sino de una forma más desagradable. Esperaría en cualquier lugar a que se le pasara ese humor. No podía hablar con ese concentrado y helado Edward que, la verdad, me asustaba un poco.

Una vez más, terminé en la cocina. Había un paquete de galletitas saladas en el armario. Comencé a masticarlas de forma ausente, mirando por la ventana hacia la arena, las rocas, los árboles y el océano, que todavía relucían bajo el sol.

Alguien me dio una ligera patadita.

—Ya lo sé —comenté—, yo tampoco me quiero ir.

Me quedé mirando por la ventana durante un momento, pero el «pateador» no contestó.

—No lo entiendo —murmuré—. ¿Qué es lo que va *mal*?

Era del todo sorprendente, incluso hasta el punto de dejarme atónita. Pero, ¿*malo*?

No.

¿Entonces por qué estaba Edward tan furioso? Él era quien en realidad había estado más que dispuesto a una boda de penalti.

Intenté razonarlo.

Quizá no era tan raro que Edward quisiera que nos fuéramos a casa derechos. Seguramente deseaba que Carlisle comprobara y se asegurara de que mi suposición era cierta, aunque en realidad, a estas alturas a mí no me quedaba ninguna duda. Probablemente, lo que querrían estudiar también era por qué estaba ya *tan* embarazada, con el bulto, las pataditas y todo lo demás. Eso no era normal.

Una vez que me puse a pensar en ello, estuve segura de comprenderlo. Debía de estar inquieto por el bebé, aunque aún no le había dado ningún ataque de esos suyos de preocupación. Mi cerebro trabajaba de un modo más lento que el suyo, porque todavía estaba prendido en la maravilla de la imagen que había conjurado antes: el niño diminuto con los ojos de Edward, verdes como los había tenido cuando era humano, acurrucado feliz y hermoso en mis brazos. Esperaba que tuviera el mismo rostro de Edward, sin ninguna interferencia del mío.

Resultaba divertido ver lo decisiva y enteramente necesaria que se había vuelto esta visión. Ese primer toque ligero había cambiado todo mi mundo. Donde antes sólo había habido una cosa sin la que no podía vivir, ahora había dos. No era como si me hubiera dividido entre los dos, no era que hubiera repartido mi amor. Era más como si mi corazón hubiera crecido, se hubiera hinchado al doble de su tamaño, y hubiera llenado ya todo ese espacio extra. Un cambio vertiginoso.

Antes tampoco había comprendido el dolor y el resentimiento de Rosalie. Nunca me había imaginado a mí misma en el papel de madre y jamás lo había deseado. No había querido engatusar a Edward diciéndole que no me preocupaba el no poder tener hijos con él, la verdad era que ni siquiera me lo había planteado. Los niños, en abstracto, jamás me habían atraído. Me parecían criaturas chillonas, siempre chorreando alguna porquería, y además nunca había tenido mucho contacto con ellas. Cuando soñaba en que Renée me trajera algún hermanito, siempre me imaginaba un hermano mayor, alguien que me cuidara, y no al revés.

Pero este niño, el hijo de Edward, era una historia completamente distinta.

Le quería como quería aire para respirar. No como una elección, sino como una necesidad.

Quizá todo se debía a que siempre había tenido muy poca imaginación. Quizá también ése era el motivo por el que me había resultado imposible imaginar que me gustaría estar casada hasta que lo estuve, y quizá también por eso había sido incapaz de ver que quería un bebé hasta que estuvo en camino…

Mientras ponía la mano en mi barriga, esperando la siguiente patada, las lágrimas se deslizaron de nuevo por mis mejillas.

—¿Bella?

Me volví, algo recelosa debido al tono de su voz. Era demasiado frío, demasiado cauteloso y la expresión de su rostro acompañaba a la voz, vacía e inexpresiva.

Y fue entonces cuando se dio cuenta de que estaba llorando.

—¡Bella! —cruzó la habitación como un rayo y puso sus manos alrededor de mi rostro—, ¿te duele algo?

—No, no...

Me estrechó contra su pecho.

—No tengas miedo, llegaremos a casa en dieciséis horas. Estarás bien. Carlisle estará preparado cuando lleguemos y nos haremos cargo de esto y tú estarás bien, muy bien.

—¿Hacernos cargo de esto? ¿A qué te refieres?

Se apartó y me miró directo a los ojos.

—Vamos a sacar a esa cosa de ahí antes de que pueda herirte. No te asustes. No dejaré que te haga daño.

—¿Esa «cosa»? —pregunté con un jadeo.

Apartó la mirada apresuradamente de mí, y la dirigió hacia la puerta principal.

—¡Maldita sea! Se me olvidó que Gustavo venía hoy. Me desharé de él y volveré —y salió disparado de la habitación.

Me agarré a la encimera en busca de apoyo porque tenía las rodillas temblonas. Edward había llamado «cosa» a mi pequeño «pateador». Y decía que Carlisle me lo sacaría.

—No —susurré.

Me había equivocado, a él no le preocupaba el bebé en absoluto, porque quería hacerle *daño*. Aquella hermosa imagen de mi mente cambió de pronto convirtiéndose en algo sombrío. Mi pequeño bebé lloraba y mis débiles brazos no bastaban para protegerle...

¿Qué podía hacer? ¿Cómo iba a ser capaz de razonar con ellos? ¿Y qué pasaría si no lo conseguía? ¿Explicaría esto el extraño silencio de Alice al teléfono? ¿Era eso lo que ella había visto, que Edward y Carlisle mataban a mi pálido y perfecto bebé antes de que pudiera vivir?

—No —susurré de nuevo, con la voz más firme.

Eso no podía ser. Yo no lo iba a permitir.

Escuché a Edward hablando de nuevo en portugués y discutiendo otra vez. Su voz se acercaba y le oí gruñir de pura desesperación. Entonces oí la otra voz, baja y tímida, la voz de una mujer.

Entró en la cocina delante de ella y se dirigió derecho hacia mí. Me limpió las lágrimas de las mejillas y murmuró en mi oído a través de la fina y tensa línea de sus labios.

—Insiste en dejarnos la comida que ha hecho, la cena —si hubiera estado menos tenso y menos furioso, habría puesto los ojos en blanco—. Es únicamente una excusa, lo que quiere es asegurarse de que aún no te he asesinado —su voz se volvió fría como el hielo al final.

Kaure dio la vuelta a la esquina nerviosa, con un plato cubierto en las manos. Hubiera deseado poder hablar un poco de portugués, o que mi español fuera menos rudimentario, para poder agradecerle a esta mujer que se hubiera atrevido a sufrir la ira de un vampiro sólo por comprobar que yo estuviera bien.

Sus ojos se movieron inquietos del uno al otro. Le vi medir el color de mi rostro, la humedad de mis ojos. Puso el plato en la encimera murmurando algo que no entendí.

Edward le replicó con brusquedad, y nunca antes le había visto comportarse con tan poca educación. Ella se volvió para marcharse, y el revoloteo de su falda larga empujó el olor de la comida hacia mi rostro. Era fuerte: cebollas y pescado. Me entraron náuseas y me giré hacia el fregadero. Sentí las manos de Edward sobre mi frente y escuché su murmullo tranquilizador a través del rugido de mis oídos. Sus manos desaparecieron durante un segundo y oí el golpe de la puerta del frigorífico. Gracias al cielo, el olor desapareció con el sonido y las manos de Edward me refrescaron de nuevo el rostro pegajoso. Todo se me pasó con rapidez.

Me limpié la boca en el grifo mientras él me acariciaba un lado de la cara.

Sentí un tímido golpecito en mi útero.

Todo va bien, estamos bien, pensé en dirección al bulto.

Edward me dio la vuelta, abrazándome hasta que reposé la cabeza sobre su hombro. Mis manos, de forma instintiva, se doblaron sobre mi barriga.

Escuché un ligero jadeo y levanté la mirada.

La mujer aún estaba allí, dudando en la entrada con las manos extendidas a medias como si estuviera buscando alguna manera de ayudarme. Sus ojos se habían quedado clavados en mis manos, abriéndose de pronto por la sorpresa, al igual que su boca.

Entonces Edward dio también un grito ahogado y, de repente, se volvió para enfrentarse a la mujer, empujándome ligeramente detrás de su cuerpo. Su brazo envolvió mi torso como si me estuviera sujetando a su espalda.

De súbito, Kaure le gritó, en voz muy alta, con furia, mientras sus palabras ininteligibles volaban por la habitación como cuchillos. Alzó su pequeño puño en alto y dio dos pasos hacia delante, sacudiéndolo en dirección a él. A pesar de su ferocidad, era fácil ver el terror retratado en sus ojos.

Edward dio también otro paso hacia ella, y yo me aferré a su brazo, asustada por la mujer. Pero cuando ella interrumpió su parrafada, la voz de él me cogió por sorpresa, en especial considerando lo desagradable que había estado con ella antes de que hubiera empezado a chillarle. Hablaba ahora en voz baja, como si estuviera suplicando. No sólo eso, sino que el sonido era diferente, más gutural, sin la misma cadencia. Pensé que, en ese momento, ya no estaba hablando portugués.

Durante un instante, la mujer se le quedó mirando maravillada y después entrecerró los ojos mientras ladraba una larga pregunta en la misma lengua extraña.

Observé cómo el rostro de Edward se volvía más triste y serio, y asentía una vez. Ella dio un rápido paso atrás y se santiguó.

Él se le acercó haciendo gestos en mi dirección y después descansó la mano en mi mejilla. Ella replicó enfadada, moviendo las manos de forma acusadora hacia él, y después gesticuló de nuevo. Cuando terminó, él le suplicó otra vez con la misma voz baja y llena de urgencia.

La expresión de ella cambió, y se le quedó mirando con la duda reflejada en el rostro mientras le replicaba; sus ojos a veces se dirigían rápidamente hacia mi cara confundida. Él dejó de hablar y ella pareció estar deliberando sobre algo. Nos miró al uno y al otro varias veces, y dio un paso hacia delante, creo que de modo inconsciente.

Hizo un movimiento con sus manos, realizando un gesto mímico como de un balón sobresaliendo de su estómago. Me la quedé mirando, porque parecía que sus leyendas sobre el predador bebedor de sangre incluían *eso* también. ¿Sabría ella algo sobre lo que estaba creciendo dentro de mí?

Caminó unos cuantos pasos hacia delante de forma deliberada ahora y preguntó con unas cuantas frases cortas, a las que él respondió muy tenso. Entonces fue él quien preguntó, una sola cuestión muy breve. Ella dudó y después sacudió pesadamente la cabeza. Cuando él habló de nuevo, su voz expresaba una agonía tal, que alcé la mirada hacia él, sorprendida y asustada. Su rostro se retorció congestionado por la pena.

En respuesta, ella caminó con lentitud hacia delante hasta que estuvo lo suficientemente cerca para poner su mano diminuta sobre la mía, sobre mi barriga. Sólo dijo una palabra en portugués.

—*Morte* —dijo, suspirando. Entonces se volvió, con los hombros hundidos, como si la conversación la hubiera hecho envejecer y abandonó la habitación.

Sabía bastante español para extrapolar y comprender esa palabra.

Edward se quedó paralizado de nuevo, con la mirada fija en el lugar por donde ella había salido con una expresión torturada en el rostro. Unos cuantos minutos más tarde, escuché encenderse el motor de un bote y luego desvanecerse en la distancia.

Edward no se movió hasta que me dirigí al baño, y entonces puso una mano sobre mi hombro.

—¿Adónde vas? —su voz era un susurro lleno de dolor.

—A lavarme otra vez los dientes.

—No te preocupes por lo que ha dicho. No son nada más que leyendas, viejas mentiras para entretener a la gente.

—No he entendido nada —le repliqué, aunque eso no era del todo verdad. Como si yo pudiera descartar algo por el hecho de que fuera una leyenda. Mi vida estaba tan rodeada de leyendas por todas partes… y todas ellas eran ciertas.

—Ya he guardado tus cosas en la maleta, te lo traeré.

Caminó delante de mí en dirección al dormitorio.

—¿Nos marchamos pronto? —le pregunté a sus espaldas.

—En cuanto estés lista.

Esperó a que terminara para guardar de nuevo mi cepillo de dientes, caminando lentamente alrededor de la habitación, y se lo di en cuanto acabé.

—Llevaré el equipaje a la lancha.

—Edward...

Él se volvió.

—¿Sí?

Yo dudé, intentando encontrar alguna excusa para poder quedarme unos segundos a solas.

—¿Te importaría... que nos lleváramos algo de comida? Ya sabes, por si me entra hambre otra vez.

—Claro —replicó, con los ojos repentinamente dulces—. No te preocupes por nada. Llegaremos al lado de Carlisle en unas cuantas horas, la verdad, y pronto todo habrá terminado.

Yo asentí con la cabeza, porque no confiaba en mi voz.

Él se volvió y salió de la habitación, con una maleta enorme en cada mano.

Me giré y salí disparada hacia el teléfono que él se había dejado en la encimera. Era muy raro que a Edward se le olvidara algo, como que Gustavo estaba a punto de llegar, o el móvil que se había dejado allí. Estaba tan nervioso que apenas era él mismo.

Lo abrí y busqué entre los números de la agenda. Me alegró que tuviera los sonidos apagados porque temía que pudiera pillarme. ¿Estaría aún en la lancha o ya de vuelta? ¿Me escucharía desde la cocina si hablaba entre susurros?

Encontré el número que quería, uno que no había usado nunca antes en mi vida. Presioné el botón de llamada y crucé los dedos.

—¿Diga? —contestó la voz que sonaba como campanillas de viento doradas.

—¿Rosalie? —murmuré—. Soy Bella. Por favor, tienes que ayudarme.

LIBRO DOS

◄◄─►►

Jacob

Con todo y eso, a decir verdad, en nuestros días
razón y amor no hacen buenas migas.

William Shakespeare
El sueño de una noche de verano, acto III, escena 1ª

William Shakespeare

Prefacio

La vida es un asco y encima te mata.

Sí, vale, no tendré esa suerte.

A la espera de que empiece de una vez la maldita pelea

—Caray, Paul, ¿no te mola *tu* casa?

El tío se limitó a sonreírme sin hacer amago de moverse. Siguió tirado en *mi* sofá, mientras contemplaba un estúpido partido de béisbol en *mi* destartalada tele. Luego, con deliberada lentitud, extrajo una patata de la bolsa que tenía encima de la tripa y se la metió en la boca.

—Podrías traerte las cosas para picar, ¿no?

Crunch, crunch.

—No —contestó sin dejar de masticar—. Tu hermana me dio luz verde para que me sirviera cuanto me apeteciera.

Hice un esfuerzo para que la voz no delatara las muchas ganas que tenía de atizarle un buen mamporro.

—Pero ahora Rachel no anda por aquí, ¿verdad?

No funcionó. Él se percató de mis intenciones e introdujo detrás de la nuca la bolsa, que crujió cuando la apretujó contra el cojín. Las patatas fritas se rompieron en pedacitos con gran estrépito. Paul cerró las manos hasta convertirlas en puños y los alzó cerca del rostro, imitando el gesto de un púgil.

—Venga, atrévete, chaval. No necesito la protección de Rachel.

Le bufé.

—Ya, como si no te pegaras a ella a la menor oportunidad.

Paul soltó una carcajada, bajó los puños y se recostó en el sofá.

—No voy a lloriquearle a ninguna chica. Si tienes la potra de atizarme, eso queda entre nosotros, aunque tendría que ser recíproco, ¿vale?

Semejante invitación era todo un detalle. Simulé venirme abajo, como si hubiera cambiado de idea.

—Vale.

Él fijó los ojos en la pantalla de la tele…

… y yo arremetí.

Me supo a gloria el crujido de su nariz cuando le metí el puñetazo. Intentó agarrarme, pero me zafé antes de que pudiera atraparme, llevándome la bolsa de patatas con la mano izquierda.

—Me has roto las napias, ¡idiota!

—Esto queda entre nosotros, ¿no, Paul?

Puse lejos la bolsa de patatas y me di la vuelta. El agredido estaba recolocando el tabique de su nariz para que no se le quedara torcido y la hemorragia se había detenido. No daba la impresión de haber sangrado después de limpiarse los labios y el mentón. Profirió un taco y soltó un respingo cuando empujó el cartílago.

—Eres un suplicio, Jacob, te lo juro, debería pasar más tiempo con Leah.

—¡Uy, caramba! Apuesto a que Leah se sentirá feliz de saber que vas a pasar más de tu valioso tiempo con ella. Se pondrá más contenta que unas castañuelas.

—Olvida que he dicho eso.

—Pues claro, hombre, no me chivaré.

—Uf —gruñó; luego, se reclinó sobre el sofá y frotó los restos de sangre del cuello de la camisa—. Eres rápido, chico. Eso he de concedértelo.

A continuación, centró su atención en el estúpido partido.

Me quedé allí de pie como un pasmarote y luego salí pitando hacia mi habitación, murmurando tonterías sobre abducciones alienígenas.

En los viejos tiempos, podías contar con Paul para armar una bronca de campeonato en cualquier momento, ni siquiera necesitabas pegarle, bastaba una palabrita más fuerte de la cuenta. No hacía falta mucho para sacarle de sus casillas. El muy tarugo tenía que volverse un blandengue ahora que me moría de ganas por disfrutar de una pelea como Dios manda, de esas en las que lo rompes casi todo y pones el resto patas arriba.

Como si no fuera bastante malo que se hubiera producido otra imprimación en la manada, porque, en realidad, eso dejaba las cosas en cuatro a diez. ¿Cuándo iba a detenerse esa locura? ¡Por el amor de Dios, según los mitos, las imprimaciones eran casos esporádicos! Tanto amor predestinado y a primera vista me daba asco.

¿Tenía que ser *mi* hermana? ¿Debía ser *Paul*?

Mi principal preocupación cuando Rachel regresó del estado de Washington, al final del semestre de verano —la muy sabelotodo se había graduado antes de tiempo— consistía en lo duro que me iba a resultar guardar el secreto con ella cerca. No estaba habituado a andarme con tapujos en mi propia casa. Eso me hizo sentir una corriente de verdadera simpatía hacia tíos como Embry y Collin, cuyos padres no tenían ni idea de su condición de licántropos. La madre de Embry pensaba que el pobre estaba pasando por la clásica etapa rebelde de la pubertad. A la mínima se tiraba al suelo y se ponía a olisquear, pero claro, él no podía evitarlo. Ella acudía a su cuarto todas las madrugadas, y siempre lo encontraba vacío; luego, le montaba un pollo de cuidado y él no decía ni mu, y así hasta el día siguiente. Quisimos hablar con Sam para que la madre estuviera en el ajo y Embry tuviera un respiro, pero él aseguró que no le importaba. El secreto era demasiado importante.

Claro, por eso me estaba preparando yo, para proteger el secreto; y mira por dónde, Paul se encuentra con Rachel en la playa a los dos días de que ella haya vuelto a casa, y ¡zaca! ¡Otro amor verdadero al canto! No guardas secretos cuando encuentras a tu media naranja y puedes soltarle toda esa información sobre hombres lobo.

Rachel se enteró de la historia completa y yo de que Paul iba a ser mi cuñado algún día. La perspectiva no le hacía demasiado tilín a mi padre, aunque lo sobrellevaba lo mejor posible. Por supuesto, ahora se escapaba a casa de los Clearwater más de lo habitual. La verdad, yo no tenía muy claro que saliera ganando en el cambio. Se libraba de Paul, sí, pero tenía Leah para hartarse.

¿Si me alcanzara un balazo en la sien me mataría o sólo dejaría un revoltijo que luego habría que limpiar?

Me tiré sobre la cama. Estaba reventado, pues no había pegado ojo desde mi última patrulla, pero sabía que no iba a conciliar el sueño. Tenía un embrollo demasiado grande en la sesera. Los pensamientos revoloteaban dentro de mi cabeza como enjambres de abejas desorientadas, que además zumbaban como tales. De vez en cuando incluso me provocaban punzadas. Y esos pensamientos no dejaban de acosarme ni un momento.

Esta espera iba a volverme loco. Habían transcurrido ya cuatro semanas. Esperaba haber tenido noticias de uno u otro modo. Me tiraba las noches en vela, imaginando qué forma adoptarían.

Fantaseaba con la llamada del sollozante Charlie mientras nos decía que Bella y su esposo habían muerto en un accidente. ¿Un avión estrellado?... Eso era demasiado difícil de amañar, a menos que las sanguijuelas no tuvieran escrúpulos en sacrificar a un montón de testigos inocentes para darle autenticidad a la farsa; pero ¿por qué iban a tenerlos? Quizás utilizaran una avioneta, lo más probable era que tuviesen una de la que pudieran prescindir.

¿O acaso el asesino volvería solo a casa tras fracasar en su intento de convertirla en uno de ellos? Quizá ni siquiera hubieran llegado muy lejos. Tal vez la había hecho cachitos tan pequeños como las patatas de la bolsa de Doritos, con esa conducción suya tan alocada, mientras la llevaba a cualquier sitio. Porque a él la vida de ella le importaba menos que su propio placer...

La historia iba a ser dramática. Bella moriría de alguna forma terrible, víctima de un asaltante que se había equivocado, asfixiada durante la cena o a consecuencia de un accidente de tráfico, como mi madre. Era tan habitual. Sucedía todos los días.

¿La traería a casa? ¿La enterraría aquí como muestra de deferencia hacia Charlie? Se trataría de una ceremonia con el féretro cerrado, por supuesto. El ataúd de mamá estaba muy bien claveteado.

Mi única esperanza era que él regresara a Forks, que se me pusiera a tiro.

También podía ocurrir que no se supiera nada. Quizá Charlie telefoneara a mi padre para preguntarle si sabía algo del doctor Cullen, pues un día había dejado de presentarse en el trabajo. La casa estaría abandonada y nadie contestaría cuando llamaran a los teléfonos. Algunos programas de chichinabo incluirían ese misterio en la parrilla de noticias y especularían con la posibilidad de un crimen abyecto.

Era posible que la enorme casa blanca acabara quemada hasta los cimientos, quedando atrapados todos los miembros de la familia, aunque para realizar esa jugada iban a necesitar ocho cuerpos que a grandes rasgos tuvieran las dimensiones adecuadas. El incendio tendría que carbonizarlos hasta dejarlos irreconocibles e imposibilitar incluso el recurso a los registros dentales para una posible identificación.

No iba a dejarme engañar por ninguna de esas tretas, pero resultaría difícil encontrarlos si ellos no querían. Yo disponía de todo el espacio del mundo para buscar, por descontado, y cuando tienes tiempo a espuertas, puedes ir mirando todas las pajitas del pajar hasta descubrir cuál es la aguja.

En ese preciso momento no me hubiera importado deshacer un almiar entero, pues de ese modo tendría, al menos, algo que hacer. Me reventaba saber que tal vez estuviera desperdiciando mi ocasión y que mi pasividad podría dar tiempo a los chupasangres para escapar, si es que era ése su plan.

Podíamos ir esa misma noche y matar a todos cuantos encontráramos.

Me encantaba ese plan. Estaba seguro de que si yo me cargaba a algún miembro del aquelarre, Edward lo sabría y vendría a por mí en busca de venganza, y de ese modo yo tendría una oportunidad de acabar con él. No iba a permitir que mis hermanos le derrotaran en manada, sería algo entre él y yo, y que ganara el mejor.

Pero Sam no querría ni oír el plan. «Nosotros vamos a respetar el tratado, que sean ellos quienes lo violen», me diría.

Y total, eso sólo porque no teníamos prueba alguna de que los Cullen hubieran hecho algo malo. Por ahora. Todos sabíamos que era inevitable que lo hicieran, y Bella estaba a punto de regresar convertida en uno de ellos o de no regresar. Fuera como fuera, habrían tomado una vida humana y eso marcaría el comienzo del juego.

Paul se puso a rebuznar como un borrico en la otra habitación. Debía de haber puesto una comedia o tal vez echaran algún anuncio divertido. Lo que fuera. Me sacaba de mis casillas.

Pensé en romperle otra vez la nariz, pero no quería pelearme con él. En realidad, no.

Intenté escuchar otra cosa: el susurro del viento en los árboles, cuya sonoridad guardaba poca relación con la apreciada por los oídos humanos. Había un millón de voces en el viento que yo era incapaz de oír en mi forma de hombre.

Pero tenía un sentido del oído muy aguzado. Podía escuchar los motores de los coches cuando doblaban la última curva, más allá de los árboles, desde la cual era posible ver la playa y la silueta de las islas, las rocas y el inmenso océano azul que se prolongaba hasta el horizonte. A los polis de La Push les encantaba emboscarse por allí e hincharse a poner multas, ya que, por lo general, los turistas no reparaban en las señales indicadoras de velocidad de los arcenes, y era obligatorio circular muy despacio.

Escuché las voces procedentes de la playa en las inmediaciones de la tienda de recuerdos, el cascabeleo de la campanilla cada vez que se abría y se cerraba la puerta y el repiqueteo de la caja registradora al imprimir cada tique de compra.

También percibí el arrullo de la marea mientras barría las rocas de la playa, y los gritos de los niños cuando el agua helada de las olas se les echaba encima demasiado deprisa para poder retirarse, y las quejas de las madres sobre las ropas empapadas. Entonces, reparé en una voz familiar...

Aguzaba el oído con gran intensidad cuando la repentina carcajada del jumento de Paul hizo que me incorporara en la cama casi del todo.

—Pírate de mi casa —rezongué.

Sabedor de que no me prestaba la menor atención, me apliqué yo el cuento. Abrí la ventana con un golpe seco y me encaramé al alféizar para marcharme sin tener que volver a ver a Paul. La tentación iba a ser demasiado grande. Si le echaba la vista encima, iba a atizarle de nuevo, y Rachel ya se iba a enfadar bastante. Vería la sangre de su camisa y me echaría las culpas sin necesidad de más pruebas, y estaría en lo cierto, claro, pero tendría que aguantarse.

Bajé a la playa dando un paseíllo con las manos hundidas en los bolsillos. Nadie se molestó en dedicarme una segunda mirada cuando crucé el sucio garaje de First Beach. Eso era una de las cosas más chulas del verano: a nadie le importaba si sólo vestías unos pantalones cortos.

Seguí el sonido de la voz conocida y no tardé en toparme con Quil. Se hallaba en el extremo sur de la medialuna de la playa a fin de evitar lo más grueso del mogollón de turistas. Ahí lo tenías, borbotando un torrente de advertencias:

—Fuera del agua, Claire. Vamos, no, no. Eh. Muy bonito, señorita. ¿De veras quieres oír cómo me grita Emily? No voy a traerte a la playa nunca más si no... ¿Ah, sí? No... Uf. Esto te parece divertido, ¿a que sí? ¡Ja, ja! ¿Y quién se ríe ahora? ¿Eh, eh?

Cuando llegué hasta él, Quil aferraba por el tobillo a la niña de la risa tonta. La pequeña sostenía un cubo en una mano;

tenía los pantalones hechos una sopa y una colosal mojadura en el frontal de la camiseta.

—Cinco pavos a favor de la chica —dije.

—Hola, Jake.

Claire pegó un alarido y arrojó el cubo a los pies de Quil.

—Abajo, abajo.

Él la depositó con sumo cuidado en la arena. La pequeña vino a gatas hasta mí y se aferró a mi pierna.

—Tito *Yei*.

—¿Cómo te lo estás pasando, Claire?

—Quil está mojado.

—Ya lo veo. ¿Dónde está tu mamá?

—Ido, ido, *sa* ido —canturreó Claire—. Claire con Quil tooodo el día. *N*o quiero volver a casa nunca.

Me dejó y se marchó corriendo hacia Quil. Éste la alzó en vilo y se la puso sobre los hombros.

—Tiene toda la pinta de que alguien acaba de cumplir la temible cifra de los dos años…

—Tres —me corrigió Quil—. Te perdiste la fiesta temática. Tocó de princesas. La cría me hizo llevar una corona y Emily tuvo la ocurrencia de que podían probar su nueva caja de maquillaje conmigo.

—Vaya, de veras lamento no haber estado para verlo.

—No te preocupes. Emily ha hecho fotos. De hecho, he salido de lo más favorecido.

—Menudo primo estás hecho.

—Claire se lo ha pasado en grande —repuso él con un encogimiento de hombros—, y de eso se trataba.

Puse los ojos en blanco. Resulta duro estar cerca de gente con la imprimación, con independencia del estado de la relación, ya estuviera a punto de culminar el enlace, como Sam, o ya fuera una niñera vejada como Quil. Irradiaban una paz y una serenidad que daban verdadera vomitera.

Claire chilló sobre los hombros de Quil y señaló al suelo.

—Quiero una piedra bonita, piedra bonita, para mí, para mí.

—¿Cuál, pequeña? ¿La roja?

—No, roja no.

Quil se dejó caer de rodillas. La niña pegó un chillido y le tiró de los cabellos como si fueran las riendas de los caballos.

—¿La azul?

—No, no, no —cantó la niña, encantada con el nuevo juego.

Lo más raro de todo es que Quil se lo estaba pasando pipa, tanto o mejor que ella. Él no tenía esa cara de tantos padres turistas que llevan escrito en el rostro la pregunta: «¿cuándo es la hora de siesta?». En la vida había estado delante de un padre de verdad tan encantado de jugar a cualquier tontería. Yo había visto a Quil jugar al cucú durante una hora entera sin aburrirse.

Y ni siquiera podía cachondearme de él por eso. Le envidiaba demasiado.

Aunque también pensaba que iba a tener que chuparse sus buenos catorce años de celibato hasta que Claire le igualara en edad, ya que lo bueno de ser hombre lobo es que no envejeces. Pero todo aquel tiempo de espera no parecía molestarle ni una pizca.

—¿Ni siquiera se te pasa por la cabeza tener citas, Quil?

—¿Eh…?

—No, no, tú no —cacareó Claire.

—Ya sabes, salir con chicas reales, quiero decir, sólo por ahora, ¿vale? Sólo para las noches libres de tus obligaciones de niñera.

Quil se quedó boquiabierto y me miró fijamente.

—¡Piedra bonita, piedra bonita! —se puso a gritar Claire en cuanto él dejó de ofrecerle alternativas, y empezó a golpearle en la cabeza con los puñitos.

—Perdona, Claire, ¿y qué te parece esa preciosidad purpúrea?

—No —dijo entre risas.

—Por favor te lo pido, dame una pista, niña.

La pequeña se lo pensó un segundo.

—Verde —dijo al fin.

Quil repasó las rocas con la mirada, estudiándolas. Eligió cuatro piedras con diferentes tonalidades de verde y se las ofreció.

—¿La cojo?

—*Sí.*

—¿Cuál?

—Todas, todas.

La chiquilla ahuecó las palmas y él dejó caer las piedrecillas en el cuenco de las manos. Ella soltó una carcajada y de inmediato le golpeó con las chinas en la cabeza. Él hizo una exagerada mueca de dolor, se puso en pie y echó a andar de vuelta al aparcamiento. Debía de preocuparle que ella cogiera frío con las ropas mojadas. Era peor que cualquier madre paranoica y sobreprotectora.

—Perdona si antes he estado un poco agresivo con lo de las tías, colega —me disculpé a su regreso.

—Nada, nada, está bien —repuso él—. Me ha pillado desprevenido, eso es todo. No había pensado en ello.

—Apuesto a que ella entendería que tú, ya sabes, mientras ella crece… No iba a picarse porque tengas una vida mientras ella lleve pañales.

—Ya, lo sé, lo sé, estoy seguro de que lo comprendería.

No dijo nada más.

—Pero tú no vas a hacerlo, ¿a que no? —aventuré.

—No se me pasa por la chaveta, ni lo imagino —contestó con un hilo de voz—. Es sólo que… no veo a nadie más de ese modo, ya sabes, no veo a las chicas, ya no, no veo sus rostros.

—Pues si a eso le unes lo de la coronita y el maquillaje… no sé, no sé, quizá Claire vaya a tener que preocuparse de otro género de competidores.

Quil soltó una carcajada y emitió un sonido de besitos en mi dirección.

—¿Estás libre el viernes, Jacob?

—Qué más quisieras tú —repliqué, y le puse mala cara—. Sí, supongo que sí.

Vaciló un segundo antes de preguntar:

—¿Se te ha ocurrido salir con chicas? —suspiré. Bueno, al fin y al cabo, yo había abierto esa puerta—. Ya sabes, Jake, quizá deberías pensar en tener una vida.

Lo decía en serio y con tono compasivo, lo cual empeoraba todo un poco más.

—Tampoco yo veo las caras de las chicas, Quil, no las veo.

Él exhaló también.

En ese instante se alzó un aullido en el corazón del bosque, demasiado lejos y demasiado bajo para que ningún oído humano lo percibiera por encima del sonido de las olas.

—Maldición, ahí está Sam —murmuró Quil al tiempo que extendía las manos para tocar a Claire, como si quisiera asegurarse de que seguía allí—. ¡Y no sé dónde está su madre!

—Voy a ver de qué se trata. *Sitenecesitamos, teloharésaber* —farfullé las palabras muy deprisa, articulándolas todas mal—. Oye, ¿por qué no la llevas a casa de los Clearwater? Sue y Billy pueden hacerse cargo de ella en caso de apuro, y tal vez ellos conozcan el paradero de la madre...

—Vale. Venga, Jake, vete ya.

Salí pitando en línea recta hacia el bosque en lugar de seguir el sucio sendero cubierto de malezas. Aparté violentamente la línea de madera flotante acumulada por la marea y me abrí paso a través de las matas de brezo sin dejar de correr. Noté los desgarrones en la piel conforme las espinas se clavaban en ella, pero los ignoré. Los rasguños se habrían curado antes de que llegara a los árboles.

Atajé por detrás de la tienda y me lancé como una bala hacia la autovía, donde un conductor me avisó haciendo sonar la bocina. Una vez estuve a salvo entre los árboles, alargué la zancada a fin de correr todavía más deprisa. La gente no me hubiera quitado la vista de encima si yo hubiera estado en campo abierto, pues una persona normal era incapaz de correr a tanta velocidad. A veces especulaba con lo divertido que sería participar en una carrera, en una de las pruebas de clasificación de los juegos olímpicos o algo por el estilo. Estaría guay ver las caras de pasmarotes de las estrellas del atletismo cuando los batiera a todos, salvo que estaba convencido de que en los análisis antidopaje acabarían encontrando algo realmente chungo en mi sangre.

Derrapé para frenar en cuanto llegué al bosque cerrado, libre de carreteras y de casas, para quitarme los pantalones. Los lié con movimientos rápidos y prácticos y los até a mi tobillo con un cordel de cuero. Comencé a transformarme incluso mientras terminaba los nudos. Una oleada de fuego me recorrió la columna, provocándome espasmos en brazos y piernas. La metamorfosis sucedió en un instante. La quemazón fluyó por todo mi cuerpo y yo sentí esa llama que hacía de mí algo más.

Puse más fuerza en cada una de mis pesadas patas al pisar el suelo cubierto por la tupida vegetación y enderecé el lomo todo lo posible.

El cambio de fase estaba chupado cuando me hallaba tan centrado como en ese momento. El mal genio ya no me daba problemas y nada me sacaba de quicio, a menos que a alguien se le ocurriera mentarlo, claro.

Recordé la broma de mal gusto de la boda durante medio segundo. La furia me dominó de tal modo que el cuerpo se me descontroló. La rabia hizo mella en mí y sufrí convulsiones y fiebre alta. Pero no logré transformarme y matar al monstruo que se hallaba a pocos metros de mí. Había resultado de lo más confuso. Me moría de ganas de matarle, pero temía herirle a ella, y ya puestos, también a mis amigos. Luego, cuando al fin fui capaz de transformarme, llegó la orden del jefe de la manada. El edicto del líder. Habría matado allí mismo al asesino si aquella noche no hubiera estado Sam, si únicamente hubieran aparecido Quil y Embry...

Me fastidió cuando Sam hizo prevalecer la ley de ese modo. Odiaba la sensación de no tener elección, de estar obligado a obedecer.

En ese momento, fui consciente de que ya tenía audiencia. No estaba solo en mis pensamientos.

Siempre a tu bola, pensó Leah.

Sí, pero no hay doblez en ello, Leah, repliqué.

Dejadlo, niños, nos ordenó Sam.

Permanecimos en silencio. Noté la reacción molesta de Leah ante la palabra «niños». Andaba tan quisquillosa como de costumbre.

Sam optó por fingir que no se daba cuenta.

¿Dónde están Quil y Jared?

Quil tiene a Claire. La va a llevar a casa de los Clearwater.

Bien. Sue se hará cargo de ella.

Jared iba de camino a la de Kim, informó Embry. *Existen muchas posibilidades de que no te haya oído.*

Un sordo gruñido de queja recorrió la manada. También yo me quejé. Cuando al fin Jared se dignase a aparecer, seguiría todavía con la mente puesta en Kim, y a ninguno nos apetecía una repetición de todo lo que habían hecho hasta ese momento.

Sam se sentó sobre los cuartos traseros y soltó otro alarido que rasgó el aire. Era una señal, y también una orden.

La manada se había reunido a escasos kilómetros de mi posición. Corrí a grandes zancadas por el tupido bosque en dirección hacia ella. Leah, Embry y Paul también se esforzaban por llegar cuanto antes. Leah estaba tan cerca que iba a oír sus pasos de un momento a otro. Continuamos nuestro avance en paralelo, pero evitamos correr juntos.

Bueno, no vamos a estar esperándole todo el día. Deberá darnos alcance luego.

¿Qué pasa?, quiso saber Paul.

Hemos de hablar. Ha ocurrido algo.

Sentí una vacilación en los pensamientos de Sam respecto a mí, y no sólo en él, también en los de Seth, los de Collin y también en los de Brady. Los chavales nuevos, Collin y Brady, habían ido de patrulla con Sam ese mismo día, por lo que debían de estar al tanto de cuanto él supiera. No sabía por qué Seth ya se encontraba ahí, y estaba en el ajo. No era su turno.

Diles lo que has oído, Seth.

Apreté el paso, deseando estar ahí presente. Escuché cómo Leah aceleraba su carrera. A ella le reventaba que la dejaran atrás, pues no reivindicaba otro mérito que el de ser el miembro más rápido de la manada.

Iguala esto, tarado, siseó; y entonces echó a correr de verdad. Hundí las uñas en la arcilla y me propulsé hacia delante.

Sam no parecía estar de humor para soportar nuestras majaderías de costumbre.

Jake, Leah, eh, parad un poquito.

Ninguno de los dos aminoramos el paso.

Sam gruñó, pero lo dejó correr.

¿Seth?

Charlie ha estado telefoneando a casa hasta que ha encontrado a Billy.

Sí, yo hablé con él, añadió Paul.

El júbilo corrió por mis venas cuando escuché mencionar el nombre de Charlie. Ya estaba. La espera había terminado. Corrí todavía más deprisa, obligándome a respirar, a pesar de que me noté súbitamente sin resuello.

¿Cuál de las posibles historias iba a ser?

El jefe de policía estaba fuera de sus cabales. Supongo que Edward y Bella llegaron a casa la semana pasada y...

El movimiento de mi pecho se ralentizó.

Ella estaba viva, o al menos no estaba muerta-muerta.

Hasta ahora no me había dado cuenta de la diferencia que aquello podía significar para mí. Comprendí que, durante todo aquel tiempo, la había dado por muerta. Vi que nunca había creído que Edward la trajera de vuelta con vida, pero eso no debería haberme importado, porque sabía qué iba a suceder a continuación.

Sí, tío, y ahora vienen las malas noticias. Charlie habló con ella y tenía muy mala voz. Bella le dijo que se encontraba muy enferma; luego se puso Carlisle y le explicó que la joven había contraído en Sudamérica una enfermedad de lo más extraño, y que se hallaba en cuarentena. Charlie se puso como un energúmeno cuando le advirtió que ni siquiera él podía verla. Insistió en que quería verla sin importarle la posibilidad de contagiarse, pero Carlisle no dio su brazo a torcer: nada de visitas. Le explicó a Charlie que el caso era grave, pero que estaba haciendo cuanto estaba en su mano. Charlie se lo ha estado guardando durante días, y sólo al final ha llamado a Billy. Le ha dicho que hoy tenía peor voz.

Se hizo un profundo silencio en nuestras mentes cuando Seth hubo concluido. Todos comprendimos.

Así que Bella iba a morir a causa de esa enfermedad, al menos hasta donde sabía Charlie. ¿Le dejarían ver el cadáver de tez nívea, perfectamente inmóvil y sin respirar? No le permitirían tocar el cadáver a fin de que no pudiera apreciar la dureza de los músculos. Los vampiros iban a tener que esperar hasta que ella fuera capaz de refrenarse y no matar ni a Charlie ni a los demás asistentes al funeral. ¿Cuánto tiempo podía ser necesario?

¿La enterrarían? ¿Saldría ella por sus propios medios o la sacarían del ataúd los propios chupasangres?

El resto de los lobos respondieron con un silencio sepulcral a mis especulaciones. Yo era capaz de ahondar en este tema mucho más que cualquier otro.

Leah y yo entramos en el calvero prácticamente a la vez, aunque ella estaba segura de haberme ganado por medio hocico. La loba se sentó sobre los cuartos traseros junto a su hermano mientras que yo me dirigía a ocupar mi lugar a la derecha de Sam. Paul se giró a fin de hacerme espacio en mi sitio.

He vuelto a ganar, pensó Leah, pero apenas la oí...

... pues me preguntaba por qué era el único que estaba ya preparado sobre las cuatro patas. Tenía erizada la pelambrera de los hombros a causa de la impaciencia.

Bueno, ¿y a qué estamos esperando?, inquirí.

Nadie dijo nada, pero noté el zumbido de su vacilación.

Oh, vamos, venga, ¡han roto el tratado!

No tenemos prueba alguna, quizás esté enferma de verdad...

¡POR FAVOR!

Vale, de acuerdo, la evidencia es circunstancial, y muy probable, pero aun así... Jacob... El pensamiento de Sam se ralentizó y vaciló. *¿Estás seguro de que es éste tu deseo? ¿Es lo correcto de veras? Todos sabemos que ése era el empeño de Bella.*

El tratado no hacía mención alguna a las preferencias de la víctima, Sam.

¿Es una víctima de verdad? ¿Tú la consideras como tal?

¡Sí!

No son nuestros enemigos, Jake, terció Seth.

¡Cierra la boca, niño! Que sientas una adoración enfermiza por esa sanguijuela, como si fuera un héroe, no cambia la ley. Son nuestros adversarios. Están en nuestro territorio. Acabemos con ellos. Me toca un pie si hace tiempo te lo pasaste bien luchando junto a él.

Bueno, ¿y qué vas a hacer cuando Bella luche a su lado, Jacob? ¿Eh...?, inquirió Seth.

Ya no será Bella.

¿Y vas a ser tú quien acabe con ella?

Di un respingo. Fui incapaz de evitarlo.

No, no vas a ser tú, ¿a que no? ¿Y entonces, qué? ¿Vas a guardarle rencor eterno a quienquiera que lo haga?

Yo no voy a...

Claro, seguro que no... No estás preparado para esta lucha, Jacob.

El instinto me superó y me agazapé, listo para dar un brinco, sin dejar de gruñir al lobo de carnes magras y pelaje color arena que me aguardaba al otro lado del círculo.

¡Jacob!, me conminó Sam. *Seth, anda, cierra la boquita un rato.*

El interpelado asintió con su enorme cabeza lobuna.

Maldita sea, ¿qué me he perdido?, pensó Quil, que venía corriendo a toda prisa al lugar de la reunión. *He oído algo del telefonazo de Charlie...*

Estábamos a punto de marcharnos, le contesté. *¿Por qué no te pasas por la casa de Kim y traes a Jared del cuello? Vamos a necesitar el concurso de todos.*

Ven aquí sin desviarte, Quil, ordenó Sam. *Todavía no hemos decidido nada.*

Gruñí.

Jacob, he de pensar qué conviene más a la manada. Debo elegir el mejor curso posible para la protección de todos. Los tiempos han cambiado desde que los ancestros sellaron el acuerdo, y la verdad, no creo que los Cullen vayan a hacernos daño alguno. Además, también estamos seguros de que no van a quedarse por aquí mucho tiempo. Lo más probable es que se larguen una vez que hayan contado su historia, y entonces, nuestras vidas volverán a la normalidad.

¿Normalidad?

Ellos se defenderán si los atacamos, Jacob.

¿Tienes miedo?

¿Estás preparado para perder a un hermano? Hizo una pausa. *¿Y a una hermana?*, añadió como un pensamiento que acababa de ocurrírsele.

No temo a la muerte.

Me consta, Jacob. Lo único que pongo en tela de juicio es la validez de tu criterio en este asunto.

Miré fijamente los ojos negros de Sam.

¿Pretendes honrar el tratado de nuestros padres o no?

Honro a la manada. Hago lo mejor para ella.

Cobarde.

Se le tensaron los músculos del hocico y me enseñó los dientes.

Ya basta, Jacob. Esto te sobrepasa. El tono de la voz mental de Sam cambio para adoptar un extraño timbre conminatorio imposible de desobedecer. La voz del Alfa, el cabecilla de la manada. Buscó con la mirada a todos y cada uno de los lobos dispuestos en círculo. *La manada no va a atacar a los Cullen sin provocación previa. El espíritu del tratado persiste, ya que no suponen daño alguno para nuestro pueblo ni para la gente de Forks. Bella Swan ha efectuado una elección consciente y estaba informada. No vamos a castigar a nuestros antiguos aliados por culpa de esa preferencia.*

Escucha, escucha eso, pensó Seth con entusiasmo.

Creo haberte dicho que te calles, Seth.

Oh. Perdona, Sam.

¿Adónde te crees que vas, Jacob?

Abandoné el círculo en dirección levante a fin de poder darle la espalda.

Voy a despedirme de mi padre. Al parecer, no tiene sentido que siga pudriéndome aquí por más tiempo.

Ay, Jake... ¡No lo hagas otra vez!

Cállate, Seth, pensaron varias voces al unísono.

No queremos que te marches, me dijo Sam, dulcificando el tono anterior.

Doblega mi voluntad para evitar mi marcha, Sam. Conviérteme en un esclavo.

Sabes que no voy a hacerlo.

En tal caso, no queda nada más que decir.

Me alejé de ellos a la carrera, intentando con todas mis fuerzas no pensar en mi siguiente movimiento. En vez de eso, me concentré en los recuerdos de mis meses lobunos, cuando abandoné tanto el lado humano que fui más lobo que hombre: vivir el momento, comer en caso de tener apetito, dormir cuando estaba fatigado, beber cuando me azuzaba la sed, y correr, correr por correr. Deseos simples y respuestas sencillas a estímulos simples. El dolor se administra mejor cuando uno habita en formas elementales. El calvario del hambre. El suplicio de pisar el hielo con las patas. El daño infligido por unas garras cuando la presa conserva las fuerzas intactas. Cada dolor tenía una respuesta simple, una acción clara para poner fin al sufrimiento.

Nada que ver con la forma humana.

Necesitaba mantener en privado mis pensamientos, por lo cual adopté la forma de hombre en cuanto estuve lo bastante cerca de mi casa como para llegar a ella de una carrera.

Desanudé los pantalones y me los enfundé. Luego, eché a correr hacia el edificio.

Lo había logrado. Había ocultado mis pensamientos y ahora era demasiado tarde para que Sam pudiera detenerme, pues ya no le resultaba posible escucharme.

Sam había formulado una regla muy clara: la manada no iba a atacar a los Cullen. De acuerdo.

Sin embargo, no había dicho nada en contra de una actuación en solitario.

No, la manada no iba a realizar ataque alguno ese día.

Pero yo sí.

Tan seguro como que hay infierno que no ve lo que se le viene encima

Lo cierto era que no tenía intención alguna de despedirme de mi padre.

Después de todo, bastaría un telefonazo rápido a Sam para estropearme la jugada. Me cortarían el paso y me obligarían a retroceder. Probablemente, intentarían cabrearme o herirme para que entrara en fase. Entonces, el líder de la manada establecería otra ley con su voz de Alfa.

Pero Billy me esperaba, sabedor de que debía de estar con un estado de ánimo alterado.

Permanecía en el patio, sentado en la silla de ruedas, con los ojos clavados en el lugar del bosque por donde había hecho mi aparición. Leí en su rostro cómo evaluaba mi dirección: directo a mi garaje de fabricación artesanal, sin pasar por casa.

—¿Tienes un minuto, Jake? —dejé que mis pies resbalaran hasta detenerme. Lancé dos miradas, una a él y otra al garaje—. Vamos, chico, ayúdame a entrar por lo menos.

Rechiné los dientes, pero decidí que probablemente mi padre tendría menos problemas con Sam si pasaba con él unos minutos, hasta conseguir engañarle.

—¿Y desde cuándo necesitas ayuda, viejales?

Soltó una de sus carcajadas retumbantes.

—Tengo los brazos cansados después de todo el trayecto desde casa de Sue.

—Pero si es colina abajo y te has pasado tirado a la bartola todo el día.

Empujé la silla, la subí por la pequeña rampa que le había hecho y entramos en el cuarto de estar.

—No me sueltes… Parece que he alcanzado los setenta por hora. Uf, ha sido genial.

—La silla va a acabar convertida en un trasto, ya lo sabes, y luego tendrás que arrastrarte sobre los codos.

—Ni lo sueñes. Me llevarás tú.

—Pues me da que no vas a ir a muchos lugares.

—¿Queda algo de comer? —preguntó mientras apoyaba las manos en las ruedas y se empujaba hasta el frigorífico.

—Tú me metiste en un lío dejando que Paul se quedara aquí todo el día…, es muy probable que no haya nada.

Billy suspiró.

—Habrá que empezar a esconder los comestibles si no queremos pasar hambre.

—Dile a Rachel que se quede en casa de Paul.

La nota bromista desapareció de la voz de Billy y la mirada acerada perdió parte de su dureza.

—Únicamente la tenemos en casa unas pocas semanas al año y es la primera vez que está aquí desde hace mucho. Todo esto es más duro para tus hermanas porque eran mayores que tú cuando murió tu madre. Les resulta mucho más difícil hacer de este sitio su casa.

—Lo sé.

Rebecca no había regresado desde su boda, aunque su excusa era de primera: los billetes de avión desde Hawái valían un pastón. Washington estaba demasiado cerca para que Rachel tuviera la misma escapatoria. Ella iba directamente a clase después del verano, no volvía a casa porque doblaba turnos en algún restaurante o café del campus. Se hubiera pirado en un pispás de no ser por Paul, y supongo que ése era el motivo por el cual Billy no le largaba de una patada.

—Bueno, debo ir a solucionar unas cositas —dije mientras me dirigía hacia la puerta trasera.

—Aguarda un momento, Jake. ¿No me vas a poner al corriente? ¿Acaso no te ha llamado Sam para informaros?

Permanecí de espaldas a él para ocultar el rostro.

—No ha pasado nada. Sam va a sacar el pañuelito para despedir a los Cullen. Supongo que ahora somos un hatajo de admiradores de esas sanguijuelas.

—Jake…

—No quiero hablar de ello.

—¿Te marchas, hijo?

Se hizo el silencio en la habitación durante un largo rato mientras yo cavilaba una contestación.

—Así Rachel podrá recuperar su cuarto. Sé cuánto odia esa colchoneta…

—Ella preferiría dormir en el suelo antes que perderte. Igual que yo.

Solté un resoplido.

—Jacob, por favor, si necesitas un respiro, tómatelo, pero que no sea tan largo como la última vez. Y regresa.

—Tal vez, tal vez asome el careto en las bodas. Me dejaré ver en la de Sam y luego en la de Rachel, aunque tal vez Jared y Kim se casen antes. Probablemente voy a necesitar un traje o algo así…

—Mírame, Jake.

Me di la vuelta muy despacio.

—¿Qué…?

Me miró a los ojos durante un minuto largo.

—¿Adónde vas?

—No tengo pensado un lugar específico.

Ladeó la cabeza y entrecerró los ojos.

—¿Ah, no?

Volvimos a mirarnos el uno al otro mientras transcurrían los segundos.

—Jacob —me dijo con voz contenida—, no lo hagas, Jacob. No merece la pena.

—No sé de qué me hablas.

—Deja ir en paz a Bella y a los Cullen. Sam está en lo cierto.

Le miré durante otro instante antes de cruzar la habitación de dos zancadas largas. Agarré el teléfono y desconecté el cable que unía el cajetín con el enchufe telefónico. Guardé el cable gris en la palma de la mano.

—Adiós, papá.

—Jake, espera… —me llamó a mis espaldas…

… pero yo ya había atravesado la puerta y estaba corriendo.

Iba a ir más despacio en moto que a pie, pero resultaba más discreto. Me pregunté cuánto tiempo iba a necesitar Billy para impulsarse hasta la tienda y telefonear a alguien capaz de darle un recado a Sam. Aposté a que éste seguiría todavía con su forma lobuna. El problema podría plantearse si Paul regresaba a nuestra casa antes de tiempo. Él era capaz de transformarse en cuestión de un segundo e informar a Sam de lo sucedido…

No iba a darle importancia. Iría lo más rápido posible y ya haría frente a ese problema cuando no me quedara otro remedio, si me daban alcance.

La moto cobró vida en cuanto di una patada al pedal y descendí la vereda embarrada sin mirar atrás cuando pasé delante de la casa.

Los coches de los turistas atestaban la autovía. Una sucesión de adelantamientos por ambos lados del carril me permitió pasar a los vehículos, y me granjeó una buena serenata de bocinas y el saludo de unos cuantos dedos corazones. Enfilé hacia la 101 a setenta por hora sin molestarme en mirar a los lados y tuve que inclinarme hasta la línea de equilibrio para evitar la embestida de una pequeña furgoneta. No es que eso me hubiera matado, pero sí me hubiera demorado, pues los huesos tardaban días en soldarse del todo, al menos los grandes, como bien sabía yo.

El tráfico era algo más fluido en la autovía, de modo que subí a ochenta. No toqué el freno hasta hallarme cerca del estrecho camino de entrada. Supuse que para entonces ya estaría a salvo. Sam no iba a venir tan lejos para detenerme. Era demasiado tarde.

No empecé a pensar en mi próximo movimiento hasta ese momento, cuando estuve seguro de que iba a poder llevarlo a cabo. Reduje a veinte y avancé haciendo eses entre los árboles con más cuidado del necesario.

Iban a oírme llegar, lo sabía, razón por la cual el factor sorpresa estaba fuera de lugar; y tampoco había forma de disimular mis intenciones, ya que Edward leería mis propósitos en cuanto me acercara lo bastante. Quizá ya lo hubiera hecho, pero pensaba que las cosas podían salir bien, ya que contaba con su ego a mi favor. Él querría luchar conmigo a solas.

Por eso, me limité a caminar en busca de la preciada evidencia para Sam por mis propios medios antes de desafiar a Edward a un duelo.

Bufé. Probablemente, el parásito iba a disfrutar de la carga dramática del combate.

Una vez que hubiera matado a Edward, tenía intención de llevarme por delante a todos los vampiros posibles antes de que me aniquilaran. Bueno, me pregunté si Sam no consideraría mi muerte una provocación. Tal vez acabaría saliendo con aquello de que me llevé mi merecido, era muy posible. No querría ofender a sus amigos del alma, los chupasangres.

El paseo desembocó en un prado, donde recibí en pleno rostro el impacto de un hedor a putrefacción similar al de tomates podridos. Puaj. Apestosos vampiros. El estómago me dio un vuelco. Iba a resultar duro soportarlo a pelo, sin estar entremezclado por efluvio humano alguno, como había ocurrido en mis otras visitas, aunque no tan insoportable como si lo olisqueara siendo lobo.

No estaba muy seguro de qué esperar, pero no había indicio alguno de vida en torno a la gran cripta blanca. Por supuesto, ellos estaban al tanto de mi presencia en el lugar.

Apagué el motor y agucé el oído en el silencio. Percibí una nota de tensión y enfado en los murmullos que se levantaron al otro lado de la entrada. Había alguien en la casa. Sonreí al oír mi nombre, feliz de pensar que les estaba causando cierto desasosiego.

Respiré hondo y apuré una bocanada de aire puro, sabedor de que dentro iba a ser peor, y me planté en las escaleras del porche de un brinco.

El doctor abrió la puerta sin darme ocasión de que la aporreara con el puño y permaneció en el umbral, mirándome con gesto grave.

—Hola, Jacob —saludó con más calma de la que yo había esperado—. ¿Cómo estás?

Tomé algo de aliento por la boca, ya que por la abertura de la puerta entreabierta se filtraba una pestilencia abrumadora.

El recibimiento de Carlisle supuso una decepción. Habría preferido que hubiera cruzado la puerta Edward con las fauces ya abiertas. El doctor Cullen era tan... humano, o algo por el estilo. Quizá fue a esta casa donde telefoneó la primavera anterior, cuando me la pegué. Por eso, me sentía muy incómodo mirándole a la cara, sabiendo como sabía que mi intención era matarle si me resultaba posible.

—He oído que Bella ha conseguido seguir con vida.

—Esto, Jacob, éste no es el mejor momento, de verdad —el medicucho parecía incómodo también, pero no del modo que era de prever—. ¿Podemos encargarnos de esto más tarde?

Le miré atónito. ¿Me estaba pidiendo que pospusiéramos un enfrentamiento a muerte hasta un momento más oportuno?

Entonces, oí la voz quebrada y áspera de Bella y ya no fui capaz de pensar en nada más.

—¿Por qué no? —preguntó ella a alguien—. ¿También vamos a tener secretos con Jacob? ¿Qué sentido tiene?

La voz de mi amiga no sonaba tal y como yo había supuesto. Intenté recordar las voces de los vampiros contra quienes había combatido en primavera, pero mis recuerdos se limitaban a simples gañidos. Quizás esos neonatos no tenían las voces sonoras y penetrantes de los más antiguos. Quizá todos los vampiros recién convertidos hablasen con voz gutural.

Los ojos entornados de Carlisle se tensaron.

—Entra, por favor, Jacob —pidió ella con voz estridente.

Me pregunté si no estaría sedienta. También yo entrecerré los ojos.

—Disculpe —le dije al doctor mientras le sorteaba para entrar.

Era difícil dar la espalda a uno de ellos, iba contra todos mis instintos, pero resultó posible. Si había algo parecido a un vampiro fiable, era aquel jefe suyo tan extrañamente amable.

Me apartaría de Carlisle cuando empezara la lucha. Habría suficientes vampiros para matar, así que podía excluirle.

Entré de soslayo en la casa, con la espalda pegada a la pared, y recorrí la estancia con la mirada. No la reconocí. La última vez que había estado allí era el escenario de una fiesta. Ahora todo era de un blanco apagado, lo cual incluía al grupo de seis vampiros que se agrupaban en torno al sofá blanco.

Allí estaban todos juntos, pero no fue eso lo que me heló la sangre en las venas e hizo que abriera la mandíbula hasta tocar el suelo.

Era Edward, él y la expresión de su rostro.

Le había visto enfadado y también arrogante, y en una ocasión con el semblante transido de dolor, pero aquellas facciones estaban más allá de la agonía. El tipo estaba medio desquiciado. Ni siquiera alzó los ojos para mirarme. Mantenía fija la mirada en el sofá contiguo con una expresión que hacía creer que alguien le había prendido fuego y no apartaba las manos engarfiadas del asiento.

Ni siquiera tuve ocasión de saborear su angustia, pues sólo había una cosa capaz de ponerle en semejante estado, por lo que seguí la dirección de su mirada.

La vi en cuanto percibí su efluvio.

Un nítido y claro efluvio humano.

Bella se hallaba semioculta tras el brazo del sofá, aovillada de forma flácida, en posición fetal. Durante un segundo, únicamente fui capaz de ver que ella seguía siendo la joven que amaba: la piel mantenía ese suave tono melocotón y las pupilas de los ojos conservaban el color achocolatado. El corazón empezó a latirme de un modo extraño y desacompasado, hasta el punto de preguntarme si no estaría viviendo algún sueño falaz del que estaba a punto de despertar.

Entonces la observé de verdad.

Tenía grandes ojeras debajo de unos ojos saltones a causa de lo chupado del rostro. ¿Estaba más delgada? La piel parecía tirante, como si los pómulos fueran a rasgarla de un momento a otro. Había recogido en un revuelto moño el pelo negro y sólo tenía pegados a la frente y el cuello unos pocos mechones de aspecto descuidado. El ademán desmayado de los dedos y las muñecas le confería un aspecto tan frágil que daba miedo.

Estaba enferma. Muy enferma.

No era una trola. La historia que Charlie le había contado a Billy era cierta. Los ojos no se me salieron de las cuencas por pura chiripa, y mientras la miraba, su tez adquirió una tonalidad verdosa.

La sanguijuela rubia y llamativa, la tal Rosalie, se inclinó sobre ella para impedir que la viera de un modo protector que se me antojó extraño.

Eso era un despropósito. Yo conocía al dedillo lo que Bella pensaba respecto a casi todo. Sus pensamientos eran de lo más obvio, a veces tenía la impresión de que los llevaba escritos en la frente, por eso resultaba innecesario que ella me contara todos los detalles de una situación para que me pispara de todo. Sabía que a ella no le gustaba Rosalie por el modo en que fruncía los labios cuando hablaba de ella, y no sólo no le gustaba, más aún: la temía. O al menos así había sido antes...

... pero ahora, cuando alzó la vista hacia Rosalie, no había rastro alguno de temor en Bella. Parecía pedir disculpas con la expresión, o algo parecido. Entonces, la vampira tomó una palangana del suelo y la sostuvo a la altura del pecho de Bella justo a tiempo de que pudiera vomitar en ella de forma escandalosa.

Edward se postró al lado de la enferma con un brillo atormentado en la mirada. Rosalie extendió un brazo para obligarle a retroceder.

Nada de aquello tenía sentido.

Bella me dirigió una débil sonrisa cuando al fin logró alzar la mano. Parecía un poco avergonzada.

—Lamento todo esto —admitió con un hilo de voz.

Edward profirió un quejido realmente bajo mientras mantenía la cabeza hundida sobre las rodillas de Bella. Ella puso una mano sobre la mejilla de él como si le estuviera consolando.

No comprendí que las piernas habían obrado por voluntad propia y me había adelantado hasta que Rosalie soltó un siseo y se interpuso entre el sofá y mi persona. Parecía un personaje de la tele. Daba igual que estuviera allí. No parecía real.

—No, Rose, no —susurró Bella—. Está bien.

La rubita se apartó de mi camino, aunque noté lo mucho que le reventaba la concesión. Me puso mala cara mientras se acuclillaba junto a la cabeza de Bella, con todos los músculos preparados para saltar. Ignorarla olímpicamente fue más fácil de lo que había imaginado.

—¿Qué te pasa, Bella? —murmuré. Sin darme cuenta, casi sin pensarlo, yo también me había arrodillado y estaba inclinado sobre el respaldo del sofá, enfrente de su… esposo. Él no pareció percatarse de mi presencia y yo apenas le dediqué una mirada. Alargué las manos para tomar la mano libre de Bella. Estaba helada—. ¿Estás bien?

Era una pregunta estúpida, y no la contestó.

—Me alegra que hayas venido a verme hoy, Jacob.

Edward no era capaz de leerle los pensamientos a Bella, pero la frase tuvo un significado para él que a mí se me escapaba, ya que se lamentó de nuevo. Ella se agitó bajo la manta que la cubría y acarició la mejilla de su marido.

—¿Qué te ocurre, Bella? —insistí mientras entrelazaba sus dedos fríos y frágiles entre los míos.

Ella miró a su alrededor en lugar de responderme. Daba la impresión de buscar algo con la mirada, donde se entremezclaban una súplica y un aviso. Seis pares de ojos dorados la contemplaron fijamente. Al final, ella se volvió hacia Rosalie.

—¿Me ayudas a levantarme, Rose? —pidió. La interpelada frunció los labios, dejando los colmillos al descubierto, y me fulminó con la mirada, como si quisiera rajarme la garganta. Estaba seguro de que ése era su propósito—. Por favor, Rose.

La Barbie me dedicó un mohín de desprecio, pero volvió a inclinarse sobre ella, cerca de Edward, que no se movió ni un centímetro. Puso su brazo con cuidado debajo de los hombros de Bella.

—No, no la levantes… —susurré.

Parecía tan débil.

—Estoy respondiendo a tu pregunta —me espetó con un tono de voz más similar al modo en que solía dirigirse a mí.

Rosalie retiró la manta del sofá. Edward se quedó donde estaba, aunque su cabeza fue resbalando hasta hundirse entre los almohadones. El cobertor cayó al suelo a los pies de Bella.

Tenía el vientre abultado y el torso se le había redondeado de un modo anómalo y enfermizo. Se remarcaba sobre la sudadera de color gris gastado que le estaba muy ancha a la altura de brazos y hombros. El resto de la anatomía de la enferma parecía más chupada, daba la impresión de que el abombamiento hubiera crecido gracias a la sustancia que le había extraído a ella. Necesité unos momentos antes de comprender en qué parte se había producido la deformidad. No me percaté hasta que la vi recorrer los brazos alrededor del vientre hinchado con toda ternura. Arriba y abajo. Como si lo estuviera acunando.

Entonces me di cuenta, pero seguía sin dar crédito a mis ojos. La había visto hacía un mes exacto. No había forma de que ella pudiera estar embarazada, no tanto, no de ese modo.

Pero lo estaba.

No quise darle vueltas al asunto. No deseaba imaginarle a él dentro de ella. No me apetecía saber que alguien a quien odiaba tanto había echado raíces en el cuerpo que yo amaba con todas mis fuerzas. Noté una arcada y tuve que tragar saliva y hacer un esfuerzo para no vomitar.

Pero era peor que eso, oh, sí, mucho peor. El cuerpo desmadejado y ese rostro reducido a piel y huesos me hicieron suponer que ella tenía ese aspecto tan desmejorado y en estado de gestación tan avanzado porque, fuera lo que fuera lo que tuviera en su vientre, le estaba sorbiendo la vida para alimentarse.

Porque era un monstruo igual que el padre.

Siempre supe que Edward acabaría por matarla.

Él ladeó la cabeza hacia arriba en cuanto leyó esas palabras en mi mente. Hacía un segundo, los dos estábamos de rodillas y al siguiente se había puesto en pie, irguiéndose sobre mí. Sus ojos eran intensamente negros y los círculos de las ojeras, cárdenos.

—Sal fuera, Jacob —gruñó.

Me puse en pie y le miré. Él era la razón de mi presencia.

—Acabemos con esto —acepté.

El grandón, Emmett, avanzó hasta ponerse a un lado de Edward mientras el de aspecto ávido, Jasper, se posicionaba justo detrás de él. Lo cierto es que me importó un comino. Quizá la manada encontrara mis restos cuando me hubieran despedazado. Quizá no. Eso era irrelevante.

Llegué a ver a los otros dos miembros de la familia situados detrás durante una mínima fracción de segundo. Esme y Alice. Menudas y de una feminidad perturbadora. Bueno, estaba seguro de que los varones me matarían antes de tener que vérmelas con ellas. No quería matar mujeres, ni siquiera aunque fuesen vampiras.

Pero tal vez hiciera una excepción con esa rubia.

—No —pidió Bella, entre jadeos, mientras se lanzaba hacia delante, tambaleándose, para tomar del brazo a Edward.

Rosalie se movió con ella como si estuvieran encadenadas.

—He de hablar con él, sólo eso —contestó Edward en voz baja, dirigiéndose únicamente a ella. Alzó una mano para tocarle el rostro y acariciarlo. Me encendí al contemplar ese gesto y lo vi todo rojo, todo en llamas. ¡Cómo podía permitirse tocarla de esa manera después de todo lo que le había hecho!—. Nada de esfuerzos —continuó con tono de súplica—. Descansa, por favor, los dos estaremos de vuelta en cuestión de unos minutos.

Ella estudió el rostro de su esposo tratando de averiguar sus intenciones. Luego asintió y se dejó caer sobre el sofá. Rosalie le ayudó a colocarse sobre los cojines. Bella me contempló fijamente para atrapar mi mirada.

—Pórtate bien —insistió—, y luego, vuelve.

No le respondí. Hoy no hacía promesa alguna. Desvié la mirada y seguí a Edward por la puerta de la entrada.

Una vocecita me habló en la mente con un tono casual e inconexo, haciéndome notar que separarle del aquelarre no había sido tan difícil.

Él siguió caminando sin preocuparse en verificar si estaba a punto de abalanzarme sobre sus desprotegidas espaldas. Supuse que no necesitaba volverse para comprobar eso. Lo sabría en cuanto lo decidiera, lo cual significaba que cuando lo hiciera, iba a tener que adoptar esa resolución a toda prisa.

—Todavía no estoy listo para que me mates, Jacob Black —susurró mientras se alejaba de la casa a paso vivo—. Deberás tener algo de paciencia.

Como si a mí me importaran algo sus problemas de agenda. Solté un gruñido bajo.

—La paciencia no es lo mío.

Prosiguió andando unos doscientos metros más por el camino en dirección opuesta a la casa, y yo le pisaba los talones. Ardía por dentro y los dedos me temblaban. Estaba al límite, listo y a la espera.

Se detuvo sin previo aviso y giró sobre sí mismo para plantarme cara. Su expresión volvió a dejarme helado.

Durante un instante yo no fui más que un crío, un rapaz que no ha salido de un pueblo minúsculo en toda su vida. Sólo un chaval. Lo supe porque iba a tener que vivir mucho y sufrir más para comprender la lacerante agonía que había en los ojos de Edward.

Alzó una mano como si fuera a secarse el sudor de la frente, pero los dedos se hundieron en su rostro y, durante un instante, dio la impresión de que iban a arrancar esa piel suya de granito. Un fuego iluminaba sus ojos desorbitados que parecían ver cosas que no estaban allí. Tenía la boca entreabierta, como si fuera a gritar, pero no profirió sonido alguno.

Era el semblante propio de un hombre consumido por el sufrimiento.

Fui incapaz de articular palabra durante unos segundos. Ese semblante era demasiado real. Lo había atisbado dentro de la casa, lo había visto en los ojos de ella y también en los de él, pero aquello era la confirmación. El último clavo en el ataúd de Bella.

—El feto la está matando, ¿no es así? Se está muriendo.

Cuando pronuncié esas palabras, supe que mi rostro era una versión levemente atenuada del suyo. Atenuada y desemejante, porque todavía estaba conmocionado. Todo estaba ocurriendo muy deprisa y mi cabeza aún no lo había asimilado. La suya sí. Era diferente porque yo la había perdido ya muchas veces y de formas muy distintas en mi fuero interno, y también porque no podía perder lo que nunca me había pertenecido.

Y distinto porque no era culpa mía.

—La culpa es mía —susurró Edward.

Sus rodillas cedieron y se vino abajo, quedando delante de mí, en un estado de completa vulnerabilidad. Resultaba difícil concebir un objetivo más sencillo…

… pero ahora yo estaba frío como la nieve: ya no había fuego alguno en mí.

—Sí —gimió con la vista puesta en la tierra, como si se lo estuviera confesando al suelo—, sí, la criatura la está matando.

Su indefensión absoluta me cabreó. Yo buscaba una lucha, no una ejecución. ¿Dónde estaba ahora esa superioridad y esa condescendencia suyas?

—¿Y por qué no hace algo Carlisle? —grité—. Es médico, ¿no? ¡Pues que se lo saque!

Entonces, alzó la vista.

—Ella no nos lo permite —me contestó con voz cansada y la misma desgana del maestro que le explica por décima vez lo mismo a un niño de guardería.

Necesité un minuto largo para digerir aquello. ¡Dios!, sacrificarse y morir por el engendro del monstruo. ¡Muy propio de Bella!

—La conoces bien —susurró—. ¡Qué deprisa lo has visto…! Yo no me di cuenta, o al menos no a tiempo. Ella no me lo contó durante el viaje de vuelta, para nada. Pensé que estaba asustada, lo cual era de lo más normal. Creí que se había enfadado conmigo, por obligarla a pasar por todo aquello, por poner en peligro su vida… una vez más. Nunca sospeché sus verdaderas intenciones ni el propósito que había adoptado. No hasta que nos reunimos con mi familia en el aeropuerto y ella se lanzó corriendo a los brazos de Rosalie, ¡de Rosalie! Fue entonces cuando lo comprendí, cuando leí el pensamiento de Rosalie, sólo entonces. Y tú lo has comprendido al cabo de un segundo…

Profirió lo que era en parte un suspiro y en parte un gemido.

—Rebobina un momento, vuelve a eso de que no os lo «permite»… —la nota de sarcasmo de mi voz cargó de acidez la frase—. ¿Estáis tontos? ¿No os habéis percatado de que ella tiene la fuerza normal de una chica de cincuenta kilos? Basta con agarrarla y drogarla.

—Ésa fue mi intención, y Carlisle hubiera estado dispuesto…

¿Qué? ¿Ahora también se las daban de caballerosos?

—Nada de eso, Jacob, es que la guardaespaldas de Bella complica las cosas.

Ah. La historia de Edward no había tenido ni pies ni cabeza hasta ese momento, pero ahora sí me cuadraba del todo. Así que ése era el papel de la Barbie, pero ¿qué se le había perdido a ella en todo aquello? ¿Quería la reina de la belleza que Bella sufriera esa muerte?

—Quizá —contestó Edward—. Rosalie no ve esto de la misma manera.

—Bueno, pues entonces se neutraliza primero a la rubia. Todos juntos podéis, ¿no? Metéis a la fuerza la pieza que falta en el rompecabezas y os hacéis cargo de Bella.

—Emmett y Esme la apoyan. Emmett jamás nos dejaría tocarla, y Carlisle no va a ayudarme si Esme se opone... —la frase se desvaneció conforme la voz se iba consumiendo.

—Deberías haberla dejado conmigo.

—Sí.

Era un poquito tarde para eso. Quizá tendría que habérselo pensado antes de dejarla embarazada de ese engendro devorador de vida.

Pude apreciar que estaba de acuerdo conmigo cuando alzó la cabeza y me contempló desde su propio y personal infierno.

—No lo sabíamos. Jamás se nos pasó por la imaginación —contestó con un hilo de voz—. No había precedentes de algo similar a lo ocurrido entre Bella y yo. ¿Cómo íbamos a prever que una humana era capaz de concebir un hijo de uno de nosotros...?

—... sobre todo cuando la chica debería haber terminado destrozada en el proceso, ¿no?

—Sí —coincidió con un susurro cargado de tensión—. Sádicos, como los íncubos y los súcubos, están ahí fuera, existen, pero la seducción es un simple preludio al festín. Nadie sobrevive.

Sacudió la cabeza como si la idea le repugnara, como si él fuera diferente.

—No entiendo cómo no tienen un nombre para lo que tú eres —le espeté.

Con el propósito de mirarme, alzó el rostro: parecía el de alguien con mil años.

—Ni siquiera tú, Jacob Black, puedes aborrecerme tanto como yo me odio a mí mismo.

Te equivocas, pensé, demasiado enfurecido para hablar.

—Matarme ahora no va a salvarla —replicó él con calma.

—¿Y qué?

—Debes hacer algo por mí, Jacob.

—¡Y un cuerno, parásito!

No dejó de mirarme con esos ojos enturbiados en parte por la fatiga y en parte por la locura.

—¿Y por ella?

Apreté los dientes con fuerza.

—Hice todo lo posible por apartarla de ti. Todo. Ahora es demasiado tarde.

—Tú la conoces, Jacob. Mantienes con ella una relación a un nivel que yo ni siquiera soy capaz de comprender. Eres parte de ella y ella de ti. A mí no va a escucharme, pues piensa que la subestimo. Bella se cree lo bastante fuerte para salir airosa de esto... —el sofoco le impidió respirar. Se calmó y tragó saliva—. Puede que a ti te oiga.

—¿Y por qué a mí sí?

Se levantó tambaleándose. Me pregunté si no se le habría aflojado algún tornillo. ¿Podían volverse majaretas los vampiros?

—Quizá —respondió tras leerme la mente—. No sé. Esa pinta tiene —meneó la cabeza—. Intento ocultarlo delante de ella, ya que la tensión le hace empeorar. No puede soportar nada tan deprimente como esto. He de mostrar compostura a fin de no hacérselo más duro, pero ahora todo esto importa muy poco. ¡Ha de escucharte!

—No puedo decirle nada que tú no le hayas dicho antes. ¿Qué quieres que haga? ¿Asegurarle que es tonta de capirote? Lo más probable es que ya lo sepa. ¿Soltarle que se va a morir? Apuesto a que eso también lo sabe.

—Puedes ofrecerle algo que ella quiere.

Cullen daba palos de ciego, iba sin brújula. ¿Eso formaba parte de su ida de olla?

—Sólo me interesa que su corazón no deje de latir —continuó, repentinamente muy centrado—. Si es un niño lo que quiere, lo tendrá; como si desea una docena. Lo que quiera, cualquiera cosa —se detuvo durante un latido de corazón—. Puede tener cachorros si es eso lo que prefiere.

Nuestras miradas se encontraron durante un momento. Bajo una fina capa de autocontrol, su rostro era la viva imagen del terror. El ceño fruncido se me vino abajo y la boca se me abrió de sorpresa conforme empecé a asimilar el significado de sus palabras.

—¡Pero no de esta forma! —masculló antes de que pudiera recobrarme—. No con eso que le absorbe la vida mientras yo estoy aquí, observando con impotencia cómo enferma y se consume, contemplando cómo esa cosa le hace daño —tragó una bocanada de aire a toda prisa, como si alguien le hubiera asestado un puñetazo en el estómago—. Debes hacerla entrar en razón, Jacob. Ella ya no va a escucharme. Rosalie no se aparta de su lado, y no deja de alimentar su locura, y de infundirle coraje, y de protegerla. No, no la protege, cuida del engendro. La vida de Bella no significa nada para ella.

El sonido contenido de mi garganta sugería que me estaba asfixiando.

¿Qué había insinuado, que Bella debería…? ¿El qué? ¿Tener un bebé? ¿Mío? ¿Qué? ¿Cómo? ¿Me la estaba entregando o tal vez creía que a ella no le importaba ser compartida?

—Lo que sea y como sea siempre que siga viva.

—Es la estupidez más descomunal que has dicho hasta ahora —murmuré.

—Ella te quiere.

—No lo suficiente.

—Está dispuesta a morir por tener un hijo. Quizás acepte una alternativa menos radical…

—¿Acaso no la conoces?

—Lo sé, lo sé. Va a hacer falta una gran dosis de persuasión para convencerla; por eso te necesito. Sabes cómo piensa. Puedes hacerla entrar en razón.

No podía pensar en su sugerencia. Era excesiva. Imposible. Equivocada. Una aberración. ¿Qué proponía? ¿Tener en préstamo a Bella durante los fines de semana y luego devolverla el lunes como una peli de alquiler? ¡Menudo lío!

Y demasiado tentador.

No deseaba sopesarlo ni imaginarlo siquiera, pero las imágenes vinieron a mi mente a pesar de todo. Había tenido ese tipo de fantasías con Bella muchas veces, remontándome a la época en que aún había una posibilidad para nosotros; y luego, cuando quedó claro que ese tipo de entelequias no eran posibles y sólo dejaban heridas supurantes, nada de nada. Pero hubo un tiempo en que no había sido capaz de evitarlo, y ahora tampoco logré contenerme y especular con la posibilidad de tenerla entre mis brazos, de que ella suspirara al pronunciar mi nombre…

Y lo que era peor aún, nunca antes había especulado con esta nueva imagen, una que en buena lid jamás hubiera existido para mí. Aún no. Una imagen que me iba a perseguir durante años si no me daba prisa a la hora de sofocarla en mi mente, donde ya había empezado a echar raíces como la mala hierba: venenosa e imposible de erradicar. Esa imagen mostraba a una Bella radiante y llena de vitalidad, la antítesis de su estado actual, pero con cierta semejanza: su cuerpo no estaba desfigurado, aunque había adoptado una silueta redondeada, normal en una embarazada… de mí.

Hice un esfuerzo por escapar de la venenosa semilla que había germinado en mi mente.

—¿Hacer que Bella se avenga a razones?... Pero tú ¿en qué mundo vives?

—Inténtalo al menos.

Me apresuré a negar con la cabeza. Sin embargo, él hizo caso omiso a mi respuesta y permaneció a la espera, ya que podía percibir el choque de mis pensamientos enfrentados.

—¿De dónde sacas este rollo psíquico de mierda? ¿Te lo estás inventando todo sobre la marcha?

—No he dejado de pensar en posibles caminos para salvarla desde que me percaté de sus planes y de que estaba dispuesta a morir para realizarlos, pero no sabía cómo contactar contigo, ya que estaba seguro de que no ibas a ponerte al teléfono si te llamaba. Si no hubieras venido hoy, habría tenido que ir a buscarte, pero se me hace muy difícil separarme de ella, aunque sea sólo por unos minutos. La condición de Bella... Bueno, *eso* está cambiando, no deja de crecer, y además muy deprisa. Ahora no puedo estar lejos de ella mucho tiempo.

—Pero ¿qué es «eso»?

—No tenemos ni idea, ninguno, pero ya es más fuerte que la madre —de pronto vi al monstruo por nacer rasgándola desde dentro para salir—. Ayúdame a detenerlo —susurró—, ayúdame a impedir que esto suceda.

—¿Cómo? ¿Ofreciéndole mis servicios como semental? —Edward no movió una pestaña al oír mis palabras, pero yo di un respingo—. Tú estás muy mal. Ella no va a querer saber nada del tema.

—Prueba. Total, no hay nada que perder. ¿En qué puede hacer daño?

Me podía hacer daño a mí. ¿Acaso Bella no me había dado suficientes calabazas como para merecerme otra más?

—¿Un poquito de dolor a cambio de salvarla? ¿Acaso es eso un alto precio?

—No va a funcionar.

—Tal vez no, pero quizás eso la confunda y flaquee su resolución. Todo cuanto necesito es un momento de duda.

—Y luego, en el último minuto, echarás por tierra la oferta. «Sólo era una broma, Bella.»

—Si ella quiere un niño, lo tendrá. No me voy a echar atrás.

No podía creerme que estuviera considerando su proposición. Bella me atizaría otro puñetazo, de eso no tenía ni que preocuparme, aunque volvería a romperse la mano. No debería haber dejado hablar a Edward. Me había puesto la cabeza como un bombo. Tendría que haberme limitado a matarle.

—No ahora —susurró—, todavía no. Equivocado o no, eso va a acabar con ella y tú lo sabes. ¿Qué prisa hay? Tendrás tu oportunidad si ella no te escucha. Te pediré que me mates cuando el corazón de Bella cese de latir.

—Eso no vas a tener que suplicarlo mucho.

El atisbo de una sonrisa desfigurada le curvó la comisura de los labios.

—Con eso ya contaba.

—Entonces, tenemos un trato.

Él asintió y tendió su fría y pétrea mano. Me tragué mi desagrado y alargué la mía para estrechársela. Cerré los dedos alrededor de la piedra y le di un único apretón.

—Lo tenemos —aceptó.

¿Que por qué no me largué? Ah, sí, vale, porque soy imbécil

Me sentí… Bueno, no sé cómo me sentí. Aquello no parecía real. Tenía pinta de ser la versión gótica de un culebrón de los malos, pero en vez de ser el empollón marginado del instituto a punto de pedirle a la jefa de las animadoras que sea su pareja en el baile de graduación, yo era el tipo que había quedado segundo, el hombre lobo a punto de pedirle a la esposa del vampiro que nos arrejuntásemos para procrear. Guay.

No, no iba a hacerlo. Era una metedura de pata y un comportamiento de lo más retorcido. Iba a olvidarme de todas las tonterías de Edward.

Pero sí iba a hablar con ella e intentaría que me hiciera caso.

Y ella pasaría de mí, como de costumbre.

Edward no efectuó comentario alguno ni replicó a mis pensamientos mientras marchaba el primero de vuelta al edificio. ¿Por qué había elegido un lugar tan lejano para la conversación? ¿Había buscado un sitio lo bastante apartado de la casa como para que su familia no pudiera escuchar los susurros?

Era probable, a juzgar por las miradas llenas de recelo y confusión que nos lanzaron los demás Cullen en cuanto traspasamos el umbral. Ninguno parecía disgustado o enojado, lo cual me llevó a concluir que ninguno de ellos había oído nada del favor solicitado por Edward.

Vacilé en el quicio de la puerta sin saber qué hacer. Allí se estaba mejor, pues todavía llegaba del exterior algún ocasional soplo de aire respirable.

Edward se encaminó hacia el corrillo de vampiros con gesto envarado. Bella le dirigió una mirada ansiosa antes de mirarme a mí, y luego de nuevo a él.

La tez de sus mejillas adquirió un tono ceniciento. Entonces comprendí a qué se refería su marido cuando aseguraba que empeoraba en situaciones de estrés.

—Vamos a dejar que Jacob y Bella hablen en privado —anunció Edward con una voz completamente inexpresiva, como la de un robot.

—Por encima de mi cadáver —replicó Rosalie con un siseo y sin apartarse del lado de Bella. Mantuvo una mano reposando sobre la mejilla chupada de la enferma con gesto posesivo.

Edward ni la miró.

—Bella —prosiguió con el mismo tono monocorde—. Jacob desea hablar contigo. ¿Tienes miedo de quedarte a solas con él?

La interpelada me miró con desconcierto y luego contempló a Rosalie.

—Está bien, Rose. Jake no va a hacernos daño. Ve con Edward.

—Quizá sea una trampa —le previno la rubia.

—No veo cómo —contestó Bella.

—No vas a perdernos de vista ni a Carlisle ni a mí, Rosalie —intervino Edward. El timbre desapasionado de su voz se desvaneció en parte y dejó entrever una nota de ira—. Es a nosotros a quienes teme Bella.

—No —replicó la aludida en voz baja. Tenía los ojos relucientes y las mejillas llenas de lágrimas—. No, Edward, yo no…

Él sacudió la cabeza y esbozó una leve sonrisa, pero daba grima mirarla.

—No pretendía expresarlo de ese modo, Bella. Estoy bien, no te preocupes por mí.

Deprimente. Él tenía razón. Bella se estaba castigando a sí misma por herir los sentimientos de su esposo. La chica era la típica mártir, pero había nacido en el siglo equivocado. Debía haber vivido hace un porrón de años, cuando podía haberse ofrecido como comida para los leones por una buena causa.

—Salgamos todos —instó Edward, señalando la puerta con un gesto envarado de la mano—. Por favor.

Intentaba mantener la compostura como deferencia hacia Bella, pero estaba a punto de perderla. Me di cuenta de lo cerca que estaba de ser otra vez el tipo consumido por el dolor que había visto fuera de la casa, y los demás también, de modo que se dirigieron a la puerta en silencio; y en un pispás, porque en dos latidos de corazón sólo quedaron en la habitación Rosalie, dubitativa en el centro de la sala, y Edward, expectante junto a la entrada.

—Quiero que salgas, Rose —aseguró Bella con un hilo de voz.

La rubia fulminó a su hermano con la mirada y le indicó con el dedo que abandonara la habitación el primero de todos. Él cruzó la puerta y la Barbie le imitó, no sin antes haberme dedicado una mirada de advertencia.

Una vez a solas, crucé la estancia y me senté en el suelo junto a Bella. Le tomé sus heladas manos con las mías y se las froté con cuidado.

—Gracias, Jacob, qué gusto…

—No voy a mentirte, Bells, tienes un aspecto horroroso.

—Lo sé —repuso con un suspiro—. Debo de dar miedo.

—Más que *La cosa del pantano* —convine.

Ella se echó a reír.

—Cuánto me alegra tenerte aquí. Sonreír me sienta bien. No sé si sería capaz de soportar otro drama.

Puse los ojos en blanco.

—Vale, vale —admitió ella—. Soy yo la que lo lleva siempre encima.

—Sí, eso es. ¿En qué estabas pensando, Bells? ¡De verdad…!

—¿Te ha pedido él que me eches un sermón?

—Algo así, pero no logro comprender por qué se cree que vas a hacerme caso. Nunca antes lo has hecho.

Suspiró.

—Te lo dije… —empecé a decirle.

—¿Sabías que el «te lo dije» tiene un hermano, Jacob? —me preguntó, interrumpiéndome—. Se llama «cierra ese maldito pico».

—Ésa es buena.

La piel se le estiró hasta dejarle marcados los huesos de la cara cuando me dedicó una ancha sonrisa.

—No puedo apuntarme el tanto… Lo he sacado de un capítulo que volvieron a echar de *Los Simpson*.

—Me lo perdí.

—Era divertido.

Permanecimos en silencio durante un minuto. Mis manos calientes le entibiaron las suyas un poco.

—¿De veras te ha pedido que me des la charla?

Asentí.

—Desea que te meta sentido común en la sesera. Es una batalla perdida antes de empezar.

—Y en tal caso, ¿por qué aceptaste?

No le contesté, pues no estaba seguro de saber hacerlo.

Sólo sabía que cada segundo transcurrido en compañía de Bella únicamente iba a servir para aumentar el dolor que experimentaría más tarde. Me estaba llegando el día de echar las cuentas, como un yonqui con un alijo de drogas limitado. Cuanto más me llevara ahora, más duro iba a resultar cuando se acabara.

—Va a salir bien, ya verás —me aseguró al cabo de un minuto—. Estoy segura.

Eso me hizo enrojecer de rabia otra vez.

—¿La demencia es uno de los síntomas de tu enfermedad? —le espeté.

Ella se carcajeó, a pesar de que mi enfado era tan grande que empezaron a temblarme las manos, entrelazadas con las suyas.

—Es posible —repuso—. No digo que las cosas vayan a ser fáciles, Jake, pero, llegados a este punto ¿cómo podría no creer en la magia cuando he sobrevivido a todo lo que me ha pasado?

—¿Magia?

—Especialmente en lo que a ti respecta —dijo con una sonrisa. Retiró una de las manos de entre las mías y me acarició la mejilla. Estaba más caliente que antes, pero me resultó fría al tacto, como todas las demás cosas—. Terminarás encontrando la magia y eso te permitirá poner orden en tu vida, puesto que nadie lo merece más que tú.

—¿Qué incoherencias estás diciendo?

Bella contestó sin perder la sonrisa

—Edward me dijo una vez que la imprimación era como *El sueño de una noche de verano,* como la magia. Hallarás lo que buscas de veras, Jacob, quizás entonces todo esto tenga sentido.

Me habría puesto a pegar voces si ella no hubiera ofrecido un aspecto tan frágil.

Pero como lo tenía, me limité a soltarle un gruñido.

—Si te piensas que la imprimación va a darle sentido a este despropósito… —hice un esfuerzo en busca de las palabras adecuadas—. ¿De veras crees que esto va a estar bien sólo porque algún día yo pueda imprimarme de una desconocida? —le señalé su cuerpo hinchado con el dedo—. ¡Dime qué lógica puede tener que yo te ame! ¡O que tú le ames a él! Cuando te hayas muerto, Bella, ¿cómo van a volver a estar las cosas bien? ¿Qué propósito tiene tanto dolor? ¡El tuyo, el mío, el de Edward! No es que tu marido me preocupe, pero también vas a matarle a él —ella dio un respingo, pero no me detuve—. Por tanto, al final, ¿qué significado tiene que retuerzas al máximo esta historia de amor? Si tiene alguna lógica, por favor, Bella, muéstramela ahora mismo, porque yo no se la veo.

Ella exhaló.

—Todavía no lo sé, Jake, pero presiento que todo va a acabar bien, aunque resulta difícil de aceptar viendo cómo pinta la cosa ahora. Supongo que podrías llamarlo fe.

—Vas a morir para nada, Bella. ¡Para nada!

Dejó caer la mano de mi rostro y la posó sobre el vientre hinchado con gesto de cariño. No tuvo que despegar los labios para que yo supiera lo que se le pasaba por la cabeza. Iba a sacrificarse por *eso*.

—No voy a morir —respondió entre dientes. Pude apreciar que repetía frases que ya debía haber dicho con anterioridad—. Conseguiré que mi corazón siga latiendo. Tengo fuerza suficiente para lograrlo.

—Todo eso son chorradas, Bella. Has intentado alargar lo sobrenatural más de la cuenta. Ninguna persona normal lo haría. No tienes suficiente vitalidad.

Tomé su rostro con las manos. No necesité de recordatorio alguno para actuar con suavidad. Todo en ella me recordaba su fragilidad.

—Puedo hacerlo, puedo hacerlo —murmuró.

—Pues no me da esa impresión, la verdad, así que suelta: ¿cuál es tu plan? Y espero que tengas alguno.

Ella asintió, pero me rehuyó la mirada.

—¿Sabías que Esme se tiró por un despeñadero? Cuando era humana, quiero decir…

—¿Y…?

—Estuvo tan cerca de la muerte que ni siquiera se molestaron en llevarla a la sala de urgencias, la dejaron cerca de la morgue, pero su corazón todavía latía cuando Carlisle la encontró…

Ajajá, a eso se refería antes con lo de no permitir que el corazón dejara de latir.

—No tienes intención de sobrevivir a esto como humana —concluí lentamente.

—No, no soy idiota —entonces, me buscó con la mirada—. Sin embargo, supongo que tú tienes tu propia opinión a este respecto.

—Una vampirización de emergencia —murmuré.

—Funcionó con Esme, y con Emmett, y con Rosalie, incluso con Edward. Todos ellos estaban en las últimas. Carlisle los transformó únicamente porque era o eso o la muerte. Él no puso fin a sus vidas, las salvó.

Noté una súbita punzada de culpabilidad en lo tocante al buen vampiro del doctor, tal y como había ocurrido antes. Desterré la idea enseguida y comencé otra vez con las súplicas.

—Hazme caso, Bella, por favor, no hagas eso —tuve una noción clara de cuánto me importaba que ella siguiera con vida, al igual que había ocurrido antes, cuando se comentó en la manada el telefonazo de Charlie. Comprendí que necesitaba mantenerla viva de algún modo, de cualquier modo. Respiré hondo—. No esperes hasta que sea demasiado tarde, Bella. No vayas por ese camino. Vive, ¿vale? Tú limítate a seguir con vida. No me hagas esto. No se lo hagas a Edward —mi voz se hizo más audible y ganó en dureza—. Sabes qué va a hacer cuando tú mueras, ya lo has visto antes. ¿Deseas provocar el regreso de los asesinos italianos?

Ella se encogió en el sofá.

No hice mención alguna a que eso no iba a ser necesario esta vez.

Hice un esfuerzo por suavizar la voz antes de preguntar:

—¿Recuerdas tus palabras cuando me hirieron los neófitos? —aguardé, pero ella no me contestó; cerró los labios con fuerza—. Me dijiste que fuera bueno e hiciera caso a Carlisle —le recordé—. ¿Y qué hice yo? Obedecer al vampiro. Por ti.

—Lo hiciste porque ésa era la decisión correcta.

—De acuerdo, pero lo hice, dejo a tu gusto el motivo.

Ella respiró hondo.

—Ahora no está en juego lo mismo —su mirada recayó sobre su enorme vientre redondeado y susurró por lo bajinis—: No voy a matarle.

Volvieron a temblarme las manos.

—Ah, no había oído la buena nueva. De modo que vas a alumbrar un precioso niño, ¿no es eso? Tal vez debería haber traído unos globitos azules.

Las facciones de Bella adquirieron una tonalidad rosácea tan hermosa que me provocó un retortijón en el estómago, como si alguien me hurgara en las tripas con un mugriento y oxidado cuchillo de filo dentado.

—No sé si es un chico —admitió, algo avergonzada—, ya que los ultrasonidos no son operativos. La membrana alrededor del bebé es demasiado dura, como la piel de los vampiros, por lo que sigue siendo un pequeño misterio, pero en mi mente siempre he visto un chico.

—Ahí dentro no llevas un precioso bebé, Bella.

—Ya veremos —refutó ella, un tanto pagada de sí misma.

—Tú no —le espeté.

—Eres francamente pesimista, Jacob. Existe una oportunidad de que escape con bien de todo esto, no hay duda.

No conseguí articular la respuesta. Bajé la mirada y exhalé hondo y despacio en un intento de mantener controlada mi rabia.

—Esto va a salir bien, Jake —me dijo mientras me palmeaba el pelo y me acariciaba la mejilla—. Shh. Todo va bien.

No levanté la vista.

—No, no va nada bien.

Ella enjugó una lágrima de mi mejilla.

—Calla.

—¿Y qué hay de tu deseo, Bella? —contemplé fijamente la alfombra nívea sobre la cual mis embarrados pies descalzos habían dejado manchas. Genial—. Pensé que querías ser vampiro por encima de cualquier otra cosa en este mundo, y ¿justo ahora vas a renunciar? No tiene ni pies ni cabeza. ¿Desde cuándo te ha entrado esa fiebre por ser madre? ¿Por qué te has casado con un vampiro si deseabas con tanto anhelo la maternidad?

Estaba peligrosamente cerca de ofrecerle lo que Edward me había pedido. Veía cómo las palabras me conducían por ese camino de forma inevitable; no era capaz de cambiar de dirección.

Ella suspiró.

—No es así como funcionan las cosas. En realidad, no me preocupaba tener un hijo y ni me lo había planteado. La cuestión no es tener un bebé, es... bueno, es *este* bebé.

—Es un asesino, Bella, mírate al espejo.

—No lo es. Se trata de mí, que soy humana y débil, pero seré capaz de sacar esto adelante, Jake, voy a poder.

—Venga, vamos, Bella. Cállate. Puedes contarle todas esas milongas a tu chupasangres, pero a mí no me la das. No vas a lograrlo.

Me lanzó una mirada intensa.

—Eso no lo sé, y claro que me preocupa.

—Te preocupa —repetí entre dientes.

Bella jadeó y se aferró la barriga. Mi furia cesó con la misma inmediatez que la luz en cuanto pulsas un interruptor.

—Me encuentro perfectamente —jadeó—. No es nada.

Sin embargo, no le presté atención. El movimiento de sus manos había retirado la sudadera, dándome ocasión de verle la piel. Unos enormes lamparones de color púrpura oscuro le salpicaban el vientre como si fueran manchas de tinta.

Se reajustó la prenda en cuanto se percató de mi semblante de espanto.

—Él es fuerte, nada más —repuso ella a la defensiva.

Esas manchas cárdenas eran hematomas.

Contuve un ataque de náuseas y comprendí a qué se refería Edward cuando hablaba de ver cómo el feto le hacía daño. De súbito, yo mismo me sentí un tanto majareta.

—Bella —empecé; ella notó un cambio de tono en mi voz y alzó los ojos, turbios por la confusión; todavía respiraba con pesadez—, Bella, no lo hagas.

—Jake...

—Escúchame y no te levantes otra vez, ¿vale? Tú sólo escucha, ¿y qué pasaría si...?

—¿Que qué pasaría si...?

—¿Y si no fuera un acontecimiento irrepetible? ¿Y si no fuera una jugada a todo o nada? ¿Qué pasaría si hicieras caso a Carlisle como una buena chica y siguieras viva?

—No voy a...

—Aún no he terminado. Si lo hicieras, podrías seguir con vida e intentarlo de nuevo. Este embarazo no va a salir bien. Haz otra intentona.

Frunció el ceño y se llevó una mano al punto de entrecejo donde se unía el trazo de las cejas. Se acarició la frente durante unos instantes mientras intentaba buscarle un sentido a mis palabras.

—No entiendo a qué te refieres con lo de hacer otra intentona. ¿Acaso piensas que Edward va a dejarme...? ¿Y qué diferencia puede haber? Estoy segura de que cualquier bebé...

—Sí, las cosas no van a cambiar si él es el padre...

Eso aumentó la confusión escrita en su semblante extenuado.

—¿Qué...?

Pero ya no fui más lejos. No tenía sentido. Jamás iba a ser capaz de salvarla de sí misma. No iba a conseguirlo en la vida.

Entonces, Bella pestañeó y pude ver que ya se había percatado de por dónde iba yo.

—Oh, uf, ¡Jacob, por favor! ¿Crees que voy a ser capaz de matar a mi bebé y reemplazarlo con cualquier otro sustituto, engendrado por inseminación artificial? —ahora estaba enfadada—. ¿Por qué iba a querer el niño de un desconocido? ¿Acaso no hay diferencia o es que vale cualquier bebé?

—No me refería a eso —musité—. No a un desconocido.

Se inclinó hacia delante.

—En tal caso, ¿a qué te referías?

—Nada, no he dicho nada, como de costumbre.

—¿De dónde ha salido semejante idea?

—Olvídalo, Bella.

Ella frunció el ceño, recelosa.

—No te habrá dicho él que digas eso, ¿verdad?

Vacilé unos segundos, sorprendido porque lo hubiera cazado al vuelo.

—No.

—Es cosa de Edward, ¿a que sí?

—No, de veras, él no dijo nada sobre una inseminación artificial…

Las facciones del semblante de Bella se suavizaron; entonces, se reclinó sobre los cojines y se hundió en ellos.

—Él haría cualquier cosa por mí, y yo se lo estoy haciendo pasar fatal —tenía el rostro ladeado y la mirada perdida en la pared. No me hablaba a mí. En absoluto—. Pero ¿en qué estaba pensando? Que cambie esto —continuó mientras recorría su vientre con los dedos— por el bebé de un desconocido…

La última parte la dijo en un murmullo casi inaudible antes de que le fallara la voz. Los ojos se le llenaron de lágrimas.

—No tienes por qué herirle —murmuré. Cualquier palabra en defensa de Edward me quemaba en los labios como si fuera ácido, pero yo era muy consciente de que se trataba de una de mis mejores bazas para mantenerla con vida. Aun así, las apuestas estaban mil a uno en mi contra—. Puedes hacerle feliz de nuevo, Bella. Y creo que se le está yendo la pinza, de veras que sí.

Mi amiga no parecía estar atenta. Trazaba círculos sobre su vientre hinchado y permanecía cavilosa, mordiéndose los labios. Permaneció en silencio durante un buen rato. Me pregunté si los Cullen estarían muy lejos y si habrían oído mis patéticos intentos de razonar con ella.

—No se refería a un desconocido —murmuró para sí misma. Di un respingo—. ¿Qué fue exactamente lo que te dijo Edward? —inquirió en voz baja.

—Nada, sólo pensó que tal vez a mí sí me escucharas.

—No me refería a eso, sino a lo de intentarlo de nuevo.

Comprendí que había ido demasiado lejos cuando se encontraron nuestras miradas.

—Nada.

Entreabrió la boca.

—Vaya.

El silencio se prolongó durante unos segundos. Volví a fijar la vista en los pies, incapaz de mirarla a los ojos.

—Está dispuesto a hacer cualquier cosa, ¿verdad? —susurró.

—Ya te he dicho que se le están aflojando los tornillos, y no es ninguna exageración, Bella.

—Me sorprende que no hayas compartido con los demás el secreto enseguida para meterle en un lío.

Descubrí una ancha sonrisa en su cara cuando levanté los ojos.

—Dale una pensada al tema, ¿vale?

Hice un esfuerzo por devolver una sonrisa tan grande como la suya, pero noté que se me quedaba espachurrada en la cara. Ella conocía la naturaleza de mi oferta y no se lo iba a pensar una segunda vez. Sabía de antemano que no lo iba a hacer, pero aun así me dolió.

—No hay mucho que puedas hacer por mí, ¿eh? —susurró—. En realidad, no sé por qué te molestas. Tampoco soy digna de ti.

—Pero eso no va a cambiar nada, ¿verdad?

—No esta vez —Bella suspiró—. Me gustaría ser capaz de explicártelo de modo que lo comprendieras. No puedo herirle —prosiguió, señalando su vientre con el dedo—, como tampoco podría echar mano de una pistola y dispararte. Le amo.

—¿Por qué siempre has de querer lo que está mal?

—A mí no me lo parece.

Carraspeé para deshacer el nudo de la garganta y así poder conferir a mi voz la dureza suficiente.

—Confía en mí.

Hice ademán de incorporarme.

—¿Adónde vas?

—Aquí no hago bien alguno.

—No te vayas —me imploró con la manita tendida hacia mí.

Ella creaba dependencia, y fui consciente de que esa adicción tiraba de mí e intentaba que no me apartara de su lado.

—Éste no es mi sitio. Debo regresar.

—¿Por qué has venido hoy? —quiso saber, todavía con el brazo débilmente extendido.

—Sólo para saber si estabas viva de verdad. No me creía la historia de Charlie, eso de que estabas enferma.

El estudio de su rostro no me reveló si se había tragado o no mi embuste.

—¿Vendrás a visitarme de nuevo antes de que…?

—No voy a merodear por aquí para verte morir, Bella.

Dio un respingo.

—Tienes razón, tienes razón. Harías bien en irte —me encaminé hacia la puerta—. Adiós —se despidió ella en un susurro—. Te quiero, Jake.

Estuve en un tris de regresar. Estuve a punto de dar media vuelta y postrarme de rodillas para empezar a suplicarle otra vez, pero sabía que debía renunciar a Bella y a su droga antes de que me aniquilara igual que iba a hacer con Edward.

—Claro, claro —musité mientras me marchaba.

No vi a ninguno de los vampiros. Ignoré la moto, abandonada en medio del prado, pues ahora no era lo bastante veloz para mí. Mi padre estaría loco de preocupación, y también Sam. ¿Cómo reaccionaría la manada ante el hecho de no haberme oído cambiar de fase? ¿Habrían pensado que los Cullen me habían capturado antes de tener ocasión de transformarme? Me desvestí sin preocuparme de la presencia de algún posible observador y eché a correr, desapareciendo de allí a un medio trote lobuno.

Me estaban esperando, claro, por descontado. Me aguardaban.

Jacob, Jake, corearon ocho voces llenas de alivio.

Vuelve a casa ahora mismo, ordenó el Alfa, el líder. Sam estaba furioso.

La desaparición de Paul me indicó que Billy y Rachel estaban a la espera de saber qué me había pasado. Paul tenía tantas ganas de darles la buena noticia de que yo no había terminado convertido en comida para vampiros que no se quedó a escuchar la historia completa.

No hizo falta informar a los lobos de mi avance. Podían ver el bosque convertido en un borrón conforme yo corría alocado hacia la casa. Tampoco hizo falta decirles que acudía medio enloquecido. La repulsión impresa en mi cabeza era evidente.

Vieron todo el horror: el vientre moteado de moratones y la voz quebrada de Bella: «Él es fuerte, nada más». El rostro de Edward, la viva imagen de un hombre consumido, «observando con impotencia cómo enferma y se consume, contemplando cómo esa cosa le hace daño». Rosalie agazapada sobre el cuerpo desmadejado de la embarazada. «La vida de Bella no significa nada para ella.» Y por una vez, nadie tuvo nada que decir.

Su estupor sonó en mi mente como un grito silencioso y sin palabras.

¡¡¡¡!!!!

Había recorrido la mitad del camino de vuelta a casa antes de que alguno se hubiera recuperado. Luego, todos echaron a correr a mi encuentro.

Era casi noche cerrada y las nubes velaban el sol crepuscular casi por completo. Me arriesgué a cruzar la autovía y lo conseguí sin ser visto.

Nos reunimos en el bosque, en un claro de árboles talados por los leñadores, a poco más de quince kilómetros de La Push. Era un lugar encajado entre las cumbres de dos montañas, lo bastante retirado como para pasar inadvertido por cualquier observador.

Los barboteos de mi mente habían degenerado en una completa algarabía, pues todos gritaban a la vez.

Sam tenía erizada la pelambrera del cuello y aullaba de forma incesante mientras iba de un lado para otro del círculo. Paul y Jared se movían detrás de él como sombras con las orejas pegadas a los laterales de la cabeza. Todos los lobos del círculo se habían puesto en pie, profundamente agitados, y lanzaban gruñidos por lo bajo.

El blanco de su ira no estaba claro en un principio, y llegué a creer que la descargaban sobre mí. Estaba hecho un lío y no me preocupaba. Podían hacerme lo que les viniera en gana por contravenir las órdenes.

Y entonces, el caótico conjunto de pensamientos empezó a tomar una dirección concreta.

¿Cómo puede ser? ¿Qué significa? ¿Qué va a ser esa criatura?

Nada seguro. Nada bueno. Peligrosa.

Antinatural. Monstruoso. Una abominación.

No podemos permitirlo.

Ahora, todos los miembros de la manada, salvo yo y otro de los hermanos, caminaban y pensaban de forma sincronizada. Me senté junto al otro miembro inmóvil, demasiado desconcertado como para mirar quién era ni buscar su identidad con el pensamiento mientras los demás daban más y más vueltas a nuestro alrededor.

El tratado no recoge esto.

Ese bicho nos pone a todos en peligro.

Intenté comprender la espiral de voces y seguir el sinuoso sendero de pensamientos para ver adónde querían ir a parar, pero no tenían el menor sentido. Ocupaban el centro de sus reflexiones unas imágenes que eran las mías, las peores de todas: los moratones de Bella y el rostro doliente de Edward.

También ellos temen al feto.

Pero no van a hacer nada al respecto.

Protegen à Bella Swan.

Eso no puede influirnos.

La seguridad de nuestras familias y de cuantos aquí moran es más importante que la vida de una sola persona.

Si no la matan ellos, tendremos que encargarnos nosotros.

Hay que defender a la tribu.

Protejamos a nuestras familias.

Debemos acabar con eso antes de que sea demasiado tarde.

Fue en ese momento cuando resonó en mi mente otra mención, las palabras de Edward: «No deja de crecer, y además muy deprisa».

Me estrujé los sesos en el intento de identificar cada una de las voces.

No hay tiempo que perder, empezó Jared.

Esto va a provocar una lucha, le previno Embry, *y de las chungas.*

Estamos preparados, insistió Paul.

Necesitamos contar con el factor sorpresa de nuestro lado, caviló Sam.

Si los sorprendemos cuando estén separados aumentarán nuestras posibilidades de victoria, arguyó Jared, que empezaba a trazar una estrategia.

Meneé la cabeza y me incorporé lentamente. Me sentía inestable, era como si el movimiento circular de los lobos me hubiera mareado. Mi compañero también se levantó y sostuvo mi lomo con el suyo, a fin de apoyarme.

Un momento, pensé.

Dejaron de girar durante unos instantes y luego reanudaron su caminar en círculo.

Apenas hay tiempo, repuso Sam.

Pero ¿en qué estáis pensando? Esta misma tarde no ibais a atacar a los Cullen, pues no habían vulnerado el tratado, ¿o no? ¿Y planeáis ahora una emboscada a pesar de que nadie ha infringido los términos del acuerdo?

El tratado no previó esta contingencia, respondió Sam. *Esto pone en peligro a todo ser humano de la zona. No sabemos qué clase de criatura van a criar los Cullen, pero sí tenemos noticias de su fortaleza y su rápido crecimiento, y también que va a ser demasiado joven como para regirse por ningún acuerdo. ¿Recordáis a los vampiros neófitos contra los que combatimos? Eran salvajes, violentos e incapaces de someterse a la razón o al constreñimiento. Imaginaos uno de esa ralea protegido por los Cullen.*

No sabemos si…, intenté interrumpirle.

Cierto, no sabemos, admitió él, *y no vamos a correr riesgos con lo desconocido, no en este caso. Podemos tolerar la presencia de los Cullen mientras tengamos la certeza de que no van a ocasionar daños. Esa… cosa no es digna de confianza.*

A ellos no les gusta más que a nosotros.

Sam tomó de mi mente la imagen de Rosalie acuclillada junto al sofá y la proyectó en la de los demás.

Algunos están dispuestos a luchar por ella sin importarles qué sea la criatura en realidad.

Sólo es un crío, y se va a dedicar a berrear.

No por mucho tiempo, apostilló Leah.

Jake, tronco, este marrón es gordo, dijo Quil. *No podemos ignorarlo.*

Le dais una importancia que no tiene, argüí. *La única persona en peligro es Bella.*

Y nuevamente eso es por su propia elección, refutó Sam. *Pero esta vez su opción nos afecta a todos.*

No lo veo de ese modo.

No podemos correr semejante riesgo. No vamos a permitir que un bebedor de sangre campe a sus anchas por nuestras tierras.

Démosles entonces la oportunidad de marcharse, terció el lobo que todavía seguía sosteniéndome para impedir mi caída. Se trataba de Seth, por supuesto.

¿Y endosar a otros la amenaza? Destruiremos a los bebedores de sangre cuando crucen nuestras tierras sin importar que su presa no sea humana. Vamos a proteger al mayor número posible de personas.

Eso es una locura, repliqué. *Esta misma tarde temías poner en peligro a la manada.*

Porque esta tarde ignoraba que nuestras familias corrían peligro.

¡No doy crédito…! ¿Cómo vais a matar a esa criatura sin acabar también con la madre?

Reinó el mutismo, pero ese silencio estaba cargado de amenazas.

Proferí un aullido.

¡Bella también es humana! ¿No se le aplica también nuestra protección?

De todos modos, se está muriendo, pensó Leah, *por lo que, en realidad, únicamente estamos acortando el proceso.*

Eso me sacó de mis casillas, me aparté de Seth con un brinco y me lancé contra su hermana con las fauces abiertas. Estaba a punto de atraparle la pata izquierda trasera cuando sentí la mordedura de Sam en el costado, obligándome a retroceder.

Aullé de dolor y rabia antes de revolverme contra él.

¡Quieto!, me ordenó con el timbre doble propio del Alfa, del líder de la manada.

Las patas se me doblaron y me removí antes de detenerme. Me mantuve en pie por un acto de pura fuerza de voluntad.

Apartó la mirada de mí.

No seas cruel, Leah, le ordenó. *El sacrificio de Bella es un alto precio a pagar, y todos hemos de admitirlo así. Estamos aquí para actuar contra todo aquello capaz de acabar con la vida humana, y cualquier excepción a ese código de conducta es de lo más desolador. Todos nosotros vamos a lamentar la acción de esta noche.*

¿Esta noche?, repitió Seth, muy sorprendido. *Creo que deberíamos hablar del tema un poco más y al menos consultar con los ancianos. No puedes pretender en serio que vayamos a...*

No hay hueco para tu tolerancia hacia los Cullen ahora ni tiempo para el debate, Seth. Tú harás lo que se te ordene.

Seth dobló las patas traseras y agachó la cabeza bajo el peso de la orden del Alfa.

Sam anduvo alrededor de nosotros dos, describiendo un círculo muy cerrado.

Necesitamos a toda la manada para acometer esta misión, Jacob, y tú eres el guerrero más fuerte. Esta noche vas a luchar con nosotros, pero comprendo que esto es muy duro para ti, razón por la cual vas a centrarte en los combatientes, Emmett y Jasper Cullen. Tranquilo, no te vas a ver envuelto con... la otra parte. Quil y Embry lucharán a tu lado.

Me temblaron los carpos de las patas e hice un enorme esfuerzo por mantenerme en pie mientras la voz del Alfa se imponía a mi voluntad.

Paul, Jared y yo nos encargaremos de Edward y de Rosalie, los posibles guardianes de Bella a juzgar por la información aportada por Jacob. Carlisle y Alice no han de andar lejos, y otro tanto puede decirse de Esme. Brady, Collin, Seth y Leah se encargarán de ellos. Quienquiera que tenga un acceso rápido a... la criatura, que lo aproveche. Todos nos percatamos de la vacilación de Sam a la hora de pronunciar el nombre de Bella. *Destruir a la criatura es nuestra prioridad.*

La manada gruñó su asentimiento con nerviosismo. Todos tenían erizada la pelambrera a causa de la tensión. Los pasos eran más rápidos y el sonido de las pezuñas sobre el suelo salino resultaba más agudo cada vez que lo arañaban.

Únicamente Seth y yo permanecimos inmóviles en el centro de una tormenta de dientes al descubierto y orejas gachas. Mi acompañante casi tocaba la tierra, doblegado por las órdenes de Sam. Percibí su pena ante el inminente acto de deslealtad, ya que Seth había luchado junto a Edward Cullen en el pasado y había llegado a convertirse en un sincero amigo del vampiro.

Sin embargo, no albergaba intención alguna de oponerse. Iba a obedecer sin importar lo mucho que le doliera. No le quedaba otra alternativa.

¿Y cuál tenía yo? Ninguna. La manada sigue al Alfa cuando éste habla.

Sam nunca había llegado tan lejos a la hora de imponer su autoridad y yo sabía cuánto aborrecía ver a Seth postrado ante él, como un esclavo a los pies de su maestro. Jamás habría forzado la situación hasta ese límite de no haber creído que se había quedado sin elección. El vínculo mental existente entre las mentes de todos nosotros le impedía mentirnos y éramos conscientes de la sinceridad de su convicción: nuestro deber era acabar con Bella y el monstruo que llevaba en sus entrañas; él creía de veras que no teníamos tiempo que perder, y lo creía hasta el punto de estar dispuesto a morir por ello.

Supe que planeaba enfrentarse a Edward él mismo, pues Sam pensaba que el don de Edward para leernos el pensamiento le convertía en la mayor amenaza de todas. El líder no tenía intención de permitir que ningún otro asumiera semejante riesgo.

A su parecer, el segundo oponente de mayor peligro era Jasper, y por eso me había emparejado con él, sabedor de que el miembro de la manada con más posibilidades de ganar en esa pelea era yo. Había reservado los objetivos más fáciles para los lobos jóvenes y Leah. La pequeña Alice no era tan peligrosa sin la guía de la visión premonitoria y, en los días de nuestra fugaz alianza, habíamos llegado a saber que Esme carecía de dotes como luchadora. Carlisle podía convertirse en todo un desafío, pero su aborrecimiento hacia la violencia iba a entorpecerle.

Me puse más enfermo aún que Seth cuando contemplé cómo Sam iba desgranando su plan, analizándolo desde todos los ángulos para dar a cada componente del grupo las máximas posibilidades de sobrevivir.

Todo estaba del revés. Había estado en un tris de atacar a los Cullen esa misma tarde, pero Seth había tenido razón cuando había dicho que no estaba preparado para esa lucha. Me había dejado cegar por el odio, no me había permitido estudiar las cosas con calma porque sabía que, si lo hacía, lo vería todo de un modo diferente.

Si miraba a Carlisle Cullen sin el velo de animadversión, resultaba imposible decir que matarle no era un asesinato. Era tan bueno como cualquiera de los hombres a los que protegíamos. Quizás incluso mejor. Y suponía que ocurría otro tanto con los otros aunque el sentimiento no era tan fuerte respecto a ellos, pues los conocía menos. Carlisle había renunciado a la violencia incluso para salvar su propia vida y ésa era la razón por la que podíamos matarle: él no quería acabar con nosotros, sus enemigos.

Aquello era un error, estaba mal…

… y no sólo porque matar a Bella era como asesinarme a mí, como suicidarme.

Ve con los demás, Jacob, me ordenó Sam. *La tribu es más importante.*

Hoy me he equivocado, Sam.

En ese momento actuaste siguiendo criterios errados, pero ahora tenemos un deber que cumplir.

Me mantuve en mi sitio.

No.

Sam bufó y se acercó al paso hasta plantarse delante de mí. Me miró fijamente a los ojos mientras un sordo gruñido se le filtraba entre los dientes.

Sí, decretó el Alfa con esa doble voz suya que abrasaba con el fuego de su autoridad. *Esta noche no hay escapatoria posible. Tú, Jacob, vas a ayudarnos en la lucha contra los Cullen. Tú, Quil y Embry os encargaréis de Jasper y Emmett. Estás obligado a proteger a la tribu, ésa es la razón de tu existencia, y vas a cumplir con esa obligación.*

Me fallaron las patas y se me hundieron las paletillas cuando cayó sobre mí la fuerza de su edicto. Acabé a sus pies, tirado sobre la tripa.

Ningún miembro de la manada podía desobedecer al Alfa.

Las dos primeras cosas de la lista de «lo que jamás querría hacer»

La manada comenzó a avanzar en formación siguiendo las órdenes de Sam mientras yo continuaba en el suelo. Embry y Quil me flanqueaban a la espera de que me recobrara y marcara el ritmo.

Sentí la urgencia y la necesidad de ponerme en pie y liderarlos. La compulsión fue en aumento por mucho que intentara reprimirla allí, en el suelo, encogido y con náuseas.

Embry me lloriqueó quedamente el oído. Él no quería pensar las palabras, temeroso de atraer otra vez hacia mí la atención de Sam. Percibí la muda súplica de que me levantara, me sobrepusiera y acabara con aquello de una vez.

Los componentes de la manada sentían pánico, no tanto por ellos mismos, sino por el conjunto. No se nos pasaba por la imaginación que todos fuéramos a salir con vida de aquella noche. ¿Qué hermanos íbamos a perder? ¿Qué personalidades se perderían para siempre? ¿A qué familias deberíamos consolar al día siguiente?

Mi mente comenzó a razonar al ritmo de los demás y a pensar al unísono mientras íbamos capeando esos miedos. Me incorporé de inmediato y enderecé el pelaje.

Embry y Quil lanzaron un resoplido de alivio. El segundo me tocó el lomo una vez con el hocico.

El desafío de la misión y el cometido asignado ocuparon sus mentes. Recordamos todos juntos las noches en las cuales habíamos observado las prácticas de lucha de los Cullen a fin de derrotar a los neófitos. Emmett era el más fuerte, pero Jasper nos daría más problemas con esos movimientos suyos tan similares al zigzagueo de un relámpago: energía, velocidad y muerte, las tres en uno. ¿Cuántos siglos de experiencia podía tener? Los suficientes para que el resto de la familia le contemplase como guía.

Puedo lanzar un ataque frontal si tú prefieres el flanco, me ofreció Quil, mucho más entusiasmado que la mayoría de la manada. Quil llevaba muriéndose de ganas de poner a prueba sus habilidades contra el vampiro desde aquellas clases nocturnas de adiestramiento impartidas por Jasper. Él consideraba todo esto como un concurso, y no iba a cambiar de punto de vista a pesar de saber que se estaba jugando el pellejo. Paul era otro que tal, y también los jóvenes Collin y Brady, que todavía no habían presenciado una batalla. Seth habría pensado lo mismo que ellos si los oponentes no hubieran sido amigos suyos.

¿Cómo quieres que le hagamos morder el polvo, Jake?, me preguntó Quil tras atraer mi atención con el hocico.

Únicamente logré sacudir la cabeza, incapaz de concentrarme en nada. La compulsión para seguir las órdenes era tal que me sentía como un títere con alambres en todos los músculos del cuerpo. Debía dar un paso y luego otro.

Seth se vio arrastrado detrás de Collin y Brady, en un grupo donde Leah había asumido el papel de cabecilla. Ignoró a Seth mientras planeaba con los demás, y vi cómo le dejaba fuera de la pelea. Había un punto maternal en los sentimientos que profesaba hacia su hermano pequeño, pues ella deseaba que Sam le enviara a casa. Seth no se daba cuenta de las dudas de Leah, pues también él era una marioneta sujeta por alambres.

Quizá si dejaras de resistirte..., sugirió Embry con la boca chica.

Limítate a centrarte en nuestra parte: los grandullones. Podemos acabar con ellos, ¡les podemos! Quil se estaba dando ánimos, como esos jugadores que se arengan a sí mismos antes del partido.

Me di cuenta de lo fácil que podía ser pensar exclusivamente en mi parte del trabajo. No me espantaba la idea de atacar a Jasper y Emmett. Habíamos estado a punto de hacerlo con anterioridad y había pensado en ellos como enemigos durante mucho tiempo. Me sentía capaz de hacerlo de nuevo.

Me bastaba con olvidar que ellos protegían lo mismo que yo había custodiado hasta hacía nada. Únicamente debía ignorar la razón por la cual podría desear que ganaran ellos.

Estate a lo que hay que estar, Jake, me avisó Embry.

Moví los pies con desgana, oponiendo resistencia a los tirones de los alambres.

Toda rebeldía es inútil, insistió Embry.

Estaba en lo cierto. Yo iba a terminar acatando la voluntad de Sam si él se sentía dispuesto a imponerla, y era obvio que el jefe estaba por la labor.

La existencia de la autoridad del Alfa tenía un buen motivo: ni siquiera una manada tan nutrida como la nuestra era una fuerza de relevancia sin un líder. Debíamos movernos y pensar juntos en aras a la eficacia, y eso requería que el cuerpo tuviera una cabeza.

¿Y qué ocurría si Sam se equivocaba ahora? Nadie podía evitarlo. Nadie podía refutar su decisión.

A menos que…

Tuve una idea que nunca jamás había querido plantearme; pero ahora que tenía las cuatro patas sujetas por esos alambres invisibles, caí con alivio en la existencia de una excepción. No, más que alivio, con verdadero gozo.

Nadie salvo yo podía disputar la decisión del Alfa.

No me había hecho acreedor de nada, pero poseía ciertos dones y había ciertas cosas que jamás había reclamado.

Nunca había querido liderar la manada, y tampoco albergaba ese deseo ahora. No deseaba que la responsabilidad del destino de todo descansara sobre mis hombros, y a Sam eso se le daba muy bien, era mejor de lo que yo lo sería jamás.

Pero esa noche estaba equivocado, y yo no había nacido para arrodillarme ante él.

Las ataduras de mi cuerpo se aflojaron en el mismo momento en que reclamé mi derecho de nacimiento.

Gradualmente crecieron en mí dos sensaciones, una de libertad y otra más extraña, la de un poder vacío, hueco, ya que el poder de un Alfa procede de su manada, y yo no tenía manada. La soledad me abrumó durante unos segundos.

Ahora no tenía manada.

Pero seguía en pie y recuperé las fuerzas mientras caminaba hacia el lugar donde Sam planeaba el ataque con Paul y Jared. El líder se volvió al escuchar el sonido de mi avance y entrecerró los ojos negros.

No, repetí.

Lo percibió de inmediato en la nota de mis pensamientos, supo de mi elección en cuanto escuchó la voz Alfa de mis pensamientos.

Retrocedió medio paso con un aullido de sorpresa.

¿Qué has hecho, Jacob?

No voy a seguirte en una causa completamente errada, Sam.

Clavó en mí los ojos, estupefacto.

¿Antepondrías tus enemigos a tu familia?

No son... Sacudí la cabeza para aclararme las ideas. *No son nuestros enemigos y nunca lo han sido. No vi esa realidad hasta que lo pensé lo suficiente, cuando de verdad me propuse destruirlos.*

Esto no va sobre los Cullen, sino sobre Bella, me gruñó. *Ella nunca ha sido tuya y jamás te ha elegido, y ¡aun así continúas destruyendo tu vida por ella!*

Eran palabras muy duras, pero no menos ciertas. Aspiré un gran trago de aire para digerirlas.

Tal vez estés en lo cierto, pero vas a destruir a la manada por ella, Sam. No importa cuántos sobrevivan esta noche, siempre tendrán ese crimen sobre sus conciencias.

¡Debemos proteger a nuestras familias!

Estoy al tanto de tu decisión, Sam, pero tú no decides por mí, ya no.

No puedes dar la espalda a la tribu, Jacob.

Percibí el doble eco de la orden impartida con su voz de Alfa, pero no sentí el peso de la misma, pues ya no causaba efecto alguno en mí. Apretó la mandíbula tratando de forzarme a responder a sus palabras.

Miré fijamente sus ojos coléricos.

El hijo de Ephraim Black no ha nacido para seguir al de Levi Uley.

Ah, entonces, ¿es eso, Jacob Black? ¡La manada nunca te seguirá ni aunque me venzas!

El pelo del cuello se le puso de punta al tiempo que Paul y Jared gruñían con las pelambreras erizadas.

¿Vencerte? Pero si no voy a pelearme contigo, Sam.

En tal caso, ¿qué te propones? No tengo la menor intención de apartarme para que puedas proteger a la progenie del vampiro a expensas de la tribu.

No te lo voy a ordenar.

Si les ordenas que te sigan…

No se me ha pasado por la cabeza privar a nadie de su voluntad.

Flageló el aire con el rabo de un lado para otro y se echó hacia atrás para evaluar el buen tino de mis palabras. Entonces, se adelantó un paso y nos quedamos en un cuerpo a cuerpo. Exhibió los dientes a centímetros de los míos. Hasta ese momento no me di cuenta de que había crecido hasta ser más grande que él.

No puede haber más de un Alfa, y la manada me ha elegido a mí. ¿Vas a separarte de nosotros esta noche? ¿Darás la espalda a tus hermanos o vas a poner fin a esta locura y volverás reunirte con nosotros?

Todas y cada una de las palabras venían envueltas en una nota de autoridad, pero no hizo efecto alguno en mí.

Fue en ese momento cuando comprendí la razón por la cual jamás había más de un macho Alfa en la manada. Todo mi ser respondía al desafío y noté cómo me embargaba el instinto de defender lo que era mío. La fibra de mi esencia lupina se aprestó a la batalla para dirimir la supremacía.

Le eché los restos para controlar esa reacción. No iba a enzarzarme en una pelea con Sam, que seguía siendo mi hermano, incluso aunque le diera la espalda.

Esta manada sólo tiene un Alfa y yo no voy a cuestionar eso. Voy a elegir mi propio camino, eso es todo.

¿Ahora perteneces a un aquelarre, Jacob?

Solté un respingo.

No sé, Sam, pero hay algo de lo que sí estoy seguro…

Él retrocedió abrumado por el peso de mi voz de Alfa, que le afectaba más que la suya a mí, ya que yo había nacido para mandar sobre él.

... voy a interponerme entre vosotros y los Cullen. No voy a quedarme de brazos cruzados mientras la manada extermina a gente inocente. Se me hacía duro aplicar esa palabra a los vampiros, pero era la verdad. *La manada es mejor que eso. Guíala en la dirección correcta, Sam.*

Un coro de aullidos rasgó el aire a mi alrededor cuando le di la espalda.

Me alejé de la barahúnda que había provocado y hundí las pezuñas en el suelo a fin de correr más, pues no disponía de mucho tiempo. Al menos, Leah era la única con posibilidades de sobrepasarme y yo ya había cobrado ventaja.

Los bramidos se fueron disipando con la distancia, pero que la algarabía siguiera rasgando el velo de la noche me consolaba: aún no me seguían.

Debía avisar a los Cullen antes de que la manada se reuniera y me detuviera. Si el aquelarre estaba alerta, Sam tendría que pensárselo otra vez antes de que fuera demasiado tarde. Imprimí mayor velocidad a mi carrera en dirección a la casa blanca, un lugar que seguía odiando, mientras dejaba atrás mi hogar, pues esa morada ya no era la mía. Había renunciado a todo.

Aquel día había comenzado como cualquier otro. Había patrullado durante la noche para volver a casa en cuanto amaneció un alba lluviosa. Había desayunado con Billy y Rachel con el sonsonete de fondo de los programas malos de la tele y reñido por una tontería con Paul. ¿Cómo podía haber dado todo un giro tan completo y surrealista? ¿Cómo era posible que todo se hubiera liado y complicado hasta el punto de que ahora estuviera solo y fuera un Alfa contra mi voluntad? ¿Cómo podía ser que hubiera cortado lazos con mis hermanos y preferido a los vampiros?

Interrumpió el hilo de mis pensamientos el sonido que tanto había esperado y temido: el suave impacto contra el suelo de unas zarpas enormes detrás de mí, en pos de mis huellas. Aumenté la fuerza de mis zancadas y me lancé como un poseso por el bosque sombrío. Me bastaba con acercarme lo suficiente para que Edward pudiera leer en mi mente la señal de alarma. Leah no iba a ser capaz de detenerme ella sola.

En ese momento, percibí el hilo de esos pensamientos situados detrás de mí. No había ira, sino entusiasmo; un instinto gregario y no de caza.

Interrumpí la carrera y di un par de traspiés antes de volver a recuperar el equilibrio.

Espérame, no tengo las patas tan largas como las tuyas.

¿Seth? ¿Qué estás haciendo? ¡VUELVE A CASA!

No me respondió, pero logré percibir su entusiasmo mientras seguía mis pasos sin vacilar y fui capaz de ver a través de sus ojos igual que por los míos. Para él, la escena nocturna estaba llena de esperanza y para mí era de lo más sombría.

No me percaté de que había ralentizado el paso y de pronto lo tuve a un flanco, corriendo junto a mí.

No estoy de guasa, Seth. Éste no es lugar para ti. Hala, date el piro.

El enflaquecido lobo de pelaje color café claro resopló.

Te sigo a ti, Jacob. A mi modo de ver, tienes razón, y no voy a permanecer con Sam cuando...

Maldita sea, ya lo creo que vas a correr detrás de Sam. ¡Ya puedes ir moviendo ese culo peludo tuyo hacia La Push! ¡Acata las órdenes de Sam!

No.

¡Ve, Seth!

¿Es eso una orden, Jacob?

Su pregunta me hizo detenerme en seco. Resbalé y a fin de detenerme, hundí las uñas en el barro hasta dejar surcos en él.

Yo no ordeno nada a nadie. Me limito a decirte lo que tú ya sabes.

Mi acompañante se dejó caer a mi lado sobre los cuartos traseros.

Yo voy a decirte lo que sé. Fíjate cuánto silencio… ¿No lo has notado?

Parpadeé y moví la cola en señal de intranquilidad nada más comprender a qué se refería. El silencio no era absoluto. Lejos, en el oeste, los aullidos seguían llenando la noche.

Y no han cambiado de fase, me recordó Seth.

Ya lo sabía. Ahora, la manada iba a estar en alerta roja. Podían usar el vínculo mental para ver con claridad por todos los flancos, pero yo era incapaz de escucharles los pensamientos. Únicamente podía oír a Seth, y sólo a él.

Da la impresión de que el vínculo no existe entre dos manadas diferentes, ¿no? Supongo que no había razón para que lo supieran nuestros padres, pues no existía posibilidad alguna de que hubiera dos manadas separadas: nunca había lobos suficientes para dos grupos. Vaya. Menudo silencio. Da un poco de grima, pero, por otro lado, también da buen rollo, ¿no te parece? Apuesto a que era más fácil para Ephraim, Quil y Levi, como ahora ocurre entre nosotros. No hay tanta cháchara siendo tres; o sólo dos.

Cállate, Seth.

Sí, señor.

¡Para ya! No hay dos grupos. La manada va por un lado y yo por otro. Eso es todo, así que anda, tira ya para casa.

Si no hubiera dos manadas, en tal caso, ¿por qué tú y yo nos podemos oír perfectamente y no escuchamos a los demás? Creo que has realizado un movimiento significativo cuando te has apartado de Sam, has provocado un cambio, y creo que el hecho de seguirte ha tenido también su relevancia.

Tienes razón, admití, *pero los cambios también son reversibles.*

Se incorporó y comenzó a trotar hacia el este.

Ahora no hay tiempo para discutir del asunto. Deberíamos movernos para anticiparnos a Sam.

También estaba en lo cierto a ese respecto. No teníamos tiempo para esa discusión. Eché a correr de nuevo, pero me impuse un ritmo menos duro. Seth me siguió muy de cerca en el flanco derecho, el lugar tradicional reservado al segundo de la manada.

Puedo ir donde me plazca, me aseguró al tiempo que agachaba levemente el hocico. *No te sigo en busca de promoción alguna.*

Corre hacia donde te salga de las narices. Me trae al fresco.

Los dos aumentamos la velocidad de nuestra carrera a pesar de no oír sonido alguno que nos indicara una posible persecución. Ahora estaba más preocupado: las cosas iban a ser más difíciles si no podía meter la oreja en las conversaciones de la manada, pues tenía las mismas posibilidades de prever un ataque que los Cullen.

Podemos hacer rondas, sugirió Seth.

¿Y de qué nos sirve eso si nos desafía el grupo? Entorné los ojos. *¿Atacarías a tu camada, y a tu hermana?*

No, sembramos alarma y nos replegamos.

Buena respuesta, pero ¿qué hacemos luego? No creo...

Lo sé, admitió, ahora con menos confianza. *Tampoco yo me veo capaz de pelear contra ellos, pero la idea de atacarnos les ape-*

tece tan poco como a nosotros. Eso podría bastar para contener-
los, y además, ahora son sólo ocho.

Deja de ser tan… optimista. Necesité cerca de un minuto para elegir la palabra adecuada. *Me sacas de quicio.*

Vale, sin problemas. ¿Quieres que sea un cenizo y un agorero o
sólo que me calle?

Que cierres la boca.

Puedo hacerlo.

¿De verdad? Me da a mí que no.

Al fin, se calló.

En ese momento cruzamos el camino y el bosque situado alrededor de casa de los Cullen. ¿Era Edward capaz de oírnos ya?

Quizá deberíamos ir pensando en un saludo, algo así como «ve-
nimos en son de paz».

El que más te mole.

¿Edward?, llamó Seth a modo de prueba. *¿Estás ahí, Edward?*
Vale, ahora me siento como un idiota.

Y también lo pareces.

¿Crees que puede oírnos?

Estábamos a kilómetro y medio.

Eso creo. Eh, Edward, si puedes oírme, chupasangre, prepara las
defensas. Tienes un problema.

Tenemos un problema, me corrigió Seth.

Irrumpimos en el prado, corriendo entre los árboles. La casa estaba a oscuras, pero no vacía. Edward permanecía en el
porche entre Emmett y Jasper. Bajo la escasa luz de la noche,
parecían de nieve.

—¿Jacob? ¿Seth? ¿Qué ocurre?

Disminuí la velocidad primero y luego retrocedí varios pasos
a causa del hedor. El efluvio de los vampiros respirado a través de mi nariz de lobo quemaba como el ácido, de veras. Seth

se lamentó en silencio, dubitativo, y acabó por ponerse detrás de mí.

A fin de responder a la pregunta de Edward, eché la vista atrás y rememoré la discusión con Sam. Seth metió baza de vez en cuando para llenar las lagunas y mostró la escena desde otro ángulo. Nos detuvimos cuando llegamos a la parte de la abominación, ya que Edward siseó con furia cuando abandonó el porche de un salto.

—¿Quieren matar a Bella? —bufó con voz apagada.

Los otros dos Cullen no habían oído la primera parte de la conversación y tomaron aquella pregunta formulada sin inflexión de voz alguna como una afirmación. Un momento antes estaban junto a él, y un segundo después exhibieron los colmillos y se abalanzaron sobre nosotros.

—¡Em, Jazz, ésos no, los otros! La manada viene hacia aquí.

Emmett y Jasper retrocedieron. El segundo nos vigiló con la mirada mientras el primero se volvía hacia Edward.

—Pero ¿cuál es su problema? —inquirió Emmett.

—El mismo que el mío —repuso él con voz sibilante—, pero ellos han planteado otra forma de manejarlo. Reúne a los otros y telefonea a Carlisle para que él y Esme vuelvan aquí ahora mismo.

Aullé con frustración. El aquelarre estaba disperso.

—No están lejos —aseguró Edward con la misma voz lánguida de antes.

Voy a echar un vistazo, anunció Seth. *Correré por el perímetro este.*

—¿Vas a exponerte a algún peligro, Seth? —quiso saber Edward.

Él y yo intercambiamos una mirada.

No lo creo, pensamos ambos al unísono. Luego, yo agregué: *Quizá debería ir yo también, sólo por si acaso.*

Es menos probable que me desafíen si voy solo, observó Seth. *A sus ojos, soy un simple crío.*

Y a los míos también, chaval.

Me voy hacia allí. Necesitarás coordinarte con los Cullen.

Giró en redondo y se perdió en la oscuridad con la rapidez de una bala. No pensaba ordenarle que merodeara por el entorno, así que le dejé marchar.

Edward y yo nos quedamos el uno frente al otro en la oscura pradera. Emmett murmuraba algo por el móvil mientras que Jasper vigilaba la zona del bosque por la cual se había desvanecido Seth. Alice apareció en el porche y se marchó enseguida junto a Jasper, tras contemplarme fijamente con la ansiedad reluciendo en los ojos. Supuse que Rosalie continuaba dentro en compañía de Bella, protegiéndola de los atacantes equivocados.

—No es ésta la primera vez que contraigo una deuda de gratitud contigo, Jacob —susurró Edward—. Jamás te habría pedido algo semejante.

Entonces, pensé en su petición de aquella misma tarde. En lo tocante a Bella, él se saltaba todas las barreras habidas y por haber.

Sí, sí lo habrías hecho.

Se lo pensó un rato y luego asintió.

—Supongo que tienes razón.

Suspiré pesadamente.

Bueno, tampoco ésta es la primera vez que hago esto por ti.

—Cierto —murmuró.

El día no se me dio muy allá, lo siento, pero ya te advertí que Bella no iba a escucharme.

—Lo sé. En realidad, jamás pensé que lo hiciera, pero…

… debías intentarlo. Me hago cargo. ¿Está un poco mejor?

La voz y los ojos se le quedaron vacíos cuando, tras un suspiro, contestó:

—Ha empeorado.

No quería asumir esas dos palabras, y por eso me alegró tanto la intervención de Alice:

—¿Te importaría cambiar de forma, Jacob? Quiero enterarme de lo que pasa.

Sacudí mi cabeza lupina al tiempo que Edward le contestaba por mí.

—Necesita seguir como lobo para mantener el contacto con Seth.

—Bueno, en tal caso, ¿tendrías la amabilidad de decirme qué está pasando?

—La manada… ha llegado a la conclusión de que Bella se ha convertido en un problema. Los hombres lobo prevén un peligro potencial por parte de… lo que ella lleva en el vientre —Edward se explicó con frases entrecortadas y desprovistas de emoción—. Se consideran obligados a eliminar ese peligro. Jacob y Seth se han separado de la manada para avisarnos de que los demás planean lanzar un ataque esta misma noche.

Alice se alejó de mí entre siseos. Emmett y Jasper intercambiaron una mirada y luego recorrieron los árboles con los ojos.

Por aquí fuera no hay nadie, informó Seth. *Todo está en calma por el lado este.*

Quizás anden por ahí.

Voy a dar otra vuelta.

—Carlisle y Esme vienen de camino —anunció Emmett—. Estarán aquí en veinte minutos como mucho.

—Deberíamos adoptar una posición defensiva —sugirió Jasper.

Edward asintió.

—Vayamos dentro.

Recorreré el perímetro junto a Seth. Si estoy demasiado lejos para que me leas la mente, presta atención a mi aullido.

—Así lo haré.

Los vampiros se replegaron al interior del edificio sin dejar de lanzar miradas a todas partes. Me di la vuelta y eché a correr hacia el oeste antes de que estuvieran dentro.

Sigo sin encontrar nada, me dijo Seth.

Yo me hago cargo de la mitad del perímetro. Movámonos deprisa para no darles la oportunidad de que se cuelen entre nosotros a escondidas.

Seth salió por patas en un repentino *sprint*.

Estuvimos corriendo en silencio y los minutos transcurrieron sin novedad. Yo permanecí atento a cuanto él oía a fin de verificar una correcta interpretación de los sonidos.

Eh, alguien se acerca a toda pastilla, me avisó al cabo de quince minutos en silencio.

Voy. Me pilla de camino.

Mantén la posición, me da que no es la manada. Esto tiene otra pinta.

Seth...

Un soplo de brisa trajo un efluvio. Le leí la mente.

Es un vampiro. Apuesto a que es Carlisle.

Retrocede, Seth. Tal vez sea algún otro...

No, son ellos. Reconozco el aroma. Espera, voy a cambiar de fase y se lo explico todo.

Seth, no me parece que eso sea una buena...

Pero ya se había marchado.

Corrí lleno de ansiedad a lo largo de la zona oeste. ¿A que me salía todo tan «estupendo» que ni siquiera era capaz de cuidar de él durante aquella enloquecedora nochecita? ¿Y si le sucedía algo estando bajo mi tutela? Leah me haría picadillo.

Por lo menos, el crío se mantenía cerca y en menos de dos minutos volví a leerle la mente.

Sí, eran Carlisle y Esme. Menuda sorpresa se han llevado al verme, tío. Probablemente ya estarán dentro de la casa. Carlisle me dio las gracias.

Es un buen tipo.

Sí. Ésa es una de las razones por las que hacemos bien al obrar así.

Eso espero.

¿Por qué estás de bajón, Jake? Te apuesto lo que quieras a que Sam no va a lanzar la manada contra los Cullen esta noche. No es de los que se lanzan a una misión suicida.

Suspiré. De todos modos, tampoco parecía importar.

Ah, pensó, *no tiene nada que ver con Sam, ¿verdad?* Di la vuelta al llegar al final de mi ronda. Capté el efluvio de mi compañero por donde había pasado por última vez. No íbamos a dejar brechas. *Crees que, de todos modos, Bella va a morir,* concluyó Seth.

En efecto, así es.

Pobre Edward. Debe de haber enloquecido.

Tal como suena.

La mención del nombre de Edward trajo a un primer plano otros recuerdos más candentes que el joven leyó con asombro.

Y entonces se puso a aullar.

Venga, colega. Ni de coña. No lo hiciste. Tú es que comes flores, Jacob. ¡Lo sabías perfectamente! No puedo creer que lo hicieras. ¿De qué vas? Debiste decirle que no.

Deja de aullar, calla, idiota. ¡Los Cullen van a creerse que viene la manada!

Ahí va.

Se interrumpió en mitad del aullido.

Di media vuelta y comencé a corretear hacia la casa.

No te metas en esto, Seth. Ahora hazte cargo de la vuelta entera.

Se enfurruñó, pero le ignoré.

Falsa alarma, falsa alarma, pensé mientras me acercaba a la carrera. *Lo siento. Seth es joven y se olvida de las cosas. Ha sido una falsa alarma.*

Pude ver a Edward mirando por una ventana a oscuras en cuanto llegué al prado. Me adentré a buen paso, queriendo asegurarme de que había recibido el mensaje.

Ahí fuera no pasa nada… ¿Lo has entendido?

Él asintió una vez en silencio.

Sería mucho más fácil si la comunicación no fuera unidireccional. Sin embargo, luego, me alegré un montón de no estar en la sesera de Edward.

Él miró hacia atrás, al interior del edificio. Un escalofrío le recorrió todo el cuerpo. Me despidió con un gesto de la mano y se metió dentro, fuera de mi vista.

¿Qué ocurre?

Como si fuera a conseguir una respuesta.

Me quedé muy quieto en el prado y agucé el oído. Casi era capaz de escuchar las suaves pisadas de Seth en el bosque, a varios kilómetros de allí, con aquellas orejas lobunas. Por tanto, resultaba fácil distinguir casi cualquier sonido del interior del edificio.

—Era una falsa alarma —explicó Edward con esa voz de sepulcro, repitiendo lo que yo acababa de decirle—. Algo alteró a Seth y se puso a aullar sin acordarse de que estábamos esperando una señal. Es muy joven.

—Qué bonito esto de tener niñitos protegiendo el fuerte —refunfuñó una voz más profunda. Intuí que sería Emmett.

—Esta noche nos han prestado un gran servicio, Emmett —le recordó Carlisle—, y con un alto precio personal.

—Sí, ya lo sé. Sólo son celos. Me gustaría estar ahí fuera.

—Seth no cree que Sam vaya a atacarnos ahora —contestó Edward de forma mecánica—, no ahora que estamos prevenidos y tras perder a dos miembros del grupo.

—¿Y qué piensa Jacob? —quiso saber Carlisle.

—No es tan optimista.

Nadie dijo nada. Percibí un goteo que no logré situar, y también la cadencia apenas audible de la respiración de los Cullen, lo cual me permitía diferenciarla de la de Bella, más laboriosa y áspera. Sus jadeos se sucedían a intervalos irregulares. Mi sentido del oído era capaz incluso de distinguir los latidos de su corazón, desbocado. Lo comparé con los del mío, pero no estaba muy seguro de que fueran equiparables, pues tampoco es que yo fuese un tipo normal precisamente.

—No la toques. Vas a despertarla —susurró Rosalie.

Alguien suspiró.

—Rosalie… —musitó Carlisle.

—No empieces, Carlisle. Antes te hemos permitido hacerlo a tu manera, pero hasta ahí vamos llegar.

Tuve la impresión de que Rosalie y Bella utilizaban ahora la primera persona del plural, como si ellas dos formaran su propia manada.

Anduve en silencio por delante de la edificación. Cada paso me llevaba un poco más cerca. Las oscuras ventanas parecían un juego de pantallas de televisión instaladas en un oscurecido recibidor. Era imposible apartar los ojos de ellas durante mucho tiempo.

Al cabo de escasos minutos de andar al paso, me había acercado tanto que rozaba el lateral del porche con el pelaje.

A esa distancia era capaz de ver a través de las ventanas tanto el techo y la araña de luces fijada al mismo, como la parte superior de las paredes. Tenía la suficiente altura, me bastaba con estirar un poco el cuello y, a lo sumo, apoyar una pata en el extremo del porche.

Eché un vistazo al interior del enorme y despejado cuarto de estar, esperando contemplar una imagen similar a la de la tarde, pero había pegado cambiazo tal, que al principio me sentí desorientado y llegué a creer que me había equivocado de habitación.

No había señal de la pared de cristal, que ahora parecía de metal, y habían retirado todo el mobiliario. Bella se aovillaba desmañada en una estrecha cama situada en el centro del espacio abierto. No era un lecho normal, sino uno con rieles, como los de las clínicas. También parecían de hospital los cables de los monitores sujetos con correas a su cuerpo y los tubos pegados a su piel. Los indicadores luminosos de las pantallas parpadeaban, pero no se oía más sonido que el del goteo del catéter endovenoso fijado al brazo por el que corría un fluido denso y blanco, no transparente.

Estaba sumida en un duermevela intranquilo y respiraba con cierta dificultad. Tanto Edward como Rosalie pululaban a su alrededor y se inclinaban sobre ella. De repente gimió y sufrió una convulsión. Rosalie deslizó la mano sobre la frente de Bella mientras su hermano permanecía de espaldas a mí, envarado como un palo. No podía verle, pero algo debía de tener escrito en el careto porque Emmett se interpuso entre ellos más rápido de lo que se tarda en parpadear. Apoyó las manos en Edward y dijo:

—No esta noche. Debemos atender otras preocupaciones.

El interpelado se alejó de ellos. Volvía a ser aquel hombre atormentado y consumido. Sus ojos se encontraron con los míos durante un instante. Entonces, me dejé caer sobre las cuatro patas y corrí de regreso a la sombría foresta.

Salí pitando para reunirme con Seth, me largué para alejarme de lo que dejaba atrás.

Peor, sí, Bella estaba peor.

Los hay que no entienden el concepto de «persona non grata»

Estaba a punto de quedarme dormido.

El bosque había pasado del negro al gris, ya que haría cosa de una hora que el sol había asomado entre el velo de las nubes. Seth se había hecho una bola y se había quedado frito a eso de la una. Yo le desperté al alba para hacer el relevo. Incluso a pesar de haber pasado corriendo toda la noche, me había resultado muy difícil calmar mi mente desbocada lo suficiente para conciliar el sueño. El correteo rítmico de Seth había ayudado lo suyo. Uno, dos tres, cuatro. Uno, dos tres, cuatro. *Dum. Dum dum. Dum.* El apagado rumor de sus zarpas sobre la tierra reblandecida por la humedad había sonado una y otra vez mientras efectuaba el amplio recorrido de la propiedad de los Cullen. Lo cierto es que de tanto pasar por los mismos sitios ya estábamos dejando una marca en el suelo. Seth había tenido la mente en blanco, más allá de un borrón de color gris o verde, mientras corría por el bosquecillo. Era muy apacible, y había resultado de una gran ayuda, pues me permitió llenar la mente con las imágenes de lo que él veía en vez de permitir que mis propios recuerdos ocuparan una posición central.

Y entonces, cuando me hallaba semidormido, un penetrante aullido de Seth rompió la quietud de los primeros momentos del amanecer.

Me levanté con paso inseguro, pues intenté empezar un *sprint* con las patas delanteras antes de haber afianzado las traseras. Corrí hacia el lugar donde Seth se había quedado helado al oír las pisadas de zarpas. Alguien acudía corriendo hacia nosotros.

Muy buenos días, chicos.

Seth soltó entre dientes un gemido de sorpresa.

¡Ay, Dios! ¡Lárgate, Leah!, gimió Seth.

Me detuve al llegar junto a él, que ya había echado la cabeza hacia atrás, preparado para soltar otro aullido, en esta ocasión para expresar su disconformidad.

Basta de ruido, Seth.

Vale. ¡Puf, puf, puf! Gimoteó un poco y dio zarpazos en el suelo, donde levantó grandes surcos.

Leah apareció al trote tras eludir los densos matorrales del sotobosque gracias su menudo cuerpo gris.

Hala, deja de lloriquear, Seth. No seas tan crío.

Le solté un gruñido y pegué las orejas a la cabeza. Ella retrocedió un paso de inmediato.

¿Qué crees que estás haciendo, Leah?

La loba resopló con mala leche.

Me parece bastante obvio, ¿no? Me uno a esta manada de mierda, al grupo de los renegados, al de los chuchos guardianes de los vampiros.

Profirió por lo bajinis una risa sarcástica.

Ni de coña. Ya te estás largando por donde has venido antes de que te desjarrete un tendón.

Como si pudieras alcanzarme, replicó la loba; me dedicó una ancha sonrisa. *¿Hace una carrera, oh, audaz líder?*

Respiré hondo hasta llenar los pulmones tanto que se me marcaron los costados hinchados. Luego, una vez que estuve seguro de que no iba a ponerme a gritar, solté todo el aire de un soplo.

Seth, ve a tranquilizar a los Cullen, diles que sólo es la tonta de tu hermana. Lancé esa idea con la mayor hostilidad posible. *Yo me haré cargo de esto.*

Enseguida.

El chaval estaba feliz de poderse quitar de en medio. Se desvaneció en dirección a la casa.

Leah resolló y se inclinó hacia él con la pelambrera del lomo erizada.

¿Le vas a dejar ir solo al encuentro de los vampiros?

El pobre preferiría que ellos le echaran el guante antes que pasar otro minuto contigo, estoy seguro.

Cierra esa bocaza, Jacob. Upa, lo siento, quería decir: cierra esa bocaza, oh, el más poderoso de los machos Alfa.

¿A qué diablos has venido?

¿Te crees que voy a quedarme sentada en casa mientras mi hermanito se ofrece voluntario para ser un juguete de masticar para vampiros?

Seth no desea ni necesita tu protección. De hecho, nadie te quiere aquí.

Ay, ay, qué disgusto tan grande, nunca voy a olvidarlo. ¡Ja!, estalló. *Dime una sola persona que me quiera cerca y me iré.*

Así que, después de todo, no has venido por causa de Seth, ¿verdad?

Por supuesto que sí. Intentaba hacerte caer en la cuenta de que ya sé cómo es que nadie te quiera. Eso no es un incentivo, no sé si sabes a qué me refiero.

Rechiné los dientes e intenté mantener enhiesta la cabeza.

¿Te ha enviado Sam?

No hubierais sido capaces de oírme si hubiera venido por orden de él. Ya no le debo lealtad a Sam.

Presté especial atención a los pensamientos que iban entremezclados con las palabras. Debía ser capaz de ver en aquéllos si se trataba de un movimiento de distracción o una estratagema, pero no había nada de eso. Su afirmación era la pura verdad, una verdad renuente, casi desesperada.

Entonces, ¿ahora me eres leal a mí?, inquirí con profundo sarcasmo. *Sí, sí, ya, ya. Vale.*

No es que tenga muchas alternativas. Juego con las cartas que me caen. Confía en mí, no estoy disfrutando de esto más que tú.

Eso era mentira. Había un tipo de entusiasmo muy agudo en su mente. La situación le repateaba, sí, pero también se estaba embarcando en algo muy anómalo. Hurgué en su mente en busca de un motivo que me permitiera comprenderla.

La loba reaccionó ante la intrusión y se le pusieron los pelos de punta. Por lo general, solía hacer luz de gas a Leah y jamás había intentado buscarle lógica a sus actos.

Nos vimos interrumpidos por Seth, que venía devanándose los sesos buscándole una explicación al aspecto de Edward. Leah soltó un gañido, llena de ansiedad. El recién llegado nos ofreció la imagen del vampiro asomado a la misma ventana de la noche pasada. Su rostro impasible no mostró reacción alguna ante las noticias. Era un semblante huero y sin vida.

Uf, qué mala pinta tenía, dijo Seth para sus adentros. *No reflejó ningún cambio ante mis palabras y desapareció en el interior del edificio.* Seth había vuelto derechito hacia nuestra posición. Leah se relajó un poco.

¿Qué ocurre?, preguntó la loba. *Ponme al día enseguida.*

¿Y para qué...? Tú no te quedas.

De hecho, señor Alfa, me quedo. No vayas a pensarte que no he intentado independizarme, pero tú mejor que nadie sabes a la perfección que eso no es posible, y como da la impresión de que debo pertenecer a alguien, pues te elijo a ti.

Leah, tú no me gustas y yo a ti, menos.

Gracias, capitán Evidente. A mí eso me importa un bledo. Me quedo con Seth.

Tampoco te gustan los vampiros. ¿No te parece que existe un pequeño conflicto de intereses?

Como si a ti te gustasen.

Pero yo me he comprometido con esa alianza, y tú no.

Pienso mantener las distancias. Puedo patrullar por el exterior, como Seth.

¿Y se supone que debo fiarme de ti durante tus turnos?

Ella estiró el cuello y se sostuvo con las puntas de los dedos en un intento de igualarme en altura para poder mirarme a los ojos.

No voy a traicionar a mi manada.

Me entraron ganas de echar la cabeza hacia atrás y lanzar un buen aullido, tal y como había hecho antes Seth.

Ésta no es tu manada porque ni siquiera es una manada, pero ¿qué os pasa a los Clearwater? ¿Por qué no podéis dejarme solo?

Seth surgió de pronto desde detrás de nosotros y se puso a lloriquear, ofendido. Estupendo.

Pero te he sido útil, ¿no, Jake?

Tú solo no eres un estorbo, chaval, pero vais juntos en el trato, tú y tu hermana, y la única forma que tengo de librarme de Leah es mandándote a casa. ¿Puedes echarme la culpa por querer que vuelvas a casa?

Puf, Leah, ¡lo estropeas todo!

Sí, lo sé, repuso ella.

Una enorme carga de desesperación lastraba ese pensamiento. Sentí el dolor implícito en esas tres palabras tan breves, y era más de lo que había supuesto. No quería sentir aquello. No deseaba sentirme mal por ella. Los lobos no le habían concedido tregua, seguro, pero ella había acudido a la manada con toda esa carga de amargura que tiznaba cada uno de sus pensamientos y convertían su mente en una auténtica pesadilla.

Seth también se sintió culpable.

Jake, no vas a enviarme de vuelta, ¿verdad? Leah no es tan mala, de veras, quiero decir, con su ayuda podemos extender el perímetro de vigilancia, y eso deja la manada de Sam en siete unidades. Sin ella, no es posible que lance un ataque que nos sobrepase en número. Probablemente, convenga...

Sabes que no es mi deseo liderar una manada, Seth.

Pues entonces, no nos mandes, propuso Leah.

Resoplé.

Estupendo. Hala, poneos a correr alrededor de la casa.

Éste es mi lugar, Jake, intervino Seth. *Me caen bien esos vampiros, los Cullen. Los considero como si fueran personas y voy a protegerlos porque se supone que ése es nuestro deber.*

Quizá sea tu lugar, chaval, pero no el de tu hermana, y ella va a ir allí adonde tú vayas...

Me detuve en seco, porque me percaté de algo cuando estaba pronunciando esas palabras, algo sobre lo que la recién llegada había procurado no pensar.

Leah no iba a cualquier sitio.

Creí que esto guardaba relación con Seth, pensé con aflicción.

Ella dio un respingo.

He venido aquí a causa de Seth, por supuesto.

Y para alejarte de Sam.

Apretó con fuerza la mandíbula.

No he de explicarte mis razones, sólo debo atenerme a lo que digo. Pertenezco a tu manada, Jacob, y punto.

Me alejé de ella entre gruñidos.

Mierda. Jamás iba a sacármela de encima. Por mucho que me detestara y por mucho que le repateara tener que proteger a los Cullen, cuando en realidad los aborrecía tanto que sería dichosa si fuéramos a matarlos a todos en ese mismo instante, nada de eso era comparable con el sentimiento que le embargaba ante la posibilidad de librarse de Sam.

A Leah yo no le gustaba ni en pintura, así que tampoco era tan flipante que yo deseara que se esfumase.

Ella amaba a Sam. Seguía queriéndole. Pero él también deseaba su desaparición, y eso dolía más de lo que ella estaba dispuesta a soportar ahora que tenía otra alternativa. Leah iba a aceptar cualquier opción, aunque eso significara tener que convertirse en el perrillo faldero de los Cullen.

No sé yo si llegaría tan lejos, me atajó ella. Intentó conferir a su pensamiento un tono agresivo y duro, pero había muchas fisuras en esa imagen de firmeza. *Estoy segura de que antes protagonizaría unos cuantos intentos de suicidio.*

Mira, Leah...

No, mira tú, Jacob. Deja de discutir conmigo, porque esto no va a hacer ningún bien a nadie. Me mantendré apartada de tu camino, ¿vale? Haré todo lo que quieras, excepto volver a la manada de Sam y ser la patética ex novia de la que él no puede mantenerse lejos. Se sentó sobre los cuartos traseros y me miró fijamente a los ojos. *Si quieres que me vaya, vas a tener que obligarme.*

Me tiré un minuto largo de mala leche y refunfuñando. Empezaba a sentir cierta simpatía por Sam a pesar de cómo se había comportado con Seth y conmigo. No me extrañaba que siempre estuviera dando órdenes. ¿De qué otro modo iba a conseguir que se hicieran las cosas?

¿Te enfadarías mucho conmigo si mato a tu hermana, Seth?

El aludido fingió considerarlo durante un minuto largo.

Bueno, probablemente, sí.

Suspiré.

De acuerdo, entonces, señorita Hago-cuanto-se-me-antoja. ¿Por qué no empiezas siendo de utilidad y nos cuentas lo que sepas? ¿Qué ocurrió la noche pasada después de nuestra marcha?

Se armó un follón de aullidos, pero lo más probable es que oyerais esa parte. Fueron tan fuertes que nos llevó un buen rato descubrir que ya no éramos capaces de escuchar vuestros pensamientos. Sam estaba... Las palabras le fallaron, pero no hacían falta, pudimos verlo con las mentes. Tanto Seth como yo nos encogimos. *Después de eso, enseguida quedó claro que nos lo íbamos a tener que pensar dos veces. Sam tenía planeado hablar con los ancianos a primera hora de la mañana. Se suponía que íbamos a reunirnos y trazar un plan de acción, pero me atrevo a aventurar que él no tenía intención de lanzar un ataque inmediato, pues, llegados a este punto, tras vuestras deserciones y con los vampiros sobre aviso, era un suicidio. No estoy segura de sus planes, pero si yo fuera un chupasangre no merodearía solo por el bosque. Se ha abierto la veda del vampiro.*

¿Decidiste abrirte esta mañana?, le pregunté.

Pedí permiso para volver a casa y contarle a mi madre lo sucedido la noche pasada, cuando nos dividimos para patrullar.

¡Mierda! ¿Se lo has contado a mamá?, aulló Seth.

Deja a un lado el rollo familiar un momento, Seth. Continúa, Leah.

Me tomé un minuto para darle vueltas a lo ocurrido en cuanto adopté forma humana, bueno, a decir verdad, me tomé toda la noche. *Apuesto a que los demás pensaron que me había dormido, pero había mucho sobre lo que cavilar en todo aquello de dos manadas separadas con dos mentes grupales diferentes. Al final, sopesé la seguridad de Seth y las... eh... restantes ventajas por un lado, frente a la idea de convertirme en una traidora y soportar el hedor a vampiro por quién sabe cuánto tiempo. Ya conoces mi decisión. Le dejé una nota a mi madre. Supongo que lo oiremos de inmediato cuando Sam se entere...*

La joven Clearwater alzó una oreja hacia el oeste.

Sí, lo imagino, coincidí.

Así que eso es todo. ¿Y qué hacemos ahora?, preguntó ella.

Leah y su hermano me miraron expectantes.

Ése era el tipo de cosas que no deseaba tener que hacer.

Por ahora nos limitaremos a estar ojo avizor. No podemos hacer ninguna otra cosa. Lo más probable es que quieras echar una cabezada, Leah.

Tú tienes tanto o más sueño que yo.

Pero ¿no ibas a hacer lo que yo te dijera?

Vale, hala, vas a hacer que me salgan canas, refunfuñó; luego, bostezó. *Bueno, lo que sea, no me preocupa.*

Voy a patrullar la línea fronteriza, Jake. No estoy cansado, para nada. Seth tenía tal alegría en el cuerpo porque no los hubiera obligado a volver a casa, que no cesaba de hacer cabriolas de puro entusiasmo.

Sin duda, sin duda. Voy a hacer acto de presencia en casa de los Cullen.

Seth siguió el sendero recién impreso en la tierra reblandecida por la humedad. Leah le miró con gesto pensativo.

Tal vez un par de rondas antes de quedarme sopa... Eh, Seth, ¿quieres ver cuántos lametones soy capaz de darte?

¡No!

Leah se internó en los bosques a toda prisa en pos de su hermano. Aulló por lo bajinis mientras sofocaba una risita.

Expresé mi descontento con un gruñido, fue en vano. Se acabaron el silencio y la paz.

Leah lo estaba intentando siendo como era. Había reducido las mofas al mínimo mientras recorría el circuito de patrulla, pero era imposible pasar por alto esa actitud suya de estar pagada de sí misma. Me acordé entonces del dicho «dos son compañía». No se aplicaba al caso. Yo, estando solo, ya tenía la mente bien ocupada; pero si debíamos ser tres, me resultaba fácil pensar que hubiera preferido a cualquier otro de la manada.

¿Y qué me dices de Paul?, sugirió ella.

Quizá, concedí.

Ella se rió para sus adentros, demasiado nerviosa y acelerada como para tomárselo a mal. Me pregunté cuánto le duraría el efecto positivo que le provocaba saber que, desde ahora, podría evitar la compasión de Sam.

Entonces, ése será mi objetivo, mostrarme menos chinche que Paul.

Sí, prueba con eso.

Adopté forma humana cuando estuve a pocos metros del prado, a pesar de que no había planeado pasar mucho tiempo como hombre en esa zona, pero tampoco había contado con tener a Leah en mi cabeza. Me puse los raídos pantalones y crucé el jardín.

La puerta se abrió antes de que pusiera el pie en las escaleras. Carlisle salió a mi encuentro. Me sorprendió que fuera él en vez de Edward. Llevaba escrito en el semblante el cansancio y la derrota. El corazón se me heló durante un instante y renqueé, incapaz de decir ni mu.

—¿Estás bien, Jacob? —inquirió el vampiro.

—¿Bella ha...? —pregunté con voz estrangulada.

—Ella está... estable, como la noche pasada. ¿Te ha asustado mi presencia? Lo siento... Edward me anunció tu llegada en forma humana y he venido a recibirte yo, pues él no quiere separarse de Bella ahora que está despierta.

Edward no se quería perder ni un minuto de la compañía de Bella, ya que a ésta no le quedaba mucho tiempo de vida. Carlisle no lo verbalizó, pero la idea flotaba en el aire como si lo hubiera hecho.

Habían pasado bastantes horas desde que, antes de mi última patrulla, había logrado dormir algo, y fue entonces cuando me vino el bajón. Me adelanté un paso y me dejé caer sobre uno de los escalones del porche; apoyé la espalda en la baranda.

Carlisle se sentó en el mismo escalón, descansando el cuerpo sobre la otra barandilla, con ese sigilo que únicamente está al alcance de los vampiros.

—La noche pasada no tuve ocasión de darte las gracias, Jacob. No sabes cuánto aprecio tu... compasión. Sé que tu propósito es proteger a Bella, pero estoy en deuda contigo por la seguridad del resto de mi familia. Edward me ha contado qué has hecho...

—Ni lo mencione... —murmuré.

—Como prefieras.

Permanecimos sentados en silencio. Era capaz de oír la conversación de los demás en el interior del edificio. Escaleras arriba, Emmett, Alice y Jasper hablaban en voz baja con tono serio. Esme tarareaba de forma disonante en otra habitación. Rosalie y Edward respiraban... No sabría explicar cuál era la aspiración de cada uno, pero me sentía perfectamente capaz de distinguir ambas frente al resuello trabajoso de Bella, cuyos latidos arrítmicos también podía escuchar.

Era como si el destino se hubiera propuesto obligarme a llevar a cabo todo cuanto había prometido no hacer en las últimas veinticuatro horas. Y yo estaba haraganeando por allí, a la espera de la noticia de su muerte.

No quise continuar escuchando. Hablar era mejor que oír.

—¿Considera a Bella una más de la familia? —pregunté a Carlisle. Había advertido algo en su comentario anterior, cuando me había agradecido la ayuda prestada al «resto de mi familia».

—Sí, la considero ya como otra hija más, una muy querida.

—Pero va a dejarla morir.

Se quedó en silencio durante tanto rato que acabé por alzar los ojos. Su rostro reflejaba un enorme cansancio. Sabía cómo se sentía.

—Me hago una idea de tu opinión a este respecto —contestó al final—, pero no puedo ignorar su voluntad. No sería correcto elegir por ella ni obligarla.

Me habría encantado cabrearme con él, pero me lo ponía difícil. Era como si me estuviera devolviendo mis propias palabras, pero entremezcladas. Si valían antes, ahora también, pero resultaba más duro aceptarlo cuando Bella se estaba muriendo, y aun así… Me acordé de cómo me sentía en el suelo, aplastado por la voz Alfa de Sam, sin otra elección que verme involucrado en el asesinato de mi amada. Sin embargo, no era lo mismo. Sam se equivocaba y Bella amaba a las criaturas indebidas.

—¿Cree usted que tiene alguna oportunidad de conseguirlo? Como vampiro y todo eso, quiero decir, no como humana. Bella me habló de Esme.

—Yo diría que existe una posibilidad razonable en ese punto —respondió con sosiego—. He visto obrar milagros al veneno del vampirismo, pero hay extremos que ni siquiera eso es capaz de superar. El corazón de Bella late ahora con demasiado esfuerzo, si le falla… No es mucho lo que voy a poder hacer por ella.

El corazón de la embarazada palpitó de forma agitada e irregular, confiriendo un énfasis agónico a las palabras del médico.

Quizás el planeta había empezado a invertirse. Eso justificaría que ahora todo fuera lo contrario a como eran las cosas durante el día anterior, y sería la explicación de por qué confiaba en lo que antes me había parecido lo más abominable del mundo.

—¿Qué le hace exactamente esa *cosa*? —inquirí con un hilo de voz—. La noche pasada se encontraba mucho peor. Miré por la ventana y vi los tubos y toda la parafernalia…

—El feto no es incompatible con el cuerpo. Demasiado fuerte, eso sí, pero es posible que ella pueda soportarlo durante un tiempo. El mayor de los problemas es que la criatura no le permite obtener el sustento necesario. El cuerpo de Bella rechaza cualquier forma de alimentación. Ahora, he intentado aportarle nutrientes por vía intravenosa, pero no los asimila. La enfermedad se está acelerando. Observo al feto y también a ella, y la veo morir de inanición una hora tras otra. No consigo detenerlo ni ralentizarlo y tampoco me veo capaz de descubrir el propósito del feto.

La voz de fatiga se le quebró al final de la frase.

Me embargaron los mismos sentimientos del día anterior, cuando vi los trazos morados del vientre: rabia y algo de locura.

Cerré las manos hasta convertirlas en puños a fin de controlar los temblores. Odiaba a esa cosa que le hacía daño. No le bastaba con golpearla desde dentro, no, ese monstruo también debía matarla de hambre. Probablemente, sólo estaba buscando algo donde hincar el diente, una garganta para succionar la sangre, y como todavía no tenía el tamaño suficiente para matar a nadie de ese modo, se conformaba con irle absorbiendo la vida a Bella.

Yo podía decir al doctor Cullen qué quería: muerte y sangre, sangre y muerte.

Se me pusieron los pelos como escarpias y me subió la temperatura de la piel. Inspiré y espiré despacio en un intento de recuperar la calma.

—Me gustaría poder formarme una idea más precisa de qué es exactamente —susurró el doctor—, pero el feto está bien protegido. He sido incapaz de obtener imágenes ultrasónicas del mismo, y dudo que exista forma de introducir una aguja en las membranas del saco amniótico. De todos modos, Rosalie tampoco me dejaría intentarlo.

—¿Una aguja…? —musité—. ¿Y qué utilidad tendría eso?

—Cuanto más sé del embrión, me hago una idea más aproximada de sus capacidades. Qué no daría yo por una simple muestra de líquido amniótico. Sólo con saber el número de cromosomas…

—No le pillo, doctor. ¿Podría simplificarlo un poco?

Carlisle se rió entre dientes, pero había una nota de agotamiento incluso en sus carcajadas.

—De acuerdo. ¿Qué sabes de biología?… ¿Has estudiado los pares de cromosomas?

—Eso creo. Tenemos veintitrés, ¿no?

—Los humanos, sí.

Bizqueé.

—¿Cuántos tiene usted?

—Veinticinco.

Clavé la mirada en los puños durante unos instantes.

—¿Y qué significa eso?

—Llegué a creer en un principio que nuestras especies eran completamente diferentes, que guardaban menos relación que dos felinos tan dispares como un león de la sabana y un gato casero, pero esta nueva vida, bueno, sugiere que a nivel genético somos más compatibles de lo que supuse —suspiró con tristeza—. No les advertí porque lo ignoraba.

También yo suspiré. Había sido tan fácil odiar a Edward por semejante ignorancia, y seguía aborreciéndole, mientras que se me hacía muy cuesta arriba sentir lo mismo contra Carlisle, tal vez porque las sombras de los celos no alcanzaban al doctor.

—El número de cromosomas podría ayudarnos a saber si el feto está más cerca de nuestra naturaleza o de la suya, y también sabríamos qué esperar —luego, se encogió de hombros—. Puede que no sirva de nada. Supongo que sólo deseo tener algo que hacer, cualquier cosa.

—Me preguntó cómo serán mis cromosomas —musité al azar.

Volví a darle vueltas a las pruebas de esteroides y antidopaje para los atletas de las olimpiadas. ¿Funcionaría conmigo un escáner de ADN?

Carlisle tosió con timidez.

—Tienes veinticuatro pares de cromosomas, Jacob.

Volví lentamente la cabeza para mirarle con fijeza y enarqué las cejas en gesto de muda pregunta. El médico pareció avergonzado.

—Sentía… sentía una gran curiosidad. Me tomé la libertad de averiguarlo cuando te traté el pasado mes de junio.

Lo estuve valorando durante un instante.

—Supongo que eso tendría que irritarme, pero no me importa.

—Lo siento, debí pedirte permiso.

—Está bien, doctor. No pretendía hacerme daño.

—No, te prometo que jamás tuve esa intención. Es sólo que… Bueno, tu especie me parece fascinante. Vuestra divergencia genética con el género humano es de lo más interesante. Casi mágica.

—¡Abracadabra! —murmuré.

Ya estaba otro igual que Bella con toda esa monserga sobre la magia.

Carlisle soltó otra de sus risas lastradas por la fatiga.

Entonces escuchamos la voz de Edward en el interior de la casa y ambos hicimos una pausa para enterarnos mejor.

—Vuelvo enseguida, Bella. Quiero hablar un momento con Carlisle. De hecho, ¿te importaría acompañarme, Rosalie?

La voz de Edward sonaba diferente, era menos sepulcral, había en ella una nota de vida, una chispa de algo, tal vez no se trataba exactamente de esperanza, pero quizá sí el deseo de una ilusión.

—¿Qué ocurre, Edward? —inquirió Bella con voz ronca.

—No debes preocuparte de nada, cariño. Va a ser cosa de un segundo. ¿Vienes, Rose?

—¿Esme? —llamó la aludida—. ¿Puedes ocuparte de Bella por mí?

Percibí un susurro similar al de un soplo de viento cuando Esme bajó corriendo por las escaleras, antes de contestar:

—Por supuesto.

Carlisle cambió de posición y se retorció mientras contemplaba la puerta con expectación. Edward traspasó el umbral en primer lugar, seguido de Rosalie, que le pisaba los talones. A su rostro le sucedía lo mismo que a la voz, ya no era el de un muerto. Parecía intensamente concentrado mientras que Rosalie le lanzaba miradas cargadas de recelo.

Edward cerró la puerta detrás de él.

—Carlisle —empezó con un hilo de voz.

—¿Sucede algo, Edward?

—Quizá hemos enfocado esto de un modo erróneo. Estaba escuchando vuestra conversación sobre las intenciones de feto, y Jacob ha tenido una ocurrencia de lo más interesante.

¿Yo? ¿Qué ocurrencia había tenido yo? Me había limitado a expresar mi odio hacia la criatura. Al menos, no era el único en pensar de ese modo. Estaba seguro de que él mismo las pasaba canutas para emplear un término tan suave como «feto».

—No lo hemos abordado desde ese ángulo —prosiguió Edward—. Hemos intentado satisfacer las necesidades de Bella y su cuerpo lo está aceptando tan «bien» como cualquiera de nosotros. Puede que debiéramos atender antes los apetitos del... feto. Tal vez la ayudemos con más eficacia en ese caso.

—No te sigo, Edward.

—Piénsalo un momento, Carlisle. Si la criatura tiene más de vampiro que de humano, ¿no te imaginas qué desea fervientemente...? ¿Acaso no sabes qué le falta? Jacob lo adivinó.

¿Sí? Repasé la conversación mantenida con el doctor y los pensamientos que me había reservado. Lo recordé en el mismo instante en que Carlisle lo comprendió.

—Vaya —dijo con sorpresa—. ¿Crees que está... sediento?

Rosalie siseó para el cuello de su camisa, pero había abandonado todo recelo. Su rostro repulsivamente hermoso estaba iluminado de alegría y había puesto unos ojos como platos de puro entusiasmo.

—Por supuesto —murmuró—, y, Carlisle, tenemos guardada toda esa sangre del tipo O negativo para Bella. Es una idea estupenda —añadió sin dirigirme la mirada.

—Mmm —Carlisle se llevó la mano al mentón, sumido en sus pensamientos—. Me pregunto, en tal caso, ¿cuál sería la mejor forma de administrársela?

Rosalie meneó la cabeza.

—No tenemos tiempo para mostrarnos creativos, ¿vale? Sugiero empezar por el sistema tradicional.

—Aguarda un minuto, espera, espera —murmuré—. ¿Estás diciendo que Bella beba… sangre?

—Ha sido idea tuya, chucho —replicó Rosalie, que se mostró capaz de fruncirme el ceño sin mirarme.

La ignoré y observé a Carlisle. En sus ojos relucía el mismo juego de posibilidades y esperanzas que había visto en el semblante de Edward. Se mordió los labios, absorto.

—Es sólo que resulta… —me detuve, incapaz de encontrar la palabra adecuada.

—¿Monstruoso…? —sugirió Edward—. ¿Repulsivo?

—Algo por el estilo.

—Pero, ¿y si eso le ayuda? —inquirió en voz baja.

Sacudí la cabeza con furia.

—¿Qué vais a hacer? ¿Meterle un tubo en la garganta?

—Tengo intención de consultar su opinión lo primero de todo, pero antes quería pedirle el visto bueno a Carlisle.

Rosalie asintió.

—Ella va a estar dispuesta a hacer cualquier cosa si le dices que es en beneficio del bebé, incluso aunque eso signifique que debamos alimentarlos a través de un tubo.

Me di cuenta de que la Barbie iba a propiciar cualquier cosa que ayudara a la viabilidad del pequeño monstruo succionador de vida en cuanto oí ese tono meloso y sentimental con el que pronunció la palabra «bebé». ¿Iba de eso el rollo? ¿Ése era el misterioso eslabón que las unía a ambas? ¿Quería el bebé para ella?

Vi con el rabillo del ojo el asentimiento de Edward. Supe que estaba contestando a mis preguntas, simulando estar distraído y sin mirar en mi dirección.

Caramba. Jamás se me habría pasado por la imaginación que una Barbie tan fría y distante como ella tuviera un lado maternal. Tanto rollo de proteger a la madre y... era muy probable que Rosalie metiera a la fuerza el tubo en la garganta de Bella.

Edward frunció los labios en un seco gesto de tozudez. Supe que había vuelto a acertar.

—Bueno, no tenemos tiempo para sentarnos a debatir el tema tranquilamente —saltó Rosalie, impaciente—. ¿Qué opinas, Carlisle? ¿Podemos intentarlo?

El interpelado respiró hondo y se puso en pie.

—Vamos a preguntárselo a Bella.

La Barbie sonrió con aire satisfecho, segura de salirse con la suya si la decisión iba a someterse a consideración de la madre.

Avancé a rastras por las escaleras y los seguí cuando se metieron en la casa. No estaba seguro del todo acerca de mis motivos. Quizás era simple curiosidad morbosa, pues todo parecía como una película de terror. Monstruos y sangre por doquier.

O tal vez simplemente no era capaz de resistir otra brusca merma de mi alijo, cada vez más pequeño.

Bella yacía en la cama de hospital. Su vientre parecía una montaña debajo de la sábana. El tono descolorido y traslúcido de su piel le hacía parecer de cera. Podría pensarse que estaba muerta de no ser por el sube y baja de su pecho, al ritmo de una respiración poco profunda, y de los ojos, que siguieron nuestro acercamiento con desgana y cautela.

El resto de los Cullen ya se hallaba junto a ella tras haber cruzado la estancia con movimientos súbitos y rápidos. La escena daba mal fario. Me acerqué sin prisa.

—¿Qué ocurre? —inquirió Bella con un hilo de voz rasposa al tiempo que alzaba una mano crispada para proteger aquel vientre suyo con forma de balón.

—Jacob ha sugerido una idea de posible utilidad —contestó Carlisle. Podía haberme dejado fuera, la verdad. Yo no había propuesto nada. Que le diera todo el mérito de la idea a su esposo, el chupasangre, que era el autor de la ocurrencia—. No va a ser agradable, pero…

—… ayudará al bebé —se apresuró a interrumpirle Rosalie—. Hemos pensado en una forma mejor de alimentarle. Bueno, quizá…

Bella movía las pestañas y luego empezó a reír entre dientes, lo cual acabó en un estallido de tos.

—¿Algo no agradable…? —murmuró—. Vaya, menudo cambio, ¿no?

Miró el tubo de su brazo y volvió a toser.

La Barbie se rió con ella.

Padecía grandes dolores y a juzgar por la pinta, le quedaban pocas horas de vida, y aun con todo, gastaba bromas. Bella era así: siempre procuraba suavizar las situaciones y facilitarle las cosas a todo el mundo.

El marido sorteó a Rosalie sin el menor atisbo de comicidad en su gesto de intensa gravedad. Eso me gustaba. Saber que lo estaba pasando peor que yo ayudaba, aunque sólo fuera un poco. Le tomó la mano con la que no protegía la tripa hinchada.

—Bella, mi amor, te vamos a pedir que hagas algo monstruoso y repulsivo —le espetó Edward, utilizando los mismos adjetivos calificativos que me había sugerido a mí hacía un momento.

Bueno, al menos se lo decía clarito y sin venderle humo.

Su respiración poco profunda se aceleró.

—¿Cómo de malo?

—Creemos que las preferencias alimentarias del feto podrían ser más propias de nuestra naturaleza que de la tuya. Sospechamos que está sediento.

Ella parpadeó.

—Oh. Oh.

—Tu estado se deteriora rápidamente, bueno, el de los dos. No hay tiempo que perder y debemos poner en marcha esto del modo más digerible posible. La manera más rápida de comprobar la teoría es que…

—… beba sangre —concluyó ella en un susurro. Hizo un breve asentimiento, ya que no le quedaban fuerzas más que para mover un poco la cabeza—. Puedo hacerlo, así voy practicando para el futuro, ¿eh?

Los labios exangües de la embarazada se estiraron hasta formar una débil sonrisa mientras miraba a Edward. Él no se la devolvió.

Rosalie empezó a dar golpecitos en el suelo con la puntera del zapato. El sonido resultaba de lo más irritante. Me pregunté cómo reaccionaría si la estampaba contra la pared en ese mismo momento.

—Bueno, ¿quién me pasa un oso pardo? —bromeó Bella.

Carlisle y Edward intercambiaron una rápida mirada. Rosalie dejó el zapateo.

—¿Qué pasa…? —preguntó Bella.

—La prueba será más efectiva si obramos por la vía rápida —contestó el doctor.

—Si lo que el feto desea es sangre —le explicó Edward—, no va a ser sangre de animal.

—Tú no vas a notar la diferencia, Bella —la animó Rosalie—. No le des vueltas.

Ella puso unos ojos como platos.

—¿Quién…? —inquirió con un suspiro, y su mirada revoloteó hacia mí.

—No he venido aquí como donante, Bells —refunfuñé—. Además, lo que esa cosa busca es sangre humana, y dudo que la mía le sirva…

—Disponemos de sangre —le informó Rosalie, dejándome con la palabra en la boca y actuando como si yo no estuviera allí—. Teníamos esas reservas para ti, sólo por si acaso. No te preocupes de nada en absoluto. Todo va a salir bien. Tengo un buen pálpito, Bella. Creo que el bebé estará mucho mejor.

Ella recorrió el vientre con la mano.

—Bueno —repuso con voz áspera—, tengo hambre, y apuesto a que él también —intentaba hacer otra gracia—. Adelante, será mi primer acto vampírico.

Suerte que tengo
un estómago de hierro

Carlisle y Rosalie salieron disparados escaleras arriba en un abrir y cerrar de ojos. Los escuché debatir sobre la conveniencia de calentar o no la sangre antes de suministrársela. Puaj. Me pregunté qué tipo de atrezo de casa del terror tendrían guardado por allí. Una nevera llena de bolsas de sangre. ¿Qué más podía haber? ¿Una cámara de tortura? ¿La estancia de los féretros?

Daba la impresión de que a Edward le faltaba la energía para mantener viva la llama de la esperanza que antes había prendido en él. Se quedó junto a su esposa. Ambos se tomaron de la mano y se miraron a los ojos, pero no era la típica escena *pastelosa*. Era como si estuvieran manteniendo una conversación. Me recordó a las de Sam y Emily.

No, no era *pastelosa,* pero eso lo hacía aún más duro.

Sabía que a Leah le ocurría lo mismo: tenía que presenciar cosas como aquélla de continuo y oírlas en la mente de Sam. Todos nos sentíamos fatal por ella, por descontado, no éramos monstruos (bueno, al menos no en ese sentido) pero supongo que sí podíamos culparla por lo mal que lo encajaba, pues nos increpaba a todos en un intento de hacernos sentir tan mal como ella.

Jamás volvería a echarle la culpa. ¿Cómo puede alguien no extender ese tipo de desdicha a su alrededor? ¿Cómo no va a intentar cualquier persona aliviar una parte de su carga, descargando un poco sobre los demás?

Y si eso implicaba que yo hubiera de tener mi propia manada, ¿con qué derecho iba a culparle por arrebatarme la libertad? Yo haría exactamente lo mismo. Si hubiera una vía de escape para ese dolor, también yo la usaría.

Rosalie bajó como un bólido al cabo de un segundo y entró en la habitación como una racha de viento tras hacer un alto en la cocina, donde oí el chirrido de la puerta de una alacena. Removía un líquido caliente.

—No la elijas transparente, Rosalie —murmuró Edward, y luego puso los ojos en blanco.

Bella miró con curiosidad, pero Edward se limitó a negar con la cabeza.

La interpelada volvió sobre sus pasos a través del cuarto de estar y desapareció de nuevo en la cocina.

—¿Ha sido idea tuya? —susurró Bella con voz rasposa. Hizo un esfuerzo para hablar con el volumen necesario para que pudiera oírla olvidando lo fino que andaba yo de oído; no terminaba de gustarme que, tan a menudo, pasara por alto el hecho de que yo no era del todo humano. Me aproximé un poco para no obligarla a hacer esfuerzo alguno.

—A mí no me culpes de esto. Tu vampiro ha elegido unos cuantos comentarios sarcásticos de mi mente.

—No esperaba verte de nuevo —admitió, a la vez que sonreía un poco.

—Tampoco yo —reconocí.

Me sentí un poco raro, allí de pie en esa estancia. Los vampiros habían retirado todo el mobiliario para instalar en su lugar un equipo médico. Imagino que eso no les molestaba. Estar de pie o sentado no importa mucho cuando eres de piedra. A mí también me hubiera dado un poco igual de no haberme encontrado tan cansado.

—Edward me ha contado lo que te has visto obligado a hacer. Lo siento.

—Está bien. Probablemente era cuestión de tiempo que yo estallara por alguna misión que me encomendara Sam —le mentí.

—Y Seth —apostilló ella en voz baja.

—De hecho, está encantado de echar un cable.

—Lamento meterte en problemas.

Solté una risotada que tenía más de ladrido que de risa. Bella suspiró débilmente.

—Supongo que eso no es nuevo, ¿verdad?

—No, la verdad es que no.

—No tienes por qué quedarte a ver esto —comentó, sin articular apenas las palabras.

Podía salir, y hasta parecía una buena idea. Pero si lo hacía, a juzgar por el aspecto de la enferma en aquel momento, lo más probable es que me perdiera los últimos quince minutos de su vida.

—En realidad, no tengo ningún sitio adonde ir —repliqué, haciendo un gran esfuerzo para que mi voz no delatara emoción alguna—. Esto de ser lobo mola mucho menos desde que se nos ha unido Leah.

—¿Leah...? —preguntó ella sin aliento.

—¿No se lo has contado? —inquirí a Edward.

Éste contestó con un encogimiento de hombros y no apartó los ojos de Bella. Me pispé de que Leah no era una noticia relevante y que no la consideraba a la misma altura de los demás hechos que se estaban produciendo.

Bella no se lo tomó tan a la ligera. Pareció considerarlo como una mala noticia.

—¿Por qué? —se interesó.

No quise soltarle la versión entera, más larga que un domingo sin pan.

—Para tener vigilado a Seth.

—Pero ella nos odia —susurró Bella.

«Nos». Se incluía ya entre los vampiros. Guay. Sin embargo, pude ver que tenía miedo.

—No va a chinchar a nadie —*salvo a mí*, pensé—. Ahora forma parte de mi manada —hice una mueca al pronunciar esas palabras—. Por tanto, acepta mi liderazgo —puaj. Bella no pareció muy convencida—. ¿Te asustas de Leah y haces buenas migas con la rubia psicópata?

Me llegó un siseo desde el segundo piso. Estupendo, me había oído.

Bella me puso cara de pocos amigos.

—No. Rose me… entiende.

—Sí, ya —refunfuñé—. Lo que ésa entiende es que vas a estirar la pata y le importa un bledo mientras consiga salir de ésta con su engendro mutante.

—Deja de comportante como un burro, Jacob —replicó entre dientes.

Al parecer, estaba demasiado débil para enfadarse, por lo que probé a dedicarle una sonrisa.

—Lo dices como si fuera posible.

Bella intentó no devolverme la sonrisa durante un segundo, pero no logró evitarlo al final y sus labios, de un blanco caliza, se curvaron en las comisuras.

Entonces, asomaron la jeta por allí la psicópata en cuestión y el doctor Carlisle. Éste llevaba en las manos una copa de plástico cubierta con una tapa y una paja flexible para beber. Vale. «No la elijas transparente.» Ahora lo pillaba. Edward no deseaba que su esposa tuviera que pensar en sus actos más de lo necesario. No podía verse el contenido de la copa de modo alguno, pero se olía.

Carlisle vaciló y mantuvo el brazo de la copa medio extendido. Su paciente le miró. De nuevo tenía cara de pánico.

—Siempre podemos intentar otro método —ofreció Carlisle con sosiego.

—No —susurró Bella—. Voy a probar éste primero, no tenemos tiempo...

Pensé que había visto algún indicio sobre el contenido y por fin se había preocupado por sí misma, pero luego movió la mano sobre su estómago abultado.

Bella alargó el brazo y se hizo cargo del recipiente. Su mano tembló ligeramente y alcancé a oír el sonido del líquido en su interior. Intentó apoyarse sobre un codo, pero apenas si logró alzar la cabeza. Un golpe de calor me subió por la espina dorsal cuando tomé conciencia de lo mucho que se había debilitado en menos de un día.

Rosalie pasó el brazo por debajo de los hombros de Bella y le sostuvo también la cabeza, tal y como se hace con los recién nacidos. Era toda una madraza, parecían encantarle los niños.

—Gracias —musitó Bella, cuyos ojos se dirigieron hacia nosotros, todavía consciente de nuestra presencia. Apuesto a que se hubiera puesto roja como un tomate de no haber estado tan escasa de fuerzas.

—Haz como si no estuvieran —la instó Rosalie.

Aquello me hizo sentir incómodo. Debí haberme ido cuando Bella me ofreció esa posibilidad. No pertenecía a aquel lugar ni formaba parte de aquello. Sopesé la posibilidad de desaparecer, pero entonces comprendí que se lo iba a poner más difícil a Bella. Le iba a resultar más duro pasar por aquel trance si sospechaba que estaba demasiado a disgusto como para quedarme, lo cual, por otra parte, era casi cierto.

Me callé como un muerto. No pretendía reclamar la paternidad de esa idea, pero tampoco quería ser un cenizo y gafarla.

Bella alzó la copa hasta la altura de la nariz y olisqueó el extremo de la pajita. Dio un respingo e hizo una mueca.

—Bella, mi amor, podemos hallar una vía más sencilla —dijo Edward al tiempo que tendía una mano para recoger el vaso de plástico.

—Tápate la nariz —sugirió Rosalie mientras miraba la mano tendida de su hermano como si se la fuera a arrancar de un mordisco.

Me entraron ganas de que lo hiciera. Apostaba a que él no se iba a quedar de brazos cruzados, y me hubiera encantado ver cómo le arrancaban una extremidad a la rubita.

—No, no es eso, sólo que… —Bella suspiró hondo—. Huele bien —admitió con la boca chica.

Hice un esfuerzo enorme por tragar saliva y ocultar el careto de disgusto.

—Eso es estupendo —le dijo la Barbie con entusiasmo—. Significa que vamos por el buen camino. Haz la prueba.

Después de ver la expresión de la rubia, me extrañó que no se pusiera a celebrarlo con ese bailecito de los jugadores cuando anotan un *touchdown*.

Bella se metió la paja entre los dientes, cerró los ojos con fuerza y arrugó la nariz. Pude oír el borboteo de la sangre. El pulso volvía a temblarle. Dio un sorbo en un segundo y profirió un gemido bajo sin abrir los ojos.

Edward y yo dimos un paso hacia delante al mismo tiempo. Él le tocó el rostro y yo me llevé las manos a la espalda antes de cerrar los puños.

—Bella, cariño…

—Estoy bien —musitó. Abrió los ojos y le miró con expresión de súplica y de disculpa. Estaba asustada—. También sabe bien.

Se me llenaron las tripas de bilis hasta el punto que pensé en que iba a echar hiel por la boca. Apreté los dientes.

—Eso es estupendo —repitió la Barbie, todavía encantada—, y una buena señal.

Su esposo le acarició la mejilla, curvando los dedos para adaptarse a la forma de los frágiles huesos de Bella.

La enferma suspiró y se llevó la pajita a los labios de nuevo; esta vez se metió un buen trago para el cuerpo. Ya no la dominaba la debilidad. Era como si el instinto estuviera tomando el control.

—¿Qué tal el estómago? —quiso saber Carlisle—. ¿Tienes náuseas?

—No, ni pizca —contestó ella con un hilo de voz al tiempo que negaba con la cabeza—. Por ahora, ¿no?

—Excelente —Rosalie estaba radiante.

—Me parece prematuro aventurar esa conclusión, Rosalie —le atajó el doctor.

Bebió otro largo trago de sangre y luego lanzó una mirada a Edward.

—¿Esto entra en mi cómputo o empezamos a contabilizar cuando ya sea vampiro?

—Nadie te lleva la cuenta, Bella, y en todo caso, nadie ha muerto a resultas de esto —le dedicó una sonrisa desfallecida—. Tu hoja sigue en blanco.

No les entendía nada.

—Te lo explicaré más tarde —contestó Edward, hablando para el cuello de su camisa.

—¿Qué...? —susurró Bella.

—Nada, nada, hablaba conmigo mismo —mintió con voz suave.

Si aquel experimento tenía éxito y Bella vivía, Edward no iba a ser capaz de despistarla de ese modo, pues ella tendría unos sentidos tan agudos como los suyos. Debería hacer un esfuerzo para ser más sincero.

Los labios de Edward se curvaron, luchando por contener una sonrisa.

Bella apuró sin pausa unos cuantos tragos más con la vista fija en la ventana, sin mirarnos. Lo más seguro es que fingiera que no estábamos allí. O tal vez sólo yo, pues era el único del grupo que encontraba censurable su conducta y lo más probable es que ellos las estuvieran pasando canutas para no arrancarle el vaso de las manos.

Edward puso los ojos en blanco.

Caramba, ¿cómo podía alguien vivir con él? ¡Qué lástima que Edward no le pudiera leer los pensamientos a su esposa! Entonces, él daría la murga contándoselos a todos y ella no tardaría en acabar harta y dejarle.

Edward soltó una risilla entre dientes. La enfermera volvió los ojos hacia él de forma inmediata y esbozó una media sonrisa al descubrir un atisbo de humor en su rostro. Supuse que Bella no había visto en él una nota de alegría en mucho tiempo.

—¿Qué te divierte tanto? —suspiró.

—Jacob —le contestó.

Ella alzó la vista y me dedicó otra sonrisa que reflejaba su cansancio.

—Jake es la monda —admitió.

Guay, ahora era el bufón de la corte.

—¡*Tachán!* —murmuré en una mala imitación del débil sonido del plato de la batería.

Me dedicó otra sonrisa y dio otro trago de la copa. Pegué un respingo cuando la succión de Bella provocó un borboteo bien audible, indicativo de que no había más líquido.

—Lo conseguí —anunció la enferma, que parecía complacida. Su voz era más clara y fuerte, no como el susurro con el que había hablado hasta ahora—. Si tolero esto, ¿me quitarás las agujas, Carlisle?

—En cuanto sea posible —prometió él—. Lo cierto es que ahora mismo tampoco están siendo de mucha utilidad.

Rosalie palmeó la frente de Bella y ambas intercambiaron una mirada de esperanza.

Estaba a la vista de todos que el vaso lleno de sangre humana había tenido un efecto inmediato. Bella estaba recuperando el color, ya podía verse una pincelada rosa en sus facciones de cera, y había dejado de necesitar la ayuda de Rosalie para sostenerse, respiraba con menos dificultad y habría jurado que el latido de su corazón era más fuerte y constante.

El espectro de la alegría en los ojos de Edward se había convertido en algo tangible.

—¿Te gustaría tomar un poco más? —la presionó Rosalie.

La aludida bajó los hombros.

Edward fulminó a su hermana con la mirada antes de dirigirse a Bella.

—No tienes por qué beber más ahora mismo.

—Ya, ya lo sé, pero… quiero hacerlo —admitió con abatimiento.

Rosalie acarició el pelo lacio de Bella con esos dedos suyos largos y puntiagudos.

—No te avergüences por eso, Bella. Tu cuerpo tiene antojos, y todos lo comprendemos —al principio, habló con acento suave, pero su voz adquirió un tono ronco cuando agregó—: Quienquiera que no lo comprenda no debería estar aquí.

Eso iba por mí, obviamente, pero no iba a dejar que la Barbie me desplazara. La mejoría de Bella me alegraba, así pues, ¿qué más daba si los medios para lograrlo me revolvían las tripas? No era como si yo hubiera dicho algo.

Carlisle tomó la copa de las manos de Bella.

—Enseguida vuelvo —anunció.

Bella me miró en cuanto se marchó el doctor.

—¡Qué mal aspecto tienes, Jacob! —soltó con voz cascada.

—Mira quién fue a hablar.

—Lo digo en serio, ¿cuánto hace que no duermes?

Lo consideré durante unos momentos.

—Eh… Lo cierto es que no estoy del todo seguro.

—Ay, Jake, no quiero echar a perder también tu salud. No hagas estupideces —rechiné los dientes. ¿Ella tenía permitido dejarse morir por un monstruo y yo no podía perder unas cuantas noches de sueño para vigilarla?—. Tómate un descanso, por favor —continuó—. Arriba tienes unas cuantas camas, túmbate en la que más te apetezca.

Rosalie puso una cara que dejaba bien claro que no estaba de acuerdo, lo cual me llevó a preguntarme si, de todos modos, la Bella Despierta necesitaría una cama. ¿O es que era muy posesiva con sus cosas?

—Gracias, Bella, pero preferiría dormir sobre el suelo, lejos del hedor, ya sabes.

Hizo un mohín.

—De acuerdo.

Entonces regresó Carlisle; Bella extendió la mano para recoger la nueva dosis de sangre con aire distraído, como si estuviera pensando en alguna otra cosa, y empezó a beber con el mismo gesto ausente.

Cada vez tenía mejor aspecto. Se inclinó hacia delante con todo cuidado para no tener problemas con los tubos y se deslizó hasta sentarse en la cama. La Barbie se inclinó sobre ella, con las manos preparadas para cogerla si le fallaba el cuerpo, pero la embarazada ya no la necesitaba. Se terminó el segundo vaso de sangre enseguida, respirando hondo entre un trago y otro.

—¿Cómo te sientes ahora? —preguntó Carlisle.

—Ya no me encuentro mal. Únicamente siento como si necesitara tomar algo más, aunque no estoy segura de si se trata de comer o beber, ¿sabes a qué me refiero?

—Mírala un momento, Carlisle —murmuró Rosalie tan pagada de sí misma como un pavo real con la cola desplegada—. Parece evidente qué le pide el cuerpo, ¿no? Debería beber más.

—Sigue siendo humana, Rosalie, y también necesita comida. Démosle algo de tiempo para ver los efectos y luego quizá probemos a darle alimentos otra vez. ¿Hay algún plato que te guste especialmente, Bella?

—Los huevos —replicó Bella de inmediato.

Luego, intercambió una mirada y una sonrisa todavía frágil con su esposo, pero su rostro tenía mucha más vida que antes.

En ese momento, empecé a parpadear y casi me olvidé de abrir otra vez los ojos.

—Deberías dormir algo, Jacob, de veras —me pidió Edward—. Tal y como dijo Bella, estás invitado a hacer uso de las comodidades de esta casa, aunque lo más seguro es que te encuentres más a gusto fuera. No te preocupes de nada, te prometo ir a por ti si surge cualquier necesidad.

—Claro, claro —masculle; podía darme el piro ahora que a Bella parecían quedarle más de unas horas de vida. Me acurrucaría debajo de cualquier árbol lo bastante alejado como para que no llegara la pestilencia a vampiro. El chupasangre me despertaría si algo se torcía. Lo había prometido.

—Y lo haré —me aseguró Edward.

Asentí al tiempo que ponía una mano sobre las de Bella, heladas como la nieve.

—Mejórate —le dije.

—Gracias, Jacob.

Ella giró la mano para estrechar la mía. Sentí el aro fino del anillo de boda girando suelto sobre su dedo huesudo.

—Tapadla con una manta o algo por el estilo —comenté mientras me dirigía a la puerta.

Dos aullidos rasgaron el velo de la tranquila mañana antes de que hubiera salido del edificio. El tono perentorio de los mismos era inconfundible. Esta vez no cabía duda alguna.

—Maldita sea —bufé…

… crucé la puerta a toda pastilla y lancé todo mi cuerpo hacia delante para atravesar el porche de un salto. Me dejé tomar por el fuego del cambio de fase mientras estaba en el aire y los pantalones acabaron hechos jirones. Mierda. No tenía más ropa. En fin, eso no importaba ahora. Caí sobre las zarpas y marché hacia el oeste a la carrera.

¿Qué ocurre?, pregunté en mi fuero interno.

Invitados, contestó Seth. *Un mínimo de tres.*

¿Se han dividido?

Voy a correr en línea recta hacia Seth a la velocidad de la luz, prometió Leah, a quien oí resoplar con furia mientras avanzaba a una celeridad de vértigo que convertía el bosque circundante en un manchurrón. *Hasta ahora, no hay otro punto de intrusión.*

No los desafíes, Seth. Espérame.

Han aminorado la velocidad. Agh, qué rabia no poder oírlos... Creo...

¿Sí...?

Me da la impresión de que se han detenido.

¿A la espera del resto de la manada?

Calla. ¿Notas eso?

Absorbí las impresiones de mi compañero. Percibí un ligero y callado estremecimiento en el aire.

¿Alguno ha cambiado de fase?

Da esa impresión, coincidió Seth.

Leah volaba en dirección al espacio abierto donde su hermano permanecía a la espera. Hundía las pezuñas en el suelo y derrapaba como un coche de carreras.

Yo te cubro las espaldas, hermano.

Se acercan, anunció Seth, hecho un manojo de nervios. *Caminan despacio.*

Ya casi he llegado, les informé mientras intentaba correr tan deprisa como Leah. Sentí una sensación horrible al verme separado de Leah y de Seth con un peligro potencial más cerca de ellos que de mí. Eso estaba mal. Yo debería estar con ellos, o entre ellos y el peligro en ciernes.

Mira quién se está volviendo paternal, pensó Leah con sarcasmo.

Céntrate, Leah.

Son cuatro: tres lobos y un hombre, afirmó Seth. El chaval tenía un oído muy agudo.

Llegué al claro en ese momento y me dirigí de inmediato al lugar donde se hallaba Seth, que suspiró de alivio y se enderezó, ocupando ya su lugar a mi flanco derecho. Leah se situó en el izquierdo con mucho menos entusiasmo.

Así que ahora estoy bajo las órdenes de Seth, refunfuñó para sus adentros.

Funciona por orden de llegada, pensó Seth, jubiloso. *Además, nunca antes habías sido el tercero de un Alfa, por lo que aun así, también asciendes.*

¿Qué ascenso es ése de estar bajo las órdenes de mi hermano pequeño?

¡Callaos!, me quejé. *No me preocupan vuestras posiciones. Callaos y estad preparados.*

Aparecieron ante nuestros ojos pocos segundos después. Venían andando, tal y como había intuido Seth. Jared marchaba al frente con las manos en alto. Paul, Quil y Collin le seguían a cuatro patas. No había agresividad alguna en sus ademanes. Se mostraron vacilantes detrás de Jared, con las orejas tiesas; estaban alerta pero tranquilos.

Me extrañó que Sam enviara a Collin en vez de a Embry. Yo jamás haría ese movimiento si enviara una legación en son de paz a territorio enemigo. No mandaría a un crío, sino a un luchador curtido.

¿Y si es un movimiento de distracción?, preguntó Leah. ¿Estaban Sam, Embry y Brady efectuando un movimiento en solitario? No parecía muy probable. *¿Quieres que eche un vistazo? Puedo recorrer todo el perímetro y estar de vuelta en un par de minutos.*

¿Debo avisar a los Cullen?, inquirió Seth.

¿Y qué pasa si el encuentro sólo tiene como fin dividirnos?, les contesté. *Los Cullen saben que se está cociendo algo y están preparados.*

Sam no sería tan estúpido…, pensó Leah mientras el miedo hacía mella en su ánimo, pues se imaginaba a Sam lanzando un ataque contra los vampiros con sólo dos lobos junto a él.

No, no lo es, le aseguré, aunque la imagen de su mente también me puso malo.

Jared y los tres lobos permanecieron mirándonos todo el tiempo, a la espera de nuestra reacción. Resultaba estremecedor no oír lo que se decían entre ellos Quil, Paul y Collin. Sus expresiones vacías eran inescrutables.

Jared carraspeó para aclararse la garganta y luego asintió en mi dirección.

—Bandera blanca... Hemos venido a hablar.

¿Crees que es cierto?, preguntó Seth.

Tiene sentido, pero...

Exacto, coincidió Leah, *pero.*

No nos relajemos.

Jared torció el gesto.

—Sería más fácil hablar si también pudiéramos escucharos.

Clavé los ojos en él. No cambiaría de fase hasta que me encontrara cómodo con la situación, hasta que tuviera sentido. ¿Por qué había enviado a Collin? Ésa era la parte que más me inquietaba.

—De acuerdo. Supongo que entonces sólo voy a hablar yo —dijo Jared—. Queremos que vuelvas, Jake.

Quil soltó un suave aullido a su espalda, secundando su afirmación.

—Has separado a la familia. Esto no tiene por qué ser así.

Yo no estaba en total desacuerdo con eso, pero lo chungo estaba ahí, en la existencia de unas cuantas diferencias de opinión pendientes entre Sam y yo.

—Conocemos tu forma de sentir, en especial en lo tocante a la situación de los Cullen. Somos conscientes de que es un problema, pero esto que has hecho es pasarse de la raya.

¿Pasarse?, refunfuñó Seth. *¿Y atacar a unos aliados sin previo aviso no lo es?*

Seth, ¿sabes lo que es un rostro inmutable? Serénate.

Perdón.

La mirada de Jared se posaba en Seth y luego volvía a mí.

—Sam está dispuesto a tomarse esto con tranquilidad, Jacob. Se ha calmado y ha hablado con los ancianos de la tribu. Ellos han decidido que una acción inmediata en este momento no beneficia a nadie.

Traducido: ellos ya han perdido el factor sorpresa, pensó Leah.

Resultaba extraño la concepción tan diferente que teníamos de nuestra unión. La manada ya era la manada de Sam y nosotros ya nos referíamos a sus componentes como «ellos», algo externo y ajeno, y resultaba especialmente anómalo que Leah pensara de ese modo, tenerla como una parte sólida del «nosotros».

—Billy y Sue están de acuerdo contigo, Jacob, creen que podemos esperar a que Bella… se separe del problema. Ninguno de nosotros se siente cómodo con la idea de matarla.

Aunque había reprendido a Seth por gruñir hacía un instante, no pude contener un bufido. De modo que ninguno se sentía «cómodo con la idea de matarla». No me digas.

Jared alzó las manos de nuevo con ademán conciliador.

—Calma, Jake. Sabes a qué me refiero. El tema es que vamos a esperar y reconsiderar la situación, ya decidiremos más tarde si existe algún problema con… la criatura.

Ja, menuda sandez, replicó Leah.

¿No te lo tragas?

Sé qué se traen entre manos, Jake, sé qué piensa Sam. Ellos dan por hecho que Bella va a morir de todos modos, y se imaginan que vas a tener un ataque de ira y…

… que yo mismo lideraré el ataque cuando eso suceda.

Agaché las orejas. Daba la impresión de que Leah había dado en el clavo, y sonaba muy plausible. Cuando esa cosa…, bueno, si esa cosa mataba a Bella, iba a ser muy fácil pasar por alto todo cuanto yo sentía por la familia de Carlisle. Probablemente volvería a considerarlos enemigos a todos ellos, y a mis ojos no pasarían de ser simples sanguijuelas chupasangres.

Yo te lo recordaré, apostilló Seth.

Sé que lo harás, chaval, la cuestión es si yo te voy a escuchar o no.

—¿Jake? —preguntó Jared.

Resoplé con furia.

Leah, haz una ronda para cerciorarnos. Voy a tener que hablar con él y quiero estar seguro de que no hay nadie más por ahí mientras estoy en la otra fase.

Dame un respiro, Jacob. Puedes adoptar forma humana delante de mí. Por mucho que me he esforzado por evitarlo, he tenido que verte desnudo. No significa mucho para mí, así que… no te preocupes.

No pretendo proteger la tierna inocencia de tus ojos, intento cubrirnos las espaldas. Sal de aquí ahora mismo.

Ella resopló una vez y se precipitó en dirección al bosque. Escuché cómo sus garras abrían surcos en la tierra mientras adquiría más velocidad.

La desnudez era un inconveniente inevitable de la vida en manada al que no le concedimos importancia alguna hasta que se produjo la incorporación de Leah, momento a partir del cual resultó un tanto bochornoso. La chica tenía un control aceptable de sus nervios pero cuando los perdía, tardaba el tiempo habitual en estallar y romper la ropa para salir de fase. Todos nosotros habíamos tenido algún atisbo de su anatomía; y claro, la cuestión no era si verla merecía o no la pena, que la merecía, sino si la merecía lo suficiente cuando Leah te pillaba pensando en ella después.

Jared y los demás siguieron contemplando el lugar por donde la loba había desaparecido, entre los matojos, con gesto de recelo.

—¿Adónde va? —quiso saber Jared.

Le ignoré, cerré los ojos y recuperé mi ser de nuevo. Sentí cómo el aire se estremecía a mi alrededor y se removía en torno a mi cuerpo en pequeñas olas. Me alcé sobre los cuartos traseros y elegí el preciso momento en que me hallaba totalmente enhiesto para adoptar mi forma humana.

—Vaya —dijo el portavoz de Sam—. Hola, Jake.

—¿Qué hay, Jared?

—Gracias por hablar conmigo.

—Ya.

—Queremos que vuelvas, tío.

Quil volvió a soltar un gimoteo de los suyos.

—No lo veo fácil, Jared.

—Ven a casa —pidió mientras se inclinaba hacia delante con aire de súplica—. Podemos solucionar esto. Tú no perteneces a este lugar. Deja que Seth y Leah regresen a sus hogares también.

Me eché a reír.

—Vale. Como si no se lo hubiera pedido desde el principio.

Seth bufó detrás de mí.

Jared recapacitó sobre mi afirmación; volví a ver en sus ojos una nota de cautela.

—Bueno, entonces, ¿ahora qué…?

Le estuve dando vueltas durante cerca de un minuto mientras él aguardaba mi respuesta.

—No lo sé, pero tampoco estoy seguro de que las cosas puedan volver a ser como antes, Jared. No conozco muy bien cómo funciona el asunto ese de los Alfa, pero me da la impresión de que no es como encender y apagar un botón. Tiene pinta de ser algo más… permanente.

—Tu sitio sigue estando a nuestro lado.

Enarqué las cejas.

—Dos Alfa no pueden pertenecer al mismo lugar, Jared. ¿Recuerdas lo poco que faltó la última noche?… El instinto es demasiado competitivo.

—¿Vais a quedaros por aquí el resto de vuestras vidas? —inquirió—. No tenéis hogar alguno en estas tierras y ya os faltan hasta las ropas —apuntó—. ¿Permaneceréis en forma lupina todo el tiempo? Ya sabes que a Leah no le hace ni pizca de gracia comer así.

—Ella puede comportarse como le venga en gana cuando tenga hambre. Ha venido aquí por elección propia y yo no pienso decirle a nadie lo que debe hacer.

Jared suspiró.

—Sam lamenta lo que te hizo.

Asentí.

—Ya no estoy enfadado.

—¿Pero…?

—Pero no tengo intención de volver, no por ahora. Vamos a esperar un poco y ver cómo queda la cosa. Y también vamos a proteger a los Cullen tanto tiempo como sea necesario y esto, a pesar de lo que creáis, no es sólo por Bella: protegemos a quienes hay que proteger, lo cual también se aplica a los Cullen.

Bueno, no todos, pero al menos a un buen número de ellos.

Seth soltó un aullido en señal de anuencia.

Jared torció el gesto.

—Entonces, no queda mucho más por decir.

—Ahora no, pero ya veremos cómo se desenvuelven los acontecimientos.

Jared se volvió hacia Seth y se concentró sólo en él, sin hacerme caso.

—Sue me ha pedido que te diga que vuelvas a casa, bueno, pedido no, me lo ha implorado. Tiene el corazón destrozado por tu culpa, Seth. Está totalmente sola. No sé cómo Leah y tú habéis podido hacerle esto. Mira que abandonarla de esa manera cuando tu padre acaba de morir…

Seth lloriqueó.

—Baja esos aires, Jared —le avisé.

—Le cuento las cosas como son, sólo eso.

Resollé.

—Vale —Sue era la persona más dura que había conocido en mi vida, más que mi padre y más que yo. Lo bastante para jugar con los sentimientos de sus hijos si pretendía hacerlos volver a casa. Pero no estaba bien usar a Seth de esa manera—. En este momento, ¿cuánto hace que está al tanto de la situación? ¿Y no ha pasado la mayor parte de ese tiempo en compañía de Billy, el Viejo Quil y Sam? Sí, claro, estoy convencido de que languidece de soledad. Eres libre de irte cuando quieras, Seth, eso ya lo sabes.

Seth sorbió por las narices…

… y un segundo después alzó una oreja en dirección norte. Su hermana debía de hallarse muy cerca. Jesús, pues sí que era rápida. La loba irrumpió dos latidos después, frenó en seco al llegar a los matojos de las lindes, a pocos metros del claro, y se detuvo. Entró al trote y se situó enfrente de Seth. Mantuvo erguido el hocico, haciendo ostentación de no mirar en mi dirección.

Me gustó el detalle.

—¿Leah? —dijo Jared.

Las miradas del portavoz y de la loba se encontraron. La recién llegada echó hacia atrás el hocico, dejando entrever los dientes.

Jared no pareció sorprendido por su hostilidad.

—Sabes que en realidad no deseas estar aquí, Leah.

Ella le gruñó. Dirigí una mirada de aviso a Leah, pero ella no la vio. Seth gimoteó y la rozó con el lomo.

—Perdón, no debería darlo por sentado, pero vosotros no tenéis atadura alguna con los chupasangres, ¿a que no?

Leah miró de forma deliberada primero a su hermano y luego a mí.

—De modo que quieres vigilar a tu hermano, vale, eso lo pillo —repuso Jared, quien me miró de refilón durante un segundo antes de centrarse en ella, probablemente preguntándose, al igual que yo, el significado de esa segunda mirada—. Ahora bien, Jake no va a dejar que le pase nada y Seth no tiene miedo alguno a quedarse aquí —Jared hizo un mohín—. De todos modos, por favor, Leah, vuelve. Queremos que regreses. Sam desea tu vuelta.

El rabo de la loba se tensó en señal de disgusto.

—Sam me dijo que te lo suplicara de rodillas si era necesario, como suena. Desea que vuelvas adonde perteneces, Lee-lee.

Ella se sobresaltó cuando Jared empleó el viejo apodo con que Sam se dirigía a ella; erizó la pelambrera del cuello cuando el portavoz pronunció las últimas palabras y se puso a pegar aullidos entre dientes. No necesitaba adoptar mi forma lobuna para leerle la mente, sabía la sarta de palabrotas que le estaba dedicando a Jared, y éste también. Casi era posible oír los tacos de Leah.

Esperé a que terminara.

—Me arriesgaré a suponer que Leah pertenece adonde elija. Leah gruñó mientras fulminaba a Jared con la mirada. Imaginé que eso significaba que estaba de acuerdo.

—Mira, Jared, seguimos siendo una familia, ¿a que sí? Debemos superar las desavenencias, pero convendría que no abandonarais vuestro territorio hasta que eso suceda. Para evitar malentendidos, ¿vale? Ninguno tenemos ganas de bronca, ¿verdad? No es eso lo que quiere Sam, ¿me equivoco?

—Por supuesto que no —me espetó Jared—. Nosotros seguiremos en nuestro territorio, pero ¿cuál es el tuyo? ¿La tierra de los vampiros?

—No, Jared, por el momento andamos sin casa ni hogar, pero no te preocupes, esto no va a durar siempre. ¿De acuerdo? —tomé aire—. No queda mucho tiempo, ¿vale? Luego, supongo que los Cullen se irán y Seth y Leah volverán a casa.

Leah y Seth aullaron al unísono, volviendo los hocicos hacía mí en perfecta sincronía.

—¿Y qué hay de ti, Jake?

—Volveré al bosque o eso pretendo. En realidad, ya no puedo rondar por La Push. Dos machos Alfa generarían demasiada tensión. Además, yo ya he seguido ese camino antes de que se armara este embrollo.

—¿Y qué hacemos si necesitamos hablar con vosotros? —inquirió Jared.

—Aullad, pero desde vuestro lado de la frontera, ¿vale? Ya acudiremos nosotros. Ah, y otra cosa, Sam no necesita enviar una legación tan numerosa. No buscamos pelea alguna.

Jared puso cara de pocos amigos, pero asintió. Le reventaba que yo le impusiera condiciones a Sam.

—Ya nos veremos por ahí, Jake. Bueno, o no —concluyó mientras se despedía con la mano sin entusiasmo alguno.

—Aguarda, Jared. ¿Se encuentra bien Embry?

La sorpresa cruzó el rostro del emisario.

—¿Embry…? Claro que sí, está perfectamente. ¿Por qué?

—Me preguntaba por qué Sam envió a Collin en vez de a él, sólo eso.

Estudié su reacción. Continuó mostrándose receloso hasta que un brillo fugaz de los ojos me indicó que había comprendido por dónde iba, pero no era como el que yo esperaba.

—Eso ya no es de tu incumbencia, Jake.

—Supongo que no, era simple curiosidad.

Observé con el rabillo del ojo cómo uno de los lobos torcía el hocico, pero fingí no percatarme a fin de no desenmascarar a Quil, que había reaccionado de inmediato ante la simple mención.

—Informaré a Sam de tus… instrucciones. Adiós, Jacob.

Suspiré.

—Vale. Adiós, Jared. Eh, dile a mi padre que estoy bien, ¿lo harás? Y dile también cuánto lo siento y que le quiero.

—Se lo diré.

—Gracias.

—Vámonos, chicos —ordenó Jared.

Debido a la presencia de Leah, se dio media vuelta y se alejó de nosotros antes de cambiar de fase. Paul y Collin le pisaron los talones, pero Quil vaciló. Aulló quejumbroso. Me acerqué un paso.

—Sí, yo también te echo de menos, hermano.

Quil vino al trote, meneando la cabeza con lentitud. Le palmeé el lomo.

—Estaré bien.

Él gimoteó.

—Dile a Embry que echo en falta teneros a mis flancos.

Asintió y me acarició la frente con el hocico. Quil alzó los ojos cuando Leah resopló, pero no la miró a ella, sino detrás de él, hacia el lugar por donde se habían marchado los demás.

—Sí, vuelve a casa —le dije.

Quil aulló otra vez y luego echó a correr en pos de los otros. Seguro que Jared no iba a esperarle con demasiada paciencia. Busqué el fuego en mi interior y lo extendí para que fluyera por mis miembros. Tras un estallido de calor, volví a estar a cuatro patas.

Por un momento pensé que te ibas a dar el lote con él, se mofó Leah.

La ignoré.

¿Qué tal lo he hecho?, les pregunté. Me preocupaba haber hablado por ellos de ese modo, cuando no podía oír su mente y, por tanto, ignoraba qué pensaban. No deseaba dar por hecho nada. No quería parecerme a Jared en eso. *¿Dije algo que hubierais preferido que callara? ¿Callé algo que debería haber dicho?*

¡Estuviste genial, Jake!, me alentó Seth.

Podías haberle atizado un mamporro a Jared, agregó Leah. *No me habría importado.*

Supongo que ahora sabemos por qué no han dejado venir a Embry, pensó Seth.

No fui capaz de comprenderle.

¿No le han dejado?

¿Has visto a Quil, Jake? Estaba hecho polvo, ¿vale? Apostaría diez a uno a que a Embry le ocurre otro tanto, quizá más, pero Embry no tiene a Claire, no hay nada que le retenga. No hay forma de que Quil elija estar fuera de La Push, pero Embry sí podría. Por eso, Sam no se va a arriesgar a que se deje convencer para cambiar de bando. No desea que nuestra manada sea mayor de lo que ya es.

¿De veras? ¿Tú crees? Embry no vacilaría en despedazar a algunos de los Cullen.

Pero él es tu mejor amigo, Jake. Él y Quil preferirían apoyarte en una lucha antes que enfrentarse a ti.

Bueno, me alegra que Sam le retenga en casa. Esta manada ya es bastante grande. Suspiré. *Vale, entonces. Estamos bien como estamos por ahora. Seth, ¿te importaría mantenerte alerta? Leah y yo necesitamos dar una cabezada. Jared y los demás parecían de fiar, pero nunca se sabe. Quizá sea un movimiento de distracción.*

No siempre había sido tan paranoico, pero recordaba la estrechez de miras y la obsesión de Sam por destruir todo peligro que se ponía al alcance de su mirada. ¿Se aprovecharía del hecho de que ahora podía mentirnos?

¡Sin problemas! Seth estaba impaciente por hacer todo lo que estuviera en su mano. *¿Quieres que me acerque para explicar lo ocurrido a los Cullen? Probablemente estarán nerviosos.*

Eso es cosa mía; de todos modos, quiero comprobar cómo van las cosas.

Ellos empezaron a tomar imágenes de mi cerebro extenuado. Seth aulló de sorpresa.

Vaya.

Leah movía la cabeza adelante y atrás en un intento de sacarse la imagen de la cabeza.

Es la cosa más horripilante y repulsiva que me he echado a la cara en la vida. Puaj. Habría echado la pota de haber tenido algo en el estómago.

Son vampiros, supongo, se permitió decir Seth al cabo de un minuto para compensar la reacción de Leah. *Quiero decir, tiene sentido, y si eso de la copa de sangre ayuda a Bella, es algo positivo, ¿no?*

Tanto Leah como yo le miramos fijamente.

¿Qué?

A mamá se le cayó demasiadas veces de pequeño, me confió Leah.
Y parece que los porrazos se los dio todos en la cabeza.

También solía roer y chupetear las barras de la cuna.

¿Llevaban una mano de pintura de plomo?

Tiene toda la pinta, respondió ella.

Seth bufó.

Muy divertido. ¿Por qué no cerráis el pico y os vais a dormir los dos?

Te haces idea de lo mal que va todo cuando te sientes culpable por ser borde con un vampiro

Nadie me esperaba en el porche para recibir mi informe la siguiente vez que acudí a la casa blanca. ¿Seguían en estado de alerta?

Todo está en calma, pensé con fastidio.

Enseguida atisbé un pequeño cambio en un escenario ahora muy conocido: la pila de prendas de colores claros sobre el escalón más bajo del porche. Alargué el paso para investigar cuanto antes. Contuve el aliento, ya que la pestilencia a vampiro se aferraba a las ropas como una garrapata. Revolví la pila con el hocico.

Alguien las había colocado allí. Eh. Edward debía de haber presenciado mi momento de irritación, cuando hice trizas los pantalones al salir a toda prisa por la puerta. Bueno, aquello era un detalle bonito, y de lo más extraño.

Anduve con pies de plomo mientras tomaba la ropa entre los dientes, puaj, y me oculté detrás de los árboles por si sólo era una bromita de la rubia psicópata y tenía por allí a un montón de chavalas. Le encantaría ver el pasmo de mi rostro humano mientras estaba en bolas sosteniendo uno de esos trajes de playa que llevan las chicas.

Solté la pila de ropa pestilente y recobré la forma humana una vez estuve a salvo de miradas detrás de los árboles. Agité las prendas y luego intenté quitarles el olor golpeándolas contra un árbol. No había duda de que eran prendas de tío: pantalones de color café y camisa blanca con botones. No parecían muy largas, pero sí lo suficientemente anchas. Debían de pertenecer a Emmett. Doblé los puños de la camisa, pero poco podía hacer con el dobladillo de los pantalones. En fin.

Me vi en la obligación de admitir que me sentía mejor con ropa, incluso aunque oliera mal y no fuera de mi talla. Resultaba duro no poder siquiera volver a casa y echar mano a un par de pantalones de chándal usados cuando los necesitas. Otra vez el asunto de andar sin casa y no tener adonde regresar, ni tampoco posesiones. Ahora no me preocupaba lo más mínimo, pero lo más probable era que acabara por ser una lata más pronto que tarde.

Ascendí los escalones del porche muy despacio, a causa de la fatiga, con mis lujosas ropas de segunda mano, pero dudé al llegar a la puerta. ¿Debía llamar? Era una estupidez, pues ellos estaban al tanto de mi presencia. Me pregunté por qué nadie reconocía lo evidente y me decía «entra» o «piérdete». Me encogí de hombros y entré.

Encontré más cambios en el cuarto de estar. Había recuperado la normalidad con respecto a los últimos veinte minutos. La pantalla de plasma volvía a estar encendida, aunque el volumen se oía muy bajo. Estaban echando una de esas pelis para tías, pero nadie la veía. Carlisle y Esme se hallaban de pie junto a las ventanas de la parte posterior, las que tenían vistas al río, nuevamente abiertas. Alice, Jasper y Emmett no estaban a la vista, pero escuchaba sus murmullos escaleras arriba. Bella se hallaba en el sofá, al igual que el día anterior. Le habían quitado todos los cables, salvo uno, y el gotero estaba detrás del sofá. Un par de gruesos edredones la envolvían como la tortilla de trigo a los frijoles y la carne de un burrito. Junto a su cabeza, Rosalie se sentaba con las piernas cruzadas en el suelo. Edward se sentaba en el otro extremo y tenía en el regazo las piernas envueltas en los edredones. Él alzó la vista y curvó levemente los labios a modo de sonrisa cuando yo aparecí, como si se alegrara de verme.

Bella no me había oído. Únicamente levantó la vista cuando lo hizo su esposo; entonces me dedicó otra sonrisa. Lo hizo con verdadera energía y el rostro iluminado por la felicidad. Ni me acordaba de cuánto hacía que no mostraba semejante alegría al verme.

¿Qué le pasaba? Por decirlo alto y claro: ¡estaba casada! Y más todavía, felizmente casada. Su amor hacia el vampiro iba más allá de los límites de la cordura, y era incuestionable. Y también estaba embarazada, embarazadísima.

Por tanto, ¿a santo de qué venían esos júbilos al verme? A tenor de esa reacción, parecía que le había salvado el maldito día por el simple hecho de cruzar la puerta.

Sería mucho más fácil permanecer lejos si a ella no le preocupara, o mejor aún, si no me quisiera por allí cerca.

Edward parecía estar de acuerdo con el hilo de mis pensamientos. Daba la impresión de que, en las últimas horas, él y yo estábamos en la misma longitud de onda. El vampiro torció el gesto al estudiar el rostro de su esposa mientras Bella me sonreía resplandeciente.

—Venían a hablar, nada más —informé, arrastrando la voz a causa de la fatiga—. No preveo ataque alguno durante los próximos días.

—Sí —repuso Edward—. He escuchado la mayor parte de la conversación.

La frase me despertó un poco. El encuentro se había producido a unos cinco kilómetros largos del edificio.

—¿Cómo es pos…?

—Ahora te leo la mente con mayor claridad. Es una cuestión de familiaridad y de concentración. Además, resulta más fácil sintonizar tus pensamientos cuando adoptas forma humana. He oído casi todo lo que habéis hablado.

—Ah —me sentó como una patada en la tripa, y no por un motivo concreto. Me encogí de hombros—. Bien. No me gusta repetirme.

—Te diría que durmieras un poco —intervino Bella—, pero supongo que vas a salir por la puerta en cuestión de seis segundos, así que probablemente pedírtelo no tenga sentido.

Resultaban asombrosas la gran mejoría experimentada y la fuerza recuperada. Seguí el olor de sangre fresca hasta ver otra copa en manos de la enferma. ¿Cuánta habría bebido para recuperarse? La reserva se les iba a acabar en algún momento. ¿Necesitarían merodear por el vecindario en busca de más?

Me encaminé hacia la puerta, y mientras andaba, llevaba la cuenta de los segundos en voz alta a fin de que Bella la oyera.

—Todos cuentan hasta seis en el arca de Noé: uno… dos… tres…

—¿Dónde está el Diluvio, chucho callejero?

—¿Sabes cómo se ahoga a una rubia, Rosalie? —le pregunté sin detenerme ni volverme a mirarla—. Pega un espejo en el fondo de una charca.

Mientras cerraba de un portazo, llegué a escuchar la risa entre dientes de Edward, cuyos cambios de humor coincidían exactamente con la evolución de la salud de Bella.

—Ya lo había oído —gritó Rosalie detrás de mí.

Bajé con pesadez los escalones sin otro objetivo que arrastrarme hasta los árboles, lo bastante lejos para que el aire volviera a ser puro y respirable. Planeé enterrar las ropas a una distancia conveniente de la casa para un uso futuro, lo cual me convenía más que atarlas a la pata, pues así tampoco tendría que olerlas. Mientras jugueteaba con los botones de la camisa, caí en la cuenta de por qué los engorrosos botones nunca estarían de moda entre los hombres lobo.

Oí las voces mientras caminaba trabajosamente entre la hierba.

—¿Adónde vas? —preguntó Bella.

—Se me ha olvidado decirle una cosa.

—Deja dormir a Jacob, lo que sea puede esperar.

Sí, por favor, deja dormir a Jacob.

—Será sólo un momento.

Me volví con lentitud. Edward ya había salido por la puerta y se acercaba a mí con una expresión de disculpa escrita en las facciones.

—Bueno, ¿y ahora qué?

—Lo siento —se excusó. Luego se mostró dubitativo, como si no lograra verbalizar lo que le pasaba por la sesera.

¿Qué tienes que decir, lector de mentes?

—He estado retransmitiendo a Carlisle, Esme y los demás los avatares de tu encuentro con los delegados de Sam —murmuró—. Están preocupados…

—Mira, no tenemos intención de relajarnos, ¿vale? No tenéis que creerle como hacemos nosotros, pero en todo caso, vamos a mantener los ojos bien abiertos.

—No, no, Jacob, no tiene nada que ver con eso. Confiamos en vuestro buen juicio. La cosa va por otro lado. Las incomodidades por las que ha de pasar tu manada han causado una gran turbación a Esme, que me ha pedido que hable contigo en privado.

Eso me pilló en fuera de juego.

—¿Incomodidades…?

—Me refería sobre todo a las privaciones propias de vivir sin un hogar. Le contraría que estéis tan… desvalidos.

Bufé. La vampiresa resultaba ser como una gallina clueca con sus polluelos…

—Somos duros. Dile que no se preocupe.

—Aun así, le gustaría hacer todo lo posible. Tengo la impresión de que Leah prefiere no alimentarse en su forma lobuna, ¿es cierto?

—¿Y qué…? —inquirí.

—Bueno, tenemos comida normal en casa, Jacob. La compramos para cubrir las apariencias y, por supuesto, para Bella. Leah es bienvenida si así lo desea. Todos lo sois.

—Se lo diré.

—Leah nos odia.

—¿Y…?

—Pues intenta transmitirle esta información de una forma que le permita considerarlo y aceptar, si no te importa.

—Haré cuanto pueda.

—Y luego está el asunto de la ropa.

Bajé la mirada hacia las prendas que llevaba.

—Ah, sí, gracias.

Me daba el barrunto de que no iba a ser muy educado por mi parte mencionarle el pestazo de su ropa.

Él esbozó una leve sonrisa.

—Bueno, nos resultaría muy fácil ayudaros a cubrir ciertas necesidades. Alice rara vez nos permite vestir la misma ropa dos veces. Tenemos pilas y pilas de prendas destinadas a las tiendas de ropa y artículos de segunda mano. Además, he calculado que Leah es del tamaño de Esme, más o menos…

—No estoy seguro de cómo va a encajar eso de aceptar ropa usada de los chupasangres. No es tan pragmática como yo.

—Confío en que a la hora de presentarle la oferta le sabrás dorar la píldora. La oferta se extiende a cualquier otra necesidad física que podáis tener, como transporte u otra cosa, como las duchas, dado que preferís dormir al aire libre. Por favor, no os consideréis privados de los beneficios de un hogar.

Pronunció la última línea en voz baja. Esta vez no intentaba aparentar calma, quería controlar alguna emoción real.

Le miré fijamente durante un segundo, bizqueando con sueño.

—Esto… bueno… Muy amable de vuestra parte. Dile a Esme que apreciamos la… idea, pero que el río pasa varias veces por el perímetro, por lo que podemos mantenernos bastante limpios, gracias de todos modos.

—En cualquier caso, apreciaría mucho que informaras de la oferta a tus compañeros.

—Claro, claro.

—Gracias.

Me giré para apartarme de su lado, pero me quedé seco como si me hubiera alcanzado un rayo al oír un débil gemido de dolor procedente de la casa blanca. El vampiro se había esfumado para cuando volví la vista atrás.

¡¿Qué pasaba ahora?!

Fui tras él, arrastrando los pies como un zombi y usando el mismo número de neuronas que uno, eso también. Me abrumó la sensación de no tener otra alternativa. Algo se había torcido y yo debía averiguar qué era. No podría hacer absolutamente nada y entonces me sentiría todavía peor.

Parecía irremediable.

Me arrastré de nuevo hasta el interior del edificio. Bella jadeaba, aovillada alrededor de la protuberancia de su vientre. Rosalie la sostenía mientras Edward, Carlisle y Esme revoloteaban alrededor. Mis ojos captaron un atisbo de movimiento: era Alice en lo alto de las escaleras, desde donde miraba el cuarto de estar y mantenía las manos fijas en las sienes. Resultaba de lo más chocante, era como si tuviera vedada la entrada.

—Dame un segundo, Carlisle —jadeó Bella.

—He oído un chasquido, muchacha. He de examinarte.

—Lo más seguro… Ay… es que sea una costilla. Oh. Uf. Sí, justo ahí.

Ella señaló un punto del costado izquierdo, teniendo mucho cuidado de no tocarlo.

La cosa había empezado a romperle los huesos.

—Necesito una placa de Rayos X. Tal vez queden astillas y no queremos que perforen nada.

Bella respiró hondo.

—De acuerdo.

Rosalie alzó en vilo a Bella con sumo cuidado. Edward hizo ademán de discutir, pero su hermana le enseñó los colmillos y gruñó:

—Ya la llevo yo.

Ahora, Bella tenía más fuerza, pero también el feto. Era imposible hacer morir de hambre a uno sin que el otro corriera la misma suerte y a la hora de fortalecerlos ocurría tres cuartos de lo mismo. No había victoria posible.

La Barbie llevó escaleras arriba a Bella. Edward y Carlisle le pisaron los talones. Ninguno de ellos se percató de mi presencia en el umbral, donde me quedé sin habla.

¿Tenían los Cullen un banco de sangre y una máquina de Rayos X? Supuse que el doctor se llevaba trabajo a casa.

No me quedaban fuerzas ni para seguirlos ni para marcharme. Me apoyé sobre la pared y me dejé resbalar hasta el suelo. Me había dejado la puerta abierta; orienté hacia ella mi nariz, agradecido por el soplo de aire fresco que se colaba por la abertura. Recliné la cabeza contra el marco y agucé el oído.

Escuché el zumbido de la máquina de Rayos X en la planta de arriba. O tal vez sólo fue un sonsonete cualquiera y me imaginé que era eso. En ese momento, unas pisadas ligeras descendieron por las escaleras. No me molesté en mirar para saber qué vampiro las bajaba.

—¿Quieres una almohada? —me preguntó Alice.

—No —farfullé.

¿Qué se proponían con esa hospitalidad tan insistente? Se acercó con sigilo.

—Esa postura no parece muy cómoda —observó.

—No lo es.

—Entonces, ¿por qué no te mueves?

—Estoy reventado. ¿Por qué no vas al piso de arriba con los demás? —le espeté de inmediato.

—Por la jaqueca —respondió.

Apoyé la cabeza en la pared y la giré para observarla.

Alice era realmente menuda. Parecía tener el tamaño de uno de mis brazos.

—¿Los vampiros tenéis jaquecas?

—Los normales, no.

Resoplé. Vampiros normales.

—¿Cómo es que ya nunca estás con Bella? —quise saber, formulando la pregunta con el tono de una acusación. Hasta ese momento no se me había ocurrido, porque tenía la cabeza muy ocupada con otros marrones, pero se me hacía extraño que Alice jamás estuviera junto a Bella. En ese caso, quizá Rosalie no hubiera permanecido con ella—. Pensé que erais uña y carne.

Junté dos dedos.

—Te lo he dicho: jaqueca.

Se acomodó encima de una baldosa a poca distancia de mí y rodeó las delgadas piernas con los brazos, no menos finos.

—¿Bella te provoca jaqueca?

—Sí.

Torcí el gesto. No estaba para muchas adivinanzas. Dejé rodar la cabeza a fin de que recibiera el aire fresco y cerré los ojos.

—En realidad, no es Bella —rectificó—. Se trata del… feto.

Ah, alguien más sentía lo mismo que yo. Y mira que era fácil de ver. Ella había pronunciado la palabra «feto» a regañadientes, igual que Edward.

—No puedo verle —me hablaba a mí, pero en realidad podría estar conversando consigo misma, como si yo ya me hubiera marchado—. No veo nada acerca de él. Me ocurre igual que contigo.

Sentí una sacudida y apreté los dientes. No era plato de mi agrado verme comparado con la criatura.

—Bella se ve envuelta por el influjo del feto, por eso la noto… poco definida, como la imagen de una tele que recibe mal la señal. Es como intentar fijar los ojos en los actores borrosos de la pantalla. Verla me hace polvo la cabeza, y no lo soporto más de unos pocos minutos al día. El feto forma parte importante de su futuro. Cuando ella decidió… Bella desapareció de mi vista en cuanto supo que quería tenerlo. Me llevé un susto de muerte —Alice se mantuvo en silencio durante un segundo, y luego agregó—: He de admitir que es un alivio tenerte cerca a pesar de tu olor a perro mojado. Se borran de mi mente todas las imágenes. Es como si cerrara los ojos. El dolor de cabeza se aletarga…

—Encantado de servirla, señorita —murmuré.

—Me preguntó qué puede tener en común contigo la criatura… No entiendo por qué estáis en la misma onda.

De pronto, estalló una oleada de calor en el centro de mi anatomía y tuve que cerrar los puños para controlar los temblores.

—No tengo nada en común con ese devorador de vida —repliqué entre dientes.

—Bueno, ahí hay *algo*.

No le contesté. El calor empezaba a atenuarse y estaba demasiado hecho polvo como para continuar enfadado.

—No te importa que me siente cerca de ti, ¿verdad? —inquirió.

—Supongo que no. El hedor está por todas partes.

—Gracias —contestó—. Ésta es la mejor cura de todas, supongo, dado que a mí no me hacen efecto las aspirinas.

—¿Podrías controlarte? Intento dormir.

Ella no contestó, pero de inmediato se sumió en un silencio absoluto. Me quedé sopa en cuestión de segundos.

Soñé que me moría de sed y tenía un gran vaso de agua helada enfrente de mí. La condensación se acumulaba en los lados del recipiente. Lo agarré y bebí un gran trago, sólo para averiguar enseguida que no era agua, sino lejía. La escupí de golpe y lo pringué todo. El efluvio se me metió por la nariz, quemándola hasta hacerme sentir que estaba en llamas.

El dolor nasal me despertó lo bastante como para acordarme de que me había dormido. El olor era fuerte si considerábamos que había sacado la cabeza y tenía la nariz fuera de la casa.

Uf. Había mucho ruido. Alguien se estaba riendo con demasiada fuerza. Las carcajadas me resultaban familiares, pero no eran de alguien que estuviera relacionado con ese olor. Ese efluvio no le correspondía.

Gemí y abrí los ojos. Era de día a juzgar por el color gris apagado del cielo, pero no había indicios para poder determinar la hora. Tal vez estuviera a punto de anochecer, dada la escasez de luz.

—Ya iba siendo hora —murmuró la Barbie no demasiado lejos de allí—. Empezaba a estar harta de la escandalera de tus ronquidos.

Giré sobre mí mismo y me contorsioné para sentarme en el suelo. Averigüé en el proceso de dónde procedía el hedor. Alguien me había puesto debajo de la cabeza un cojín de plumas en un probable intento de ser amable, supuse, a menos que hubiera sido cosa de Rosalie.

Percibí otros aromas en cuanto alejé el rostro de la pestilencia de las plumas. El aire olía a canela y a panceta, todo entremezclado con el efluvio a vampiro.

Parpadeé mientras intentaba captar la estancia.

Las cosas no habían cambiado demasiado, excepto que ahora Bella se sentaba en medio del sofá y que le habían quitado las agujas intravenosas. La rubia se sentaba a sus pies, con la cabeza apoyada en las rodillas de la embarazada. Era una memez dadas las circunstancias, bien que lo sabía, pero me seguía dando dentera la forma en que los vampiros tocaban a Bella. Edward estaba junto a ella y le cogía la mano. Alice se hallaba en el suelo, de la misma guisa que Rosalie. Su rostro no delataba contrariedad alguna y era fácil saber el motivo: había encontrado otro «analgésico».

—Eh, Jake, ven aquí —cacareó Seth.

El pequeño de los Clearwater se sentaba al otro lado de Bella, sobre cuyos hombros le había pasado el brazo con ademán despreocupado. Sostenía en el rezago un plato de comida lleno hasta los bordes.

¿Qué rayos estaba…?

—Vino a buscarte —me aclaró Edward mientras yo me ponía en pie— y Esme le convenció de que se quedara a desayunar.

Seth me miró a la cara y se percató de mi mosqueo, por lo que se apresuró a explicarse.

—Exacto, Jake. Vine a ver si estabas bien, ya que ni siquiera habías cambiado de fase y Leah empezaba a estar preocupada. Le dije que probablemente te habrías quedado frito en tu forma humana, pero ya la conoces. Y claro, bueno, ellos tenían aquí toda esta comida, y maldita sea —continuó mientras se volvía hacia Edward—, tú sí que sabes cocinar, tío.

—Gracias —murmuró el aludido.

Respiré despacio mientras intentaba calmarme y dejar de apretar los dientes, pero no era capaz de apartar la vista del brazo de Seth en torno a Bella.

—Bella se estaba quedando fría —expuso Edward en voz baja.

Vale. En cualquier caso, no era de mi incumbencia, ya que ella no me pertenecía.

Seth escuchó el comentario de Edward, miró mi careto de malas pulgas y de pronto se acordó de que necesitaba las dos manos para comer. Retiró el brazo y se puso a manducar con verdadero entusiasmo. Caminé hasta ponerme a un par de metros del sofá mientras seguía intentando recobrar la compostura.

—¿Sigue Leah de patrulla? —le pregunté a Seth, con voz aún pastosa a causa de la modorra.

—Sí —contestó él sin dejar de masticar. El joven Clearwater llevaba también ropas nuevas, y encima le sentaban mejor que a mí—. Sigue en ello, no te preocupes. Aullará si ocurre algo. Nos turnamos a eso de la medianoche. He corrido doce horas.

El tono de voz dejaba a las claras cuánto se enorgullecía de ello.

—¿Medianoche…? Aguarda un momento… ¿Qué hora es…?

—Está a punto de amanecer —contestó él tras lanzar una mirada por la ventana para asegurarse.

Maldición. Había dormido el resto del día y una noche entera. No había cumplido mi parte.

—Mierda. Lo siento mucho, Seth. De verdad. Deberías haberme despertado de una patada.

—No, tronco, necesitabas dormir de verdad. ¿Desde cuándo no te habías tomado un respiro? ¿Desde la noche que patrullaste para Sam? ¿Lo dejamos en cuarenta horas? ¿Cincuenta? No eres una máquina, Jake. Además, no te has perdido nada de nada.

¿Nada de nada? Lancé una rápida mirada hacia Bella. Había recobrado el color y ahora estaba como yo la recordaba: pálida, sí, pero con esa pincelada sonrosada en la piel y los labios también estaban rosáceos. Incluso el pelo estaba más lustroso. Me evaluó con la mirada y luego me dedicó una ancha sonrisa.

—¿Qué tal la costilla?

—Vendada y sujeta. Ni siquiera la siento —me contestó.

Puse los ojos en blanco mientras oía el rechinar de dientes de Edward. Imaginé que esa actitud de quitarle importancia al asunto le disgustaba tanto como a mí.

—¿Qué? ¿Qué has desayunado? —inquirí, un poco sarcástico—. ¿O negativo o AB positivo?

Me sacó la lengua. Volvía a ser ella por completo.

—Tortilla —contestó, pero lo hizo con la mirada gacha…

… y vi la copa de sangre entre su pierna y la de Edward.

—Tómate algo de desayuno, Jake —me instó Seth—. Hay un montón de cosas ricas en la cocina. Debes de estar con el depósito vacío.

Examiné el plato de comida situado encima de su vientre. Una tortilla de queso ocupaba la mitad de la escudilla y la otra mitad, un rollito de canela del tamaño de un cuarto de Frisbee. Empezó a sonarme el estómago, pero lo ignoré.

—¿Qué ha almorzado Leah? —le pregunté con ánimo censor.

—Eh, le he llevado comida antes de probar bocado —se defendió Seth—. Aseguró que prefería comerse un animal atropellado en la carretera, pero apuesto a que al final cae… Estos rollitos de canela…

Pareció extraviarse en esas palabras.

—En tal caso, iré a cazar con ella.

Seth suspiró mientras me giraba con ánimo de marcharme.

—¿Tienes un momento, Jacob?

Era Carlisle quien me lo pedía, por lo cual mi rostro fue bastante menos irrespetuoso de lo que se habría encontrado cualquier otro que hubiera pretendido detenerme.

—¿Sí?

El doctor se me acercó mientras Esme se dirigía a otra habitación. Carlisle se detuvo un poco más lejos de lo habitual entre dos humanos que conversan. Le agradecí que me concediera ese espacio.

—Hablando de caza —empezó con tono lúgubre—, verás, este tema va a ser de cierta importancia en mi familia. Doy por hecho que el armisticio no es operativo en la tesitura actual, por lo cual deseaba pedirte consejo. ¿Nos dará caza Sam fuera del perímetro que has creado? Nuestro deseo es no correr el riesgo de herir a nadie de tu familia ni de perder a uno de los nuestros. Si te calzaras nuestros zapatos, o sea, si estuvieras en nuestro lugar, ¿cómo actuarías?

Me quedé pasmado y me eché hacia atrás cuando me soltó aquello. ¿Qué iba a saber yo de las andanzas de los vampiros ni de sus zapatos de lujo? Bueno, por otro lado, conocía perfectamente a Sam.

—Corréis un riesgo —contesté, procurando olvidar que todos los demás habían fijado en mí la mirada, y seguí hablándole sólo a él—: Ahora mismo, Sam se ha calmado un poco, pero estoy más que convencido de que en su fuero interno considera el tratado simple papel mojado. En cuanto se le meta entre ceja y ceja que la tribu u otro humano cualquiera están en peligro, no se va a cortar un pelo, no sé si me explico, pero entretanto, su prioridad sigue siendo La Push. Ahora no son tan numerosos como para vigilar a la gente y al mismo tiempo organizar partidas lo bastante grandes como para causaros un daño real. Apostaría a que va a mantener el culo cerca de casa.

Carlisle asintió con ademán festivo.

—Entonces, supongo que yo te recomendaría… no cacéis en solitario, sólo por si acaso —continué—. Tal vez convendría también que fuerais de día, ya que a causa de todas esas supersticiones sobre los vampiros, esperan que salgáis por la noche. Sois rápidos, podéis peinar las montañas y cazar lo bastante lejos como para que no haya ocasión de algún posible encuentro con alguien que Sam haya enviado lejos de la reserva.

—¿Y dejar a Bella desprotegida?

Bufé.

—¿Qué somos, hígado picado?

Carlisle rió, pero luego su semblante adoptó la seriedad de antes.

—No puedes enfrentarte a tus hermanos, Jacob.

Entorné los ojos.

—No digo que vaya a ser fácil, pero seré capaz de detenerlos si vienen con ánimo de matarla.

Carlisle sacudió la cabeza, presa de la ansiedad.

—No, no, no pretendo decir que seas incapaz, sino que sería un error muy grave. No puedo tener ese peso en mi conciencia.

—El peso estaría en la mía y no en la suya, doctor, y lo puedo asumir sin problemas.

—No, Jacob. Vamos a asegurarnos de que nuestras acciones hagan imposible esa situación —frunció el ceño con gesto caviloso—. Iremos de caza de tres en tres —decidió después de un segundo—. Probablemente eso sea lo mejor.

—Lo dudo, doctor. La división en dos grupos no me parece la mejor estrategia.

—Contamos con algunos dones adicionales que igualarán las cosas. Si Edward es uno de los tres cazadores, es capaz de brindarnos varios kilómetros de seguridad.

Ambos nos volvimos hacia el recién casado. Su expresión hizo que Carlisle echara marcha atrás enseguida.

—Y estoy persuadido de la existencia de otros caminos —apostilló Carlisle, pues quedaba bien a las claras que, en ese momento, no había fuerza capaz de separar a Edward de Bella—. Alice, imagino que podrías saber qué rutas debemos evitar, ¿no?

—Es muy fácil —contestó ella, asintiendo—, las que desaparezcan de visión.

Edward se había puesto muy tenso con la primera parte del plan, pero ahora se relajó bastante. Bella miraba con tristeza a Alice, que había arrugado el ceño como hacía siempre que estaba estresada.

—De acuerdo, entonces —acepté—. Está decidido. Me limitaré a ir por mi cuenta. Seth, te espero de regreso al anochecer para que puedas dar una cabezada, ¿de acuerdo?

—Claro, Jake, cambiaré de fase en cuanto me haya terminado esto. A menos que… —vaciló y se volvió para mirar a Bella—. ¿Me necesitas?

—Tiene mantas —le espeté.

—Estoy bien, Seth, gracias —se apresuró a decir Bella.

Esme regresó con sus rápidos andares. Traía un plato cubierto en las manos. Se detuvo con indecisión al llegar junto al codo de Carlisle y fijó en mi rostro sus enormes ojos oscuros. Me tendió el plato y dio un paso hacia mí con timidez.

—Soy consciente de que la idea de comer aquí te resulta poco apetecible, Jacob, dado que el olor no es de tu agrado —dijo con voz menos aguda que la de los demás—, pero me sentiría mucho mejor si te llevaras algo de comida cuando te fueras. Estoy al tanto de que no puedes volver a casa por nuestra culpa. Por favor, alivia un poco mi remordimiento. Acepta algo de sustento.

Me tendió el plato con una muda súplica escrita en sus suaves facciones y no sé cómo lo hizo, porque a pesar de tener una apariencia de veintitantos años y un rostro blanco marfileño, su expresión de pronto me recordó a la de mi madre.

Vaya.

—Eh, claro, claro —murmuré—. Supongo, bueno, tal vez Leah siga con apetito y tal…

Tomé el plato y lo sostuve con una mano, manteniéndolo lo más lejos posible, todo cuanto daba de sí mi brazo. Iba a tener que vaciarlo al pie de un árbol o algo por el estilo. No quería que se sintiera mal.

Entonces me acordé de Edward.

¡No le digas ni pío a Esme! Déjale creer que me lo he comido.

No le miré para ver si estaba o no de acuerdo. Más le valía estarlo. El chupasangre me lo debía.

—Gracias, Jacob —repuso Esme con una sonrisa. Cielo Santo, ¿cómo podía tener hoyuelos un rostro de piedra?

—Eh, de nada —contesté con las mejillas al rojo vivo, más calientes de lo habitual.

El problema de alternar con vampiros era que terminabas acostumbrándote a ellos y acababas por hacerte un lío en cuanto a la forma de ver el mundo. Al final, pensabas en ellos como amigos.

—¿Vas a volver luego, Jake? —preguntó Bella mientras yo intentaba huir.

—Eh, no sé.

Frunció los labios para contener una sonrisa.

—Por favor, ¿y si tengo frío…?

Inhalé profundamente por la nariz, y en ese instante me di cuenta de que no había sido una buena idea. La peste a vampiro se me metió por la nariz. Contraje la cara a causa del asco.

—Puede que sí.

—¿Jacob? —me llamó Esme. Retrocedí hacia la puerta mientras ella proseguía a unos cuantos pasos de mí—: He dejado una cesta de ropa en el porche. Es para Leah. Las prendas están recién lavadas y he procurado tocarlas lo menos posible —frunció el ceño—. ¿Te importaría llevársela?

—Enseguida —murmuré.

Acto seguido, me escabullí por la puerta antes de que nadie me hiciera sentir culpable por algo más.

Tic, tac, tic, tac, tic, tac

Eh, Jake, tenía entendido que querías que volviera al anochecer. ¿Cómo no has hecho que Leah me despertase antes de quedarse frita?

Porque no necesité tu ayuda. Todavía sirvo para esto.

Seth ya se estaba dirigiendo hacia la mitad norte del perímetro, la que había elegido.

¿Alguna novedad?

No. Nada de nada.

¿Has explorado algo?

Se había percatado de uno de mis trayectos alternativos. Se fue derecho hacia el nuevo sendero.

Sí, estuve dando una vuelta por ahí, ya sabes, sólo para comprobar si los Cullen iban a salir de caza.

Bien pensado.

Seth dio media vuelta y se encaminó hacia el perímetro principal.

Resultaba más cómodo correr con él que con Leah. Todos los pensamientos de la joven Clearwater tenían un punto cortante, a pesar de que ella intentaba controlarse. Y lo intentaba de veras, pero la realidad era que la muchacha no quería estar allí, toleraba a regañadientes la moderación de mi postura hacia los vampiros y tampoco acababa de digerir la confortable camaradería establecida entre su hermano y los Cullen, cuyos vínculos de amistad eran cada día más fuertes.

Resultaba, como poco, curioso, ya que había temido ser yo el principal obstáculo. La loba y yo siempre habíamos andado a la greña cuando estábamos en la manada de Sam, pero ahora no había rechazo alguno contra mí, sólo contra los Cullen y Bella. ¿Por qué? Tal vez la respuesta se reducía a una cuestión de mera gratitud por no obligarla a marcharse o quizá porque ahora yo comprendía mejor su hostilidad. Fuere como fuere, patrullar con Leah no resultaba tan malo como había esperado, ni por asomo.

Aunque seguía siendo quisquillosa en todo lo demás. La comida y las ropas enviadas por Esme habían ido a parar al río de inmediato, a pesar de que yo me había comido mi parte para dar ejemplo de abnegación y sacrificio; sólo por eso, y no porque tuviera un olor de lo más apetitoso una vez lejos del ulcerante hedor vampírico. Además, a eso del mediodía había cazado un alce pequeño, pero la presa no había satisfecho del todo su apetito y le había puesto aún de más mala leche, porque a Leah le reventaba comer carne cruda.

¿Y si damos una pasada rápida por el este?, sugirió Seth. *Nos adentramos bien hondo y verificamos si están o no al acecho en esa zona.*

Algo así estaba pensando, coincidí, mientras empezábamos a corretear, *pero dejémoslo para cuando estemos despiertos los tres. No quiero bajar la guardia. En todo caso, deberíamos hacerlo antes de que los Cullen hagan una salida. Tendrá que ser pronto.*

Vale.

Aquello me hizo pensar.

Si los vampiros eran capaces de abandonar sin percances las inmediaciones de la casa, en realidad no tenían problema para seguir viaje. Lo cierto es que lo más conveniente habría sido que se hubieran marchado en cuanto vinimos a avisarles. Seguro que tenían medios para permitirse otras guaridas y también contaban con amigos en el norte. La respuesta era manifiesta: «Tomad a Bella y marchaos». Parecía la solución obvia a todos sus problemas.

Tal vez se lo sugiriera yo, aunque tenía pánico de que me hicieran caso, pues no deseaba que Bella se fuera de allí y no saber jamás si lo había logrado o no.

No, eso era una estupidez. Debía aconsejarles que se marcharan. La permanencia de los Cullen en Forks carecía de sentido y sería mejor para mí que Bella se marchase. No es que fuera a dolerme menos, pero resultaría más saludable.

Ahora bien, era muy fácil decirlo allí, cuando Bella no estaba presente; ella, que se estremecía de alegría al verme y se agarraba a la vida con uñas y dientes.

Ah, eso ya se lo he preguntado yo a Edward, me informó Seth.

¿Qué?

Quise saber por qué no se habían ido todavía. Podían haberse pirado con el aquelarre de Tanya o algo parecido, a cualquier sitio lo bastante lejos como para que Sam no los persiguiera.

Me obligué a no olvidar que yo mismo había resuelto dar ese consejo a los vampiros por ser la opción más adecuada, y por tanto, no debía enfadarme con él si me había librado del muerto. Así que nada de malos modos.

¿Qué te dijo? ¿Esperan el hueco oportuno para escapar?

No, no se marchan.

Aquello no tenía pinta de ser una buena noticia precisamente.

¿Por qué no? Quedarse es una estupidez.

En realidad, no, repuso Seth, ahora a la defensiva. *Requiere cierto tiempo acondicionar un lugar con los medios técnicos que Carlisle tiene aquí, donde dispone de todo el material necesario para cuidar de Bella y las credenciales para conseguir más. Ésa es una de las razones por las que quieren organizar una salida de caza. Carlisle cree que pronto va a necesitar más sangre para Bella, pues está a punto de acabar con todas las bolsas de sangre acumuladas para ella. No le gusta el ritmo de disminución de la reserva de O negativo y va a ir a comprar más. ¿Sabías que es posible comprar sangre si eres médico?*

Todavía no estaba preparado para mostrarme lógico.

Me sigue pareciendo una completa gilipollez. ¿Acaso no pueden llevarse la mayoría de los bártulos? Siempre pueden robar lo que les falte, vayan donde vayan. ¿A quién le preocupa la mierda de las leyes cuando se es un redivivo?

Edward no quiere correr el riesgo de trasladarla.

Está mucho mejor.

De veras que sí, coincidió Seth. *Pero ya sabes, tampoco es que pueda moverse demasiado. La cosa esa no deja de dar patadas, y se las está haciendo pasar canutas.*

Se me llenó de bilis la garganta y tuve que hacer un esfuerzo por tragar y que volviera al estómago.

Ya, ya lo sé.

Le ha roto otra costilla, me confió con tono sombrío.

Me fallaron las patas y la cadencia del trote bajó, me tambaleé un poco antes de recuperar mi ritmo.

Carlisle la ha vendado otra vez. Ha dicho que sólo es otra rotura, y entonces, va Rosalie y suelta no sé qué sobre que es un hecho sobradamente conocido que hasta los bebés humanos normales rompen a veces alguna costilla de la madre. Edward la fulminó con la mirada como si fuera a arrancarle la cabeza.

Lo malo es que no lo hizo.

Seth se había puesto en modo «informativo», sabedor de lo mucho que me interesaba todo aquello, aunque yo jamás le había pedido que pusiera la oreja a ver qué pescaba.

Bella ha tenido fiebre de forma intermitente a lo largo del día. Han sido unas décimas. Suda, tiene frío, y así… Carlisle no está muy seguro de cómo actuar. Podría tratarse sólo de náuseas. Quizá los mecanismos del sistema inmunológico de la madre no atraviesen su mejor momento.

Sí, estoy seguro de que es una coincidencia.

Ella está de muy buen humor, pese a todo. No deja de gastar bromas cuando habla con Charlie, y se ríe y todo eso.

¿Charlie? ¿Qué…? ¿A qué te refieres con eso de que habla con Charlie?

Ahora le tocó a Seth vacilar. Mi rabia le sorprendió.

Imagino que él la telefonea a diario para charlar con ella, y a veces también su madre. Bella ahora tiene mucho mejor aspecto, y eso se nota en la voz, de modo que ella le asegura que está en vías de reponerse.

¿Reponerse? ¿En qué diablos están pensando los Cullen? ¿Cómo pueden alentar las esperanzas del padre para que todo sea peor cuando ella muera? ¡Pensé que le estaban preparando para lo peor e intentaban que el pobre hombre se fuera haciendo a la idea! ¿Por qué embauca Bella a su padre de ese modo?

Quizá no muera, apuntó Seth con cuidado.

Respiré hondo y procuré calmarme.

Si sale con bien de todo esto, Bella jamás volverá a ser una mujer, Seth. Ella lo sabe tan bien como los demás. Si ella no la palma, va a tener que hacer una muy convincente imitación de un cadáver, muchacho. Eso o desaparecer. Creí que iban a intentar ponérselo fácil a Charlie. ¿Por qué…?

Me da la impresión de que es idea de Bella. Su marido preferiría hacer frente a las cosas de otro modo.

Una vez más estaba en la misma longitud de onda que esa sanguijuela.

Corrimos en silencio durante unos minutos. Comencé a explorar un nuevo camino, un poco hacia el sur.

No te alejes demasiado.

¿Por qué?

Bella me sugirió que te pidiera que la visitaras.

Encajé con fuerza los dientes en las mandíbulas.

Y Alice también quería verte. Me dijo que estaba hasta las narices de andar dando vueltas por el ático como un murciélago en el campanario de una iglesia. Seth soltó una risotada. *¿Sabes? Estuve turnándome con Edward para hacer de conmutador, para que Bella mantenga una temperatura estable. Le aportamos frío o calor, según lo requiriera la ocasión. Supongo que puedo regresar yo si tú no deseas ir.*

No, es cosa mía, le espeté.

Vale.

Seth no hizo más comentarios y se concentró con mucha intensidad en el bosque vacío.

Continué andando hacia el sur en busca de alguna novedad y no di media vuelta hasta percibir los primeros indicios de población; todavía no estábamos cerca de Forks, pero era mi deseo evitar el rebrote de los rumores sobre avistamientos de lobos. Ya llevábamos siendo invisibles desde hacía bastante tiempo.

A nuestro regreso, traspasé el perímetro y me encaminé hacia la casa. Fui incapaz de detenerme a pesar de saber que estaba cometiendo una estupidez. Lo mío debía de ser masoquismo o algo por el estilo.

Eres un tío de lo más normal, Jake, lo que ocurre es que la situación es de lo más atípica.

Cierra esa bocaza, Seth, por favor.

Cerrada.

Esta vez no vacilé delante del umbral y lo crucé como si estuviera en mi propia casa. Supuse que eso iba a enojar a Rosalie, pero mi esfuerzo fue en vano, ya que ni la Barbie ni Bella se hallaban a la vista. Miré a diestro y siniestro con la esperanza de no haber reparado en ellas, pero no estaban; el corazón empezó a golpetearme las costillas de un modo alocado y extraño.

—Se encuentra bien —musitó Edward—, o estable, debería decir…

El vampiro se hallaba en el sofá con la cabeza entre las manos. No había levantado la mirada ni siquiera cuando me dirigió la palabra. Esme no se apartaba de su lado y le apretaba con fuerza los hombros.

—Hola, Jacob —me saludó—. Me alegra tenerte de vuelta.

—Y a mí también —dijo Alice con un hondo suspiro.

Bajó las escaleras pavoneándose y me dedicó un mohín de reproche, como si llegara tarde a una cita.

—Eh… Hola —contesté. Me sentí de lo más raro mientras me esforzaba por ser amable—. ¿Dónde está Bella?

—En el servicio —me respondió Alice—. La mayoría de su dieta es fluida, ya sabes. Además, tengo entendido que ése es uno de los efectos del embarazo.

Me quedé allí como un pasmarote, balanceándome, adelante y atrás.

—Qué bien —refunfuñó Rosalie. Ladeé la cabeza a tiempo de verla llegar desde una sala semioculta por las escaleras. Acunaba a Bella entre los brazos con ternura, pero a mí me puso mala cara—. Sabía que algo apestaba.

Y entonces, igual que la otra vez, el rostro de Bella se iluminó como el de un niño la mañana de Navidad. Me miró como si le hubiera traído el mejor de los regalos.

Aquello era muy injusto.

—Has venido, Jacob —jadeó.

—Hola, Bells.

Esme y Edward se levantaron. Observé el cuidado con el que la Barbie depositaba a la embarazada en el sofá. A pesar del esmero empleado, Bella se puso blanca como la cal y contuvo la respiración, como si se propusiera no emitir queja alguna por intenso que fuera el dolor.

Edward le frotó la frente con los dedos y luego llevó la mano al cuello. Intentó hacer pasar el gesto como si le estuviera arreglando el pelo, pero a mis ojos aquello tenía la pinta de una inspección médica en toda regla.

—¿Tienes frío? —murmuró.

—Estoy bien.

—Recuerda el consejo de Carlisle, Bella: no le restes importancia a las molestias —le instó Rosalie—. Eso no nos ayuda a cuidar de ti.

—De acuerdo, tengo un poco de frío. ¿Puedes pasarme esa manta, Edward?

Puse los ojos en blanco.

—¿No está eso un tanto fuera de lugar estando yo aquí?

—Acabas de entrar, y seguro que después de tirarte el día entero de un lado para otro —repuso Bella—. Descansa un minuto. Probablemente se me pasará el frío en un visto y no visto.

La ignoré y me senté en el suelo, junto al sofá, mientras ella todavía estaba diciendo qué debía hacer. Aunque llegados a ese punto, no supe cómo moverme, pues tenía un aspecto tan frágil que me daba grima la idea de moverla o incluso de pasarle el brazo por el hombro. Al final me acomodé en el sofá, me recliné con sumo cuidado contra ella y dejé que mi brazo descansara sobre toda la extensión de los suyos al tiempo que le tomaba de la mano. Entonces, puse la otra mano sobre su rostro. No era fácil determinar si estaba más fría de lo habitual.

—Gracias, Jake —dijo con una nota de escalofrío en la voz.

—De nada —repuse.

Edward se sentó junto al brazo del sofá, a los pies de Bella, y no perdía de vista el rostro de su esposa.

Era demasiado esperar que nadie oyera los ruidos de mi estómago, con los oídos tan finos que se gastaban todos los presentes en la habitación.

—¿Por qué no le traes a Jacob algo de comida, Rosalie? —pidió Alice, a quien no veía por haberse situado detrás del respaldo del sofá.

Rosalie no salía de su asombro y dirigió una mirada fulminante hacia el lugar de procedencia de la voz.

—Te lo agradezco mucho, Alice, pero preferiría no comer nada donde Rosalie haya podido escupir. Seguro que mi cuerpo metaboliza el salivazo como si fuera veneno.

—Rosalie jamás avergonzaría a Esme con semejante falta de hospitalidad.

—Por supuesto que no —espetó la rubia con una voz aterciopelada de la que desconfié en el acto. Se levantó y salió en estampida de la habitación.

Edward suspiró.

—Me dirás si le ha echado veneno, ¿no? —le pregunté.

—Sí —prometió él.

Y por no sé qué extraña razón, le creí.

Se produjo una escandalera en la cocina, era un redoble extraño, como si el metal protestara por el maltrato. Edward suspiró otra vez, pero una sonrisa le curvó un poco los labios. Entonces, Rosalie estuvo de regreso antes de que yo pudiera darle más vueltas. Con una burlona sonrisa de complacencia, depositó un cuenco plateado en el suelo, junto a mí.

—Hala, disfruta, perrito.

Aquello debía de haber sido una fuente o una ensaladera, pero ella lo había vuelto del revés hasta lograr que tuviera exactamente la forma de un plato para perros. La rapidez y la maña me impresionaron, no pude evitarlo, y también el amor al detalle demostrado por Rosalie, que había escrito la palabra «*Fido*» en un lado con una letra excelente.

La comida parecía magnífica: nada menos que un bistec con patatas y una completa guarnición. Por eso, le dije:

—Gracias, rubita.

Ella me bufó.

—Eh, ¿sabes cómo se llama a una rubia con cerebro? —le pregunté, y le contesté sin esperar respuesta—: Golden Retriever.

—Ése también lo había oído —repuso, ya sin sonreírme.

—Lo seguiré intentando —le prometí antes de centrarme en la comida.

Ella torció el gesto con desagrado y puso los ojos en blanco. A continuación, se sentó en uno de los brazos del sofá y comenzó a hacer *zapping* en la enorme televisión a tal velocidad que era totalmente imposible que estuviera buscando algún programa.

La comida estaba buenísima a pesar de la hediondez a vampiro que flotaba en el ambiente, y lo cierto era que empezaba a habituarme, por mucho que no me muriera de ganas de adquirir ese hábito. En fin.

Estuve considerando la posibilidad de ponerme a dar lametones al cuenco sólo para hacer rabiar a la Barbie, pero en ese momento noté los dedos helados de Bella recorriéndome el pelo hasta llegar al final del cuello.

—Tal vez ha llegado la hora de cortármelo, ¿no te parece?

—Te estás poniendo un tanto peludo, sí —dijo ella—, tal vez...

—Déjame adivinar, alguien de por aquí ha cortado el pelo en una peluquería parisina...

Ella rió entre dientes.

—Es probable.

—No, gracias —le atajé antes de que pudiera hacerme una oferta en firme—. Estoy bien todavía para unas cuantas semanas.

Aquel diálogo me llevó a preguntarme durante cuánto tiempo iba a estar bien ella y empecé a darle vueltas a cuál sería el modo más amable de formular esa pregunta.

—Esto... Oye... ¿Cuándo es la gran fecha? Ya sabes, el día previsto para que nazca el monstruito —me dio un manotazo en la nuca que me hizo el mismo efecto que el roce de una pluma al caer. Pero no me respondió—. Hablo en serio —le insistí—. Me gustaría saber cuánto voy a tener que estar por aquí.

Y cuánto tiempo te vas a quedar, añadí para mis adentros. Entonces, me volví para mirarla. Volvía a fruncir el ceño y tenía un brillo pensativo en los ojos.

—No lo sé —admitió en un murmullo—. No exactamente. Es obvio que aquí no van a aplicarse los nueve meses convencionales y los ultrasonidos tampoco nos sacan de dudas, por lo que Carlisle hace cábalas tomando como referencia el volumen de mi vientre. Se supone que en los embarazos normales se llega a unos cuarenta centímetros cuando el bebé está completamente desarrollado —me informó mientras llevaba el dedo al centro de su abultada tripa—. Eso hace un centímetro por semana, ¿no? Pues esta mañana volvía a estar muerta de sed y he ganado dos centímetros en un solo día, y a veces he aumentado incluso más…

¿El feto crecía en un día lo de dos semanas? Los días pasaban volando. La vida se le iba a marchas forzadas. ¿Cuántos días podían quedarle a Bella si la cuenta terminaba al llegar a los cuarenta centímetros? ¿Cuatro? Necesité más de un minuto para acordarme de respirar.

—¿Estás bien? —me preguntó Bella.

Me limité a asentir, pues no estaba muy seguro de la voz que me iba a salir.

Edward miró en otra dirección cuando escuchó mis pensamientos, pero pude verle el semblante en el reflejo de la pared de cristal. Volvía a ser el de un hombre consumido.

Resultaba curioso cómo tener una fecha límite hacía aún más intolerable la posibilidad de irme o de que se fuera ella. Me alegraba de que Seth me hubiera puesto al tanto, pues así sabía que se iban a quedar allí. Habría sido insoportable estar preguntándome si iban a marcharse en uno, dos o tres de esos cuatro días. Mis cuatro días.

También era extraño que estuviera cada vez más enganchado a ella, más y no menos, incluso a sabiendas de que todo estaba a punto de acabar. Daba la impresión de guardar cierta relación con su creciente barriga, como si al engordar, ganase también fuerza gravitatoria.

Intenté mirarla con cierta distancia durante cerca de un minuto a fin de mitigar su poder de atracción. Supe que no era cosa de mi imaginación, que mi necesidad de ella era más fuerte que nunca. Y eso…, ¿a santo de qué? ¿Porque se estaba muriendo o porque sabía que, incluso aunque sobreviviera, el mejor de los escenarios posibles, iba a cambiar hasta convertirse en otra cosa, algo que no iba a comprender ni a conocer?

Bella recorrió mi pómulo con el dedo. Cuando me tocó, yo tenía el rostro bañado en sudor.

—Todo va a ir bien —me canturreó.

No importaba la falta de significado de las palabras. Ella las pronunció como quien canta esas nanas sin sentido a los niños. Duérmete niño, duérmete ya.

—Fijo —musité.

Ella se reclinó sobre mi brazo y apoyó la cabeza en mi hombro.

—Todavía no me creo que hayas venido. Seth me lo aseguró, y Edward también, pero no les creía.

—¿Por qué no? —pregunté con cierta brusquedad.

—No estás a gusto aquí, pero has venido igualmente.

—Querías que viniera.

—Lo sé, pero no tenías que haber venido, porque no está bien que yo desee tenerte aquí. Debería haberlo comprendido.

Se hizo el silencio durante cerca de un minuto. Edward volvió a la posición anterior, con el rostro mirando a la televisión mientras Rosalie seguía cambiando de un canal a otro. Debía de llevar seiscientos por lo menos. Me pregunté cuánto tardaría en volver al primer canal.

—Gracias por venir —susurró Bella.

—¿Puedo preguntar algo?

—Por supuesto.

Edward daba el pego y parecía no prestarnos atención alguna, pero él sabía cuál era mi pregunta, a mí no me engañaba.

—¿Por qué quieres que esté aquí? Seth podía haberte mantenido caliente y probablemente ese pequeño rebelde habría estado feliz de rondar por la casa. Pero tú vas y sonríes como si yo fuera tu preferido en el mundo entero cuando cruzo esa puerta.

—Eres uno de mis preferidos.

—Eso chafa, y tú lo sabes.

—Sí —suspiró—. Lo siento.

—Vale, pero aun así sigues sin responder: ¿por qué?

—Me siento completa cuando estás cerca. Tengo esa sensación propia de cuando está reunida toda la familia… Bueno, quiero decir, la sensación que se debe de sentir, porque nunca antes había tenido una familia numerosa. Es guay —sonrió durante una fracción de segundo—. Y no está completa si faltas tú.

—Bella, yo jamás he formado parte de tu familia.

Podía haber ocurrido y habría estado a gusto en ese lejano futuro que murió antes de tener una oportunidad de vivir.

—Tú siempre has formado parte de mi familia —discrepó ella.

Rechiné los dientes.

—Menuda birria de respuesta.

—¿Y cuál habría sido buena?

—Algo así como: «Disfruto de tu dolor, Jacob».

Ella dio un respingo.

—¿Y a ti eso te parece mejor?

—Más cómodo y llevadero, seguro que sí. Podría comprenderlo, sería capaz de asumirlo.

Bajé los ojos para contemplar su rostro, tan cerca del mío. Apretaba con fuerza los párpados cerrados y fruncía el ceño.

—Hemos perdido el hilo en algún momento, Jacob. Nos hemos descompensado. Se suponía que tú ibas a formar parte de mi vida. Puedo sentirlo y también tú —hizo una pausa de un segundo sin abrir los ojos, como si estuviera a la espera de que yo lo negara. Continuó al comprobar que no decía nada—. Pero no de este modo. Hemos hecho algo mal. Yo lo he hecho. Cometí un error y dejamos de estar en la misma onda.

Se le apagó la voz y el ceño de preocupación se suavizó hasta convertirse en una simple arruga en la comisura de los labios. Esperé a que ella echara más vinagre en mis heridas, pero en ese momento, desde el fondo de su garganta llegó un leve ronquido.

—Está agotada —intervino Edward en voz baja—. Ha sido un día largo y duro. Creo que se hubiera tendido a dormir antes, pero estaba esperándote.

No le miré.

—Seth me ha dicho que tiene rota otra costilla.

—Sí, y eso le dificulta la respiración.

—Genial.

—Infórmame cuando vuelva a subirle la temperatura.

—Sí.

El brazo en contacto con mi cuerpo se había entibiado, pero Bella tenía el otro con carne de gallina. Apenas había levantado la cabeza en busca de una manta cuando Edward tomó una del brazo del sofá y la extendió para cubrirla.

En ocasiones, la capacidad telepática de Edward salvaba algunos momentos difíciles. Por ejemplo, en ese instante. Tal vez yo no hubiera sabido expresar bien mi opinión sobre lo que estaban a punto de hacer con Charlie. Menudo lío. Él únicamente tuvo que hacerse eco de mi rabia...

—Sí, no es una buena idea —coincidió.

—En tal caso, ¿por qué...?

¿Por qué Bella le contaba a su padre que estaba en vías de recuperación cuando eso únicamente iba a hacerle sentir más miserable a la larga?

—No soporta la ansiedad de Charlie...

—¿Y por eso es mejor...?

—No, no es mejor, pero en este momento no voy a obligarle a hacer nada que la entristezca. Ahora, ella se siente mejor actuando de este modo. Ya me encargaré del futuro en su momento.

Aquello no tenía buena pinta. No era propio de Bella marear la perdiz y posponer la pena de Charlie para que fuera otra persona quien la encarase. Incluso aunque estuviera agonizante, esa actuación no parecía suya. O yo no la conocía, o ella tenía otro plan.

—Está muy convencida de que va a salir con bien de ésta —dijo Edward.

—Pero no como humana —protesté.

—No, como humana, no, pero de todos modos espera ser capaz de ver a Charlie de nuevo.

Vale, la cosa pintaba cada vez mejor.

—Ver… a… Charlie —al final, le miré echando chispas por los ojos—. ¿Cómo va a ver a Charlie cuando tenga la piel de un blanco centelleante y unos relucientes ojos rojos? Yo no soy una sanguijuela y tal vez me esté perdiendo algo, pero elegir a Charlie como su primera comida me parece de lo más extraño, la verdad.

Edward suspiró.

—Es consciente de que no va a poder acercarse a su padre durante al menos un año. Alberga la esperanza de andarse con rodeos y decirle que ha tenido que ir a un hospital especial en las antípodas. Vamos, mantener el contacto a través de llamadas telefónicas…

—Eso es una locura.

—Sí.

—Charlie no es un estúpido. Incluso aunque Bella no le mate, ¿acaso crees que no va a notar la diferencia?

—Pues ella confía en algo por el estilo —le fulminé con la mirada a la espera de una explicación—. Ella no va a envejecer, por supuesto, por lo cual tiene un tiempo limitado, incluso aunque Charlie se trague todos los embustes justificativos de sus alteraciones —esbozó una sonrisa casi imperceptible—. ¿Recuerdas cuando intentaste contarle a Bella lo de tu transformación? ¿Cómo conseguiste que lo adivinara…?

Cerré la mano libre hasta convertirla en un puño.

—¿Te ha contado eso?

—Sí, cuando me estuvo explicando su… idea. Verás, no se le permite contarle a su padre la verdad, pues eso sería demasiado peligroso para él, pero Charlie es un hombre listo y práctico, por lo que Bella supone que él será capaz de hacerse su composición de lugar y que llegará a una conclusión equivocada —Edward lanzó un bufido—. Después de todo, resulta difícil meter a los Cullen en el estereotipo de los vampiros. Seguro que realiza alguna conjetura errónea sobre nosotros, igual que ella en un principio, y nosotros la vamos a secundar. Ella espera ser capaz de verle en persona… de vez en cuando.

—Menuda chifladura…

—Sí —admitió otra vez.

Dejar que Bella fuera a su bola en este tema para tenerla contenta era una flaqueza por parte de Edward. No podía terminar bien.

Lo cual me hacía pensar que lo más probable era que él no esperara que su esposa viviera para poner en práctica ese plan suyo sin pies ni cabeza. Entretanto, la aplacaba a fin de que fuera feliz un poco más.

Algo así como cuatro días más.

—Lidiaré con ese problema cuando toque —susurró; luego, volvió el rostro y miró a lo lejos para que ni siquiera pudiera ver el reflejo de su semblante—. Ahora no quiero causarle el menor dolor.

—¿Son cuatro días…?

—Más o menos —repuso sin levantar los ojos.

—Y entonces, ¿qué?

—¿A qué te refieres?

Me acordé de las palabras de Bella sobre el feto envuelto y protegido por unas membranas tan fuertes como la piel de vampiro. ¿Y cómo funcionaba eso? Dicho de otro modo, ¿cómo iba a salir ese feto del útero materno?

—No hemos podido investigar mucho, pero a juzgar por la información disponible, parece ser que las criaturas usan los dientes para escapar de la matriz —susurró.

Necesité un tiempo para tragar la bilis.

—¿Investigar…? —pregunté con voz decaída.

—No has visto por aquí a Jasper ni Emmett por ese motivo, y eso es lo que está haciendo ahora Carlisle: descifrar antiguas historias y mitos a fin de tener algo con lo que trabajar aquí. Buscan cualquiera cosa que pueda ayudarnos a predecir la conducta de la criatura.

¿Historias…? Si había mitos antiguos, eso significaba…

—… que tal vez no sea la primera de su clase —comentó Edward, anticipándose a mi pregunta—. Quizá. Todo es de lo más impreciso. Es fácil que muchos mitos tengan su origen en el miedo y en una imaginación calenturienta, aunque… —llegado a este punto, la voz le flaqueó—. Los mitos humanos son ciertos, ¿no? Bueno, puede que éstos también lo sean. Parecen estar localizados y vinculados…

—¿Cómo los habéis encontrado…?

—Conocimos a una mujer sudamericana versada en las tradiciones de su pueblo. Estaba al tanto de los avisos contra tales criaturas en las viejas historias que habían pasado de una generación a otra.

—¿En qué consistían tales avisos?

—Había que matar a la criatura nada más nacer, antes de que cobrara demasiada fuerza.

Exactamente lo que pensaba Sam. ¿Y si terminaba por tener razón?

—Las leyendas dicen lo mismo de nosotros, por supuesto, que somos unos asesinos desalmados y debemos ser destruidos.

Dos de dos.

Edward soltó una risotada entre dientes.

—¿Qué cuentan esas historias acerca de las madres...?

El dolor crispó las facciones de Edward, a quien se le quedó un careto que echaba de espaldas. Supe que no iba a darme una respuesta. Dudaba que fuera capaz de articular palabra.

Rosalie había permanecido callada y tan quieta que casi había llegado a olvidarme de su presencia, pero fue ella quien metió baza en la respuesta.

—Ninguna sobrevivió, por supuesto —contestó sin hacer amago de ocultar la nota de mofa procedente del fondo de su garganta. «Ninguna sobrevivió». Directa e indiferente—. Parir en medio de los marjales infestados de enfermedades sin otra asistencia que la de un brujo que les untaba la cara con saliva de perezoso para alejar los malos espíritus jamás ha sido el más seguro de los métodos. La mitad de los partos normales acababan mal. Ninguno de ellos tuvo a su disposición lo mismo que este bebé: cuidadores con una idea de sus necesidades, capacitados para atender sus carencias, un médico con un conocimiento sin parangón sobre la naturaleza vampírica, y un plan pensado para conservar al niño lo más a salvo posible. El bebé va a estar bien y la madre cuenta con la ponzoña de vampiro para reparar los daños. Esas otras madres hubieran sobrevivido con toda probabilidad si hubieran contado con los mismos medios... Si es que esas madres han existido, que de eso no estoy yo nada convencida.

Olisqueó con desdén.

Y dale, el bebé, el bebé. Era como si no importara nada más. La vida de Bella era un detalle menor para Rosalie, algo de lo que uno podía desentenderse.

El rostro de Edward estaba blanco como la pared y tenía las manos engarfiadas a modo de garras. Rosalie se giró en su sillón para poder estar de espaldas a él, con un egoísmo absoluto y una plena indiferencia. Él cambió de postura y se inclinó hacia delante.

Permítemelo, le sugerí.

Hizo una pausa y enarcó una ceja.

Tomé el cuenco de perro del suelo en silencio y luego lo lancé con un giro de muñeca fuerte y veloz contra la nuca de la Barbie, donde impactó de lleno, en medio de un gran estruendo, antes de salir rebotado y cruzar toda la habitación para acabar partiendo el tope redondeado del grueso poste de la escalera, que cayó a los pies de la misma.

Bella se removió, pero no llegó a despertarse.

—Estúpida rubia —murmuré.

Rosalie volvió la cabeza muy despacio. Tenía unos ojos llameantes.

—Me has manchado el pelo de comida.

Pues sí, eso había hecho…

Empezar una bronca. Me alejé de Bella a fin de no perturbarla y me reí con tantas ganas que comenzaron a caerme lagrimones por la cara. Enseguida noté la risa musical de Alice, que se unía a mis carcajadas desde detrás del sofá.

Me pregunté por qué Rosalie no saltaba, pues me esperaba algo así, pero entonces me di cuenta de que el ruido había terminado por despabilar a Bella.

—¿Qué es tan gracioso? —murmuró.

—Le he llenado el pelo de comida —le dije, riendo de nuevo en voz alta.

—No voy a olvidar esto, chucho —masculló Rosalie.

—Está chupado borrarle la memoria a una rubia —repliqué—. Basta con soplarle por el oído, tiene la cabeza tan hueca que se le van las ideas.

—A ver si buscas chistes nuevos —me espetó.

—Venga, Jake, deja tranquila a Rosal... —Bella se interrumpió a mitad de frase e inhaló con un ruido agudo.

Edward se apoyó en mí y se acercó a ella en un instante, rompiendo la manta en el camino. Su esposa parecía tener convulsiones y arqueaba la espalda, que ya no reposaba sobre el respaldo del sofá.

—Sólo se está estirando —jadeó ella. Tenía los labios blancos como la cal y apretaba con fuerza las mandíbulas; daba la impresión de que intentaba contener los gritos.

Edward le puso una mano en cada mejilla.

—¿Carlisle...? —llamó al patriarca con voz baja y tensa.

—Aquí estoy —contestó el doctor.

Ni le había oído venir.

—Estoy bien, creo que ha pasado —dijo Bella. Seguía respirando con fatiga—. El pobre niño no tiene bastante espacio, eso es todo. Está creciendo mucho.

Había que tener tragaderas para soportar ese tono de adoración con el que hablaba de la criatura que la iba a rasgar, sobre todo después de la insensibilidad mostrada por Rosalie. Me entraron ganas de tirarle algo también a Bella.

Ésta no se dio cuenta de mi estado de ánimo.

—¿Sabes...? Me recuerda a ti —dijo entre jadeos, todavía con esa voz almibarada.

—No me compares con esa cosa —le espeté entre dientes.

—Sólo me refería al estirón que pegaste —replicó; parecía que mi comentario había herido sus sentimientos. Excelente—. De pronto, te hiciste altísimo. Cada minuto eras más alto, podías verlo. Él es así también. Crece demasiado deprisa.

Me mordí la lengua para no decirle lo que pensaba con tanta fuerza que me hice sangre. Sanaría antes de que terminara de tragarla, por supuesto. Eso era lo que Bella necesitaba, ser fuerte como yo y tener capacidad para curarse...

Respiró con algo más de calma y, ya otra vez en el sofá, se tumbó con el cuerpo desmadejado.

—Mmm —murmuró Carlisle.

Descubrí los ojos del doctor fijos en mí cuando alcé la vista.

—¿Qué...? —inquirí.

Edward ladeó la cabeza cuando supo la idea que le rondaba al médico por la mente.

—Como ya sabes, me devanaba los sesos pensando en la composición genética de las células fetales, Jacob, y en los cromosomas del feto.

—¿Y qué?

—Bueno, tomando en consideración vuestras semejanzas...

—¿Semejanzas? ¿Qué semejanzas? —refunfuñé. No me gustaba ni un pelo el uso del plural.

—El crecimiento acelerado y la imposibilidad de que Alice pueda veros.

Me quedé pasmado. Había olvidado totalmente la otra.

—Bueno, me estaba preguntando si a partir de ahí era factible obtener una respuesta, si las similitudes son genéticas.

—Veinticuatro pares de cromosomas —concluyó Edward por lo bajinis.

—No lo sabe.

—No, pero es una hipótesis interesante para especular —dijo Carlisle con voz conciliadora.

—Ya, claro, fascinante.

Bella reanudó su suave ronquido, acentuando a la perfección el sarcasmo de mi frase.

Entonces, se enfrascaron en una conversación sobre genética tan profunda que llegó un momento en el que únicamente era capaz de comprender los artículos y las preposiciones, y mi propio nombre, por descontado. Alice se unió a ellos, efectuando algún que otro comentario con esa vocecita de pájaro tan llena de vida.

Incluso a pesar de ser el tema de la conversación, no intenté averiguar las conclusiones a las que estaban llegando. Tenía otras preocupaciones, otros hechos que debía poner en razón.

Primer hecho: Bella había mencionado la existencia de una membrana fuerte como la piel de un vampiro; protegía a la criatura y era impenetrable tanto para los ultrasonidos como para las agujas.

Segundo hecho: Rosalie había mencionado un plan para conseguir sacar a la criatura sana y salva.

Tercer hecho: Edward había hablado de la existencia de otras criaturas similares a este engendro en los mitos; seres que se abrían camino desde el útero materno a mordiscos.

Me estremecí.

Eso era lo que confería una lógica retorcida a todo aquello, porque, cuarto hecho, había muy pocas cosas capaces de cortar algo tan duro como la piel de un vampiro. Los dientes de la criatura a medio formar eran bastante fuertes si se daba crédito a los mitos. Yo tenía unos dientes muy fuertes.

Y un vampiro también.

Resultaba muy difícil hacer la vista gorda, pero me hubiera encantado ser capaz, ya que me hacía una idea bastante aproximada del método ideado por Rosalie para sacar del útero a la cosa sana y salva.

Alerta, exceso de información

Me había pegado un buen madrugón y llevaba mucho tiempo en pie cuando despuntó el alba. Apenas si había dado unas cuantas cabezadas recostado de mala manera sobre un lateral del sofá, pues Edward me había despertado cuando le subió la fiebre a Bella, que tenía coloretes en las mejillas, y ocupó mi lugar a fin de hacer descender la calentura con su baja temperatura corporal. Me desperecé y decidí que ya había descansado lo suficiente como para ponerme a hacer algo.

—Gracias —me dijo Edward en un susurro al leerme las intenciones—. Saldrán hoy si la ruta está despejada.

—Te tendré al tanto.

Fue una gozada volver a mi naturaleza animal. Tenía el cuerpo agarrotado después de haberme tirado sentado tanto tiempo. Troté a buen paso para sacarme de encima los calambres.

Buenos días, Jacob, me saludó Leah.

¿Estás levantada? Guay. ¿Cuánto hace que se marchó Seth?

Todavía sigo aquí, contestó él, soñoliento. *Ya me iba. ¿Qué necesitas?*

¿Te queda gasofa en el cuerpo para otra horita?

Cuenta con ello, sin problema. Seth se puso en pie de inmediato y se sacudió la pelambrera.

Vamos a hacer la ruta larga, le informé a Leah. *Seth, encárgate del perímetro.*

Oído cocina.

El joven Clearwater inició un trote muy ligero y se marchó.

Salimos a hacerles otro recadito a los vampiros, ¿no?, se quejó su hermana.

¿Te supone eso un problema?

No, por supuesto. No veas cómo me pone mimar a nuestras apreciadas sanguijuelas.

Bien, veamos lo rápido que somos capaces de correr.

Estupendo, eso me ha animado del todo.

Leah se hallaba en el extremo más oriental del perímetro. No quiso avanzar todo recto y acortar el camino para evitar cualquier cercanía a la casa de los vampiros y se mantuvo pegada a la línea mientras marchaba a mi encuentro. Yo eché a correr hacia el este; sabía que, como me relajara un segundo, ella acabaría adelantándome incluso aunque ahora le llevara ventaja.

Arrima la nariz al suelo y olfatea, Leah. Esto no es una carrera, sino una misión de reconocimiento.

Soy capaz de hacer ambas cosas y de darte un cabezazo.

Eso debía concedérselo.

Lo sé.

Ella se echó a reír.

Seguimos un sendero zigzagueante a través de las montañas orientales. Conocíamos la zona como la palma de la mano, pues la incorporamos a nuestra zona de patrulla para proteger mejor a la gente del lugar cuando los Cullen se marcharon, hacía cosa de un año, aunque nos vimos obligados a retrasar la línea tras la vuelta de los vampiros. Según el tratado, esa tierra era suya, lo cual ahora no tenía valor alguno para Sam, para quien el acuerdo ya no existía. La cuestión a día de hoy era hasta qué punto estaba dispuesto a extender sus fuerzas.

¿Tenía intención de acosar a algún miembro de la familia Cullen y darle caza en su tierra? ¿Había dicho Jared la verdad o se estaban aprovechando del silencio existente entre las dos manadas?

Nos adentramos más y más en la sierra sin hallar rastro alguno de los otros lobos; sólo encontramos alguna pista antigua de vampiros, pero ahora que me pasaba todos los santos días respirando sus efluvios me resultaban muy familiares esos aromas.

Me topé con una fuerte concentración de señales recientes en un camino en particular por el cual habían ido y venido todos los Cullen, salvo Edward. Un motivo para reunirse que debía de haber pasado a la historia cuando Edward regresó con su esposa, embarazada y agonizante. Rechiné los dientes. Fuera lo que fuera, no tenía nada que ver conmigo.

Leah no me adelantó, aunque podía haberlo hecho perfectamente. Yo prestaba más atención a cualquier posible olor nuevo que a una carrera. Caminó a mi costado derecho, me acompañó sin echarme ningún *sprint*.

Nos hemos alejado bastante, comentó.

Cierto. Si Sam ha merodeado en busca de algún vampiro desprevenido y solo, deberíamos habernos cruzado ya con su rastro.

Ahora mismo tiene más sentido que se atrinchere ahí abajo, en la reserva, opinó Leah. *Es consciente de que estamos dando a las sanguijuelas un refuerzo tal que no va a ser capaz de sorprenderlos.*

En realidad, esto no pasa de ser una simple precaución.

No queremos que nuestros preciosos chupópteros se arriesguen sin necesidad.

Pues no, admití al tiempo que hacía caso omiso al sarcasmo.

Hay que ver, cómo has cambiado, Jacob, ¡qué giro de ciento ochenta grados!

Tampoco tú eres la misma Leah de siempre, la que conocí y tanto quise.

Cierto. ¿Te resulto menos molesta que Paul?

Sorprendentemente, sí.

Ah, qué dulce es el éxito.

Felicidades.

Continuamos el avance en silencio. Lo más probable era que hubiera llegado el momento de dar media vuelta, pero la idea del regreso no nos seducía a ninguno de los dos, ya que nos sentíamos muy a gusto correteando sin rumbo por el bosque; estábamos hasta las narices de andar olfateando el mismo círculo todo el rato. Poder estirar las patas por un terreno escarpado era un gustazo. Se me ocurrió que quizá podríamos cazar algo durante la vuelta, pues no teníamos prisa alguna y Leah estaba muerta de hambre.

Ñam, ñam, pensó la loba con amargura.

Eso son comeduras de tarro tuyas, le repliqué. *Los lobos se alimentan de la caza. Es lo natural y además sabe bien. Si no te emperrases en verlo desde una perspectiva humana…*

Corta el sermón, Jacob. Si hay que cazar, cazaré, pero no tiene por qué gustarme.

Claro, claro, acepté sin complicarme la vida. Si le apetecía sufrir, ése era su problema.

Ella no comentó nada durante algunos minutos, hasta que me empezó a rondar por la sesera la posibilidad de volvernos.

Gracias, me espetó Leah sin venir a cuento. Su tono era diferente.

¿Por…?

Por dejar que me quede, por aceptarme. Te has portado conmigo mejor de lo que tenía derecho a esperar, Jacob.

Eh, vale. En realidad, tu presencia no me ha fastidiado tanto como yo pensaba.

Ella soltó un bufido, pero había en él una nota traviesa.

¡Menuda recomendación…!

Que no se te suba a la cabeza.

Vale, si tú no dejas que se te suba a ti lo que voy a decirte. Hizo una pausa de un segundo. *Creo que eres un buen Alfa. No te desenvuelves como Sam, tienes un estilo propio, pero eres digno de ser seguido, Jacob.*

Me quedé a cuadros, y tardé un momento en recobrarme lo suficiente como para ser capaz de contestar.

Vaya, gracias. No sé si seré capaz de contener la euforia. ¿Cómo se te ha ocurrido todo eso?

La loba no respondió en ese momento, por lo que tuve que seguir el hilo de sus pensamientos. Leah cavilaba sobre el futuro y recordaba lo que yo había dicho a Jared la mañana anterior, cuando le aseguré que este lío iba a terminarse enseguida. Le había prometido que, tras la marcha de los Cullen, mi intención era regresar a los bosques y que ella y Seth regresaran a la manada.

Querría quedarme contigo, me dijo.

El estupor me corrió patas abajo y me encasquilló las articulaciones. Ella continuó avanzando hasta que se percató de que me había dejado atrás, momento en que echó el freno y regresó con paso lento hacia mi posición.

Prometo no ser un incordio. No pulularé a tu alrededor. Tú irás adonde te venga en gana y yo haré otro tanto. Sólo deberás soportarme pacientemente cuando ambos seamos lobos. Leah caminaba de un lado para otro, moviendo la larga cola gris con nerviosismo. *Además, es posible que eso no ocurra a menudo, pues planeo dejarlo tan pronto como consiga dominarlo...*

No supe qué responderle.

Soy más feliz ahora que formo parte de tu manada de lo que lo he sido en años.

Yo también quiero quedarme contigo, pidió Seth. Hasta ese momento no me había fijado en cuánta atención nos estaba prestando mientras corría por el perímetro. *Me gusta esta manada.*

Eh, un momento. Esto no va a continuar siendo una manada por mucho tiempo, Seth. Intenté poner en orden las ideas a fin de que le sonaran convincentes. *Ahora tenemos un objetivo, pero yo voy a llevar una existencia de lobo cuando todo esto acabe. Eres un tío legal, la clase de persona que siempre tiene un propósito por el que luchar, una cruzada. Pero ahora no tienes forma de marcharte de La Push. Vas a terminar el instituto y hacer algo con tu vida. Debes hacerte cargo de Sue. Mis problemas no pueden fastidiarte el futuro.*

Pero...

Jacob tiene razón, me secundó Leah.

¿Estás de acuerdo conmigo?

Por supuesto que sí, pero nada de eso se aplica a mí; de todos modos, yo ya tengo mis propios planes: voy a conseguir un curro en algún sitio lejos de La Push y quizá haga algún curso. Me meteré en clases de yoga y de meditación hasta ser capaz de controlar mi genio. No veas lo bien que le sienta a mi coco formar parte de esta manada. ¿Le ves el sentido, no, Jacob? Ni tú ni yo nos incordiamos el uno al otro y todo el mundo es feliz.

Me di la vuelta y eché a andar despacio hacia el oeste.

Esto es mucho para mí, Leah. Déjame pensarlo, ¿vale?

Claro, tómate tu tiempo.

El viaje de regreso duró más que el de ida. No hice esfuerzo alguno en apretar el paso, pues tenía puestos los cinco sentidos en no abrirme la cabeza contra la rama de algún árbol. Seth no dejaba de refunfuñar en un rincón de mi mente, pero yo le ignoraba. El chaval sabía que yo tenía razón. No podía abandonar a su vieja. Seth regresaría a la reserva y protegería a la tribu como era su obligación.

Pero no era ése el caso de Leah. Y, la verdad, me asustaba lo suyo.

¿Una manada de dos lobos? La distancia física era irrelevante a la hora de evaluar la intimidad de la situación. Yo no podía ni imaginarlo, y me preguntaba si ella se lo había pensado de veras o simplemente estaba como loca por sentirse libre.

La loba no metió baza mientras yo buscaba el modo de hincarle el diente a semejante *problemón*. Leah parecía querer indicarme con esa actitud lo fácil que iba a ser todo si estábamos a solas ella y yo.

Nos tropezamos con un grupo de ciervos de cola negra poco después de que apareciera el sol, iluminando levemente las nubes situadas a nuestra espalda. Leah suspiró en su fuero interno, pero no vaciló. Su arremetida fue limpia y eficiente, incluso grácil. Se lanzó a por el macho, el más grande del grupo, y lo abatió antes de que el sorprendido mamífero se hubiera percatado del peligro.

Para no ser menos, me abalancé a por el siguiente más grande de la manada, una hembra a la que le partí en dos el cuello para no hacerla sufrir de forma innecesaria. Percibí cómo en Leah se enfrentaban el asco y el hambre, por lo cual intenté ponérselo más fácil y dejé salir al lobo que habitaba en mí. Había vivido bajo la forma lupina el tiempo suficiente para saber cómo comportarme en todo igual que un lobo, pensar y verlo todo como él. Dejé aflorar los prácticos instintos de depredador para que también los sintiera ella. Al principio, vaciló, pero luego pareció relajar sus defensas e intentó verlo igual que yo. Fue de lo más raro cuando nuestras mentes se unieron en una sola, más cerca de lo que lo habían estado jamás, porque ambos habíamos intentado pensar juntos y en sintonía.

Y por extraño que parezca, funcionó. La loba rasgó con los dientes la pelambrera del lomo de su víctima y desgarró un trozo de carne chorreante de sangre. En vez de hacerle ascos, como habría correspondido a los instintos humanos que tanto apreciaba, se dejó llevar por su lado lobuno. Fue como un sopor, un aletargamiento que le permitió comer en paz.

Me resultó muy fácil hacer lo mismo, y me alegró un montón no haber olvidado ese instinto, ya que así iba a ser mi vida al cabo de poco tiempo.

¿Y si Leah formaba parte de esa existencia? La idea hubiera resultado horrorosa hacía apenas una semana y se me hubiera antojado insoportable, pero ahora la conocía mejor, y con independencia de que siguiera siendo un grano en el culo, Leah no era ni la misma loba ni la misma chica.

Nos pegamos una panzada de comer y no paramos hasta encontrarnos ahítos.

Gracias, me dijo después de haberse limpiado el hocico y las patas sobre la hierba húmeda. Yo ni me molesté en contestar, pues había empezado a caer un fino calabobos y estaba pensando en que debíamos vadear el río durante el viaje de vuelta. *No está tan mal si lo ves desde tu punto de vista.*

De nada.

Seth iba dando tumbos de fatiga cuando llegamos al perímetro, por lo que le indiqué que se fuera a dormir mientras Leah y yo le hacíamos el relevo. El joven Clearwater se quedó roque en cuestión de segundos.

¿Vas a volver a la casa de los vampiros?, inquirió Leah.

Tal vez.

Se te hace duro estar allí y lo pasas mal cuando no estás. Sé cómo te sientes.

Mira, Leah, quizá deberías replantearte otra vez tu futuro, pensar en lo que quieres de verdad. Mi sesera no es el lugar más alegre del mundo y vas a tener que soportarlo conmigo.

La loba meditó la respuesta.

Uf, quizá te parezca mal, pero siendo francos, será más fácil afrontar tus penas que las mías.

Está bien.

Sé que vas a pasarlo mal, Jacob. Lo entiendo (quizás mejor de lo que tú crees). Bella no es de mi agrado, pero… ella es tu Sam. Es todo lo que tú deseas y todo cuanto no puedes tener.

No fui capaz de responderle.

Sé que para ti es peor, pues Sam, cuando menos, es feliz y está sano y salvo. Le amo lo bastante como para desearle lo mejor. Suspiró. *Yo lo único que quiero es no estar cerca de él y tener que verlo.*

¿Es necesario hablar de esto?

A mi entender, sí, ya que mi deseo es hacerte comprender que yo no voy a empeorarte las cosas. Demonios, tal vez incluso te sirva de ayuda. No nací para ser una arpía despiadada, antes era una tía de lo más legal, y tú lo sabes.

La memoria no me llega tan atrás.

Nos echamos a reír al mismo tiempo.

Lamento todo esto, Jacob. Siento que estés dolido, me fastidia que las cosas vayan a ir a peor y no a mejor.

Gracias, Leah.

Ella se detuvo a contemplar las imágenes más negras de mi mente, mientras yo intentaba evitarlas. Leah era capaz de verlo todo con cierta distancia, con perspectiva, y tuve que admitir que eso era de gran ayuda, pues me hacía suponer que, tal vez, también yo fuera capaz de analizarlo de ese modo en cuestión de pocos años.

También vio el lado divertido de mi fastidioso trato diario con los vampiros. Le gustaban mis rifirrafes con Rosalie, se partía de risa, e incluso me proporcionó varios chistes sobre rubias para que yo pudiera usarlos. Pero de pronto, sus pensamientos adquirieron un cariz serio y se demoraron sobre el rostro de Rosalie de un modo que me dejó confuso.

¿Sabes cuál es la mayor locura de todas?, me preguntó.

Bueno, en este momento, casi todo es una locura, pero ¿a qué te refieres?

No sabes hasta qué punto puedo ponerme en el lugar de la vampira rubita que tan mal te cae.

Pensé por un momento que intentaba contarme un chiste, de pésimo gusto, por cierto, pero luego, cuando pillé la seriedad de sus palabras, me invadió una rabia tan grande que me costó controlarla. Qué bien me vino que nos hubiéramos distanciado un poco para ir de patrulla, porque de haberla tenido cerca, no veas el mordisco que le hubiera atizado…

¡Aguarda, tiene una explicación!

No deseo oírla. Me las piro.

¡Espera, espera!, me suplicó cuando me hube recuperado lo suficiente para cambiar de fase. *¡Vamos, Jake!*

Leah, ésta no es la mejor forma de persuadirme para que en el futuro pase horas y horas en tu compañía.

¡Jacob! Te estás pasando. Ni siquiera sabes a qué me refiero.

Bueno, pues dime, ¿a qué te refieres?

Ella se vio abrumada por un dolor que venía del pasado.

Te estoy hablando de ser un punto muerto genético, Jacob.

La nota cortante de sus palabras me hizo titubear. No esperaba que su comentario venciera mi mala leche.

No te entiendo.

Me comprenderías si no fueras como los demás, si no salieras por piernas como un macho estúpido ante la mención de mis «asuntos femeninos». El sarcasmo presidió sus pensamientos al hacer mención a esas dos palabras. *Por lo menos ahora podrías prestarme un poco de atención...*

Oh.

Cierto, a ninguno nos gustaba darle vueltas a ese asunto. ¿A quién iba a apetecerle? Por supuesto, me acordaba del pánico de Leah durante el mes posterior a su incorporación a la manada, y también de mi predisposición para escurrir el bulto, como todos los demás. Porque ella no podía quedarse embarazada, no a menos que se pusiera en marcha alguno de esos artificios religiosos al estilo de la inmaculada concepción, pero a lo bestia. Leah no había estado con nadie, salvo con Sam, y con el paso de las semanas, cuando vio que nada sucedía, comprendió que su cuerpo no iba a seguir los patrones biológicos normales.

Entonces, llegó el temor de preguntarse en qué se había convertido. ¿Había cambiado su cuerpo por culpa de la licantropía? ¿O era una loba porque su cuerpo estaba mal? Se trataba de la única mujer lobo de la historia. ¿Y si eso se debía a que no era una mujer como es debido?

Ninguno de nosotros quería tener nada que ver con aquella anomalía, y resultaba obvio que no éramos capaces de ponernos en la piel de Leah.

Ya sabes cuál es la razón de las imprimaciones, según Sam, pensó, ahora mucho más sosegada.

Claro. Perpetuar el linaje.

Exacto, asegurar otra camada de lobeznos. Este rollo va de la supervivencia de la especie, y se reduce a puro control genético. Te sientes atraído por la persona con mayores posibilidades de transmitir el gen de la licantropía.

Permanecí a la espera de que me dijese adónde quería llegar con todo aquello.

Yo habría atraído a Sam de haber sido válida.

Su dolor resultaba tan tangible que interrumpí mi caminar.

Pero no le atraigo. Algo falla en mí. No puedo transmitir el gen, a pesar de mi maravillosa línea de ascendencia, y eso hace de mí un monstruo. Me he convertido en la chica lobo de un espectáculo sólo para hombres, alguien que no vale para nada. Soy un punto muerto genético y ambos lo sabemos.

No lo sabemos, le repliqué. *Eso es una teoría de Sam. La imprimación es un hecho sin motivo conocido. Billy sospecha que hay algo más.*

Lo sé, lo sé. Tu padre cree que sirve para hacer lobos más fuertes, monstruos descomunales como tú y Sam, que sois mayores que vuestros padres; pero eso da igual de todos modos, porque sigo sin ser candidata apta. Soy menopáusica, con sólo veinte años tengo la menopausia...

Puaj. Con razón no quería yo mantener esta conversación.

No lo sabes, Leah. Lo más probable es que todo se deba al asunto ese de la suspensión en el tiempo. Estoy seguro de que las cosas irán mejor cuando se acabe lo de ser lobo y envejezcamos de nuevo; sí, entonces todo... eh... mejorará.

Tal vez aceptara esa posibilidad si no fuera porque no despierto la imprimación en nadie, sin importar mi impresionante pedigrí. ¿Sabes que Seth sería el macho con mejores opciones para ser el Alfa si no estuvieras tú en medio?, comentó pensativa. *Bueno, al* menos por cuestión de linaje. A mí nadie me tomaría en cuenta, por supuesto…

¿De veras quieres imprimar a alguien, o recibir la imprimación, o lo que sea?, inquirí. ¿Qué hay de malo en salir y enamorarse como las personas normales, eh? La imprimación no es más que una forma de alejar de ti a quien eliges.

A Sam, Jared, Paul y Quil no parece importarles ni pizca.

Ninguno de ellos tiene ni pizca de personalidad.

¿No deseas la imprimación?

¡Diablos, no!

Dices eso porque estás enamorado de Bella, pero la imprimación te alejaría de ella, ya sabes, y ya no tendrías que sufrir por su causa.

¿Acaso quieres tú olvidar lo que sientes por Sam?

Ella le estuvo dando vueltas durante unos instantes.

Eso creo.

Suspiré. Su mente era un lugar mucho más saludable que la mía.

Pero volviendo a mi afirmación del principio, Jacob, comprendo a la perfección por qué tu Barbie es tan fría (en un sentido figurado, claro está). Ella está obcecada. Tiene los ojos puestos en el trofeo, ¿no lo ves? Lo que más quieres es lo que nunca puedes tener.

¿Te comportarías como Rosalie? ¿Llegarías al asesinato?, porque lo que hace con Bella no tiene otro nombre, está garantizando su muerte al impedir toda interferencia. ¿Llegarías a ese extremo para tener un bebé?

Sólo deseo lo que no puedo tener, Jacob. Quizá jamás habría pensado en ello si no hubiera algo mal en mi cuerpo.

¿Llegarías a matar por eso?, inquirí. No dejé que se escabullera sin contestar a mi pregunta.

No es eso lo que ella hace. A tenor de su comportamiento, me da la impresión de que está viviendo la experiencia de la maternidad a través de otro, de Bella; y si ella me pidiera ayuda, en ese caso... Hizo una pausa para considerarlo. *Lo más probable es que hiciera lo mismo que la sanguijuela, incluso a pesar de que no tengo a Bella en mucha estima.* Solté un gruñido entre dientes. *Verás, si se volvieran las tornas, me gustaría que Bella hiciera lo mismo por mí, y así es como se conduce Rosalie. Ambas haríamos lo mismo.*

¡Bah, eres tan mala como ellas!

Eso es lo más irónico cuando sabes que no puedes tener algo. Te convierte en un desesperado.

Mira, éste es mi límite, hasta aquí. La conversación ha terminado.

Vale.

No me bastaba con que estuviera de acuerdo en dejar la conversación. Necesitaba poner punto y final a aquello con mayor contundencia.

Me hallaba a kilómetro y medio de donde había dejado las ropas, de modo que cambié de fase y me encaminé hacia allí tras adoptar mi forma humana. No pensé en nuestra conversación, y no por la ausencia de temas sobre los que reflexionar, sino porque no lo aguantaba. Yo no compartía los puntos de vista de Leah, y no era fácil distanciarse de todo aquello una vez que ella me había metido en la cabeza sus ideas y emociones.

No iba a permitir que ella me acompañase cuando todo esto acabara. Podía ser desdichada en La Push, no me importaba. Me bastaría con dar una simple orden con mi voz de Alfa, nadie iba a morirse porque yo diera un solo mandato como cabeza de la manada.

Era muy temprano cuando llegué a la casa. Lo más probable era que Bella continuara dormida. Pensé en asomar la cabeza para ver qué se estaba cociendo allí dentro y darles luego luz verde para que fueran de caza. Después, me buscaría una zona de hierba mullida para dormir a pierna suelta como humano. No pensaba volver a mi forma lupina hasta que Leah hubiera conciliado el sueño.

A juzgar por la cantidad de bisbiseos procedentes de la edificación, Bella estaba desvelada. Entonces oí el sonido de una máquina procedente de lo alto de la escalera. ¿El aparato de Rayos X? Estupendo. Parecía que el día cuatro de la cuenta atrás empezaba con una traca.

Alice me abrió la puerta antes de que pudiera entrar.

Asintió en señal de reconocimiento.

—Hola, lobo.

—Hola, pequeñaja —el gran cuarto de estar se hallaba vacío y todos los murmullos se escuchaban en el segundo piso—. ¿Qué sucede ahí arriba?

Ella encogió sus pequeños hombros puntiagudos.

—Creo que le ha roto algo más —sugirió con indiferencia fingida, aunque la delataban los rincones enrojecidos de los ojos. Aquello no sólo era un tormento para Edward y para mí. Alice también quería a Bella.

—¿Otra costilla…? —pregunté con voz ronca.

—No, esta vez ha sido la pelvis.

Resultaba curioso lo mucho que me afectaba. Cada novedad era una sorpresa. ¿Cuándo iba a salir de ese permanente pasmo? A posteriori, cada nuevo desastre parecía algo más que obvio.

Alice miró fijamente mis manos, presas de un temblor incontrolable.

Entonces, se escuchó la voz de Rosalie en el piso de arriba.

—¿Lo ves? Te dije que no había oído chasquido alguno. Necesitas revisarte los oídos, Edward.

No hubo respuesta.

La vampira hizo un mohín.

—Edward va a terminar por hacer picadillo a Rosalie, sí, eso creo. Me sorprende que ella no se dé cuenta, o tal vez piense que Emmett será capaz de frenarle.

—Puedo encargarme de Emmett —me ofrecí—. Tú puedes ayudar a Edward a destrozar a Rosalie.

Alice esbozó una media sonrisa.

La comitiva descendió las escaleras en ese momento. Esta vez era Edward quien llevaba en brazos a Bella, blanca como la pared, que sostenía con ambas manos una copa de sangre. Pude apreciar lo dolorida que estaba por mucho que él se moviera para compensar sus sacudidas.

—Jake —me saludó con un hilo de voz.

Me sonrió a pesar del dolor y yo me quedé mirándola, sin decir nada.

Edward la depositó con todo cuidado en el sofá y se sentó en el suelo, junto a su cabeza. Se me ocurrió de pasada que por qué no la dejaban en el piso de arriba, pero luego supuse que sería idea de Bella. Ella querría actuar con la mayor normalidad posible, lejos de la parafernalia de un hospital, y su marido le seguía la corriente, por supuesto.

Carlisle bajó la escalera con paso lento y la preocupación escrita en el rostro, hasta el punto de que, por una vez, aparentaba ser lo bastante entrado en años como para ser un médico.

—Hemos llegado casi hasta medio camino de Seattle sin hallar rastro alguno de la manada, Carlisle —anuncié—. Tenéis vía libre.

—Gracias, Jacob. La noticia llega en un buen momento —dirigió una mirada a la copa que Bella aferraba con todas sus fuerzas y agregó—: Nuestra necesidad es grande.

—Creo que podéis ir en grupos de más de tres, de veras. Estoy convencido de que Sam permanece acuartelado en La Push.

Carlisle cabeceó en señal de asentimiento. Me asombraba la facilidad con que aceptaba mi consejo.

—Si lo crees así, Alice, Esme, Jasper y yo iremos primero. Luego, Alice puede llevarse a Emmett y Rosal…

—Ni en broma —bufó Rosalie—. Emmett puede acompañarte ahora.

—Tú también deberías ir de caza —repuso Carlisle con voz amable.

El ademán conciliador del doctor no suavizó el discurso de Rosalie.

—Y lo haré, pero en el mismo grupo que él —refunfuñó mientras señalaba a Edward con un movimiento brusco de la cabeza; luego, se echó hacia atrás los cabellos.

Carlisle suspiró.

Jasper y Emmett bajaron los escalones en un abrir y cerrar de ojos y Alice se unió a ellos cerca de la puerta trasera abierta en la pared de cristal. Esme se dirigió enseguida hacia Alice.

Carlisle me puso una mano en el brazo. El toque helado de su palma no me hizo gracia alguna, pero aun así no me aparté. Seguí ahí, helado, quieto, en parte de puro pasmo, y en parte porque no deseaba herir sus sentimientos.

—Gracias —repitió.

Luego, salió disparado por la puerta en compañía de los otros cuatro vampiros.

Los seguí con la vista mientras atravesaban el prado a toda prisa. Desaparecieron antes de darme ocasión de inspirar otra vez. Su necesidad debía de ser más urgente de lo que había imaginado.

No hubo sonido alguno durante cerca de un minuto. Noté que alguien me taladraba con la mirada y adiviné quién debía de ser. Tenía pensado largarme para dormir a pata suelta, pero la posibilidad de aguarle la mañana a Rosalie parecía demasiado buena como para dejarla pasar.

Por eso, deambulé cerca del brazo del sofá en donde se había sentado Rosalie y al tomar asiento, me estiré de tal modo que mi cabeza basculó hacia Bella y el pie izquierdo acabó delante del rostro de Rosalie.

—Puaj, que alguien saque al perro —murmuró al tiempo que arrugaba la nariz.

—A ver si te sabes este chiste, psicópata. ¿Cómo muere la célula del cerebro de una rubia?

Ella no dijo ni mu.

—¿Y bien? —inquirí—. ¿Te sabes el final del chiste o no?

La Barbie no apartó la mirada de la pantalla y me ignoró con toda premeditación.

—¿Se lo sabe? —le pregunté a Edward, en cuyas facciones no había atisbo alguno de humor; sin embargo, pese a todo, me contestó:

—No.

—Genial. Seguro que este chiste te encanta, sanguijuela… La célula cerebral de una rubia muere… en soledad.

Rosalie siguió sin dirigirme una sola mirada.

—He matado cientos de veces más que tú, chucho sarnoso. No lo olvides.

—Algún día vas a cansarte de amenazas, oh, reina de la belleza. Te prometo que me muero de ganas de que eso ocurra.

—Ya vale, Jacob —terció Bella.

Bajé la mirada mientras ella fruncía el ceño. Parecía que el buen rollo de ayer había desaparecido.

Bueno, tampoco tenía mayor interés en fastidiarla.

—¿Deseas que me vaya? —le ofrecí.

Ella parpadeó y aligeró el ceño antes de que yo temiera o esperara que al final se hubiera hartado de mí. Parecía totalmente sorprendida de que hubiera llegado a semejante conclusión.

—No, por supuesto que no.

Se me escapó un suspiro, y a Edward otro, aunque casi imperceptible. Su marido habría preferido que ella me hubiera despedido, bien que lo sabía yo, pero ni por las malas le habría pedido a Bella nada que le hubiera hecho desgraciada.

—Tienes pinta de cansado —comentó Bella.

—Estoy reventado —admití.

—Ya me gustaría a mí reventarte a palos, ya me gustaría... —murmuró la Barbie, demasiado bajo para que su protegida la oyera.

Me repantigué bien a gusto en el sofá y empecé a menear los pies desnudos delante de las napias de Rosalie, que se puso tiesa como una escoba. Bella le pidió a Rosalie que le rellenara la copa y la rubia salió disparada hacia las escaleras en busca de más sangre. Reinaba un silencio sepulcral. Supuse que tal vez podría echar una cabezadita.

—¿Has dicho algo? —preguntó entonces Edward con un tono de manifiesta perplejidad.

Era extraño, ya que nadie había abierto el pico y él tenía un oído tan fino como el mío y sabía que ninguno habíamos hablado.

Clavó los ojos en Bella, que le devolvió la mirada. Ambos parecían confusos.

—¿Yo? —inquirió ella al cabo de un segundo—. No he dicho nada.

Edward se removió hasta quedarse de rodillas y se inclinó hacia delante con una expresión súbitamente concentrada. Fijó los ojos negros en el rostro de su esposa.

—¿Qué acabas de pensar ahora mismo?

Ella le miró con gesto de total confusión.

—Nada. ¿Qué ocurre?

—¿Y en qué pensabas hace un minuto? —insistió.

—Pues únicamente en… la isla Esme… y en plumas.

Aquello me parecía un galimatías de primera, pero entonces ella se puso roja como un tomate y tuve la corazonada de que era mejor no saberlo.

—Di algo, lo que sea —pidió él en un susurro.

—¿Como qué…? ¿Qué ocurre, Edward?

El rostro del interpelado volvió a alterarse e hizo algo que me hizo abrir la boca y me dejó con la mandíbula colgando; detrás de mí oí una exclamación entrecortada, era Rosalie, ya de vuelta, que estaba tan alucinada como yo.

Edward se movió con extremo cuidado mientras colocaba ambas manos sobre el enorme vientre redondeado.

—El fet… —tragó saliva—. A la… al bebé le gusta el sonido de tu voz.

Reinó un silencio sepulcral durante una fracción de segundo. No era capaz de mover un músculo ni de pestañear.

—¡Cielo santo, puedes oírle! —gritó Bella.

Pero un segundo después contrajo la cara a causa del dolor.

Edward movió la mano hasta el punto más prominente de la barriga y acarició con suavidad la zona donde la cosa debía de haber propinado la patada.

—Calla —musitó—. Le has asustado.

Ella abrió los ojos con desmesura a causa del asombro y luego palmeó un costado del vientre.

—Lo siento, peque.

Edward permaneció a la escucha con la cabeza ladeada hacia la barriga de su mujer.

—¿En qué piensa ahora? —quiso saber Bella con avidez.

—El fet… Él o ella está… —hizo una pausa y alzó la mirada para contemplar los ojos de Bella—. Está feliz —apostilló Edward con una nota de incredulidad en la voz.

La madre contuvo la respiración. Resultaba imposible no ver en sus ojos un brillo fanático, el de la adoración y la devoción. Unas gruesas lágrimas le desbordaron los ojos y le corrieron en silencio por las mejillas y los labios curvados en una sonrisa.

Cuando miraba a su esposa, el rostro de Edward ya no mostraba temor, enfado, tormento o ninguno de los sentimientos que le habían desgarrado desde su llegada. Estaba fascinado con ella.

—Claro que eres feliz, bonito, por supuesto que sí —canturreó con las mejillas bañadas en lágrimas mientras se acariciaba el vientre—. ¿Cómo no ibas a serlo, estando sano y salvo, y siendo tan querido? Te quiero mucho, pequeño E. J. Por supuesto que eres feliz.

—¿Cómo le has llamado? —preguntó Edward con curiosidad.

Ella volvió a sonrojarse.

—Le he puesto un nombre, en cierto modo… No pensé que tú quisieras, bueno, ya sabes…

—¿E. J.?

—Tu padre también se llamaba Edward, ¿no?

—Sí, en efecto, pero ¿qué significa…? —hizo una pausa y luego dijo—: Vaya.

—¿Qué?

—A él también le gusta mi voz.

—Naturalmente que sí —por el tono de su voz parecía que estaba alcanzando el culmen de la dicha—. Tienes la voz más hermosa del mundo. ¿A quién no le iba a gustar?

—¿Has previsto una alternativa? —preguntó Rosalie—. ¿Qué ocurre si él resulta ser ella?

Bella se enjugó las lágrimas con el dorso de la mano.

—He estado haciendo algunas combinaciones. He jugado con Renée y Esme. Estaba pensando en algo así como… Ruh-nez-may.

—¿Ruhnezmay?

—R-e-n-e-s-m-e-e. ¿Es demasiado raro?

—No, me gusta —le aseguró Rosalie.

—Todavía sigo pensando en mi criatura como si fuera un chico, un Edward.

Su marido se quedó mirando a las musarañas y con el rostro inexpresivo mientras permanecía a la escucha.

—¿Qué…? —preguntó Bella, con un rostro tan resplandeciente que se veía desde lejos—. ¿Qué piensa ahora?

Él no contestó en un primer momento, pero luego, dejándonos anonadados a todos, apoyó tiernamente la oreja sobre el vientre de Bella.

—Te quiere —susurró Edward, que parecía encandilado—. Te adora por encima de todo.

En ese momento supe que me hallaba totalmente solo.

Me quise dar de bofetadas cuando tomé conciencia de lo mucho que había contado con aquel aborrecible vampiro. ¡Qué idiota…! Era como confiar en una sanguijuela. Al final, iba a traicionarme. Por supuesto.

Había contado con tenerle de mi parte y que las pasara canutas, peor que yo, y por encima de todo, había contado con él para odiar aún más que yo a esa cosa revoltosa que mataba a Bella.

Había confiado en él para ese fin.

Y ahí estaban ahora, juntos los dos, inclinados sobre el invisible retoño de monstruo cuya existencia les encendía chiribitas en los ojos.

Ahora estaba yo solo con todo el odio y la pena. Resultaba tan atroz como estar sometido a tormento, como arrastrarse lentamente sobre un lecho de cuchillos afilados, tan insoportable que recibirías la muerte con una sonrisa sólo para librarte de una cosa así.

El calor me permitió sacudirme el agarrotamiento de los músculos y ponerme en pie.

Tres cabezas se alzaron de pronto. Presencié cómo mi sufrimiento ondulaba en las facciones de Edward como si de la superficie de una charca se tratara cuando él me leyó la mente.

—Ay —exclamó con voz estrangulada.

No sabía qué hacer. Estaba allí de pie, temblando de los pies a la cabeza, listo para salir por patas a la menor oportunidad.

Edward se dirigió enseguida hacia una mesita de esquina con movimientos sinuosos y extrajo algo de uno de los cajones; acto seguido, me lo tiró y yo lo tomé de forma refleja.

—Ve, Jacob, sal de aquí.

No me habló con dureza, sino más bien como alguien que preserva una vida. Me estaba ayudando a encontrar la vía de huida tan deseada.

Miré la palma de la mano, donde descansaba el juego de llaves de un coche.

¿Qué pinta tengo? ¿Es que parezco el Mago de Oz? ¿Qué es lo que quieres, mi cabeza o mi corazón? Pues hala, tómalos, llévate todo lo que es mío

Tenía algo similar a un plan mientras corría hacia el garaje de los Cullen. La segunda parte del mismo se centraba en el coche del chupasangre durante mi viaje de vuelta.

Pulsé el botón del mando a distancia del vehículo y me quedé a cuadros cuando me di cuenta de que el automóvil de luces parpadeantes del que procedían los pitidos no era el Volvo de Edward, sino otro coche, uno que destacaba y sobresalía en la larga hilera de vehículos que te hacían babear, cada uno a su manera.

¿Perseguía algún propósito especial al entregarme las llaves de un Aston Martin V12 Vanquish o era pura casualidad?

No me detuve a considerarlo para no cambiar la segunda parte de mi proyecto, por lo que me limité a dejarme caer sobre el suave asiento de cuero y puse en marcha el motor mientras me peleaba con el volante, que me rozaba en las rodillas. Cualquier otro día habría gemido de gusto al oír el ronroneo de ese motor, pero en aquel instante lo único que podía hacer era concentrarme a tope para ser capaz de conducirlo.

Encontré el botón de ajuste del asiento y me hundí hacia atrás mientras le metía un pisotón al acelerador. El deportivo salió hacia delante rápido como una bala.

Recorrí el estrecho y sinuoso camino en un periquete, pues el coche respondía de tal modo que daba la impresión de que estuviera conduciendo con la mente en vez de con las manos.

Atisbé durante unos instantes el lobuno rostro gris de Leah asomado con desasosiego entre los helechos cuando salí del camino flanqueado por la frondosa vegetación y me desvié hacia la autovía.

Durante unos segundos me pregunté qué pensaría y luego comprendí que me importaba un comino.

Conduje hacia el sur, porque no tenía humor ni paciencia para soportar tráfico, transbordadores o cualquier otra cosa que me exigiera levantar el pie del acelerador.

Aquél era mi maldito día de suerte, si se entiende por fortuna tomar a doscientos por hora una autovía espaciosa sin indicios de un solo poli ni de zonas de control de velocidad, de los que hay siempre en las inmediaciones de los núcleos urbanos, donde no se puede rebasar los cincuenta por hora. Menudo bajonazo. Me habría venido bien una pequeña persecución policial, por no mencionar que la licencia del coche estaba a nombre de la sanguijuela. Seguro que se las habría arreglado para salir bien librado, pero quizá le habría ocasionado algún que otro inconveniente.

La única señal de vigilancia con que me topé fue un pelaje marrón vislumbrado entre los bosques que corrió en paralelo a mí durante unos pocos kilómetros en el área meridional de Forks. Tenía toda la pinta de ser Quil. Y también debió de verme, ya que desapareció al cabo de un minuto sin dar la voz de alarma. Me pregunté qué habría sido de él antes de que me invadiera de nuevo una absoluta indiferencia.

Recorrí la larga autovía en forma de «u» de camino a la ciudad, la de mayor tamaño que había podido pensar. Ésa era la primera parte de mi plan.

Aquello parecía no acabar jamás, probablemente porque seguía dando vueltas en un lecho de cuchillos afilados, pero la verdad es que ni siquiera necesité dos horas antes de estar conduciendo por esa expansión urbana descontrolada que era en parte Tacoma y en parte Seattle. Levanté en ese momento el pie del acelerador, ya que no deseaba atropellar a ningún viandante.

El plan era una auténtica sandez y no iba a funcionar, pero recordaba las palabras de Leah cada vez que me devanaba los sesos en busca de una solución a mi dolor: «La imprimación te alejaría de ella, ya sabes, y ya no tendrías que sufrir por su causa».

Al parecer, lo peor del mundo no era quedarte sin opciones. Lo peor que podía pasarle a uno era sentirse así.

Pero yo había visto a todas las chicas de La Push y de la reserva de los makah y de Forks. Necesitaba ampliar el campo de acción de la caza.

Pero ¿cómo encontrar a tu alma gemela por azar en medio del gentío? Bueno, para empezar necesitaba una multitud. Por eso estaba dando un garbeo en coche a la búsqueda de un lugar adecuado. Pasé por delante de un par de centros comerciales que probablemente habrían sido lugares estupendos para encontrar chavalas de mi edad, pero no tuve cuerpo para detenerme. ¿De veras quería experimentar la imprimación con una chica que se pasara todo el día metida en un centro comercial?

Continué hacia el norte, donde había más y más gente. Al final, encontré un enorme parque atestado de niños, familias, aficionados al monopatín, ciclistas, chavales jugando a hacer volar una cometa, gente de picnic y un poco de todo lo demás. Hacía un día estupendo, pero no me había dado cuenta hasta ese momento. Brillaba el sol, y la gente había salido a disfrutar de un día despejado. Dejé el deportivo en medio de dos plazas de minusválidos, sólo mientras iba en busca de un tique, y me uní a la multitud.

Estuve caminando por la zona un tiempo indefinido, pero se me hizo eterno. Di tantas vueltas que el sol pudo cambiar de lado en el cielo. Estudié la cara de todas las chicas que pasaron cerca de mí y me obligué a mirarlas de verdad, a advertir cuál era guapa, cuál tenía ojos azules, a cuál le favorecía el top de tirantes, y cuál se había maquillado en exceso. Hice un gran esfuerzo para encontrar algo interesante en cada rostro, quería estar seguro de que lo había intentado de verdad, y estuve pensando en cosas de este estilo: «Esa chica tiene una nariz bien bonita»; «ésa debería apartarse el pelo de los ojos»; «ésa de ahí, si tuviera un rostro tan bonito como los labios, podría protagonizar anuncios de pintalabios...».

Alguna que otra me devolvía la mirada. En ocasiones, se mostraban asustadas; a juzgar por el careto parecían pensar: «¿Quién es esa bestia parda que me está mirando?». Sin embargo, algunas otras mostraban cierto interés, quizá fuera cosa de mi ego, que andaba un tanto descontrolado.

De un modo u otro, el resultado fue el de siempre: nada, no sentí absolutamente nada ni siquiera cuando mis ojos se encontraron con los de la tía más buena del parque (y probablemente de la ciudad) y ella me contempló con un gesto especulativo que quizá fuera interés. Bueno, sí sentí algo, la misma urgencia de buscar una salida a mi dolor.

Comencé a percibir ciertos defectos en los semblantes a medida que transcurría el tiempo, entendiendo por tales todo cuanto me recordaba a Bella. Una tenía el mismo color de pelo. El parecido de los ojos de esa otra era excesivo. Los pómulos de aquella otra se le marcaban en el rostro del mismo modo. El ceño de la de ahí delante era igualito, lo cual me llevaba a preguntarme cuál era su preocupación…

Fue entonces cuando me rendí. Era una estupidez rayana en la locura pensar que había elegido el lugar y el momento oportunos y que iba a topar con mi alma gemela mientras daba un paseo sólo porque estaba desesperado.

De todos modos, encontrarla allí iba contra la lógica. Si Sam estaba en lo cierto, el mejor lugar para encontrar a mi compañera genética era La Push, donde tenía más que claro que ninguna daba el tipo. Y si era Billy quien tenía razón, entonces ¿quién sabía qué haría de mí un lobo más fuerte?

Anduve distraído de vuelta al coche. Me apalanqué sobre el capó y estuve jugueteando con las llaves.

Es posible que yo fuera eso que Leah pensaba de sí misma, un punto muerto genético, algo que no debía pasar a la siguiente generación. O también podía ser que mi vida fuera una broma macabra y cruel y no hubiera forma de escapar al colofón de la misma.

—Eh, tú, el del coche robado, hola, ¿estás bien?

Tardé un poco en darme cuenta de que la voz iba dirigida a mí, y otro poco más en decidirme a levantar la cabeza.

Una chica de aspecto normal me estudiaba con la mirada. Parecía un pelín ansiosa. Lo sabía porque reconocía su rostro, ya lo había catalogado después de toda una tarde de mirarlas a todas: chica de piel blanca, pelo rojo áureo y ojos color canela, con la nariz y las mejillas llenas de pecas rojas.

—Si sientes remordimientos por haber mangado ese coche, siempre puedes entregárselo a la poli —continuó ella, con una sonrisa tan grande que se le formó un hoyuelo en la barbilla.

—No lo he robado, me lo han prestado —le espeté con una voz espantosa, como si hubiera estado llorando o algo así. Patético, colega.

—Seguro que puedes alegarlo delante del juez.

La fulminé con la mirada.

—¿Necesitas algo?

—En realidad, no. Oye, tío, que estaba de broma con lo del coche. Es sólo que... Tienes pinta de estar preocupado y... Ah, perdona, me llamo Lizzie —me tendió la mano y yo la contemplé hasta que la bajó—. De todos modos, me preguntaba si podía ayudarte... —continuó, bastante más cortada—. Antes, parecías estar buscando a alguien.

La chica señaló el parque con un gesto y se encogió de hombros.

—Sí.

Ella esperó.

—No necesito ayuda alguna —suspiré—. Ella no está aquí.

—Vaya, lo siento.

—También yo —murmuré.

Le dirigí una segunda mirada. Lizzie. Era mona y lo bastante amable como para intentar echarle un cable a un desconocido gruñón con pinta de estar como una regadera. ¿Por qué no podía ser ella? ¿Por qué tenía que ser todo tan complicado? Una chica guapa, agradable y con aspecto de ser divertida. ¿Por qué no?

—Es un deportivo precioso —comentó—. Es una auténtica vergüenza que los hayan dejado de fabricar. Me refiero a que el diseño del Vantage también es estupendo, pero hay algo que sólo lo tiene el Vanquish...

Una chica agradable. Y encima entendía de coches. La caña. La miré a la cara con más intensidad, muriéndome de ganas de saber cómo hacer que funcionara lo de la imprimación. *Vamos, Jake, imprímala ya...*

—¿Qué tal se conduce...? —quiso saber.

—Mejor de lo que puedas imaginar —le aseguré.

Me dedicó una de esas sonrisas amplias adornada con un hoyuelo, claramente complacida de haberme logrado sacar una respuesta medio civilizada. A regañadientes, pero al final acabé por devolverle la sonrisa.

Pero la sonrisa de Lizzie no conseguía mitigar el dolor infligido por los cuchillos afilados. No importaba lo mucho que lo intentara; no iba a juntar los pedazos de mi existencia de ese modo.

Yo no era capaz de alcanzar ese estadio más sereno y cuerdo en el que se hallaba Leah. Tampoco iba a ser capaz de enamorarme de una chica normal, no cuando bebía los vientos por otra persona. Tal vez habría sido capaz de sobreponerme a toda la aflicción y haber recompuesto mi vida si el corazón de Bella hubiera dejado de latir diez años atrás. En tal caso, quizás habría podido invitar a Lizzie a dar una vuelta en un deportivo y hubiéramos hablado de marcas y de modelos para saber algo más sobre ella y descubrir si me gustaba como persona. Pero eso no iba a suceder, ahora no.

La magia no iba a salvarme. Iba a tener que soportar el suplicio como un hombre. Me tocaba aguantar.

Lizzie esperó, tal vez con la esperanza de que le ofreciera dar esa vuelta, o tal vez no.

—Más vale que le devuelva el coche a quien me lo prestó —murmuré.

—Me alegra saber que vas a ir por el buen camino —repuso con una sonrisa.

—Sí, me has convencido.

Me vio entrar en el coche, todavía con la preocupación cincelada en el semblante, pues yo debía de tener la pinta de quien se va a tirar por un barranco. Y quizá lo habría hecho si eso hubiera servido para un hombre lobo. Ella se despidió con la mano mientras seguía el coche con la mirada.

Conduje de manera mucho más prudente durante los primeros kilómetros, pues no tenía prisa ni un destino adonde ir. Volvía a esa casa y a ese bosque, al dolor del que había escapado. Regresaba a la angustia de pelear a solas con esa criatura.

Vale, me estaba poniendo en plan folletín. No iba a estar solo del todo, pero la cosa se presentaba chunga. Leah y Seth iban a tener que pasarlo conmigo. Me alegraba que no fuera a durar mucho, porque el chaval no se merecía que le arruinara la paz de espíritu para los restos; ni tampoco Leah, claro, pero al menos se trataba de algo que ella comprendía. El padecimiento no era ninguna novedad para ella.

Suspiré con fuerza al recordar lo que la joven Clearwater quería de mí, sobre todo porque sabía que se iba a salir con la suya. Seguía mosqueado con ella, pero no podía dar la espalda al hecho de que estaba en mi mano hacerle la existencia más fácil, y ahora que la conocía mejor, pensaba que de estar las tornas al revés, probablemente ella sí lo hubiera hecho por mí. Al menos, sería tan interesante como extraño tener a Leah como compañera, y como amiga, pues una cosa era segura, nos íbamos a meter el uno en la piel del otro, y un montón. Ella no iba a dejar que me revolcara por los suelos de autocompasión, y eso yo lo valoraba positivamente. Lo más probable era que yo necesitara a alguien que me pateara las tripas de vez en cuando, pero a la hora de la verdad, ella era la única amiga que tenía alguna oportunidad de comprender por lo que yo estaba pasando.

Pensé en la caza matutina y en la proximidad de mentes que habíamos alcanzado durante un momento. No había estado mal. Era algo diferente. Asustaba un poco y daba algo de corte, pero aunque fuera raro, no había resultado desagradable.

Yo no tenía por qué estar solo del todo.

Y también sabía que a Leah le sobraban redaños para encarar conmigo los meses venideros. Meses y años. Me cansaba sólo de pensarlo. Me invadía una sensación similar a la del nadador que contempla el océano que ha de cruzar de una orilla a otra antes de poder descansar otra vez.

Con tanto tiempo por delante, y aun así, qué poco faltaba antes de que comenzara todo. Quedaban tres días y medio antes de empezar, antes de arrojarme a ese océano, y ahí estaba yo, malgastando el escaso tiempo restante.

Volví a conducir a toda pastilla.

Vi a Sam y Jared apostados como centinelas, uno a cada lado del camino, mientras subía por la carretera que conducía a Forks. Se habían escondido a conciencia entre el denso ramaje del sotobosque, pero les estaba esperando y sabía qué buscaba. Los saludé con un asentimiento de cabeza cuando pasé entre ellos sin que me preocupara lo más mínimo qué habrían hecho durante mi día de viaje.

También envié un saludo a Leah y a Seth cuando circulé a velocidad moderada por el camino de acceso a la casa de los Cullen. Empezaba a oscurecer y a este lado del estrecho los nubarrones eran espesos, pero fui capaz de ver el brillo de sus ojos cuando reflejaron las luces de los faros. Más tarde se lo explicaría todo. Me iba a sobrar tiempo.

Me sorprendió que Edward me esperase en el garaje. No le había visto separarse de Bella en días. Pero a ella no le había pasado nada malo a juzgar por la expresión de su rostro. De hecho, su semblante era mucho más tranquilo que los días de atrás. Se me formó un nudo en el estómago cuando recordé de dónde procedía esa paz.

Se me había olvidado la segunda parte del plan: estampar el coche. ¡Qué mal! Bueno, probablemente tampoco habría tenido narices para destrozar *ese* coche tan estupendo, y tal vez él se lo había imaginado, de ahí que me lo hubiera prestado.

—Debemos hablar de un par de cosas, Jacob —me soltó en cuanto apagué el motor.

Inspiré hondo y aguardé cerca de un minuto antes de salir del coche y lanzarle las llaves.

—Gracias por el préstamo —contesté con acritud; al parecer, debía devolver el favor—. ¿Qué quieres ahora?

—En primer lugar, sé cuánto te revienta imponer tu autoridad en la manada, pero…

Pestañeé atónito. ¿Cómo se le ocurría hablar de eso ahora?

—¿Qué…?

—Si no puedes o no quieres controlar a Leah, entonces yo…

—¿Leah? —le interrumpí, hablando entre dientes—. ¿Qué ha sucedido?

—Se presentó en casa para averiguar por qué te habías marchado tan de repente —contestó con rostro severo—. Intenté explicárselo. Supongo que no podía haber acabado bien.

—¿Qué hizo?

—Cambió de fase y se convirtió en mujer para…

—¿De veras? —le interrumpí, francamente sorprendido.

¿Que Leah había bajado la guardia en la guarida del enemigo? No daba crédito a mis oídos.

—Quería hablar con… Bella.

—¿Con Bella?

—No voy a dejar que vuelva a desquiciarla —ahora sí, Edward sacó toda la mala leche y el cabreo acumulados—. Me da igual que ella se crea cargada de razones. No le hice daño, por supuesto, pero la expulsaré de la casa si esto vuelve a suceder. Pienso tirarla de cabeza al río…

—Aguarda. ¿Qué dijo?

Nada de aquello tenía sentido. Edward aprovechó que inspiraba hondo para recobrar la compostura.

—Leah empleó un tono de innecesaria crueldad. No voy a fingir que comprendo las razones por las que Bella no te deja ir, pero sé que no se comporta de ese modo con el propósito de hacerte daño. Ella sufre por el dolor que nos inflige a ti y a mí, al pedirte que te quedes. Las recriminaciones de Leah estaban fuera de lugar y de tono, y Bella rompió a llorar…

—Espera un momento… ¿Me estás diciendo que Leah se puso a pegarle gritos a Bella por mí?

El vampiro asintió una sola vez con brusquedad.

—Tuviste en ella una defensora de lo más vehemente.

Vaya.

—Yo no se lo pedí.

—Lo sé.

Puse los ojos en blanco. Por supuesto que lo sabía, el telépata estaba al tanto de todo lo que se cocía.

Pero esto tenía que ver con Leah. Ver para creer. ¿Quién se la habría imaginado metiéndose con su forma humana en la madriguera de los chupasangres para quejarse por el mal trato que me daban?

—No puedo prometerte que vaya a controlar a Leah —repuse—. No pienso hacerlo, pero sí tengo intención de hablar con ella muy en serio, ¿vale? Y no creo que se repita. Leah no es de las que se muerden la lengua y se lo guardan dentro, así que probablemente lo habrá soltado todo hoy.

—Eso puedo asegurártelo.

—De todos modos, también hablaré con Bella. No ha de sentirse mal, pues esto sólo tiene que ver conmigo.

—Ya se lo he dicho.

—Ya lo creo que se lo habrás dicho. ¿Se encuentra bien?

—Ahora duerme. Rose está con ella.

De modo que la psicópata ahora se llamaba «Rose». Él se había pasado completamente al lado oscuro.

Ignoró ese pensamiento y continuó enrollándose a gusto a la hora de contestar a mi pregunta.

—En cierto modo, ahora se encuentra mejor, si dejamos a un lado el ataque de culpabilidad que le provocaron las diatribas de Leah —mejor. Ya. Los dos tortolitos estaban acaramelados ahora que Edward podía oír al monstruo. Qué bonito—. Es algo más que eso —continuó él con un hilo de voz—. Ahora que puedo oír los pensamientos del bebé, sabemos que él, o ella, goza de unas facultades mentales muy desarrolladas. Nos entiende, bueno, hasta cierto punto.

Me quedé boquiabierto.

—¿Hablas en serio?

—Sí. Parece tener una vaga noción de lo que le hace daño a la madre e intenta evitarlo lo máximo posible. El bebé ya la ama.

Le lancé una mirada fulminante, parecía que los ojos estaban a punto de salírseme de las cuencas. Debajo de ese escepticismo, identifiqué de inmediato el factor clave. Edward había cambiado de opinión cuando el feto le había convencido del amor que sentía hacia la madre. Él no podía odiar a lo que amaba a Bella, y ésa era la razón por la que probablemente tampoco me odiaba a mí, aunque, sin embargo, había una diferencia sustancial: yo no la estaba matando.

El vampiro siguió a su bola, haciendo caso omiso de todos aquellos pensamientos míos.

—El desarrollo es mayor de lo estimado, o eso creo. En cuanto regrese Carlisle…

—¿No ha vuelto el grupo de caza…? —le atajé de forma abrupta mientras pensaba de inmediato en las siluetas de Sam y Jared, de guardia en los arcenes de la carretera. ¿Tenían curiosidad por saber qué estaba pasando?

—Alice y Jasper, sí. Carlisle envía toda la sangre conforme la adquiere, pero esperaba conseguir más… Al ritmo que le crece el apetito, Bella habrá consumido este suministro en otro día más a lo sumo. Carlisle se ha quedado a fin de probar suerte con otro vendedor. Yo lo considero innecesario, pero él desea cubrir cualquier eventualidad.

—¿Y por qué es innecesario? ¿Y si necesita más?

Vigilaba y estudiaba todos los detalles de mi reacción cuando me lo soltó:

—Voy a intentar convencer a Carlisle para que saque al bebé en cuanto regrese.

—¿Qué…?

—El pobre parece hacer todo lo posible por evitar movimientos bruscos, pero le resulta muy difícil debido a lo mucho que ha crecido. Esperar es una locura, pues el feto se ha desarrollado mucho más de lo que había supuesto Carlisle. Bella es demasiado frágil para esperar.

El anuncio me dejó fuera de combate y tuve suerte de que no se me doblaran las piernas. Antes había contado con que jugara a mi favor el aborrecimiento que Edward le tenía a la cosa. Ahora, me daba cuenta de que había considerado el plazo de cuatro días como algo hecho y seguro. Contaba con ellos.

Ante mí se extendió el océano infinito de pesar.

Hice lo posible por recobrar el aliento.

Edward esperó. Identifiqué otro cambio en su semblante mientras me esforzaba por normalizar la respiración.

—Crees que va a conseguirlo —murmuré.

—Sí, de eso también quería hablar contigo —no logré articular palabra, por lo que él siguió al cabo de un minuto—. Sí —repitió—. Hemos esperado a que el feto se hubiera formado del todo, lo cual ha sido una verdadera locura a juzgar por los peligros... Cualquier dilación podría resultar fatal en este momento, pero no veo razón para que todo acabe mal si adoptamos las medidas oportunas con antelación y actuamos con rapidez. Conocer los pensamientos del bebé es de una ayuda inestimable. Por suerte, Bella y Rose están de acuerdo conmigo. Nada nos impide actuar ahora que las he convencido de que el pequeño está a salvo si procedemos...

—¿Cuándo volverá Carlisle? —inquirí, todavía en voz baja, pues no había recuperado el aliento.

—Mañana al mediodía.

Las piernas se me doblaron y me hubiera metido una galleta contra el suelo si no me hubiera agarrado al coche. Edward hizo ademán de tenderme las manos, pero luego se lo pensó mejor y bajó los brazos.

—Lo lamento de veras, Jacob, lamento el dolor que esto te causa. Aunque me odies, he de admitir que no siento lo mismo hacia ti. Te considero como un... pariente en muchos sentidos, o al menos, un hermano de armas. Me apena tu sufrimiento más de lo que percibes, pero Bella va a sobrevivir —añadió con una nota fiera e incluso violenta en la voz—, y yo sé lo mucho que eso te importa...

Lo más probable es que tuviera razón. Era difícil de saber. La cabeza me daba vueltas.

—Por eso, detesto hacer esto en el preciso momento en que has de hacer frente a tantas cosas, pero hablando claro: se nos acaba el tiempo. He de pedirte algo, suplicártelo si es preciso.

—Ya no me queda nada —repuse con voz ahogada.

Alzó una mano de nuevo con la aparente intención de ponérmela en un hombro, pero luego volvió a dejarla caer como antes y suspiró.

—Soy consciente de lo mucho que nos has dado —continuó—, pero hay algo que tú y sólo tú puedes hacer. Le pido esto al verdadero Alfa de la manada, Jacob, se lo ruego al heredero de Ephraim.

Callé, claro, como si estuviera yo para contestarle.

—Solicito tu permiso para desviarnos de los términos del tratado sellado con Ephraim. Deseo tu permiso para hacer una excepción. Pido tu autorización para salvar la vida de Bella. Sabes que lo haré de todos modos, pero no quiero romper tu confianza si existe una forma de evitarlo. Jamás hemos tenido intención de echarnos atrás en la palabra dada y no vamos a hacerlo ahora, al menos, no a la ligera. Apelo a tu comprensión, Jacob, porque tú sabes exactamente las razones que me impulsan a obrar. Deseo que la alianza entre nuestros clanes sobreviva cuando esto concluya.

Intenté tragar saliva.

Sam, pensé, *necesitas a Sam.*

—No. Sam ostenta una autoridad usurpada. La tuya es auténtica. Nunca se la vas a arrebatar, lo sé, pero sólo tú puedes concederme en buena ley lo que te estoy pidiendo.

Esa decisión no es cosa mía.

—Lo es, Jacob, y tú lo sabes. Tu palabra en este asunto nos absolverá o nos condenará a todos. Eres el único capaz de concederme esto.

No lo sé. Soy incapaz de hilvanar dos ideas seguidas.

—No tenemos mucho tiempo —volvió la vista atrás, en dirección a la casa.

No, no lo había. Mis días habían menguado hasta convertirse en horas.

No sé. Déjame pensar. Dame un respiro, ¿de acuerdo?

—Sí.

Eché a andar en dirección a la casa y él me siguió. La ligereza con la que me había puesto a caminar en la oscuridad con un vampiro pisándome los talones se me antojó una locura, pero aun así, no me sentía incómodo, la verdad. La sensación se parecía a caminar con cualquier otra persona, bueno, cualquier persona que oliera mal.

Se produjo un movimiento de ramas en los matojos del lindero del bosque con el prado y luego sonó un aullido lastimero. Seth se contorsionó para pasar entre los helechos y se acercó corriendo a grandes zancadas.

—Hola, chaval —murmuré.

Humilló la cabeza y yo le di unas palmadas en el lomo.

—Todo va de película —le mentí—. Luego te lo cuento. Perdona que haya salido pitando de ese modo.

Me dedicó una gran sonrisa.

—Ah, y le dices a tu hermana que se relaje un poco, ¿vale? Ha sido suficiente.

Seth asintió una vez.

—Vuelve al tajo —esta vez le empujé un poco en el lomo—. Enseguida te lo explico con detalle.

Seth se frotó contra mis piernas y luego dio media vuelta para salir disparado entre los árboles.

—Tiene una de las mentes más puras y sinceras que he leído jamás —musitó Edward cuando el lobo hubo desaparecido—. Eres afortunado de compartir sus pensamientos.

—Lo sé —refunfuñé.

Reanudamos la caminata hacia el edificio. Alzamos la cabeza en cuanto oímos el gorgoteo de alguien mientras bebía a través de una pajita. A mi acompañante le entraron todas las prisas del mundo y se precipitó por las escaleras del porche antes de perderse en el interior de la residencia.

—Bella, cielo, pensé que dormías —le oí decir—. Lo siento. No me habría ausentado de haberlo sabido.

—No te preocupes. Me he despertado por culpa de la sed. Es estupendo saber que Carlisle va a traer más sangre. El niño va a necesitarla cuando esté fuera.

—Cierto, bien pensado.

—Me pregunto si va a precisar de algo más.

—Supongo que no tardaremos en averiguarlo.

Traspasé el umbral.

—Al fin —dijo Rosalie.

Bella volvió los ojos hacia mí de inmediato y su rostro quedó dominado por esa sonrisa suya tan irresistible, pero duró sólo un instante; luego, le temblaron los labios y desapareció la alegría. A continuación, apretó la boca, como si intentara no gritar.

Me entraron ganas de meterle un bofetón a Leah en esa estúpida bocaza suya.

—Hola, Bells —me apresuré a decir—. ¿Cómo va todo?

—Estoy bien —contestó.

—Ha sido un gran día, ¿no? Hay un montón de novedades.

—No tienes que hacerlo, Jacob.

—No sé de qué me hablas —repuse.

Me encaminé hacia el sofá y me senté en el brazo más cercano a su cabeza. Edward ya se había sentado en el suelo. Bella me dirigió una mirada de reproche.

—Lo siento t... —comenzó a decir.

Hice un gesto a modo de pinza con los dedos índice y pulgar y le pellizqué los labios.

—Jake —farfulló mientras intentaba apartar mi mano.

La intentona tuvo tan poca fuerza que me costó creer que lo pretendiera de verdad. Negué con la cabeza.

—Te dejaré hablar cuando no seas estúpida.

—Vale, no lo diré —logró responder entre dientes.

Retiré la mano.

—¡... tanto! —se apresuró a decir, y luego sonrió.

Puse los ojos en blanco, pero le devolví la sonrisa, y cuando le miré a los ojos, vi en ellos todo lo que había estado buscando en el parque.

Mañana sería otra persona diferente pero, si las cartas venían bien dadas, seguiría viva, y al fin y al cabo, eso era lo importante, ¿o no? Ella me miraría con los mismos ojos, o casi. Sonreiría con los mismos labios, más o menos. Y seguiría conociéndome mejor que nadie, salvo los telépatas capaces de leerme la mente.

Puede que Leah resultara una compañía interesante e incluso una amiga de verdad, alguien dispuesto a dar la cara por mí, pero no era mi mejor amiga, no del mismo modo que Bella. Si dejábamos a un lado mi amor imposible hacia ella, existía también el vínculo de la amistad, y me salía de lo más hondo.

Mañana podía ser mi enemiga o tal vez mi aliada, y por cómo pintaba el asunto, una u otra cosa iba a ser decisión mía.

Suspiré.

De acuerdo, pensé, entregando lo último que me quedaba por dar. *Adelante, sálvala*. Aquello me hizo sentir vacío. *El heredero de Ephraim te da su permiso y tienes mi palabra de que esto no va a ser considerado como una vulneración del tratado. Los demás van a tener que echarme la culpa, pero tienes razón, nadie puede negar que esté en mi derecho de dar esta aprobación.*

—Gracias —respondió Edward en voz tan baja que Bella no pudo oírle.

Pero pronunció esa palabra con tal fervor que pude ver por el rabillo del ojo cómo el resto de los vampiros se volvían a mirar.

—Bueno, ¿y qué tal te ha ido el día? —inquirió Bella, haciendo un esfuerzo por que la pregunta sonara lo más informal posible.

—Estupendo. Di una vuelta en coche y luego estuve paseando por un parque.

—Suena bien.

—De primera.

De pronto, hizo un mohín.

—¿Rose…?

—¿Otra vez? —la Barbie soltó una risa nerviosa.

—Creo que me he bebido dos litros en la última hora —me explicó Bella.

Edward y yo nos quitamos de en medio mientras Rosalie acudía para alzar a Bella del sofá y llevarla al servicio.

—¿Me dejáis caminar? —pidió Bella—. Tengo las piernas agarrotadas.

—¿Estás segura? —le preguntó su marido.

—Rose me sostendrá si me tropiezo, y es muy posible, porque no me veo los pies con esta tripa.

Rosalie la incorporó con sumo cuidado y no retiró las manos de los hombros de la embarazada, que alargó los brazos hacia delante e hizo una ligera mueca de dolor.

—Qué bien me sienta… —suspiró—. Uf, estoy enorme —y era cierto: estaba tremenda. La tripa parecía un continente propio e independiente de Bella—. Aguanta un día más —dijo mientras se daba unas palmaditas en el vientre.

De pronto, me abrumó una oleada de mortificante congoja, no pude evitarlo, pero hice de tripas corazón para eliminar de mi rostro toda huella de sufrimiento. Podía ocultarlo un día más, ¿no?

—De acuerdo, entonces. Yupi… Oh, no.

Bella había dejado el vaso encima del sofá, y acababa de volcarse hacia un lado en ese mismo momento, derramando la sangre de intenso color rojo sobre la tela blanca del asiento.

A pesar de que tres manos intentaron impedirle cualquier movimiento, ella se encorvó inmediatamente y alargó la mano para recogerlo.

Se escuchó en la estancia una débil rasgadura de lo más extraño. Provenía del centro del cuerpo de Bella.

—¡Oh! —jadeó.

Entonces, Bella perdió el equilibrio y se precipitó hacia el suelo. Rosalie reaccionó en el acto y la cogió, impidiendo su caída. Y su esposo también estaba allí, con las manos tendidas por si acaso. Todos habían olvidado el manchurrón del sofá.

—¿Bella? —preguntó Edward con los ojos desorbitados y las facciones dominadas por el pánico.

Bella soltó un grito medio segundo después.

En realidad, no era un grito, era un alarido de dolor que helaba la sangre en las venas.

Un gluglú sofocó aquel horrísono bramido. Las pupilas de sus ojos giraron hasta acabar mirando hacia el interior de las cuencas mientras su cuerpo se retorcía y se doblaba en dos sobre los brazos de Rosalie. Entonces, Bella vomitó un torrente de sangre.

Esto no tiene nombre

Rosalie sostuvo en brazos el cuerpo de Bella. Ésta chorreaba sangre y se estremecía, presa de sacudidas tan bruscas que daba la impresión de estar siendo electrocutada. Tenía cara de ida, pues había perdido la conciencia. Era la furibunda agitación del usurpador que llevaba en su vientre la que zarandeaba el cuerpo inerte.

Los dos hermanos Cullen se quedaron helados durante una milésima de segundo, y luego entraron en acción como torbellinos. Rosalie aseguró el cuerpo de la embarazada entre sus brazos y, gritando tan deprisa que resultaba imposible entender cada palabra por separado, ella y su hermano subieron disparados las escaleras hasta llegar al segundo piso.

Salí a la carrera detrás de ellos.

—¡Morfina! —le gritó Edward a Rosalie.

—Ponte al habla con Carlisle, Alice —chilló la Barbie.

Los seguí hasta la biblioteca, cuyo espacio central se parecía un montón al área de emergencia de un hospital. Las luces de un blanco cegador iluminaban a la parturienta, tendida encima de una mesa; bajo los focos, la piel le brillaba de un modo fantasmagórico. La pobre se agitaba como un pez en la arena. Rosalie la fijó a la mesa y de un brusco tirón le rasgó la ropa mientras Edward le inyectaba algo con una jeringuilla.

¿Cuántas veces me la había imaginado desnuda? Yo qué sé. Y sin embargo, ahora, no podía mirarla, pues temía no ser capaz de sacarme esas imágenes de la sesera.

—¿Qué ocurre, Edward?

—¡El feto se está asfixiando!

—¡La placenta se ha desprendido!

Bella recuperó el sentido en algún momento de ese proceso y reaccionó a esas palabras con un chillido que me perforó los tímpanos.

—¡SÁCALO! —bramó—. ¡No puede respirar! ¡Hazlo YA!

Mientras hablaba a grito pelado, vi estallar las venas oculares que, ya rotas, se extendieron como arañas rojas por el blanco de los ojos.

—La morfina… —gruñó Edward.

—No, no… ¡AHORA!

Otro borbotón de sangre sofocó los alaridos de la parturienta. Su esposo le alzó la cabeza mientras le limpiaba la boca a la desesperada con el fin de que ella pudiera respirar de nuevo.

Alice entró en la habitación como una flecha y colocó un pequeño auricular azul bajo el pelo de Rosalie. Luego reculó un paso, con esos ojos dorados suyos abiertos hasta la desmesura, ardientes y ávidos de sangre. Rosalie siseaba al teléfono como una posesa.

La piel de Bella parecía más purpúrea y amoratada que blanca bajo el chorro de luz de los focos, y líquidos de un rojo intenso fluían debajo de la epidermis del abultado vientre. Rosalie apareció con un escalpelo en la mano.

—Espera a que le haga efecto la morfina —le pidió Edward a voz en grito.

—No hay tiempo —le replicó Rosalie—. El bebé se muere.

Bajó la mano hasta situarla sobre el estómago de Bella y con la lanceta practicó en la piel una incisión, por donde brotó un chorro de sangre negruzca. Era como si alguien hubiera volcado un cubo lleno hasta los bordes o hubiera abierto un grifo. Bella se retorció, pero no gritó, pues seguía sin poder respirar.

Entonces, a Rosalie se le fue la pelota y le cambió la expresión del semblante mientras echaba hacia atrás los labios para dejar vía libre a los colmillos. Los ojos le relumbraron de pura sed.

—¡No, Rose! —chilló Edward.

Él no podía hacer nada: tenía los brazos ocupados en mantener a su esposa incorporada para que pudiera respirar.

Me lancé contra Rosalie de un brinco, sin molestarme en entrar en fase. El escalpelo se me hundió bien hondo en el brazo izquierdo cuando le caí encima y choqué contra su cuerpo de piedra, empujándola hacia la puerta. Le puse la mano derecha en el careto, bloqueándole los dientes y tapándole las napias.

Aproveché la presa de mi mano en torno a sus morros para darle la vuelta al cuerpo de la rubia y poderle patear a gusto las tripas; pero, caray, las tenía tan duras que era como dar puntapiés al hormigón. Acabó golpeando el marco de la puerta, uno de cuyos lados se dobló. El pinganillo del móvil reventó en tropecientos mil cachitos. Alice apareció en ese momento y la aferró por el pescuezo para arrastrarla hacia el vestíbulo.

Algo sí tuve que reconocerle a la Barbie. No se empleó a fondo en la pelea. Quería que ganásemos, y por eso me dejó que la zarandease de esa manera, para que salváramos a Bella: bueno, mejor dicho, para que salvásemos a la cosa.

Extraje la hoja de un tirón.

—¡Sácala de aquí, Alice! —gritó Edward—. Entrégasela a Jasper y mantenla fuera… ¡Jacob! ¡Te necesito!

No vi cómo Alice terminaba el trabajo, pues me di la vuelta para regresar junto a la mesa de operaciones, donde Bella se estaba poniendo azul y nos miraba con ojos redondos como platos.

—¡Masaje cardiaco! —me refunfuñó Edward, con tono urgente y perentorio.

—¡Va!

Estudié las facciones del vampiro en busca de algún indicio de que fuera a darle un ataque como a Rosalie, pero no había en él más que una determinación feroz.

—¡Haz que siga respirando! He de sacar al bebé antes de…

Dentro del cuerpo de la agonizante se oyó otro chasquido, de esos que suenan cuando se produce un buen destrozo. Pero fue más estruendoso que los anteriores, tanto que Edward y yo nos quedamos como dos pasmarotes a la espera de que ella reaccionara y soltara un alarido. Nada. Antes había flexionado las piernas como reacción ante el dolor, pero ahora estaba despatarrada de un modo muy poco natural, y las extremidades descansaban flácidas sobre la mesa de operaciones.

—¡Su columna vertebral! —exclamó con voz ahogada.

—¡Sácaselo, ahora ya no va a sentir nada! —le refunfuñé al tiempo que le lanzaba el escalpelo.

Me incliné sobre Bella para estudiar sus vías respiratorias sin apreciar obstrucción alguna. Le tapé la nariz con los dedos, le abrí bien la boca y la cubrí con la mía antes de soplar con fuerza para insuflarle aire a sus pulmones. Su cuerpo se agitó; así supe que no había obstrucción alguna en la garganta.

Sus labios sabían a sangre.

Percibí el latido desacompasado de su corazón. *Aguanta, Bella,* le pedí con fiereza mientras le insuflaba otro soplo de aire a su cuerpo. *Lo prometiste. Que tu corazón no se detenga.*

Escuché un chapoteo delator, el del escalpelo al deslizarse por el vientre, y el goteo incesante de la sangre sobre el suelo.

El siguiente sonido me estremeció por lo inesperado y aterrador del mismo. Sonaba igual que cuando se abría una grieta en una superficie metálica.

Al oírlo, mi memoria voló atrás en el tiempo, a la pelea mantenida meses ha con los neófitos; su carne chasqueaba del mismo modo cuando los desgarrabas. Me aventuré a lanzar una miradita. Vi el rostro de Edward pegado al bulto. Los dientes de vampiro eran un remedio infalible para destrozar la piel de vampiro.

Me estremecí cuando insuflé más aire a la parturienta.

Ella reaccionó tosiéndome a la cara. Parpadeó y movió los ojos sin ver nada.

—¡Quédate conmigo, Bella! —le grité—. ¿Me oyes? ¡Aguanta! ¡Quédate, no me dejes! Haz que ese corazón tuyo siga latiendo.

Sus ojos se movieron, buscándome o buscándole, pero sin ver nada.

Pese a todo, yo sí le devolví la mirada y la mantuve allí, clavada en sus ojos.

En ese momento, de pronto, su cuerpo debajo de mis brazos se quedó quieto; la respiración había retomado una cadencia más o menos normal y el corazón le seguía latiendo. Entonces comprendí el significado de aquella calma. Había terminado, el zarandeo interior había acabado. La criatura debía de estar fuera.

Y así era.

—Renesmee —susurró Edward.

Bella se había colado. No era el niño con el que había fantaseado, lo cual no me sorprendía lo más mínimo. ¿En qué no se había equivocado la pobre?

No dejé de mirar aquellos ojos salpicados de puntos rojos, aunque noté cómo levantaba débilmente las manos.

—Déjamela… —pidió con voz rasposa—. Dámela.

Debería haber sabido que él iba a concederle cualquier petición, sin importar lo estúpida que fuera, pero ni en sueños habría pensado que le iba a prestar oídos en ese momento. No pensé en detenerle sólo por ese motivo.

Algo tibio me rozó el brazo, lo cual debería haber llamado mi atención, pues no parecía haber nada capaz de calentarme.

No aparté la mirada del rostro de Bella. Ella parpadeó y al final mantuvo la mirada fija, viendo algo. Entonó un extraño y débil canturreo.

—Renes… mee. Qué… bonita… eres.

Entonces, jadeó, jadeó de dolor.

Cuando quise mirar, ya era demasiado tarde. Edward había tomado a la cosa caliente y ensangrentada de los débiles brazos de Bella. Recorrí con la mirada la piel de Bella, bañada en sangre: la de su propio vómito, la de la criatura, que había salido embadurnada, y la procedente de dos puntitos situados encima del pecho derecho; parecían mordiscos con forma de medialuna.

—No, Renesmee —murmuró Edward con un tono de voz que sonaba como si estuviera enseñando modales al monstruito.

No malgasté una mirada en ninguno de los dos. Sólo observaba a la madre cuando se le quedó la mirada extraviada y el corazón, tras una última sístole sin apenas fuerza, falló y se sumió en el silencio.

El corazón de Bella debió de detenerse menos de medio latido, pues enseguida me puse a hacerle un masaje cardiaco. Fui llevando la cuenta de cabeza, intentando mantener constante el ritmo de compresión y relajación.

Uno. Dos. Tres. Cuatro.

Lo dejé durante un segundo y le practiqué otra insuflación boca a boca.

Fui incapaz de ver nada más, pues tenía la mirada borrosa por culpa de las lágrimas, pero estaba muy al loro de los sonidos de la habitación: el gorgoteo de su corazón bajo mis compresiones, el latido de mi propio corazón y otro más, vibrante, ligero, rápido, que fui incapaz de situar.

Me obligué a introducir más aire en la garganta de Bella.

—¿A qué estás esperando? —le grité mientras, ya sin aliento, reanudaba el masaje cardiaco.

Uno. Dos. Tres. Cuatro.

—Vigila a la niña —oí decir a Edward con tono apremiante.

—Tírala por la ventana.

Uno. Dos. Tres. Cuatro.

Alguien se unió a la conversación y dijo con boca pequeña:

—Dádmela a mí.

Edward y yo le gruñimos al mismo tiempo.

Uno. Dos. Tres. Cuatro.

—Me he serenado —prometió Rosalie—. Dame a la niña, Edward. Me encargaré de ella hasta que Bella…

Le hice el boca a boca a la madre mientras los hermanos se pasaban a la hija. El aleteo del corazón se fue apagando: *tump, tump, tump*.

—Quita de ahí esas zarpas, Jacob.

Levanté la vista de los ojos en blanco de Bella sin dejar de masajear su corazón y me encontré a Edward sosteniendo una jeringuilla enorme, toda de plata, como si estuviera hecha de metal.

—¿Qué es eso?

Su mano de hierro apartó las mías. Se produjo un ligero chasquido cuando el manotazo me partió el meñique. Acto seguido, hundió la aguja en el corazón.

—Mi ponzoña —respondió mientras impulsaba hacia abajo el émbolo de la jeringa.

El corazón de Bella dio un brinco, lo oí, como si le hubiera dado una descarga con las palas de reanimación.

—Sigue con el masaje —ordenó con voz helada y huera. Hablaba con fiereza y de forma impersonal, como si fuera una máquina.

Ignoré el dolor del dedo roto y continué masajeándole el corazón. Resultaba cada vez más difícil, como si el plasma sanguíneo se le parara en las venas, se le congelara y se espesara. Observé el comportamiento de Edward mientras yo me afanaba en que esa sangre, ahora viscosa, siguiera circulándole por las arterias.

Parecía estar besándola. Le rozó con los labios la garganta, las muñecas y el pliegue interior del codo.

Escuché una y otra vez las obscenas perforaciones de los colmillos en la piel de Bella. Su marido estaba inoculándole veneno en el cuerpo por el mayor número posible de puntos. Acerté a ver cómo le lamía los cortes sangrantes. Antes de que me dieran arcadas o me cabreara, comprendí su propósito: sellar las heridas con saliva a fin de impedir la salida de la sangre o la ponzoña.

Le practiqué el boca a boca, pero ya no había vida en ese cuerpo. El pecho reaccionaba subiendo tras cada insuflación. Seguí con el masaje mientras él trabajaba como un maníaco sobre ella en su desesperado intento de traerla de vuelta. Ni con toda la ayuda...

Allí no había nadie más, sólo él y yo.

Nos afanábamos encima de un cadáver.

No quedaba más de la chica que ambos habíamos amado, salvo esos restos quebrantados, ensangrentados y desfigurados. No íbamos a lograr traerla a la vida otra vez.

Supe que era demasiado tarde y que había expirado cuando tomé conciencia de que la atracción había desaparecido. No encontré razón para seguir junto al cuerpo ahora que ella ya no lo habitaba, pues esa carne ya no podía atraerme. La disparatada necesidad de estar cerca de Bella había desaparecido.

Tal vez desaparecido no era la palabra exacta. El tirón, la atracción, se había desplazado, pero ahora me empujaba en la dirección opuesta. Me instaba a bajar las escaleras y salir por la puerta. Sentí el anhelo de marchar de allí para siempre jamás, para no volver.

—Vete, pues —me espetó Edward.

Volvió a apartarme las manos de un golpe para sustituirme. Genial. Ahora tenía rotos tres dedos.

Los estiré con una cierta torpeza sin importarme las punzadas de dolor.

El vampiro masajeaba su corazón parado más deprisa que yo.

—No está muerta —gruñó—. Se va a recobrar.

No estaba muy seguro de que me estuviera hablando a mí.

Me di la vuelta y me marché por la puerta con paso lento, muy lento, pues no era capaz de arrastrar los pies más deprisa.

Entonces, ése era el océano de dolor y ésta, la orilla al otro lado de las aguas agitadas, tan lejana que no había sido capaz de ver ni de imaginar.

Me sentí vacío ahora que había perdido todo objetivo en la vida. Salvar a Bella había sido mi cometido durante mucho tiempo y ya no podía ser salvada. Ella se había inmolado de forma voluntaria para que esa bestezuela la rasgara en dos. Había perdido la batalla y la guerra había acabado.

Durante el descenso de la escalera, sufría una tiritona cada vez que oía el sonido procedente de detrás, el de un corazón quieto al que se le quería obligar a funcionar a golpes.

Qué no habría dado yo por poder verter lejía en mi cerebro hasta consumir todas las neuronas y quemar con ellas los minutos finales de Bella. Daría por buenas las lesiones cerebrales si conseguía librarme de esos recuerdos: los gritos, las hemorragias, los crujidos y los chasqueos mientras el monstruo recién nacido la desgarraba desde dentro para salir al exterior.

Mi deseo habría sido salir pitando, bajar los escalones de diez en diez y cruzar el umbral de esa casa como una bala, pero los pies me pesaban como si fueran de plomo y nunca había estado tan hecho polvo. Bajé la escalera arrastrando los pies, como un viejo tullido.

Me tomé un respiro en el último escalón, haciendo acopio de las últimas fuerzas para atravesar la puerta.

Rosalie estaba de espaldas a mí, sentada en la esquina limpia del sofá blanco. Sostenía en brazos a la criatura, envuelta en una manta, al tiempo que la arrullaba y le hacía cucamonas. Debía de haber oído cómo me paraba al pie de la escalera, pero optó por ignorarme, entregada a los gozos de una maternidad robada. Tal vez fuera feliz ahora que tenía lo que quería y Bella jamás iba a acudir para quitarle a la niña. Me pregunté si no sería eso lo que había estado esperando esa arpía rubia durante todo este tiempo.

Sostenía algo oscuro en las manos además de la pequeña asesina, que profería unos sorbos ávidos.

Olisqueé el olor dulzón de sangre en el ambiente. Sangre humana. Rosalie la estaba alimentando. El engendro ese deseaba sangre, ¿con qué otra cosa puede alimentarse a un monstruo capaz de mutilar brutalmente a su madre? Era como si estuviera bebiendo sangre de Bella. Tal vez incluso lo era.

Me volvieron las fuerzas cuando oí las succiones de la pequeña ejecutora mientras se alimentaba.

Una oleada de fuerza, odio y calor, un calor rojo, cruzó mi mente, quemándolo todo y sin borrar ni un recuerdo. Las imágenes de la sesera seguían, calentándose al fuego vivo de aquel infierno, pero sin consumirse. Los temblores me hicieron estremecer de la cabeza a los pies, y no hice esfuerzo alguno para detenerlos.

Rosalie seguía ensimismada con el aborto ese, y sin prestarme atención. No iba a ser lo bastante rápida como para detenerme con lo distraída que estaba.

Sam tenía razón. Esa cosa era una abominación y su existencia, un hecho antinatural. Era un demonio maligno y desalmado, un ser sin derecho a existir.

Algo que debía ser destruido.

Después de todo, parecía que esa pulsión, esa atracción, no me había conducido hasta la puerta, pues ahora podía sentirla en mi interior, animándome, empujándome a avanzar. Me compelía a acabar con aquello y depurar el mundo de aquella aberración.

La Barbie intentaría matarme cuando la cosa hubiera muerto y yo me defendería. No estaba muy seguro de que tuviera tiempo de aniquilarla antes de que los demás acudieran en su ayuda. Tal vez sí, tal vez no. Me traía al pairo.

En cualquier caso, me daba igual si los lobos me vengaban o si consideraban la reacción de los Cullen como una reacción justificada. Ahora, todo daba igual. Sólo me importaba mi propia justicia. Mi venganza. No iba a dejar vivir ni un minuto más a la responsable de la desaparición de Bella.

Ella me habría odiado por eso, es más, habría querido matarme personalmente si hubiera sobrevivido.

No me afectaba. Ella me había hecho mucho daño al dejarse degollar como un animal, ¿y acaso le había importado? Así que, ¿por qué iba a tener en cuenta ahora sus sentimientos?

Y luego estaba Edward, demasiado ocupado en ese momento para leerme la mente mientras se ofuscaba como un loco y se negaba a aceptar esa muerte, intentando revivir a un cadáver.

No iba a tener ocasión de cumplir mi promesa de matarle, tal y como pintaba la cosa, a menos que me las arreglase para ganar una lucha contra Rosalie, Jasper y Alice, tres contra uno, y ni yo apostaría a mi favor. Pero, en realidad, no le hubiera matado aunque hubiera tenido la ocasión.

Me faltaba compasión para eso. No quería liberarle del peso de sus actos. ¿No sería mucho más justo y satisfactorio dejarle vivir sin absolutamente nada?

Estaba tan lleno de odio que la simple posibilidad me hizo sonreír. No tendría a Bella ni a su progenie asesina ni a algunos miembros de su familia, a todos lo que me pudiera llevar por delante. Por supuesto, y a diferencia de Bella, que no podía revivir, Edward siempre podía recomponerlos, ya que no se me pasaba por la imaginación quedarme para incinerar los pedazos.

Me pregunté si podría recomponer a la criatura cuando hubiera acabado con ella. Albergaba serias dudas. Había una parte de Bella en el engendro, por lo que debía haber heredado algo de su vulnerabilidad. Podía escuchar el redoble de su corazoncito.

El corazón del engendro latía y el de la madre, no.

Adopté todas estas decisiones en apenas un segundo.

Las sacudidas aumentaban en intensidad y rapidez. Tensé los tobillos y me encogí para saltar mejor sobre la vampira rubia y servirme de los dientes para arrebatarle de los brazos esa criatura asesina.

Rosalie volvió a hacerle arrullos al engendro tras dejar a un lado una botella de metal. La alzó en vilo para acariciarle la nariz con la mejilla.

Ni a pedir de boca. La nueva posición era perfecta para mi golpe. Me incliné hacia delante. Noté cómo el fuego empezaba a cambiarme en el preciso momento en que la pulsión hacia la asesina crecía. Nunca había sentido la atracción con tanta fuerza, hasta el punto que me recordó al efecto de una orden impartida por un Alfa, como si fuera a aplastarme si no obedecía el mandato.

En esta ocasión quería hacerlo.

La asesina miró por encima del hombro de Rosalie y clavó en mí la vista. No había conocido a ningún recién nacido concentrar la mirada de esa forma.

Tenía unos ojos castaños, del color del chocolate con leche. Eran iguales a los de Bella.

De pronto, se calmaron los temblores que sacudían mi cuerpo. Me inundó una nueva oleada de calor, más intenso que el de antes, pero era una nueva clase de fuego, uno que no quemaba.

Un destello.

Todo se vino al traste en mi interior cuando contemplé fijamente al bebé semihumano y semivampiro con rostro de porcelana. Vi cortadas de un único y veloz tajo todas las cuerdas que me ataban a mi existencia, y con la misma facilidad que si fueran los cordeles de un manojo de globos. Todo lo que me había hecho ser como era —mi amor por la chica muerta escaleras arriba, mi amor por mi padre, mi lealtad hacia mi nueva manada, el amor hacia mis hermanos, el odio hacia mis enemigos, mi casa, mi vida, mi cuerpo, desconectado en ese instante de mí mismo—, *clac, clac, clac…* se cortó y salió volando hacia el espacio.

Pero yo no flotaba a la deriva. Un nuevo cordel me ataba a mi posición.

Y no uno solo, sino un millón, y no eran cordeles, sino cables de acero. Sí, un millón de cables de acero me fijaban al mismísimo centro del universo.

Y podía ver perfectamente cómo el mundo entero giraba en torno a ese punto. Hasta el momento, nunca jamás había visto la simetría del cosmos, pero ahora me parecía evidente.

La gravedad de la Tierra ya no me ataba al suelo que pisaba.

Lo que ahora hacía que tuviera los pies en el suelo era la niñita que estaba en brazos de la vampira rubia.

Renesmee.

Un sonido nuevo llegó procedente del segundo piso, el único capaz de llegarme al alma en ese momento interminable.

Un golpeteo frenético, un latido alocado…

Un corazón en proceso de cambio.

LIBRO TRES

❖

Bella

El afecto personal es un lujo que sólo puedes permitirte una vez que han sido eliminados tus enemigos. Hasta ese momento, tus seres queridos se convierten en rehenes, minando tu coraje y corrompiendo tu juicio.

Orson Scott Card
Imperio. Una mirada incómoda a un futuro posible

Prefacio

Ahora ya no era una pesadilla, porque la línea de hábitos negros avanzaba hacia nosotros a través de la niebla helada, agitada por sus pies.

Vamos a morir, me dije llena de pánico. Sentía una gran desesperación por aquel ser precioso que yo protegía, pero incluso pensar en ello era una falta de concentración que no me podía permitir.

Se aproximaron de forma fantasmal con las ropas negras agitándose ligeramente por el movimiento. Vi cómo curvaban sus manos como garras del color de los huesos. Comenzaron a dispersarse para acercarse a nosotros desde todos los ángulos. Estábamos rodeados e íbamos a morir.

Y entonces, tras la explosión de luz de un rayo, toda la escena se transformó, aunque no había cambiado nada, porque los Vulturis aún nos amenazaban, en posición de ataque. Lo que realmente cambió fue el modo en que yo contemplaba la imagen, porque de repente sentí un deseo incontrolable de que lo hicieran, *quería* que cargaran. El pánico se transformó en un ansia de sangre que me hizo encorvarme, con una sonrisa en el rostro, y un rugido enredado entre mis dientes desnudos.

Febril

El dolor era desconcertante.

Exactamente eso, me sentía desconcertada. No podía entender, no le encontraba sentido a lo que estaba ocurriendo.

Mi cuerpo intentaba rechazar el suplicio, y me absorbía una y otra vez una oscuridad que me evitaba segundos o incluso minutos enteros de agonía, haciendo que fuera aún más difícil mantenerse en contacto con la realidad.

Intenté hacer que se separaran, el dolor y la realidad.

La irrealidad era negra y en ella no me dolía tanto.

La realidad era roja y me hacía sentir como si me aserraran por la mitad, me atropellara un autobús, me golpeara un boxeador, me pisotearan unos toros y me sumergieran en ácido, todo a la vez.

La realidad era sentir que mi cuerpo se retorcía y enloquecía aunque yo no podía moverme, posiblemente debido al mismo dolor.

La realidad era saber que había algo mucho más importante que toda esta tortura, pero ser incapaz de recordar qué era.

La realidad había llegado demasiado rápido.

En un momento, todo era como debía ser, rodeada por la gente que amaba, y sus sonrisas. De alguna manera era como si, aunque me resultara inverosímil, hubiera conseguido todo por lo que había luchado.

Y sin embargo, sólo una pequeña cosa, insustancial, había ido mal.

Observé sin ver la inclinación de la copa, que vertió la sangre oscura hasta manchar la blancura inmaculada del sofá. Me tambaleé hacia el desastre en un acto reflejo, aunque ya había visto las otras manos, más rápidas, pero mi cuerpo había continuado estirándose, intentando alcanzarlo…

Pero dentro de mí, algo tiraba en la dirección opuesta.

Desgarrándome. Quebrándome. Una agonía.

La negrura se había enseñoreado de todo y me había arrastrado en una ola de tortura. No podía respirar, ya había estado a punto de ahogarme antes, pero esto era diferente, porque me ardía la garganta.

Me estaba haciendo pedazos, partiéndome, cortándome…

Más oscuridad.

Las voces, esta vez, gritaban cuando regresó el dolor.

—¡La placenta se ha desprendido!

Algo más agudo que un cuchillo me rasgó: aquellas palabras adquiriendo sentido, algo peor que todas las otras torturas. Sabía lo que significaba la expresión «placenta desprendida». Eso quería decir que mi bebé se estaba muriendo en mi interior.

—¡SÁCALO! —le chillé a Edward, ¿por qué no lo había hecho ya?—. ¡No puede respirar! ¡Hazlo YA!

—La morfina…

¿Él quería esperar para darme analgésicos mientras se moría nuestro bebé?

—No, no... ¡AHORA! —bramé casi ahogándome, incapaz de terminar la frase.

La luz de la habitación se cubrió de puntos negros cuando una fría punzada de un nuevo ataque de dolor me atravesó el estómago, parecía una cuchillada helada. Todo iba mal... Luché de forma automática para proteger mi útero, mi bebé, a mi pequeño Edward Jacob, pero estaba muy débil. Me dolían los pulmones, porque ya había quemado todo el oxígeno.

El dolor se desvaneció de nuevo aunque esta vez yo intenté aferrarme a él. Mi bebé, mi bebé se estaba muriendo...

¿Cuánto tiempo había pasado? ¿Segundos o minutos? El dolor se había ido, y me había dejado aturdida, sin sentir nada. Tampoco podía ver nada, aunque sí escuchar. Había recuperado el aire en mis pulmones otra vez, que entraba y salía en forma de gruesas burbujas raspándome la garganta.

—¡Quédate conmigo, Bella! ¿Me oyes? ¡Aguanta! ¡Quédate, no me dejes! Haz que ese corazón tuyo siga latiendo.

¿Jacob? Jacob seguía aún aquí, intentando salvarme.

Claro, me hubiera gustado decirle. Claro que haría que mi corazón siguiera latiendo. ¿Acaso no se lo había prometido a los dos?

Intenté sentir mi corazón, encontrarlo, pero me hallaba completamente perdida dentro de mi propio cuerpo. No podía percibir las cosas como antes, ya que nada parecía estar en su sitio habitual. Pestañeé y supe dónde tenía los ojos, podía ver la luz. No era lo que estaba buscando, pero era mejor que nada.

Mientras mis ojos luchaban para adaptarse, Edward susurró:

—Renesmee.

¿Renesmee?

¿No era el niño pálido y perfecto de mi imaginación? Sentí un momento de pánico y después un flujo cálido.

Renesmee.

Quería poner mis labios en movimiento, quería que las burbujas de aire se convirtieran en murmullos en mi lengua. Forcé mis manos entumecidas a alzarse.

—Déjamela… Dámela…

La luz se movió, destrozando las manos cristalinas de Edward. Las chispas estaban teñidas de púrpura por la sangre que cubría su piel. Y había aún más rojo sobre sus manos. Algo pequeño, que se debatía, lo manchaba de sangre. Rozó el cuerpecito cálido con mis débiles brazos, casi como si yo misma la sostuviera. La piel húmeda ardía, estaba tan caliente como la de Jacob.

Mis ojos se enfocaron, de pronto, todo me pareció perfectamente claro.

Renesmee no lloraba, pero respiraba con rápidos y sorprendidos jadeos. Tenía los ojos abiertos, con una expresión tan sorprendida que parecía casi divertida. Su pequeño rostro de una redondez perfecta estaba cubierto de una espesa capa de rizos ensangrentados, enmarañados y apelmazados. Sus pupilas me resultaban familiares, aunque de un sorprendente color marrón chocolate. Bajo toda aquella sangre, su piel parecía pálida, de un cremoso color marfil, toda menos sus mejillas, que llameaban coloradas.

Aquel rostro diminuto era tan absolutamente perfecto que me dejó aturdida. Era incluso más hermosa que su padre. Algo increíble, imposible.

—Renes… mee —susurré—. Qué… bonita… eres.

Ese rostro tan imposible se iluminó repentinamente con una sonrisa ancha y deliberada. Detrás de sus labios como conchas rosadas había un juego completo de dientes de leche de color nieve.

Inclinó la cabeza hacia delante, contra mi pecho, hurgando para acurrucarse contra el calor de mi cuerpo. Tenía la piel cálida y sedosa, pero distinta de la mía.

Y entonces el dolor volvió de pronto, una sola cuchillada nueva y jadeé.

Se la llevaron. Mi bebé con cara de ángel ya no estaba en ningún sitio. No podía verla ni sentirla.

¡No!, quise gritar, *¡devolvédmela!*

Pero era presa de una enorme debilidad. Sentí los brazos durante un momento como si fueran mangueras de goma vacías y después como si nada fueran. No podía percibirlos en absoluto. No podía ni sentirme a mí misma.

La oscuridad se extendió sobre mis ojos con más solidez que antes hasta velármelos del todo, como una gruesa venda, firme y apretada; pero no sólo me cubría los ojos, sino todo mi ser, con un peso aplastante. Intentar apartarla era un esfuerzo agotador. Sabía que me sería mucho más fácil rendirme, dejar que la oscuridad me aplastara hacia abajo, abajo, abajo, hasta un lugar donde no hubiera dolor, ni cansancio, ni preocupación, ni miedo.

Si hubiera sido únicamente por mí, no habría sido capaz de luchar durante mucho más tiempo. Era sólo una humana, con nada más que fuerzas humanas. Había intentado convivir con lo sobrenatural durante demasiado tiempo, tal y como había dicho Jacob.

Pero esto no sólo tenía que ver conmigo.

Porque si hubiera escogido ponérmelo fácil, dejar que aquella nada oscura me tragara, les hubiera hecho daño.

Edward, Edward, su vida y la mía estaban ahora retorcidas la una en torno a la otra hasta formar un único hilo. Si uno se cortaba, quedarían cortados los dos. Si él se marchaba, yo no podría sobrevivir. Si la que se iba era yo, él tampoco podría con ello. Y un mundo sin Edward parecía algo absolutamente sin sentido. Edward *debía* existir.

Jacob, aquel que siempre me decía adiós, una y otra vez, pero que seguía acudiendo cuando le necesitaba. Jacob, a quien había herido tantas veces que debería juzgárseme por criminal. ¿Es que iba a considerar siquiera el hacerle daño de nuevo, de la peor manera posible? Él se había quedado conmigo a pesar de todo. Y lo único que me había pedido es que yo hiciera lo mismo.

Pero estaba tan oscuro que ni siquiera podía ver sus rostros. Nada parecía real, y eso dificultaba mucho seguir en la brecha.

Seguí empujando contra la oscuridad aunque era ya casi un acto reflejo. Ya no intentaba apartarla, sino simplemente aguantarla, para no dejar que me aplastara por completo. Yo no era el gigante Atlas y la oscuridad parecía tan pesada como la bóveda celeste. No era capaz de echármela a los hombros. Todo cuanto podía hacer era impedir que acabara conmigo por completo.

Éste era un tipo de patrón que se había aplicado a toda mi vida: nunca había sido lo bastante fuerte para enfrentar las cosas que estaban fuera de mi control, como atacar a mis enemigos o superarlos. O evitar el dolor. Siempre débil y humana. La única cosa que había conseguido era mantenerme en marcha. Soportarlo todo. Sobrevivir.

Hasta ahora había sido suficiente. Hoy también lo sería. Lo soportaría todo hasta que llegara la ayuda.

Sabía que Edward haría todo lo posible y no se rendiría. Pues yo tampoco.

Mantuve a raya la oscuridad de la inexistencia por unos centímetros.

Pero no era suficiente, no bastaba con mi determinación. Conforme el tiempo avanzaba, la oscuridad ganaba por décimas y centésimas a esos cuantos centímetros míos. Necesitaba algo de donde extraer más fuerza.

Ni siquiera podía situar el rostro de Edward ante mi vista. Ni el de Jacob, Alice, Rosalie, Charlie, Renée, Carlisle o Esme… Nada. Esto me aterrorizaba y me pregunté si no sería ya demasiado tarde.

Sentí cómo me deslizaba, como si no hubiera nada a lo que pudiera agarrarme.

¡No!, tenía que sobrevivir a esto. Edward dependía de mí. Y Jacob. Charlie Alice Rosalie Carlisle Renée Esme…

Renesmee.

Y entonces, aunque no podía ver nada, repentinamente pude sentir algo. Imaginé que podía percibir de nuevo mis brazos, como unos miembros fantasmales. Y en ellos, algo pequeño, duro, y muy, muy cálido.

Mi bebé. Mi pequeña pateadora.

Lo había conseguido. Contra todo pronóstico, había sido lo suficientemente fuerte para sobrevivir a Renesmee, y quería mantenerme a su lado hasta que fuera lo bastante fuerte para vivir sin mí.

Ese punto de calor en mis brazos espectrales parecía tan real. Me apreté contra él un poco más. Era justo donde debía de estar mi corazón. Sujetándome fuerte al cálido recuerdo de mi hija, supe que sería capaz de luchar contra la oscuridad tanto como fuera necesario.

Aquella tibieza al lado de mi corazón se hizo cada vez más real, más y más cálida. Más caliente. Era un calor tan real que resultaba difícil creer que se trataba sólo de mi imaginación.

Más caliente.

Ahora me sentía incómoda a causa del calor excesivo. Uf, demasiado calor.

Como si estuviera sujetando el extremo equivocado de unas tenacillas para rizar el pelo, mi respuesta automática fue dejar caer aquello que me abrasaba los brazos, pero no había nada en ellos. Mis brazos no estaban acurrucados contra mi pecho. Eran cosas muertas que yacían en alguna parte a mis costados. El ardor estaba en mi interior.

La sensación de quemazón aumentó, se intensificó, alcanzó el tope y volvió a incrementarse otra vez hasta que sobrepasó cuanto había sentido alguna vez en mi vida.

Sentí el pulso latir detrás del fuego que arreciaba ahora en mi pecho y comprendí que había encontrado mi corazón de nuevo, justo cuando hubiera preferido no hacerlo. Porque en ese momento deseaba haber abrazado la oscuridad mientras tuve la oportunidad. Deseaba alzar los brazos y desgarrarme el pecho hasta abrirlo para poder arrancarme el corazón, cualquier cosa con tal de desprenderme de esa tortura, pero no sabía dónde tenía las extremidades y no era capaz de mover ni uno de mis dedos desaparecidos.

James rompiéndome una pierna con su pie. Aquello no había sido nada en comparación, como un lugar mullido, como descansar en una cama de plumas. Lo habría preferido cientos de veces. Cien roturas de pierna. Las habría preferido y me habría sentido agradecida incluso.

La sensación experimentada cuando el bebé me astilló las costillas y se abrió paso hacia la superficie, destrozándome por el camino, tampoco había sido nada en comparación con esto. Era como flotar en una piscina de agua fría. Lo habría preferido mil veces, oh, sí, y habría estado agradecida.

El fuego despidió más calor y quise gritar, suplicar que alguien me matara antes de vivir ni un segundo más con aquel dolor, pero no podía mover los labios, porque el peso estaba aún allí, aplastándome.

Me di cuenta de que no era la oscuridad la que me presionaba hacia abajo, sino mi cuerpo, que se había vuelto tan pesado... Me enterraba en las llamas que se abrían camino desde mi corazón, expandiéndose con un dolor imposible a través de mis hombros y mi estómago, escaldando su trayecto hasta mi garganta y lamiendo mi rostro.

¿Por qué no me podía mover? ¿Por qué no podía gritar? Esto no formaba parte de ninguna leyenda.

Mi mente estaba insoportablemente lúcida, aguzada por aquel fiero dolor, y vi la respuesta casi tan pronto como pude formular la pregunta.

La morfina.

Parecía que hacía ya millones de muertes atrás cuando lo habíamos discutido, Edward, Carlisle y yo. Edward y Carlisle habían tenido la esperanza de que, con suficientes analgésicos, fuera posible luchar contra el dolor que producía la ponzoña. Carlisle lo había intentado con Emmett, pero el veneno había quemado la medicina, achicharrándole las venas. No había habido tiempo suficiente para que se extendiera.

Mantuve mi rostro relajado y asentí y agradecí a mis escasas estrellas de la suerte que Edward no pudiera leerme la mente.

Porque ya antes habían convivido la morfina y la ponzoña en mi sistema y por ello sabía la verdad. Sabía que el aturdimiento de la medicina era completamente irrelevante mientras la ponzoña ardiera en mis venas, pero por supuesto, nunca se me ocurrió mencionar siquiera este hecho, como ningún otro que le indujera a echarse atrás y no transformarme.

Lo que nunca imaginé fue ese posible efecto de la morfina: inmovilizarme y amordazarme. Mantenerme paralizada mientras me quemaba.

Conocía todas las historias. Sabía que Carlisle se había mantenido lo más quieto posible mientras ardía para evitar que le descubrieran. Sabía que no era nada bueno gritar, como me había contado Rosalie. Y yo había esperado que quizá podría comportarme como Carlisle y que creería las palabras de Rosalie y mantendría la boca cerrada. Porque sabía que cada grito que se escapara de entre mis labios sería un tormento para Edward.

Y ahora parecía un espantoso chiste que se hubieran cumplido mis deseos.

Pero si no podía gritar, *¿cómo iba a poder pedirles que me mataran?*

Únicamente deseaba morir. O mejor, no haber nacido nunca. Toda mi existencia no podía compensar este dolor. No merecía la pena vivir todo esto sólo a cambio de un latido más de mi corazón.

Dejadme morir, dejadme morir, dejadme morir.

Y durante un espacio que parecía no acabarse nunca, esto fue todo lo que sucedió. Sólo una tortura ardiente y mis gritos insonoros, suplicando que me llegara la muerte. Nada más, ni siquiera sentía pasar el tiempo, que de este modo se hizo infinito, sin principio ni final. Un inacabable momento de dolor.

El único cambio sobrevino cuando el dolor se redobló de forma repentina y casi imposible. La mitad inferior de mi cuerpo, más insensibilizada por la morfina, de pronto se prendió también en llamas. Alguna conexión rota debía de haberse curado entretejiéndose en ese momento con los dedos abrasadores del fuego.

Aquella quemazón infinita me abrasó con saña.

Puede que pasaran segundos o días, semanas o años pero en algún momento el tiempo volvió a adquirir significado de nuevo.

Ocurrieron tres cosas a la vez, que surgieron de tal modo que no tenía idea de cuál había sido la primera: el tiempo reemprendió su marcha, el peso causado por la morfina desapareció, y me sentí más fuerte.

Podía sentir cómo recuperaba el control de mi cuerpo poco a poco, y esos pequeños logros fueron mis primeros indicadores del paso del tiempo. Lo supe cuando noté que era capaz de retorcer los dedos de mis pies y los de las manos, para convertirlos en puños. Lo supe, pero no hice nada.

Aunque el incendio no disminuyó ni un solo grado. De hecho, más bien comencé a desarrollar una nueva capacidad de experimentarlo, una nueva sensibilidad para poder apreciarlo, para percibir por separado cada una de aquellas abrasadoras lenguas de fuego que lamían mis venas, pero a pesar de ello, pude pensar.

Recordé por qué no debía gritar. Recordé el motivo por el cual me había obligado a soportar esta agonía indescriptible. Y también recordé que había algo por lo que merecería la pena soportar semejante suplicio aunque ahora pudiera parecer casi imposible.

Esto sucedió justo a tiempo, para ayudarme a resistir cuando los pesos abandonaron mi cuerpo. Nadie que me estuviera observando habría apreciado cambio alguno. Pero a mí, que luchaba por mantener los gritos a raya y aquella paliza encerrada en los límites de mi cuerpo, donde no pudiera hacer daño a nadie más, me hizo sentir como si en vez de estar atada a la estaca donde ardía, me estuviera aferrando a ella para mantenerme pegada al fuego.

Sólo me quedaba la fuerza justa para sostenerme allí, inmóvil, mientras me achicharraba viva.

El sentido del oído se aguzó más y más, y pude contar los latidos retumbantes y frenéticos de mi corazón marcando el tiempo.

Pude contar también la respiración superficial que jadeaba entre los dientes.

Pude contar también las sordas respiraciones regulares que procedían de alguien que estaba muy cerca, a mi lado. Éstas se movían con más lentitud, de modo que me concentré en ellas para calcular el tiempo con más facilidad. Más regulares aún que el péndulo de un reloj, aquellas respiraciones me empujaron a través de los segundos achicharrantes hacia el final.

Continué sintiéndome más fuerte, y mis pensamientos se aclararon. Cuando percibí nuevos ruidos, pude escuchar.

Eran pasos ligeros, y el susurro del aire agitado por una puerta abierta. Los pasos se acercaron más y sentí una presión sobre la parte interior de mi muñeca. No pude percibir la frialdad de sus dedos. La quemazón había arrasado cualquier recuerdo que pudiera tener de lo que era el frescor.

—¿Todavía no hay ningún cambio?

—Ninguno.

Sentí una ligera presión, un aliento contra mi piel abrasada.

—No queda ningún resto de olor a morfina.

—Ya lo sé.

—Bella, ¿puedes oírme?

Supe, más allá de toda duda, que si destrababa los dientes perdería y comenzaría a chillar, chirriar, y retorcerme y sacudirme. Si abría los ojos, si incluso sólo torcía un dedo de una mano, cualquier cambio fuera el que fuera, sería el final de mi auto-control.

—¿Bella? ¿Bella, amor? ¿Puedes abrir los ojos? ¿Puedes apretarme la mano?

Una nueva presión sobre mis dedos. Se me hacía aún más duro no responder a esta voz, pero permanecí paralizada. Sabía que el dolor que se percibía en su voz no era nada comparado al que sería si él se daba cuenta, porque ahora sólo se *temía* que pudiera estar sufriendo.

—Quizá, Carlisle, quizá haya llegado demasiado tarde.

Su voz sonaba amortiguada y se quebró al llegar a la palabra «tarde». Mi resolución flaqueó durante un segundo.

—Escucha su corazón, Edward. Late con más fuerza que el de Emmett en su momento. Nunca había escuchado nada tan lleno de vida. Ella va a estar perfecta.

Sí, había tenido razón permaneciendo quieta. Carlisle le devolvería la seguridad en sí mismo. No necesitaba sufrir conmigo.

—¿Y la… la columna?

—Sus heridas no eran peores que las de Esme, así que la ponzoña la curará igual que a ella.

—Pero está tan quieta. *Debo* haber hecho algo mal.

—O quizás algo bien, Edward. Hijo, has hecho lo mismo que hubiera hecho yo y más. No estoy seguro de que yo hubiera tenido la persistencia, la fe que ha sido necesaria para salvarla. Deja ya de reprocharte nada a ti mismo. Bella va a estar bien.

Se oyó un susurro quebrado.

—Debe de estar pasando un verdadero calvario.

—No lo sabemos. Ha tenido una gran cantidad de morfina en su sistema y no conocemos qué efecto habrá causado en su experiencia de la transformación.

Sentí una ligera presión en el pliegue del codo y otro susurro.

—Bella, te amo. Bella, lo siento.

Deseaba tanto poder contestarle, pero no quería hacerle sentir más dolor. No mientras me quedaran fuerzas para mantenerme inmóvil.

Mientras sucedía esto, el fuego incontrolable continuó abrasándome. Pero ahora había más espacio en mi cabeza. Espacio para reflexionar sobre su conversación, para recordar lo que había ocurrido, para mirar hacia el futuro… Un espacio infinito también para sufrir.

Y también para preocuparme.

¿Dónde estaba mi bebé? ¿Por qué no se encontraba aquí? ¿Por qué no hablaban de ella?

—No, yo me voy a quedar aquí —susurró Edward, contestando a una pregunta que no se había formulado—. Ya se las apañarán como puedan.

—Una situación muy interesante —replicó Carlisle—. Y yo que pensaba que lo había visto ya todo.

—Me ocuparé de eso más tarde. *Nos* ocuparemos —algo presionó suavemente mi palma abrasada.

—Estoy seguro de que entre los cinco podemos evitar que esto desemboque en un derramamiento de sangre.

Edward suspiró.

—No sé de qué lado ponerme. Me dan ganas de azotarlos a los dos. Bueno, más tarde.

—Me pregunto qué pensará Bella de esto… de qué lado se pondrá —musitó Carlisle.

Se oyó una risita sorda, contenida.

—Estoy seguro de que va a sorprenderme. Siempre lo hace.

Los pasos de Carlisle se alejaron de nuevo y me sentí frustrada de que no se hubiera explicado más. ¿Acaso estaban hablando de forma tan misteriosa sólo para molestarme?

Volví a contar las respiraciones de Edward para marcar el paso del tiempo.

Diez mil novecientas cuarenta y tres respiraciones más tarde, unos pasos que sonaban distintos se deslizaron con un susurro en la habitación. Más ligeros. Más... rítmicos.

Era extraño que pudiera distinguir aquellas sutiles diferencias entre pasos que nunca había sido capaz de escuchar en toda mi vida.

—¿Cuánto tiempo más queda? —preguntó Edward.

—No debe de ser mucho ya —le contestó Alice—. ¿Ves cómo se le aclara la piel? La veo mucho mejor —suspiró.

—¿Todavía sientes un poco de amargura?

—Sí, y gracias por recordármelo —gruñó ella—. Tú también deberías sentirte humillado, si te dieras cuenta de que estás maniatado por tu propia naturaleza. Veo mejor a los vampiros, porque yo soy una, también veo bien a los humanos, porque fui una. Pero no puedo con esas razas mestizas porque no son nada que yo haya experimentado. ¡Bah!

—Céntrate, Alice.

—Vale. Bella se ve ahora casi bien.

Se hizo un largo silencio y después Edward suspiró. Era un sonido nuevo, más feliz.

—Parece verdad que ella va a recuperarse —dijo tras respirar hondo.

—Claro que sí.

—No eras tan optimista hace dos días.

—No podía ver bien hace dos días. Pero ahora que ella está libre de todos los puntos ciegos se distingue muy bien.

—¿Podrías concentrarte un poco por mí? Sobre el tiempo... Dame una estimación.

Alice suspiró.

—Qué impaciente. Vale. Dame un segundo…

Una respiración silenciosa.

—Gracias, Alice —su voz sonó más alegre.

¿Cuánto tiempo quedaba? ¿Es que no podían decirlo en voz alta para que pudiera enterarme? ¿Es que era eso demasiado pedir? ¿Cuántos segundos más seguiría ardiendo? ¿Diez mil? ¿Veinte? ¿Otro día más, ochenta y seis mil cuatrocientos? ¿Más aún?

—Se va a convertir en una belleza deslumbrante.

Edward gruñó quedamente.

—Siempre lo ha sido.

Alice resopló.

—Ya sabes lo que quiero decir. *Mírala.*

Edward no contestó, pero las palabras de Alice me concedieron la esperanza de que quizá no tuviera el aspecto de un ladrillo de carbón al que creía parecerme. A estas alturas yo no debería ser más que una pila de huesos socarrados. Cada célula de mi cuerpo se había visto reducida a cenizas.

Escuché el aire agitarse debido a la marcha de Alice. Distinguí claramente el siseo de la tela cuando se movió, al rozarse. Oía también con nitidez el silencioso zumbido de la luz que colgaba del techo. Escuché la ligera brisa que soplaba en el exterior de la casa. Podía percibirlo *todo.*

En el piso inferior alguien estaba viendo un partido de béisbol. Los Mariners ganaban por dos carreras.

—Es mi turno —oí que le decía Rosalie con voz brusca a alguien y recibió un bajo gruñido en respuesta.

—Oye, tú —advirtió Emmett.

Alguien siseó.

Escuché a ver si podía distinguir algo más, pero no se percibía nada más que el partido. El béisbol no era lo suficientemente interesante para distraerme del dolor, así que volví a quedarme pendiente de las respiraciones de Edward, contando los segundos.

El dolor cambió veintiún mil novecientos diecisiete segundos y medio más tarde.

Mirando el lado bueno de las cosas, pareció disminuir en las puntas de los dedos de los pies y de las manos. *Lentamente*, pero al menos suponía una novedad. A lo mejor es que esto era lo que tenía que ocurrir, que el dolor estuviera ya desvaneciéndose...

Pero después llegaron las malas noticias. El fuego de mi garganta tampoco era igual que antes, porque ahora también me hacía estar muerta de sed y seca como un hueso. Tan sedienta... Ardiendo por culpa del fuego y también ahora por la sed...

Y otra mala noticia: el fuego de mi corazón ardió con más virulencia.

Pero ¿cómo era eso *posible*?

Los latidos de mi corazón, ya demasiado rápidos, incrementaron el ritmo: el fuego los impulsaba a una marcha casi frenética.

—Carlisle —llamó Edward. Su voz sonaba baja, pero muy clara. Supe que Carlisle podría oírla y que estaría en la casa o en sus inmediaciones.

El fuego se retiró de las palmas de mis manos, dejándolas dichosamente libres de dolor y frescas, pero se instaló en mi corazón, que ardía con tanta fuerza como el sol y latía a una furiosa y nueva velocidad.

Carlisle entró en la habitación con Alice a su lado. Sus pasos sonaban tan distintos, que incluso podía decir que el que iba a la derecha era Carlisle, y un paso por delante de Alice.

—Escuchad —les indicó Edward.

El sonido más fuerte que se oía en la habitación era el de mi corazón desenfrenado, que latía al ritmo del fuego.

—Ah —dijo Carlisle—, ya casi ha terminado.

El alivio que sentí ante sus palabras fue superado por el dolor insoportable de mi corazón.

Tenía las muñecas libres, y también los tobillos. El fuego se había extinguido allí por completo.

—Muy pronto —convino Alice con impaciencia—. Traeré a los otros. ¿Debo hacer que Rosalie…?

—Sí… Es preferible que mantenga al bebé alejado.

¿Qué? No. ¡No! ¿Qué querían decir con eso de mantener al bebé apartado? ¿En qué estaban pensando?

Se me retorcieron los dedos, porque la irritación irrumpió a través de mi fachada perfecta. La habitación quedó en completo silencio mientras todos dejaban de respirar un segundo en respuesta.

Una mano apretó mis dedos díscolos.

—¿Bella? ¿Bella, amor?

¿Podría contestarle sin gritar? Lo consideré durante un momento y entonces el fuego rasgó mi pecho inundándolo de más calor, extrayéndolo de mis codos y mis rodillas. Mejor no intentarlo siquiera.

—Haré que suban ya —dijo Alice, con un punto de urgencia en su tono y escuché el siseo del aire cuando se precipitó afuera.

Y entonces…, ¡oh!

Mi corazón despegó batiendo como las palas de un helicóptero, con el sonido de una sola nota sostenida; parecía que se abriría camino a través de mis costillas. El incendio llameó en el centro de mi pecho, absorbiendo los restos de llamas del resto de mi cuerpo para alimentar el más abrasador de los rescoldos. El suplicio fue lo bastante intenso como para aturdirme y romper el fuerte asidero de la estaca. La espalda se me arqueó, doblándome como si el fuego me estuviera alzando desde el corazón.

No dejé que ninguna otra parte de mi cuerpo rompiera filas hasta que mi torso se derrumbó contra la mesa.

Se inició una batalla en mi interior: mi corazón que se aceleraba contra el fuego que lo atacaba y ambos iban perdiendo. El fuego fue domado, habiendo consumido ya todo lo que era combustible y mi corazón galopaba hacia su último latido.

El fuego se encogió, concentrándose en aquel órgano que era lo último humano que quedaba en mí, con una oleada final insoportable. Esa llamarada fue contestada por un profundo golpe sordo, que sonó como a hueco. Mi corazón tartamudeó un par de veces y después latió sólo una vez más.

Y ya no hubo ningún otro sonido. Ni una respiración, ni siquiera la mía.

Durante un momento, lo único que pude comprender fue la ausencia de dolor.

Y entonces abrí los ojos y miré maravillada hacia arriba.

Nuevo

Se percibía todo con una inusitada claridad.

Los contornos eran precisos y definidos.

Encima de mi cabeza refulgía una luminosidad cegadora, a pesar de lo cual todavía era capaz de ver los hilos incandescentes de los filamentos dentro del globo de la bombilla y distinguía todos los colores del arco iris en la luz blanca, y al borde mismo del espectro, un octavo color cuyo nombre no conocía.

Más allá de la luz pude distinguir los granos individuales de la madera oscura en el techo que nos cubría. Debajo de él, veía las motas de polvo flotar en el aire y aquellos lugares a los que llegaba la luz distintos y separados de los oscuros. Giraban como pequeños planetas, moviéndose unos alrededor de los otros en un baile celestial.

El polvo era tan hermoso que inhalé sorprendida. El aire se deslizó silbando por mi garganta, haciendo girar las motas de polvo en un embudo. Me pareció que algo iba mal. Reflexioné y me di cuenta de que el problema era que no sentía ningún alivio al respirar. No necesitaba el aire, y mis pulmones no me lo pedían ya. Es más, reaccionaban de forma diferente al llenarse.

No necesitaba el aire, pero me gustaba, porque me permitía saborear la habitación que me rodeaba, aquellas encantadoras motas de polvo, la mezcla del aire viciado con el flujo de una brisa ligeramente más fresca que venía de la puerta abierta. Probé también un olorcillo suntuoso a seda. De igual modo percibí el gusto tenue de algo cálido y deseable, algo que podría ser húmedo, pero que no lo era… Ese olor hizo que la garganta me quemara por la sequedad, un eco ligero del ardor de la ponzoña, aunque estuviera teñido del tufo penetrante del cloro y el amoníaco. Y por encima de todo, pude saborear un aroma mezcla de miel, lilas y sol que era el que predominaba sobre todos, el de aquello que tenía más cerca.

Escuché el sonido de los demás, que volvían ahora a respirar de nuevo ya que yo también lo había hecho. Su aliento se mezcló con el de miel, lilas y luz de sol, mostrando otros ingredientes. Canela, jacinto, pera, agua salada, pan recién hecho, pino, vainilla, cuero, manzana, musgo, lavanda, chocolate… Necesité usar más de una docena de comparaciones en mi mente, aunque ninguna de ellas le encajaba a la perfección. Era algo tan dulce y agradable.

La televisión del piso inferior estaba apagada, y escuché a alguien, ¿Rosalie?, cambiar su peso de un pie a otro en el primer piso.

También distinguí un tenue ritmo de golpeteo mientras una voz replicaba con enfado al sonido. ¿Música rap? Me sentí desconcertada durante un momento, y después el sonido se desvaneció como si fuera el de un coche que pasara con las ventanillas bajadas.

Pegué un respingo, me di cuenta de que seguramente era eso mismo. ¿Acaso podía oír la autovía desde allí?

No caí en la cuenta de que alguien me sujetaba la mano hasta que ese alguien me la apretó con dulzura. Del mismo modo que antes había tenido que ocultar el dolor, mi cuerpo se cerró de nuevo debido a la sorpresa. Ése no era el contacto que había esperado. La piel era del todo suave, pero con una temperatura equivocada, porque no estaba fría.

Después de ese primer segundo paralizado por la sorpresa, mi cuerpo respondió al tacto poco familiar de un modo que aún me chocó más.

El aire siseó por mi garganta, salió disparado por entre mis dientes apretados con un sonido sordo y amenazante, como el de un enjambre de abejas. Antes de que el sonido se apagara, mis músculos se agruparon y arquearon, retorciéndose para apartarse de lo desconocido. Salté sobre mi espalda con un giro tan rápido que debería haber convertido la habitación en un borrón incomprensible, pero no fue así. Seguí viendo cada una de las motas de polvo, cada astilla de las paredes cubiertas de paneles de madera, cada hilo suelto con detalles tan microscópicos que mis ojos giraron a su vez.

Reaccioné a la defensiva y me agazapé, pegada a la pared, hasta que comprendí qué me había asustado unas décimas de segundo más tarde y por qué había tenido una reacción tan desmedida.

Oh. Claro. Edward ya no me daría la sensación de estar frío. Ambos teníamos ahora la misma temperatura.

Mantuve la postura durante una décima de segundo más, adaptándome a la escena que tenía delante de mí.

Edward estaba inclinado sobre la mesa de operaciones que se había convertido en mi pira, con la mano extendida hacia mí, y la expresión llena de ansiedad.

El rostro de Edward era lo más importante para mí, pero mi visión periférica catalogó todo lo demás, sólo por si acaso. Algún extraño instinto defensivo se había disparado en mí, y automáticamente busqué algún signo de peligro.

Mi familia de vampiros esperaba llena de cautela contra la pared más alejada de la puerta, con Emmett y Jasper en la parte delantera. Como si realmente hubiera algún peligro. Las aletas de mi nariz se agitaron, buscando la amenaza. No podía oler nada que estuviera fuera de lugar. El tenue resto del aroma de algo delicioso, pero estropeado por el olor de fuertes productos químicos, hormigueó de nuevo en mi garganta, dejándola ardiente y dolorida.

Alice estaba mirando desde detrás del codo de Jasper con una gran sonrisa en el rostro; la luz brillaba en sus dientes, como un arco iris de ocho colores.

Aquella sonrisa me tranquilizó y entonces todas las piezas encajaron. Jasper y Emmett estaban delante de todos los demás para protegerlos, como había supuesto. Lo que no había captado a la primera era que el peligro era *yo*.

Pero todo esto resultaba algo secundario. La mayor parte de mis sentidos y mi mente estaban concentrados todavía en el rostro de Edward.

Nunca le había visto así antes de ese momento.

¿Cuántas veces me había quedado mirando a Edward y me había maravillado de su belleza? ¿Cuántas horas, días, semanas de mi vida había pasado soñando con lo que yo entonces había considerado perfección? Creía que conocía su rostro mejor que el mío propio. Había pensado que ésta era la única certeza física de mi mundo entero: la perfección absoluta del rostro de Edward.

Pero era como si en realidad hubiese estado ciega.

Por vez primera, ya eliminadas de mis ojos las sombras borrosas y las debilidades limitadoras de mi humanidad, vi su rostro. Jadeé y después luché con mi vocabulario porque era incapaz de hallar los términos apropiados. Necesitaba palabras mejores para ello.

Llegados a este punto, la otra parte de mi mente había comprobado que no había allí ningún otro peligro que no fuera yo, así que me erguí, abandonando mi postura agazapada. Había pasado casi un segundo entero desde que aún estaba sobre la mesa de operaciones.

Me preocupó un momento la forma en la que mi cuerpo se movía. Al instante en que había considerado la idea de ponerme derecha, ya estaba erguida. No había un fragmento de tiempo entre concebir la idea y realizarla: la transición se producía de forma instantánea.

Continué mirando con fijeza el rostro de Edward, de nuevo inmóvil.

Dio la vuelta a la mesa lentamente y cada uno de sus pasos le llevó apenas medio segundo, fluyendo de forma sinuosa, como el agua de un río sobre las piedras de contornos suaves del fondo. Su mano aún extendida.

Observé la gracia de su avance, absorbiéndola con mis nuevos ojos.

—¿Bella? —preguntó con un tono de voz bajo, calmante, aunque la preocupación teñía mi nombre de tensión.

No pude contestar de forma inmediata, perdida como estaba en las capas de terciopelo de su voz. Era la sinfonía más perfecta, una de un solo instrumento, el más profundo creado jamás por el hombre…

—¿Bella, amor? Lo siento, sé que se siente uno desorientado, pero estás bien, y luego todo va a ir mejor.

¿Todo? Mi mente giró, volviéndose en una espiral cerrada a mi última hora como humana. El recuerdo parecía ya tenue, como si se contemplara a través de un espeso velo oscuro. Mis ojos humanos habían estado medio ciegos y aquello se veía ahora tan borroso...

Cuando él decía que todo iba a ir bien, ¿incluía eso a Renesmee? ¿Dónde estaba ella? ¿Con Rosalie? Intenté rememorar su rostro. Sabía ya que era muy hermoso, pero resultaba irritante contemplarlo a través de mis recuerdos humanos. Un rostro envuelto en la oscuridad, tan pobremente iluminado...

¿Y qué pasaba con Jacob? ¿Se encontraba bien? Mi mejor amigo, después de haber sufrido tanto, ¿me odiaba? ¿Había regresado con la manada de Sam? ¿Y Seth y Leah, también?

¿Estaban los Cullen a salvo o mi transformación había encendido una guerra con la manada? ¿La completa seguridad en sí mismo que mostraba Edward era en realidad una tapadera? ¿Estaba simplemente intentando calmarme y nada más?

¿Y Charlie? ¿Qué le iba a decir ahora? Debía de haber estado llamando mientras yo ardía sobre aquella cama. ¿Qué le habían contado? ¿Qué pensaba él que me había ocurrido?

Mientras yo deliberaba en una centésima de segundo qué pregunta formular en primer lugar, Edward alzó la mano con vacilación y me acarició la mejilla con las yemas de los dedos. Era suave como el satén, suave como una pluma y ahora se ajustaba exactamente a la temperatura de mi piel.

Su tacto parecía atravesar en un barrido la superficie de mi piel, justo hasta los huesos de mi cara. La sensación era de cosquilleo, eléctrica y saltaba a través de mis huesos, bajándome por la columna hasta alojarse temblando en mi estómago.

Espera, pensé cuando el temblor floreció convirtiéndose en una calidez, un anhelo. ¿No se suponía que esto tenía que perderse? ¿No era el desprenderse de estas sensaciones una parte del trato?

Yo era un vampiro neonato; de hecho, la sequedad, el dolor abrasador que sentía en la garganta suponían una prueba suficiente de ello. Y sabía lo que conllevaba serlo. Las emociones y deseos humanos regresarían para formar parte de mí en algún momento posterior, de alguna forma, pero yo había aceptado que no las sentiría desde el principio. Sólo sed. Ése era el trato, el precio a pagar que yo había aceptado.

Pero cuando la mano de Edward se curvó hasta adoptar la forma de mi rostro como acero cubierto de raso, el deseo corrió por mis venas resecas, cantando desde el cráneo hasta las puntas de los dedos de mis pies.

Él arqueó una ceja perfecta, esperando a que dijera algo.

Yo arrojé los brazos en torno a su cuerpo.

Nuevamente, me pareció que no se había producido ningún movimiento. En un momento yo estaba erguida e inmóvil como una estatua y en el mismo instante, lo tenía entre mis brazos.

Mi primera percepción fue de calor, o al menos eso me pareció. Y luego aquel dulce aroma delicioso que nunca había sido capaz de disfrutar en toda su realidad con mis débiles sentidos humanos, pero que era el uno por ciento de Edward. Presioné el rostro contra su pecho suave.

Y entonces él cambió la distribución de su peso, incómodo, y se apartó de mi abrazo. Me quede mirándole con fijeza la cara, confusa y asustada por su rechazo.

—Mmm… Ve con cuidado, Bella. Ay.

Aparté los brazos y los doblé detrás de la espalda tan pronto como lo comprendí.

Ahora yo era demasiado fuerte.

—Ops —dije sin hacer sonido apenas, sólo con un movimiento de labios.

Él esbozó esa clase de sonrisa que me hubiera detenido el corazón si aún hubiera seguido latiendo.

—Que no te dé un ataque de pánico ahora, amor —repuso, alzando la mano para tocar mis labios, separados en una mueca horrorizada—. Simplemente eres algo más fuerte que yo en este momento.

Fruncí las cejas hasta que se unieron. Esto también estaba previsto, pero me parecía de lo más surrealista, aún más que cualquier otra cosa igual de increíble de las que me estaban ocurriendo en ese momento. Era más fuerte que Edward. Había hecho que exclamara «ay».

Su mano acarició de nuevo mi mejilla y yo olvidé por completo mi angustia porque otra ola de deseo recorrió mi cuerpo inmóvil.

Estas emociones eran mucho más intensas que aquellas a las que estaba acostumbrada y resultaba difícil concentrarse en un solo hilo de pensamientos a pesar del espacio extra que había en mi cabeza. Cada nueva sensación me embargaba por completo. Recordé que Edward me había dicho alguna vez, aunque su voz en este caso era una sombra débil de la claridad cristalina y musical de la de ahora, que su especie, «nuestra» especie, se distraía con facilidad. Ahora podía comprender por qué.

Hice un esfuerzo coordinado para concentrarme. Había algo que quería decir, lo más importante.

Muy cuidadosamente, con tanta cautela que el movimiento apenas fue discernible, saqué el brazo derecho de mi espalda y alcé la mano para tocar su mejilla. No me permití que el color perlado de mi mano, la seda suave de su piel o la descarga eléctrica que silbaba en las puntas de mis dedos desviaran mi atención.

Clavé mis ojos en los suyos y escuché mi voz por primera vez.

—Te amo —le dije, pero sonó como si lo hubiera cantado. Mi voz repicaba y resplandecía como la de una campana.

Su sonrisa en respuesta me encandiló mucho más que cuando era humana, porque ahora podía verle de verdad.

—Como yo a ti —contestó él.

Tomó mi rostro entre las manos e inclinó el suyo hacia el mío, con la lentitud suficiente para recordarme que debía tener cuidado. Me besó, con la suavidad de un suspiro al principio y después con una fuerza repentina, con fiereza. Intenté recordar que debía ser cuidadosa con él pero era un trabajo muy duro hacer memoria de nada bajo el asalto de la sensación, muy difícil mantener ningún tipo de pensamiento coherente.

Era como si no me hubiera besado nunca antes, como si fuera nuestro primer beso. Y la verdad era que jamás me había besado así.

Casi me hizo sentirme culpable. Seguramente estaba rompiendo alguna cláusula del contrato, porque se suponía que tampoco podría tener esto.

Aunque ahora no necesitaba oxígeno, mi respiración cobró velocidad, se aceleró tanto como cuando me estaba quemando, aunque éste era un tipo distinto de fuego.

Alguien carraspeó. Emmett. Reconocí el sonido profundo a la primera, burlón y enojado a la vez.

Se me había olvidado que no estábamos solos. Y entonces me di cuenta de que la forma en la que mi cuerpo se incrustaba en el de Edward no era el apropiado cuando se está en compañía.

Avergonzada, di un paso hacia atrás con otro movimiento instantáneo.

Edward se echó a reír entre dientes y dio el paso también conmigo, manteniendo sus brazos firmemente apretados en torno a mi cintura. Su rostro relucía, como si hubiera una llama blanca detrás de su piel diamantina.

Inhalé un trago de aire innecesario para recuperarme.

¡Qué diferente era esta forma de besar! Leí su expresión mientras comparaba mis confusos recuerdos humanos con esta sensación clara, intensa. Él parecía... un poco pagado de sí mismo.

—Te has estado conteniendo antes por mí —le acusé con mi voz cantarina y los ojos un poco entrecerrados.

Él soltó una carcajada, radiante de alivio porque todo había pasado: el miedo, el dolor, las inseguridades, la espera, aquello estaba ya a nuestras espaldas.

—Entonces era necesario —me recordó él—. Ahora es tu turno de no hacerme pedazos —y se echó a reír de nuevo.

Puse mala cara cuando pensé en ello y entonces no fue sólo Edward el que se echó a reír.

Carlisle dio un paso alrededor de Emmett y caminó hacia mí con rapidez; sus ojos tenían una ligera expresión precavida, pero Jasper se movió detrás de él como si fuera su sombra. Nunca había visto realmente el rostro de Carlisle antes, al menos no de verdad. Sentí una extraña necesidad de pestañear, era como mirar al sol.

—¿Qué tal te sientes, Bella? —me preguntó Carlisle.

Lo consideré durante una milésima de segundo.

—Abrumada. Hay *demasiado*... —mi voz se desvaneció, atenta ahora a su tono como de campanillas.

—Sí, puede llegar a ser bastante confuso.

Asentí con un rápido movimiento de cabeza, nervioso.

—Pero sigo sintiéndome yo misma, o al menos algo parecido. No esperaba esto.

Los brazos de Edward se apretaron un poco más alrededor de mi cintura.

—Ya te lo dije —me susurró.

—Estás muy controlada —reflexionó Carlisle—. Mucho más de lo que yo esperaba, incluso contando con todo el tiempo que has tenido para prepararte mentalmente para esto.

Pensé en los violentos cambios de humor, la dificultad en concentrarme y murmuré.

—No estoy tan segura de eso.

Él asintió con seriedad y sus ojos como joyas relumbraron interesados.

—Me parece que esta vez hicimos algo bien con la morfina. Dime, ¿qué es lo que recuerdas del proceso de transformación?

Yo dudé, muy consciente de cómo el aliento de Edward me rozaba la mejilla, enviando chispas eléctricas por toda mi piel.

—Lo recuerdo… muy borroso. Me acuerdo de que el bebé no podía respirar…

Miré a Edward de repente asustada por la imagen.

—Renesmee está sana y muy bien —me prometió, con un resplandor que jamás había visto en sus ojos. La nombró con un sencillo fervor, como con reverencia. Del mismo modo que la gente devota habla de sus dioses—. ¿Qué recuerdas después de aquello?

Me concentré en mantener cara de póquer. Los embustes nunca habían sido mi fuerte.

—No es fácil acordarse. Había una completa oscuridad. Y entonces… abrí los ojos y pude verlo *todo*.

—Sorprendente —musitó Carlisle, con los ojos iluminados.

El disgusto me invadió y esperé que el calor inundara mis mejillas y me dejara en evidencia. Luego recordé que nunca volvería a ruborizarme. Tal vez eso sirviera para proteger a Edward de la verdad.

Pero tenía que encontrar la manera de avisar a Carlisle. Algún día, por si necesitaba crear algún nuevo vampiro. Esa posibilidad parecía muy lejana, lo que me hizo sentir mejor a pesar de la mentira que acababa de contar.

—Quiero que pienses, que me cuentes todo lo que recuerdes —me presionó Carlisle, entusiasmado, y no pude evitar la mueca que recorrió mi rostro. No quería seguir mintiéndole, porque lo más probable es que terminara pillándome. Y además no deseaba pensar en la quemazón. A diferencia de mi memoria humana, esa parte estaba muy clara y encontré que podía recordarla con una precisión más que indeseada—. Oh, lo siento tanto, Bella —se disculpó Carlisle con rapidez—. Seguro que tienes que sentirte muy incómoda con la sed. Esta conversación puede esperar.

Hasta que él no lo mencionó, la sed no me pareció particularmente difícil de manejar. Había tanto espacio en el interior de mi cabeza. Una parte separada de mi cerebro vigilaba el ardor de mi garganta, casi como un acto reflejo. Del mismo modo que mi viejo cerebro se las había apañado con la respiración y el pestañeo.

Pero la suposición de Carlisle trajo esa quemazón a la parte central de mi mente. De pronto, no fui capaz de pensar más que en el dolor y la sequedad, y cuanto más lo contemplaba, más me dolía. Mi mano voló hacia mi garganta, donde se pegó, adaptándose a ella, como si pudiera sofocar de ese modo las llamas desde el exterior. Sentía la piel del cuello extraña bajo mis dedos, tan suave que parecía blanda, pero sin embargo era dura como la piedra.

Edward dejó caer los brazos y me cogió de una mano, tirando de ella con ternura.

—Vamos a cazar, Bella.

Los ojos se me abrieron como platos y el dolor de la sed cedió, mientras la sorpresa lo sustituía.

¿Yo? ¿Cazando? ¿Con Edward? Pero... *¿cómo?* No sabía qué hacer.

Él leyó la alarma en mi expresión y sonrió dándome ánimos.

—Es muy fácil, amor, casi instintivo, así que no te preocupes, yo te enseñaré cómo —al ver que no me movía, compuso esa sonrisa torcida suya y alzó las cejas—. Siempre tuve la impresión de que te hubiera gustado verme cazar.

Me eché a reír con una súbita explosión de buen humor (parte de mí aún atendiendo maravillada al sonido como de repique de campanas) mientras sus palabras me recordaban una nube brumosa de conversaciones humanas. Y me llevó todo un segundo recorrer en mi mente aquellos primeros días con Edward, el verdadero comienzo de mi vida, de modo que no los olvidara nunca. No había esperado que me resultara tan incómodo recordar. Era como intentar buscar algo a través del agua cenagosa. Ya sabía por la experiencia de Rosalie que si pensaba a menudo en mis recuerdos humanos, no los perdería con el paso del tiempo. No quería olvidar ni uno solo de los minutos que había pasado con Edward, ni siquiera ahora, cuando la eternidad se extendía ante nosotros. Debía buscar la manera de asegurarme de que aquellos recuerdos humanos quedaran pegados con cemento a mi infalible mente de vampira.

—¿Vamos? —me preguntó Edward, y alzó la mano para coger la mía, que aún reposaba en mi cuello. Sus dedos repasaron mi garganta—. No quiero que le hagas daño a nadie —añadió en un murmullo sordo. Un murmullo que antes nunca hubiera logrado escuchar.

—Estoy bien —le contesté para no faltar a mi hábito humano—. Espera. Primero hay algo…

En realidad no era «algo», sino tantas cosas. No había podido hacer mis preguntas, y había cosas más importantes que el dolor.

Fue Carlisle el que habló ahora.

—¿Sí?

—Quiero verla, a Renesmee.

Era extrañamente difícil decir su nombre. «Mi hija», estas palabras resultaban incluso complicadas de pensar. Todo parecía tan lejano. Intenté recordar cómo me había sentido hacía tres días, y de modo automático mi mano se liberó de la de Edward y se posó sobre mi barriga.

Estaba plana, vacía. Aferré la seda pálida que me cubría la piel, sintiendo pánico de nuevo, mientras una parte insignificante de mi mente registraba el hecho de que Alice debía de haberme cambiado de ropa.

Sabía que ya no había nada en mi interior y recordaba lejanamente la escena de la sangrienta extracción, pero la prueba física resultaba todavía difícil de asumir. Todo lo que sabía hacer era seguir amando a la pequeña pateadora que había estado dentro de mí. Pero en el exterior parecía un producto de mi imaginación. Una fantasía elusiva, un sueño que era a medias una pesadilla.

Edward y Carlisle intercambiaron una mirada de prevención mientras yo luchaba por salir de mi confusión. Los pillé.

—¿Qué? —les exigí al inquirir.

—Bella —comenzó Edward con voz tranquilizadora—, ésa no es una buena idea. Ella es medio humana, amor. Su corazón late y corre sangre por sus venas. No querrás ponerla en peligro hasta que tengas controlada de verdad tu sed, ¿a que no?

Puse mala cara. Claro que no quería eso.

¿Es que estaba fuera de control? Confundida, puede que sí. Me desconcentraba con facilidad, eso también, pero, ¿peligrosa? ¿Para ella? ¿Para mi hija?

No estaba segura del todo de que la respuesta fuera «no», así que tendría que ser paciente. Sonaba difícil, porque hasta que la viera de nuevo, no sería algo real para mí, sólo un sueño que se desvanece... de una extraña...

—¿Dónde está? —escuché con atención y entonces pude percibir el corazón que latía en el piso de abajo.

Podía oír la respiración de más de una persona, silenciosas, como si ellos estuvieran escuchando a su vez. También se oía el sonido de un fuerte latido, como el de un tambor, que no conseguía situar...

Y el sonido del latido de aquel corazón sonaba tan húmedo y atractivo que la boca comenzó a hacérseme agua.

Así que sin duda tendría que aprender a cazar antes de ver a mi bebé, que era como una extraña.

—¿Está con Rosalie?

—Sí —respondió Edward en tono cortante y me di cuenta de que había pensado en algo que le había molestado. Yo creía que Rosalie y él habían superado sus diferencias, aunque, ¿había vuelto la animosidad que sentían el uno por el otro? Antes de que pudiera preguntar, él apartó las manos de mi barriga plana, tirándome de ellas cariñosamente otra vez.

—Espera —protesté de nuevo, intentando concentrarme—. ¿Y qué pasa con Jacob? ¿Y con Charlie? Contadme todo lo que me he perdido. ¿Cuánto tiempo he estado... inconsciente?

Edward no pareció darse cuenta de la vacilación que había experimentado en mi última palabra. En vez de eso, estaba intercambiando otra mirada preocupada con Carlisle.

—¿Qué es lo que va mal?

—No es que algo vaya *mal* —contestó Carlisle, enfatizando la última palabra de un modo extraño—. Nada ha cambiado de modo sustancial, la verdad, y tú sólo has estado sin consciencia durante unos días. Ha sido bastante rápido si se tiene en cuenta lo que suelen llevar estas cosas. Edward ha hecho un trabajo excelente, bastante innovador: inyectar la ponzoña directamente en el corazón ha sido idea suya —hizo una pausa para sonreír con orgullo a su hijo y después suspiró—. Jacob sigue por aquí, y Charlie cree que aún sigues enferma. Le hemos dicho que estás en Atlanta en estos momentos, realizándote algunas pruebas en el Centro para el Control y Prevención de Enfermedades. Le dimos un número equivocado y se siente frustrado. Ha estado hablando con Esme.

—Debería llamarle… —murmuré para mis adentros, pero al escuchar mi propia voz, comprendí la dificultad que esto supondría, porque no la reconocería y no lo tranquilizaría. Y entonces se inmiscuyó la otra sorpresa anterior—. Espera un momento… ¿Jacob está todavía aquí?

Se intercambiaron otra mirada.

—Bella —intervino Edward con rapidez—. Hay muchas cosas en qué pensar, pero tenemos que ocuparnos de ti lo primero. Debes de estar pasando un mal rato…

Cuando señaló ese hecho, recordé la quemazón en mi garganta y tragué de forma convulsiva.

—Pero Jacob…

—Tenemos todo el tiempo del mundo para las explicaciones, cariño —me recordó con dulzura.

Claro. Podía esperar un poco para obtener las respuestas, y me resultaría más fácil escuchar cuando el fiero dolor que me producía aquella sed ardiente no dispersara mi concentración

—Vale.

—Espera, espera, espera —gorjeó Alice desde el umbral. Bailoteó avanzando dentro de la habitación, graciosa y con aspecto soñador. Como me había sucedido con Edward y Carlisle, me quedé atónita al verla realmente por primera vez. Era tan encantadora…—. ¡Me prometiste que yo estaría presente la primera vez! ¿Y qué pasa si corréis cerca de algo que sea reflectante?

—Alice… —protestó Edward.

—¡Sólo me llevará un segundo! —y con esa afirmación, Alice salió disparada de la habitación.

Edward suspiró.

—¿De qué está hablando?

Pero Alice ya estaba de vuelta, acarreando un espejo enorme de marco dorado desde la habitación de Rosalie que tenía casi dos veces su tamaño y varias veces su anchura.

Apenas había notado la presencia de Jasper hasta este momento. Había permanecido tan inmóvil y silencioso que no había vuelto a reparar en él desde el momento en que le había visto seguir a Carlisle. Se movió alrededor de Alice con idéntico sigilo sin apartar los ojos de la expresión de mi rostro. Yo era el peligro allí.

Supe que estaría también comprobando el estado de ánimo a mi alrededor, de modo que debió de percibir el sobresalto que experimenté mientras estudiaba su rostro, mirándolo atentamente por primera vez.

Las cicatrices de su vida anterior entre los ejércitos de neófitos en el sur habían sido casi invisibles a mis imperfectos ojos humanos. Sólo usando una luz intensa para darles relieve había podido percibirlas.

Ahora que podía ver de verdad, las cicatrices eran el rasgo dominante de Jasper. Resultaba difícil apartar la mirada de su cuello y su mandíbula destrozados, y era difícil creer que incluso un vampiro hubiera podido sobrevivir a todas aquellas marcas de dientes que le destrozaban la garganta.

De forma instintiva, me tensé para defenderme. Cualquier vampiro que viera a Jasper por primera vez habría experimentado la misma reacción. Las cicatrices eran como una valla publicitaria que anunciaba «¡Peligro!». ¿Cuántos vampiros habían intentado matar a Jasper? ¿Cientos, miles? El mismo número que, sin duda, había muerto en el empeño.

Jasper vio y sintió mi evaluación, mi cautela y sonrió irónicamente.

—Edward me calentó la cabeza por no haberte puesto delante de un espejo antes de la boda —dijo Alice, distrayendo mi atención de su aterrador amante—. Y esta vez no me va a regañar.

—¿Regañar? —preguntó Edward con escepticismo, alzando una ceja.

—Quizás estoy exagerando un poco —murmuró ella de forma ausente, mientras volvía el espejo para que pudiera mirarme.

—Yo diría más bien que esto sólo tiene que ver con tu propia satisfacción de *voyeur* —contraatacó él.

Alice le guiñó un ojo.

Sólo fui consciente de esta conversación con la parte menor de mi cerebro. La parte más importante estaba absorta en la persona del espejo. La criatura extraña que había en el cristal era indescriptiblemente hermosa, tanto como Alice o Esme en todos sus detalles. Su contorno era fluido incluso en reposo, y su rostro impecable era pálido como la luna contra el marco de su pelo espeso y oscuro. Tenía las extremidades esbeltas y fuertes, y su piel relucía con sutileza, luminosa como una perla.

Mi segunda reacción fue de horror.

¿Quién era ella? A primera vista no podía encontrar mi propio rostro en los suaves planos perfectos de sus rasgos.

¡Y sus ojos! Aunque hubiera debido esperarlo, esos ojos todavía hacían que me atravesara un escalofrío de terror.

Mientras yo me estudiaba en el espejo y reaccionaba de este modo, su rostro se mantuvo perfectamente sereno, como la talla de una diosa. Sin que mostrara nada de la agitación que se revolvía en mi interior. Y entonces se movieron sus labios llenos.

—¿Y estos ojos? —susurré, sin la más mínima gana de decir «mis ojos»—. ¿Cuánto tiempo estarán así?

—Se oscurecerán en unos cuantos meses —repuso Edward con una voz dulce, consoladora—. La sangre animal diluye el color con más rapidez que con una dieta de sangre humana. Primero se volverán de color ambarino y más tarde, dorados.

¿Que mis ojos centellearían con esas despiadadas llamas rojas durante *meses*?

—¿Meses? —el tono de mi voz se elevó una octava a causa de la tensión. En el espejo, aquellas cejas perfectas se enarcaron con incredulidad sobre los relumbrantes ojos escarlatas, más brillantes de lo que había visto jamás.

Jasper dio un paso hacia delante, alarmado por la intensidad de mi repentina ansiedad. Lo cierto es que conocía a los jóvenes vampiros demasiado bien, así que, ¿presagiaría esta emoción algún mal paso por mi parte?

Nadie contestó a mi pregunta. Yo retiré la mirada, hacia Edward y Alice. Ambos tenían los ojos ligeramente desenfocados, en reacción a la inquietud de Jasper, pendientes de lo que la había causado, escaneando el futuro inmediato.

Inhalé otro profundo trago de aire, del todo innecesario.

—No, me encuentro bien —les prometí. Mis ojos se desplazaron desde la extraña del espejo hacia ellos y nuevamente hicieron el mismo recorrido—. Es sólo que… cuesta mucho hacerse a la idea.

Jasper frunció el ceño, poniendo de relieve las dos cicatrices que tenía sobre el ojo izquierdo.

—No lo sé —murmuró Edward.

La mujer del espejo puso mala cara.

—¿Qué pregunta es la que me he perdido?

Edward sonrió ampliamente.

—Jasper se pregunta cómo lo haces.

—¿Cómo hago qué?

—Controlar tus emociones, Bella —respondió Jasper—. Nunca había visto a un neonato hacer esto, frenar una emoción en seco de ese modo. Estabas molesta, pero cuando viste nuestra preocupación, la controlaste y recobraste el dominio de ti misma. Yo estaba preparado para ayudar, pero no lo has necesitado.

—¿Y eso está mal? —inquirí. Mi cuerpo se envaró de forma automática esperando el veredicto.

—No —repuso, pero su voz sonaba insegura.

Edward pasó su mano a lo largo de mi brazo, como si intentase animarme a que me relajara.

—Es admirable, Bella, pero no lo entendemos. No sabemos cuánto durará.

Reflexioné durante una milésima de segundo. ¿Es que en cualquier momento podría morder a alguien? ¿Convertirme en un monstruo?

No lo veía venir por ninguna parte. Tal vez no había manera de anticiparse a una cosa como ésa.

—Pero, ¿qué es lo que piensas? —preguntó Alice, algo impaciente ahora, señalando el espejo.

—No estoy segura —repliqué intentando evitar la cuestión y sin querer admitir lo muy asustada que estaba.

Me quedé mirando a aquella hermosa mujer con esos ojos tan terroríficos, tratando de encontrar en ella algún rastro de mí. Había algo en la forma de sus labios, si apartabas la belleza mareante, y era cierto que el labio superior estaba algo desequilibrado, demasiado lleno para encajar perfectamente en el inferior. Hallar este rasgo familiar me hizo sentir un poquito mejor. Quizá también se encontraba allí el resto de mi persona.

Alcé la mano de forma experimental, y la mujer del espejo copió mi movimiento, tocándose también el rostro. Sus ojos de color escarlata me observaban con cautela.

Edward suspiró.

Trasladé la mirada de ella a él, alzando una ceja.

—¿Decepcionado? —le pregunté, con mi voz cantarina impasible.

Él se echó a reír.

—Sí —admitió.

Sentí que la conmoción quebraba la máscara compuesta de mi rostro, seguida inmediatamente del dolor de la herida.

Alice rugió. Jasper se inclinó de nuevo hacia delante, esperando que saltara para morder.

Pero Edward les ignoró y envolvió apretadamente en sus brazos mi nueva forma paralizada, presionando sus labios contra mi mejilla.

—Esperaba que sería capaz de leerte la mente, ahora que se parece más a la mía —murmuró—. Y aquí estoy, frustrado como siempre, preguntándome qué será lo que anda fraguándose dentro de tu cabeza.

De repente me sentí mucho mejor.

—Ah, bueno —repuse con ligereza, aliviada de que mis pensamientos continuaran siendo sólo míos—. Supongo que mi cerebro nunca funcionará bien, pero al menos soy bonita.

Me iba resultando cada vez más fácil bromear con él mientras me adaptaba, y también pensar de forma correcta. Volver a ser yo misma.

Edward gruñó en mi oreja.

—Bella, tú *nunca* has sido sólo bonita.

Entonces, su rostro se apartó del mío y suspiró.

—Vale, vale —le replicó a alguien.

—¿Qué? —pregunté.

—Estás poniendo a Jasper más nervioso a cada minuto que pasa. No se relajará un poco hasta que hayamos ido de caza.

Observé la expresión preocupada de Jasper y asentí. No quería morder a nadie aquí, si es que el momento se estaba acercando. Mejor estar rodeada de árboles que de familia.

—Vale, vámonos de caza —acepté, mientras mi estómago se estremecía con un escalofrío producido por los nervios y la anticipación. Me solté de los brazos de Edward, que me envolvían, tomé una de sus manos y le volví la espalda a la extraña beldad del espejo.

La primera caza

—¿Por la ventana? —inquirí mientras miraba hacia abajo desde una elevación de dos pisos.

Nunca me había asustado la altura, pero poder ver todos los detalles con tanta claridad hacía que la perspectiva fuera bastante menos atractiva. Los ángulos de las rocas que se extendían abajo tenían un aspecto más agudo de como me los había imaginado.

Edward sonrió.

—Es la salida más conveniente. Si tienes miedo, puedo llevarte.

—¿Tenemos toda la eternidad por delante y a ti te preocupa el tiempo que perderemos si salimos por la puerta de atrás?

Él frunció un poco el ceño.

—Renesmee y Jacob están en el piso de abajo…

—Oh.

Claro, ahora yo era el monstruo. Tenía que mantenerme lejos de los olores que podrían disparar mi lado salvaje, en especial, de la gente que amaba, incluyendo a aquellos que aún no conocía.

—¿Renesmee está… bien… con Jacob ahí abajo? —susurré. Me di cuenta algo tarde de que debía de ser el corazón de Jacob el que había escuchado allí abajo. Puse ahora toda mi atención, pero sólo se distinguía un pulso rápido—. No creo que ella le guste demasiado.

Los labios de Edward se tensaron de una manera extraña.

—Confía en mí, ella está completamente a salvo. Sé con detalle lo que Jacob está pensando.

—Claro —murmuré y miré de nuevo hacia el suelo.

—¿Estás agobiada?

—Un poco. No sé cómo…

Era muy consciente de toda la familia allí a mis espaldas, observando en silencio. O casi en silencio. Emmett ya había empezado a reírse entre dientes. Si cometía un solo error, se revolcaría por el suelo. Y entonces comenzarían los chistes sobre el único vampiro patoso del mundo…

Por otra parte, Alice se había aprovechado de mi inconsciencia, durante la quemazón, para ponerme aquel vestido: no era lo que una se habría puesto para saltar o cazar. ¿Una cosa de seda azul hielo ajustada al cuerpo? ¿Para qué pensaba ella que iba a necesitar esto? ¿Acaso había luego una fiesta de cóctel?

—Observa cómo lo hago —dijo Edward y entonces, sin esfuerzo aparente, dio un paso hacia delante desde la alta ventana abierta y saltó.

Atendí cuidadosamente, analizando el ángulo de sus rodillas al doblarse para absorber el impacto. El sonido de su aterrizaje fue muy bajo, un golpe sordo que podía haber sido igual que el de una puerta que se cierra despacio o un libro que se deja en una mesa con suavidad.

No *parecía* difícil.

Apreté los dientes mientras me concentraba e intenté copiar su paso casual hacia el vacío.

¡Ja! El suelo pareció moverse en mi dirección tan despacio que no tuve problema alguno en posicionar bien los pies. Y entonces me percaté... Pero ¿qué zapatos me había puesto Alice? ¿Cómo es posible que se le hubiera ocurrido elegir unos con tacón de aguja? A esta mujer se le había ido la cabeza. El único problema a la hora de contactar con el suelo fue colocar aquellos estúpidos zapatos de una forma tal que el aterrizaje no fuera diferente de lo que es avanzar un paso en una superficie plana.

Absorbí el impacto del golpe con los talones, porque no quería romper los finos tacones. Llegué al suelo tan suavemente como Edward. Le sonreí con ganas.

—Muy bien. Qué fácil.

Él me devolvió la sonrisa.

—¿Bella?

—¿Sí?

—Lo has hecho con mucha gracilidad, incluso para un vampiro.

Reflexioné sobre ello durante un momento, y después sonreí abiertamente. Si sólo lo hubiera dicho por decirlo, Emmett estaría rugiendo de risa. Pero nadie encontró gracioso su comentario, así que debía de ser cierto. Era la primera vez que nadie me aplicaba la palabra «gracilidad» en toda mi vida... o bueno, a lo largo de mi existencia.

—Gracias —le contesté.

Y entonces me quité los zapatos de satén plateado, uno detrás de otro, y los lancé hacia lo alto a través de la ventana abierta. Quizá con un poco más de fuerza de la necesaria, pero oí que alguien los recogía antes de que pudieran estropear los paneles del suelo.

Alice gruñía.

—Su sentido de la moda no parece haber mejorado a la par que su equilibrio.

Edward me cogió de la mano y yo no pude menos que maravillarme de la suavidad y la agradable temperatura de su piel. Después nos lanzamos a través del patio trasero hacia la orilla del río. Yo le seguí el ritmo sin tener que hacer grandes esfuerzos.

El aspecto físico de todo esto estaba resultando de lo más fácil.

—¿Vamos a nadar? —le pregunté cuando nos detuvimos al lado del agua.

—¿Y estropear ese vestido tan bonito? No. Saltaremos.

Yo apreté los labios, considerando la idea. La otra orilla del río estaba casi a cuarenta metros de distancia.

—Tú primero —le dije.

Él me tocó la mejilla y dio dos rápidos pasos hacia atrás; después corrió ese espacio tomando impulso y saltando sobre una piedra plana firmemente anclada en el talud de la orilla. Estudié el movimiento, rápido como un rayo, del arco que trazó sobre el agua. Lo remató con una voltereta antes de desaparecer entre los grandes árboles que había al otro lado del río.

—Pero qué fanfarrón —mascullé, y escuché su risa invisible.

Me retrasé unos cinco pasos, sólo por si acaso, y tomé una gran cantidad de aire.

De repente, volví a sentir una gran ansiedad. No por caerme o hacerme daño, sino por si le hacía algo al bosque.

Había ido llegando con lentitud, pero ahora podía sentirla por completo: la cruda fuerza titánica que hacía estremecer mis miembros. De pronto, estuve segura de que si quería hacer un túnel bajo el río, abriéndome camino con las garras o a mordiscos a través de la roca del lecho del río, no me llevaría mucho esfuerzo. Los objetos que me rodeaban, los árboles, los arbustos, las rocas... la misma casa, empezaban a parecerme muy frágiles.

Confiando en que Esme no le tuviera especial cariño a ninguno de los árboles que bordeaban el río, comencé mi primera zancada. Y entonces me topé con la abertura del ajustado traje de satén a unos doce centímetros de la rodilla. ¡Alice!

Bueno, Alice solía tratar las ropas como si fueran de usar y tirar, ¡no fuera a ponérselas nadie más de una vez!, así que seguro que no le importaría esto. Me incliné para coger con cuidado el dobladillo por la costura del lado derecho, aún entera, y ejerciendo la más pequeña cantidad de presión posible, desgarré el vestido hasta la parte superior del muslo. Y luego hice lo mismo con el otro lado.

Mucho mejor.

Pude escuchar las risas sofocadas en alguna parte de la casa e incluso el sonido de alguien que hacía chirriar los dientes. Las carcajadas venían tanto del piso superior como del inferior y reconocí muy fácilmente las risitas rudas, guturales del primer piso, tan distintas a las otras.

¿Jacob también estaba observando? No me podía imaginar lo que él estaba pensando ahora ni qué rayos hacía aquí. Era capaz de representar en mi mente nuestra reunión, si es que algún día llegaba a perdonarme, en un futuro muy lejano, cuando yo estuviera más estable y el tiempo hubiera cerrado las heridas que le había infligido a su corazón.

No me volví para mirarle ahora, preocupada por mis cambios de humor. No sería nada bueno si dejaba que una emoción cualquiera se adueñara por completo de mi estado de ánimo. Los miedos de Jasper también me habían puesto nerviosa a mí. Debía ir de caza antes de poder vérmelas con nada más. Intenté olvidarme de todo de modo que pudiera *concentrarme*.

—¿Bella? —me llamó Edward de entre los árboles, mientras su voz se acercaba más—. ¿Quieres verlo de nuevo?

Lo recordaba todo perfectamente, claro, y no quería darle a Emmett nuevos motivos para que se divirtiera a mi costa. Esto era algo físico, y seguro que era instintivo. Así que volví a inhalar un gran trago de aire y corrí hacia el río.

Sin el estorbo de la falda, me bastó un salto largo para alcanzar la orilla del río. En una milésima de segundo. Y aún me sobró tiempo, ya que mis ojos y mi mente se movieron con tanta rapidez que sólo necesité un paso. Me resultó muy sencillo apoyar el pie derecho sobre la piedra plana y ejercer la presión necesaria para enviar mi cuerpo impulsado por el aire, pero le había prestado más atención a la dirección que a la fuerza, no calculé bien esta última y empleé demasiada potencia. Al menos no me pasó al contrario, lo que me hubiera dejado chorreando. La distancia de cuarenta metros me pareció demasiado corta…

Fue algo extraño, electrizante, vertiginoso, pero muy breve. Me quedaba aún un segundo entero y ya había cruzado el río.

Temía que los árboles situados tan juntos fueran un problema, pero por el contrario resultaron de gran ayuda. Fue sólo cuestión de adelantar una mano con seguridad, agarrarme de la primera rama que encontré y dirigirme hacia la tierra en la parte más densa del bosque. Me balanceé en la rama y después aterricé sobre las puntas de los dedos de mis pies, todavía a unos cinco metros del suelo, en otra amplia rama que pertenecía a un abeto de Sitka.

Fue fabuloso.

Escuché el sonido de la carrera de Edward aproximándose a mí por encima del repique de campanas de mis carcajadas de alegría. Mi salto había doblado la longitud del suyo. Cuando me alcanzó al lado del árbol, tenía los ojos abiertos como platos. Me bajé con habilidad desde la rama hasta su lado, aterrizando sin ruido sobre los talones.

—¿Me ha salido bien? —le pregunté, con la respiración acelerada por la excitación.

—Muy bien —la sonrisa aprobatoria y el tono ligero de su respuesta no acompañaban a la expresión sorprendida de sus ojos.

—¿Podemos hacerlo de nuevo?

—Céntrate, Bella… Estamos en una expedición de caza.

—Ah, vale —asentí—. Caza, sí.

—Sígueme…, si puedes.

Sonrió con verdaderas ganas y su expresión fue repentinamente provocadora, y echó a correr.

Él era más rápido. No me entraba en la cabeza cómo podía mover las piernas con esa cegadora velocidad, estaba más allá de mi capacidad de comprensión. Sin embargo, yo era más fuerte, y cada una de mis zancadas equivalía a tres de las suyas. Así que ambos volamos a través de aquella red verde llena de seres vivientes, el uno al lado del otro, sin que esta vez tuviera que seguirle. Mientras corría no pude evitar el echarme a reír por la emoción, pero las carcajadas ni me hicieron perder velocidad ni me descentraron.

Finalmente pude comprender por qué Edward nunca se golpeaba contra los árboles cuando corría, una cuestión que siempre había sido un misterio para mí. Era una sensación peculiar, la del equilibrio entre la velocidad y la claridad en la percepción de las cosas. Porque aunque atravesábamos aquella densa masa de color jade a la velocidad de un cohete, y eso debería haber convertido todo lo que nos rodeaba en un irregular manchurrón verde, podía ver con toda claridad cada hoja diminuta de todas las pequeñas ramas de cada uno de los insignificantes arbustos a cuyo lado pasaba.

El viento provocado por mi velocidad hacía que mis cabellos y el vestido roto se agitaran detrás de mí; aunque yo sabía que no debería ser así, lo sentía cálido contra mi piel. Del mismo modo que tampoco hubiera debido percibir el suelo áspero del bosque como terciopelo bajo las plantas desnudas de los pies ni los brazos que agitaba a ambos lados de mi cuerpo como látigos, como plumas acariciadoras.

El bosque estaba mucho más vivo de lo que siempre supuse, lleno de pequeñas criaturas cuya existencia nunca habría adivinado y que abarrotaban las plantas que había a mi alrededor. Todos se quedaron en silencio tras nuestro paso, con el aliento contenido por el miedo. Los animales tenían una reacción mucho más sabia a nuestro olor que los humanos. Ciertamente, había tenido el efecto contrario en mi caso.

Creía que, en cualquier momento, me quedaría sin aliento, pero éste salía y entraba sin esfuerzo. También supuse que sentiría cómo me ardían los músculos, pero mi fuerza parecía incrementarse mientras me acostumbraba a mi propia zancada. Ésta se fue haciendo cada vez más larga, hasta que, muy pronto, Edward se vio obligado a esforzarse para mantener mi paso. Me eché a reír de nuevo, exultante, cuando le oí retrasarse. Mis pies descalzos tocaban el suelo ya de forma tan poco frecuente que me sentía más como si estuviera volando que corriendo.

—Bella —me llamó con sequedad.

La voz de mi marido sonaba monótona, incluso perezosa. No escuché nada más, se había detenido. Se me pasó por la cabeza la posibilidad de un motín, pero luego, con un suspiro, me giré y fui dando saltos ligeros hasta situarme a su lado, a unos cien metros atrás. Le miré expectante. Estaba sonriendo, con una ceja alzada. Estaba tan hermoso que no podía quitarle los ojos de encima.

—¿Quieres quedarte en este país? —me preguntó, divertido—. ¿O planeas continuar hasta Canadá esta misma tarde?

—Está bien —admití, concentrándome menos en lo que estaba diciendo que en la manera hipnótica en la que se movían sus labios cuando hablaba. Era difícil no distraerse con tantas cosas nuevas que se ofrecían a mis nuevos y eficaces ojos—. ¿Qué vamos a cazar?

—Alces. Estaba pensando en algo fácil por ser tu primera vez…

Su voz se desvaneció cuando mis ojos se entrecerraron a la mención de la palabra «fácil», pero no me iba a poner a discutir, estaba demasiado sedienta. Tan pronto como comencé a pensar en la reseca quemazón de mi garganta, se convirtió en lo *único* en lo que podía pensar, y cada vez se ponía peor. Tenía la boca como si fueran las cuatro de la tarde en pleno junio en el Valle de la Muerte.

—¿Dónde? —le pregunté, examinando los árboles con impaciencia. Ahora que le había otorgado mi atención a la sed, parecía contaminar cualquier otro pensamiento que me pasara por la cabeza, filtrándose dentro de los pensamientos más agradables como correr, los labios de Edward, sus besos… y la sed abrasadora. No podía huir de ella.

—Estate quieta un minuto —me dijo él, poniéndome las manos suavemente sobre los hombros. La urgencia de la sed cedió al momento ante su contacto—. Ahora cierra los ojos —murmuró.

Cuando le obedecí, alzó las manos hasta mi rostro, acariciándome los pómulos. Sentí cómo se me aceleraba la respiración y esperé durante un momento a que se produjera el rubor que no se produciría.

—Escucha —me instruyó Edward—. ¿Qué oyes?

Me dieron ganas de contestarle «todo». Su voz perfecta, su aliento, el roce de sus labios entre sí cuando hablaba, el susurro de los pájaros atusándose las plumas en las copas de los árboles, sus corazoncillos aleteantes, la caída de las hojas de los arces, el chasquido ligero de las hormigas siguiéndose unas a otras en una larga línea mientras subían por la corteza del árbol más cercano... Pero yo sabía que se refería a algo específico, de modo que dejé que mis oídos se extendieran a todo mi alrededor, buscando cualquier cosa distinta al pequeño zumbido de la vida que me envolvía. Había un espacio abierto cerca de nosotros, y podía percibirlo porque el viento sonaba de forma diferente al cruzar la hierba expuesta al aire, y un pequeño arroyo de lecho rocoso. Y allí, cerca del ruido del agua, se oía el chasquido que producían unos animales bebiendo a lengüetazos y el alto batir sonoro de sus pesados corazones, impulsando densas corrientes de sangre...

Sentí como si se me hincharan las paredes de la garganta.

—¿Al lado del arroyo, hacia el noreste? —le pregunté, con los ojos todavía cerrados.

—Sí —su tono era de aprobación—. Ahora... espera que te llegue otra vez la brisa y... ¿qué hueles?

Le olía sobre todo a él... ese extraño perfume mezcla de miel, lilas y luz del sol, pero también el aroma rico de la tierra, de la putrefacción y del musgo, de la resina de los árboles perennes, el cálido efluvio como a nueces de los pequeños roedores guarecidos debajo de las raíces, y después, al extender de nuevo el radio de percepción, el olor limpio del agua, que me resultaba sorprendentemente poco apetecible a pesar de mi sed. Me centré en el agua y encontré el olor que me había pasado desapercibido con el sonido de los lengüetazos y del latir de los corazones. Había otro olor cálido, rico y penetrante, más fuerte que todo lo demás, pero tan poco atrayente como el mismo arroyo. Arrugué la nariz.

Él se echó a reír entre dientes.

—Ya lo sé, cuesta un poco acostumbrarse.

—¿Tres? —intenté adivinar.

—Cinco. Hay dos más en los árboles que tienen detrás.

—¿Y qué hacemos ahora?

Su voz sonaba como si estuviera sonriendo.

—¿Tú qué sientes que hay que hacer?

Pensé en el asunto, con los ojos aún cerrados, mientras escuchaba y aspiraba el olor. Otro ataque de sed ardiente se inmiscuyó en mi conciencia y, de repente, el hedor cálido y penetrante se me antojó menos desagradable. Al menos podría llevarme algo caliente y húmedo a mi boca reseca. Se me abrieron los ojos de golpe.

—No lo pienses —me aconsejó, mientras alzaba las manos de mi rostro y daba un paso hacia atrás—. Simplemente, sigue tus instintos.

Me dejé llevar a la deriva por el olor, sin ser apenas consciente de mis movimientos, y me deslicé como un fantasma por la pendiente inclinada hacia el estrecho prado donde fluía la corriente. Mi cuerpo cambió su postura de forma automática hasta agazaparme, muy pegada al suelo, mientras dudaba en el límite del bosque cubierto por los helechos. Pude ver un gran ciervo macho con dos docenas de puntas en la cornamenta que coronaba su cabeza justo al borde de la corriente, y los contornos punteados por las sombras de otros cuatro que se dirigían hacia el interior del bosque, en dirección este, a paso lento.

Me centré en el olor del macho, en aquel punto caliente de su cuello peludo donde el pulso cálido latía con más fuerza. Eran sólo unos treinta metros, dos o tres brincos, lo que había entre nosotros. Me tensé para dar el primer salto.

Pero el viento cambió cuando contraje los músculos para prepararme y sopló desde el sur con más fuerza. No me paré a pensar, sino que pasé volando por un camino perpendicular a mi plan original, asustando al ciervo, que salió disparado hacia el bosque, mientras yo abordaba una nueva fragancia tan atractiva que no me dejaba ninguna otra elección. Me resultaba imposible de evitar.

El olor me dominó por completo. Cuando lo rastreé me volví totalmente decidida, consciente sólo de la sed y del aroma que prometía saciarla. La sed empeoró, tan dolorosa ahora que confundió todos mis pensamientos y comenzó a recordarme la quemazón de la ponzoña en mis venas.

Había sólo una cosa que pudiera tener alguna oportunidad de alterar mi concentración ahora, un instinto mucho más poderoso, más básico que la necesidad de saciar aquel fuego… el instinto de protegerme del peligro. La supervivencia.

Noté que me seguían, lo que me puso alerta de pronto. El empuje del aroma irresistible guerreó contra el impulso de volverme y defender mi caza. Me surgió una burbuja de sonido del pecho y se me retiraron los labios por sí mismos para exponer mis dientes. Mis pasos fueron perdiendo velocidad, la necesidad de protegerme la espalda luchando contra el deseo de saciar mi sed.

Entonces pude escuchar cómo ganaba ventaja mi perseguidor y el instinto de defensa venció. Cuando giré, el sonido que se iba alzando se abrió camino a través de mi garganta y salió hacia fuera.

El rugido salvaje que salió de mi propia boca fue tan inesperado que me dejó clavada en el suelo. Eso me desestabilizó, y me aclaró la cabeza durante un segundo. La niebla provocada por la sed cedió, aunque la sed continuó ardiendo.

El viento cambió, trayendo el aroma de tierra húmeda y de la lluvia a punto de caer y lo estampó contra mi rostro, liberándome además de la fiera sujeción del olor, un olor tan delicioso que sólo podía ser humano.

Edward dudó a unos cuantos pasos, con los brazos alzados como si fuera a abrazarme o sujetarme. Su rostro estaba atento y cauteloso cuando me quedé helada, horrorizada.

Me di cuenta de que había estado a punto de atacarle. Con una fuerte sacudida, me enderecé, abandonando mi postura defensiva. Contuve el aliento cuando volví a concentrarme, temiendo el poder de la fragancia que giraba procedente del sur.

Él pudo comprobar cómo regresaba la razón a mi rostro, y dio un paso hacia mí, bajando los brazos.

—He de irme de aquí —escupí entre dientes, usando el aliento que me quedaba.

El asombro le cruzó el rostro.

—Pero ¿acaso serías capaz de irte?

No tuve tiempo para preguntarle lo que quería decir con eso. Comprendí que la habilidad de razonar con claridad me duraría tanto como pudiera evitar el pensar en ello...

Rompí a correr de nuevo, una carrera acelerada y frenética justo hacia el norte, concentrándome solamente en la incómoda sensación de privación sensorial que parecía ser la única respuesta de mi cuerpo a la falta de aire. Mi objetivo era huir lo más lejos posible de aquel olor hasta que se perdiera por completo. Era imposible de encontrar, incluso aunque cambiara de opinión...

Una vez más, fui consciente de que alguien me seguía, pero ahora estaba cuerda. Luché contra el instinto de respirar para usar los ingredientes del aire y constatar que era Edward. No tuve que pelear mucho, aunque estaba corriendo como nunca, disparada como una cometa a través del camino más directo que pude encontrar entre los árboles. Edward me cogió al cabo de un minuto escaso.

Se me ocurrió una nueva idea, y me quedé parada como una piedra, plantada sobre mis pies. Estaba segura de que allí me hallaba a salvo, pero contuve el aliento sólo por si acaso.

Edward pasó volando a mi lado, sorprendido por mi súbita detención. Revoloteó y regresó a mi lado en un segundo. Puso las manos sobre mis hombros y me miró fijo a los ojos, atónito ante la emoción que dominaba mi rostro.

—¿Cómo has hecho eso? —me preguntó con exigencia.

—Antes dejaste que te ganara, ¿a que sí? —le repliqué a mi vez, ignorando su pregunta. ¡Y yo que pensaba que lo estaba haciendo tan bien!

Cuando abrí la boca, probé el sabor del aire, que ahora no estaba contaminado por nada, sin traza alguna del perfume absorbente que atormentaba mi sed. Inhalé cuidadosamente.

Él se encogió de hombros y sacudió la cabeza, rehusando que le cambiara de tema.

—Bella, ¿cómo lo has hecho?

—¿Correr?

Contuve el aliento.

—Pero, ¿por qué has dejado de cazar?

—Cuando viniste tras de mí... lo siento tanto.

—¿Por qué te disculpas conmigo? Soy el único que ha sido horriblemente descuidado. Yo he asumido que no habría nadie cerca de las sendas al uso, pero debería haberlo comprobado primero. ¡Qué error tan estúpido! No tienes nada por lo que disculparte.

—¡Pero te he gruñido! —estaba todavía horrorizada por haber sido capaz de tan horrible blasfemia.

—Claro que lo hiciste. Eso es lo único natural, pero no puedo entender por qué has huido.

—¿Qué otra cosa podía hacer? —le pregunté. Su actitud me confundía. ¿Qué quería él que hubiera ocurrido?—. ¡Podía haber sido alguien que conociera!

Él me sorprendió, al explotar de repente en un ataque de fuertes risotadas, echando la cabeza hacia atrás y dejando que el sonido hiciera eco en los árboles.

—¿Por qué te ríes de mí?

Se detuvo de pronto, y pude ver que recuperaba la expresión cautelosa.

¡Mantén el control!, pensé para mí. Tenía que vigilar mi temperamento. Me comportaba más como un joven hombre lobo que como un vampiro.

—No me estoy riendo de ti, Bella. Me río porque estoy en estado de *shock…,* asombrado de verdad.

—¿Por qué?

—No deberías ser capaz de hacer nada de eso. No deberías ser… tan racional. No deberías estar aquí discutiendo conmigo con toda calma y frialdad. Y por encima de todo lo demás, no deberías ser capaz de interrumpirte en mitad de una caza porque has percibido el olor a sangre humana en el aire. Incluso los vampiros maduros tienen dificultades en estos casos, por eso tenemos siempre mucho cuidado de que en los lugares donde cazamos no haya nada capaz de convertirse en una tentación para nosotros. Bella, te estás comportando como si tuvieras décadas en vez de días.

—Oh… sabía que todo iba a ser muy difícil, y por eso estaba tan en guardia. Ya esperaba que fuera así de duro.

Puso sus manos otra vez en mi rostro, y sus ojos estaban llenos de maravilla.

—No sé lo que daría por poder mirar dentro de tu mente justo en este momento.

Qué emociones tan poderosas. Estaba preparada para la parte de la sed, pero no para esto. Estaba tan segura de que no sería igual cuando él me tocara… Bueno, siendo sincera, no era lo mismo.

Era mucho más fuerte.

Alcé los dedos para trazar los planos de su rostro y mis dedos se detuvieron en sus labios.

—Pensé que no me sentiría así durante mucho tiempo —y mi inseguridad hizo que esas palabras parecieran una pregunta—. Pero todavía te quiero.

Él parpadeó asombrado.

—¿Y cómo es que puedes concentrarte en eso? ¿No sientes una sed insoportable?

¡Claro que lo sentía ahora, una vez que él había traído el tema a colación!

Intenté tragar y luego suspiré, cerrando los ojos como había hecho antes para ayudarme a concentrarme. Dejé que mis sentidos se extendieran a mi alrededor, tensa esta vez ante la posibilidad de un nuevo ataque de aquel delicioso aroma prohibido.

Edward dejó caer los brazos, sin respirar siquiera, mientras yo escuchaba más y más lejos, extendiéndome por la red verde de vida, buscando a través de todos los olores para identificar algo que no fuera del todo repelente para mi sed. Había el ligero trazo de algo diferente, un tenue rastro que se dirigía hacia el este...

Se me abrieron los ojos de golpe, pero mi interés estaba aún centrado en mis sentidos más desarrollados cuando me volví y me lancé quedamente hacia el este. El terreno se alzó de forma acusada casi de pronto, y corrí agachada en postura de caza, cercana al suelo, acercándome a los árboles donde eso resultaba más fácil. Sentí más que oí a Edward detrás de mí, fluyendo de modo silencioso a través de los bosques, dejándome a mí la guía.

La vegetación fue raleando a medida que ascendíamos; el olor de la brea y la resina se volvió cada vez más fuerte, como la pista que seguía, un olor cálido, más intenso que el del alce y mucho más atractivo. Unos cuantos segundos más tarde pude escuchar el golpeteo sordo de unas patas inmensas, mucho más sutiles que el crujido de los cascos. El sonido se percibía arriba, en las ramas, más que en el suelo. De forma automática me lancé hacia las ramas, ganando una posición más estratégica, a mitad de camino de un imponente abeto plateado.

El golpeteo sordo de las patas continuó escuchándose furtivo, ahora a mis pies. El suculento efluvio se percibía ya muy cerca. Mis ojos localizaron el movimiento que había provocado el sonido, vi la piel leonada de un gran felino deslizándose por la amplia rama de un abeto justo debajo de mí y hacia la derecha de donde yo me encontraba. Era grande, fácilmente cuatro veces mi tamaño. Tenía los ojos clavados en algo que había en el suelo debajo de nosotros, sin duda, estaba cazando, como yo. Capté el aroma de algo más pequeño, insulso comparado con el olor de mi presa, encogido en un arbusto a los pies del árbol. La cola del puma se retorcía de modo espasmódico, preparándose para saltar.

Con un pequeño impulso, volé por el aire y aterricé al lado del puma. Él sintió temblar la rama y se giró, chillando de sorpresa y desafío. Cerró el espacio que había entre nosotros, con los ojos brillantes de furia. Yo, que estaba ya medio enloquecida por la sed, ignoré sus colmillos expuestos y las garras engarfiadas y salté sobre él, derribándolo hasta caer al suelo del bosque.

No fue una gran lucha.

Sus garras afiladas lo mismo hubieran sido dedos cariñosos si hubiéramos tenido en cuenta el impacto que tuvieron sobre mi piel. Tampoco sus dientes tuvieron mucho que hacer contra mi hombro o mi garganta y su peso no era nada para mí. Mis dientes buscaron certeros su garganta y su resistencia instintiva fue lamentablemente débil contra mi fuerza. Encontré con facilidad el punto preciso donde el flujo de calor se concentraba.

Me costó menos esfuerzo que si hubiera estado mordiendo un trozo de mantequilla. Mis dientes eran como cuchillas de acero. Cortaron a través de la piel, la grasa y los tendones como si no estuvieran allí.

El sabor no era muy bueno, pero la sangre era caliente y húmeda, y suavizó la sed mordiente y desesperada mientras bebía con apresurada impaciencia. Los intentos del puma por luchar se hicieron cada vez más débiles y sus gritos se ahogaron con un gorgoteo. La calidez de su sangre irradió por todo mi cuerpo, calentándome hasta las puntas de los dedos de los pies y las manos.

El puma murió antes de que yo terminara. La sed ardió de nuevo cuando se quedó seco, y yo aparté lejos de mi cuerpo su carcasa vacía, disgustada. ¿Cómo podía sentirme sedienta después de todo esto?

Me erguí completamente derecha en un solo movimiento rápido. Una vez de pie, me di cuenta de que estaba hecha un desastre. Me limpié la cara con el dorso del brazo e intenté arreglarme la ropa. Las garras que tan ineficaces habían sido contra mi piel, habían tenido bastante éxito con el fino satén.

—Mmm —ronroneó Edward. Alcé la mirada y lo encontré reclinado con aire casual contra el tronco de un árbol, observándome con un gesto pensativo en el rostro.

—Creo que debería haberlo hecho mejor —estaba cubierta de polvo, con el pelo enredado, el vestido manchado de sangre y colgando en harapos. Edward no regresaba de sus expediciones de caza con este aspecto.

—Lo has hecho estupendamente —me aseguró—. Es sólo que… ha sido mucho más difícil para mí observar de lo que debería haber sido.

Alcé las cejas, confusa.

—Va en contra de mis principios —me explicó—, lo de dejarte luchar con pumas. No sabes el ataque de ansiedad que he sufrido durante todo el rato.

—Qué tonto.

—Ya lo sé, pero no es fácil desprenderse de los viejos hábitos. De todas formas, me gustan los nuevos arreglos de tu vestido.

Si hubiera podido ruborizarme lo habría hecho, así que cambié de tema.

—¿Por qué tengo sed todavía?

—Porque aún eres muy joven.

Suspiré.

—Y supongo que no hay ningún otro puma por aquí.

—Hay ciervos por todas partes, de todos modos.

Puse cara rara.

—No huelen ni la mitad de bien.

—Son herbívoros. Los carnívoros huelen más parecido a los humanos —volvió a explicarme.

—No se le acercan ni de lejos a los humanos —le discutí, intentando no recordarlo.

—Podemos regresar —comentó de forma solemne, aunque había una chispa divertida en sus ojos—. Fueran quienes fueran los que estaban allí, si son hombres, lo más probable es que no les hubiera importado que los matasen si fueses tú quien lo hiciera —su mirada vagó de nuevo por mi vestido destrozado—. De hecho, probablemente pensarían que estaban ya muertos y en el cielo en el momento en que te vieran.

Puse los ojos en blanco y resoplé.

—Anda, vamos a cazar algunos de esos malolientes herbívoros.

Encontramos un gran rebaño de ciervos mulo mientras corríamos de regreso a casa. En aquella ocasión, él cazó conmigo, ahora que yo ya le había cogido el tranquillo. Me cargué un macho enorme, montando un desastre casi tan grande como el del puma. Él acabó con dos antes de que yo hubiera terminado con el primero, sin que se le moviera un pelo de su sitio, y sin que le cayera ni una mancha en su camiseta blanca. Perseguimos la manada aterrorizada y dispersa, pero en vez de alimentarme de nuevo, esta vez yo observé con cuidado cómo se las apañaba para hacerlo de un modo tan pulcro.

Todas las veces que había deseado que Edward no me dejara atrás mientras cazaba, secretamente, me había sentido un poco aliviada. La verdad es que estaba segura de que verle sería aterrador, espantoso. En definitiva, que verle cazar le mostraría ante mis ojos como el vampiro que era en realidad.

Pero claro, resultaba muy distinto desde esta perspectiva, siendo vampira yo también. Aun así, dudaba de que incluso a mis ojos humanos, la belleza de todo esto me hubiera pasado desapercibida.

Era una experiencia sorprendentemente sensual observar cazar a Edward. Su salto suave era como el ataque sinuoso de una serpiente. Sus manos eran tan seguras, tan fuertes, tan por completo ineludibles… Sus labios llenos lucían perfectos cuando se separaban gráciles para mostrar sus dientes relumbrantes. Era glorioso. Sentí un estremecimiento tanto de deseo como de orgullo. Era mío. Nada lo separaría de mí a partir de ahora. Era demasiado fuerte para que nadie pudiera arrancarme de su lado.

Fue muy rápido. Se volvió hacia mí y observó con curiosidad mi mirada de deleite.

—¿Ya no tienes más sed? —me preguntó.

Yo me encogí de hombros.

—Me has distraído. Eres mucho mejor en esto que yo.

—Siglos de práctica —me sonrió. Sus ojos mostraban un encantador y desconcertante matiz dorado en ese momento.

—Sólo uno —le corregí.

Él se echó a reír.

—¿Has terminado por hoy o quieres continuar?

—He terminado, creo —me sentía muy llena, incluso a punto de reventar. No estaba segura de cuánto líquido más me cabría en el cuerpo, aunque la quemazón de mi garganta sólo había sido aplacada. Otra vez comprendí que la sed era una parte inevitable de esta vida.

Y merecía la pena.

Me sentía bajo control. Quizás esa seguridad era falsa, pero me sentía realmente capaz de no matar a nadie por ese día. Si podía resistirme a unos humanos que me eran del todo extraños, ¿no iba a ser capaz de apañármelas con el licántropo y el bebé medio vampiro que amaba?

—Quiero ver a Renesmee —le dije. Ahora que mi sed parecía algo domesticada (casi cerca de haber sido erradicada), podía olvidar mis antiguas preocupaciones. Quería unir a esa extraña que era mi hija con la criatura que había amado hasta hacía unos tres días. Era tan extraño, algo tan malo, no tenerla aún dentro de mi cuerpo. De pronto, me sentí vacía e incómoda.

Me tendió la mano y la cogí, sintiéndola más cálida que antes. Su mejilla parecía ligeramente ruborizada, y ya no había sombras debajo de los ojos.

Fui incapaz de resistir el acariciar su rostro una vez más. Y otra.

Casi se me olvidó que estaba esperando una respuesta a mi petición cuando me hundí en sus relumbrantes ojos dorados.

Era casi tan difícil como resistirse al olor de la sangre humana, pero de algún modo mantuve clara en mi mente la necesidad de tener cuidado cuando me alcé sobre las puntas de los pies y le envolví con mis brazos. Con cuidado.

Pero él no fue tan vacilante en sus movimientos. Sus brazos se cerraron en torno a mi cintura y me apretó con fuerza contra su cuerpo. Sus labios aplastaron los míos, pero los sentí suaves. Los míos ya no buscaron su lugar en los suyos, sino que siguieron también su propio camino.

Como antes, fue como si el tacto de su piel, sus labios y sus manos se hundieran a través de mi suave y dura piel hasta llegar a mis nuevos huesos y al mismo centro de mi cuerpo. No me había imaginado que pudiera amarlo más de lo que lo había hecho hasta ahora.

Mi vieja mente no hubiera sido capaz de soportar un amor tan excesivo. Tampoco mi corazón hubiera sido lo bastante fuerte para haberlo aguantado.

Tal vez ésta era la parte de mí que se intensificaría en mi nueva vida. Como la compasión de Carlisle o la devoción de Esme. Probablemente, nunca sería capaz de hacer nada interesante ni especial como Edward, Alice o Jasper. Quizá mi único mérito sería amar a Edward más de lo que nadie hubiera amado a otro en toda la historia del mundo.

Podía vivir con eso.

Recordaba algunas cosas que antes había experimentado, como entrelazar mis dedos en su pelo o trazar los planos de su pecho, pero algunas otras eran nuevas. Él era nuevo, para mí. Era una experiencia completamente distinta que me besara sin miedo y con tanta fuerza. Respondí a su intensidad, y de pronto, nos caímos al suelo.

—Ops —exclamé y él se echó a reír debajo de mí—. No quería placarte de este modo. ¿Estás bien?

Él acarició mi cara.

—Algo mejor que bien —y poco después una expresión perpleja cruzó su rostro—. ¿Renesmee? —preguntó con inseguridad, intentando discernir qué era lo que más deseaba en esos momentos. Una cuestión difícil de resolver, porque quería demasiadas cosas a la vez.

No sabría decir si él hubiera preferido posponer nuestra vuelta a casa, y me resultaba muy duro pensar en nada que no fuera su piel contra la mía, teniendo en cuenta que del vestido ya no quedaba mucho, pero mi recuerdo de Renesmee, antes y después de su nacimiento, se iba convirtiendo cada vez más en una especie de sueño para mí. Más inverosímil. Todos mis recuerdos de ella eran recuerdos humanos y los rodeaba un aura de artificialidad. Lo que no había visto con estos ojos ni tocado con estas manos me parecía irreal.

A cada minuto, la realidad de aquella pequeña extraña se me iba perdiendo más y más.

—Renesmee —reconocí, compungida, y me puse de nuevo en pie, tirando de él.

La promesa

Pensar en Renesmee condujo a mi hija a la parte central del escenario en que se había convertido mi extraña, nueva y espaciosa mente, aunque tan fácil de distraer. Eran muchas las preguntas que tenía...

—Cuéntame cosas de ella —insistí cuando me cogió de la mano, ya que el hecho de ir unidos no detenía nuestro paso.

—No hay nada como ella en el mundo —me aseguró, y de nuevo sonó en su voz algo parecido a la devoción religiosa.

Sentí un agudo pinchazo de celos por esa extraña. Él la conocía y yo no. No era justo.

—¿Cuánto se te parece? ¿Y a mí? O a como yo era, desde luego.

—Mitad y mitad.

—Tiene la sangre caliente —le recordé.

—Sí, le late el corazón, aunque va un poco más deprisa que el de los humanos. Su temperatura es algo más alta de lo normal, también. Y duerme.

—¿De verdad?

—Bastante bien para un recién nacido. Somos los únicos padres que no necesitan dormir y nuestra hija ya duerme toda la noche —se echó a reír entre dientes.

Me gustó la manera en que decía «nuestra hija». Las palabras la hacían más real.

—Tiene exactamente el mismo color de tus ojos… así que eso no se ha perdido, menos mal —me sonrió—. Son tan hermosos…

—¿Y la parte de vampiro? —le pregunté.

—Su piel parece tan impenetrable como la nuestra. Aunque no haya nadie que sueñe con probar si es así.

Pestañeé, algo sorprendida.

—Claro que nadie se atrevería —me aseguró de nuevo—. Su dieta… bueno, prefiere beber sangre. Carlisle continúa intentando persuadirla de que beba alguna fórmula preparada para bebés, pero ella no tiene mucha paciencia con ese asunto. No puedo decir que la culpe, eso huele fatal, incluso para ser comida humana.

Se me quedó la boca abierta. Por lo que decía entendí que tenían conversaciones con ella.

—¿Persuadirla?

—Es inteligente, de una forma sorprendente, y va progresando a un ritmo tremendo. Aunque no habla, todavía, se comunica de una manera bastante eficaz.

—No. Habla. *¿Todavía?*

Él hizo disminuir el ritmo de nuestro paso, para permitirme asimilar esta nueva información.

—¿Qué quieres decir con que se comunica de forma eficaz? —le exigí.

—Creo que será más fácil que lo… veas por ti misma. Es bastante difícil de describir.

Reflexioné sobre el asunto. Sabía que había un montón de cosas que necesitaba ver por mí misma antes de convencerme de que eran reales. No estaba segura de saber para cuántas estaba realmente preparada, así que cambié de tema.

—¿Por qué sigue aquí Jacob? —le pregunté—. ¿Cómo puede soportarlo? ¿Por qué lo hace? —mi voz cantarina tembló un poco—. ¿Por qué ha de sufrir más?

—Jacob no está sufriendo —respondió con un tono extraño de voz—, aunque ya me gustaría a mí cambiar esa circunstancia —añadió entre dientes.

—¡Edward! —bufé, tirando de él hasta que se detuvo, y sentí una cierta suficiencia cuando vi que podía hacerlo—. ¿Cómo puedes decir eso? ¡Jacob lo ha dado *todo* por protegernos! Mira por lo que le hemos hecho pasar… —me encogí ante aquel oscuro recuerdo de vergüenza y culpa. Me parecía muy extraño ahora que le hubiera necesitado tanto entonces. Esa sensación de ausencia que sentía cuando él no estaba cerca había desaparecido. Probablemente debía de haber sido algún tipo de debilidad humana.

—Ya verás por qué lo digo —masculló Edward—. Le prometí que le dejaría que te lo explicara, pero dudo que lo veas de forma diferente a como lo veo yo. Aunque claro, a menudo me equivoco en lo que respecta a tus ideas, ¿no? —frunció los labios y me lanzó una mirada.

—¿Explicarme, qué?

Edward sacudió la cabeza.

—Se lo prometí. Aunque no sé si en realidad le debo algo…

Apretó aún más los dientes.

—Edward, no entiendo nada.

La frustración y la indignación invadieron mi cabeza. Me acarició la mejilla y entonces sonrió con ternura cuando mi rostro se suavizó en respuesta, mientras el deseo barría momentáneamente el disgusto.

—Es más duro para ti de lo que muestras, lo sé. Lo recordaré.

—No me gusta sentirme confusa.

—Lo sé. Así que mejor que regresemos a casa, de modo que puedas verlo todo por ti misma —sus ojos recorrieron los restos de mi vestido mientras hablaba de volver a casa y puso mala cara—. Mmm —después de pensárselo durante medio segundo, se desabotonó su camisa blanca y me la pasó para que metiera los brazos dentro.

—¿Tan mala pinta tengo?

Sonrió con ganas.

Deslicé los brazos dentro de las mangas y después la abroché rápidamente sobre mi corpiño desgarrado. Esto, claro, lo dejó a él desnudo de cintura para arriba y era imposible no distraerse con el espectáculo.

—Te echo una carrera —le dije, y después le previne—, y ¡nada de dejarme ganar esta vez!

Me soltó la mano y sonrió.

—A la línea de salida…

Encontrar el camino de regreso a mi nueva casa fue más sencillo que andar por la calle de Charlie hasta donde vivía antes. Nuestro olor había dejado un rastro claro y fácil de seguir, incluso corriendo a la máxima velocidad.

Edward me ganó antes de llegar al río, pero aproveché mi oportunidad y salté primero, intentando usar mi fuerza mayor para adelantarle.

—¡Ja! —exclamé exultante cuando oí cómo mis pies tocaban la hierba en primer lugar.

Al atender a su aterrizaje, escuché algo que no esperaba. Algo que sonaba con fuerza y muy cerca, el sonido del latido de un corazón.

Al mismo tiempo Edward estuvo a mi lado, con las manos aferradas con firmeza a la parte superior de mis brazos.

—No respires —me advirtió de forma urgente.

Intenté no entrar en pánico mientras me quedaba en la mitad de una inspiración. Lo único que se movía en mi rostro eran los ojos, girando de forma instintiva para encontrar la fuente de aquel sonido.

Jacob estaba en la línea donde el bosque tocaba el prado de los Cullen, con los brazos cruzados sobre el cuerpo y la mandíbula apretada con fuerza. Invisibles detrás de él, escuché dos grandes corazones más y el ligero crujido de los helechos bajo unas patas enormes, que caminaban impacientes de un lado para otro.

—Ten cuidado, Jacob —le advirtió Edward. Un rugido se alzó en el bosque para corear la preocupación que denotaba su voz—. Quizás ésta no sea la mejor manera...

—¿Crees que es mejor dejarla que se acerque primero al bebé? —le interrumpió Jacob—. Es más seguro ver cómo se las apaña Bella conmigo. Me curo rápido.

¿Era esto una prueba? ¿Para ver si no mataba a Jacob antes de encontrarme con Renesmee? Me sentí extrañamente mareada..., pero esto no tenía nada que ver con mi estómago sino sólo con mi cerebro. ¿Había sido esto idea de Edward?

Le eché una ojeada a su rostro llena de ansiedad. Edward pareció deliberar durante un momento, pero entonces su expresión se torció para preocuparse por algo más. Se encogió de hombros y una corriente sumergida de hostilidad tiñó su voz cuando replicó:

—Es tu cuello lo que te juegas, supongo.

El gruñido del bosque se volvió más furioso esta vez; Leah, sin lugar a dudas.

¿Qué pasaba con Edward? Después de todo por lo que habíamos pasado, ¿no debería haber sentido un poco de afecto por mi mejor amigo? Pensé, quizá estúpidamente, que Edward y Jacob ahora se llevaban mejor. Debía de haberlos malinterpretado.

Pero ¿qué estaba haciendo Jacob? ¿Por qué se ofrecía como una prueba para proteger a Renesmee?

Nada de esto tenía sentido para mí. Incluso aunque nuestra amistad hubiera sobrevivido...

Y cuando mis ojos se encontraron con los de Jacob, pensé que quizá así había sido. Todavía parecía mi mejor amigo, pero él no era el que había cambiado. ¿Qué aspecto tendría yo ahora para él?

Entonces dejó salir su sonrisa familiar, la sonrisa de un alma gemela y estuve segura de que nuestra amistad estaba intacta. Era como antes, cuando nos pasábamos las horas muertas en su garaje artesanal, sólo como dos amigos echando un rato. Todo fácil y normal. De nuevo me di cuenta de que la extraña necesidad que sentía por él antes de que yo cambiara había desaparecido por completo. Era sólo mi amigo, de la manera en que todo debía ser.

Sin embargo, aún no le veía sentido a lo que estaba haciendo. ¿De verdad era tan poco egoísta que intentaría protegerme, a riesgo de su vida, de hacer algo que lamentaría para siempre? Esto iba mucho más allá de la mera tolerancia por mi nueva naturaleza, o una manera milagrosa de poder mantener nuestra amistad. Jacob era una de las personas que mejor conocía, pero esto resultaba excesivo para aceptarlo de cualquiera.

Su sonrisa se amplió, y se estremeció ligeramente.

—Tengo que decirlo, Bells. Eres un verdadero espectáculo para *friquis*.

Le devolví la sonrisa, recobrando con facilidad nuestra vieja camaradería. Ésta era la parte de él que comprendía mejor.

Edward gruñó.

—Ándate con ojo, chucho.

El viento sopló a mis espaldas y pude llenar rápidamente los pulmones con aire limpio de modo que logré responderle.

—Qué va, tiene razón. Los ojos sí que lo son, ¿verdad?

—Realmente espeluznantes, pero no tienes tan mala pinta como pensé.

—Oye… ¡Gracias por ese cumplido tan asombroso!

Él puso los ojos en blanco.

—Ya sabes lo que quiero decir. Todavía pareces tú, más o menos. No es tanto el aspecto que tienes como que… sigues *siendo* Bella. No creía que me sintiera como si siguieras aún aquí —me sonrió otra vez sin rastro de amargura ni resentimiento en ninguna parte de su rostro. Entonces se echó a reír entre dientes y dijo—. De todas formas, supongo que pronto me habré acostumbrado a los ojos.

—¿Seguro? —le pregunté, confundida. Era maravilloso comprobar que aún éramos amigos, pero no tenía yo claro que fuéramos a pasar mucho tiempo juntos.

La más extraña de las miradas cruzó su rostro, borrando la sonrisa. Parecía… ¿culpabilidad? Sus ojos se movieron hacia Edward.

—Gracias —le dijo—. No sabía si serías capaz de callar, lo hubieras prometido o no. Como siempre le das todo lo que ella quiere…

—Quizás es que no he perdido la esperanza de que se enfade tanto que te arranque la cabeza —sugirió Edward.

Jacob bufó.

—Pero ¿qué pasa aquí? ¿Es que me estáis guardando algún secreto? —les exigí, incrédula.

—Te lo explicaré más tarde —dijo Jacob de forma casi inconsciente, como si en realidad no lo hubiera planeado así. Entonces cambió de tema—. Primero, que empiece el espectáculo —su sonrisa era un reto tan pronto como comenzó a avanzar lentamente.

Hubo un gañido de protesta, y entonces el cuerpo gris de Leah salió de detrás de él. Seth, más grande y de color arena, estaba justo a su espalda.

—Tomáoslo con calma, tíos —comentó Jacob—. Apartaos de esto.

Me alegré de que no le escucharan, aunque le siguieron con mayor lentitud.

El viento se había calmado ahora y no alejaría su olor de mí.

Se me acercó tanto que pude sentir el calor de su cuerpo en el aire que había entre nosotros. La garganta me ardió en respuesta.

—Venga, Bells, pórtate mal.

Leah gruñó.

No quería respirar. No estaba bien aprovecharse de este modo tan peligroso de Jacob, aunque hubiera sido él quien se ofreciera, no me importaba. Además, no podía apartarme de la lógica. ¿En qué me ayudaría esto? ¿Acaso me aseguraba que no le haría daño a Renesmee?

—Me van a salir canas, Bella —me provocó Jacob—. Bueno, no técnicamente, pero creo que has cogido la idea, ¿no? Vamos, pilla el olorcillo.

—Sujétame —le pedí a Edward, pegándome a su pecho.

Sus manos se aferraron a mis brazos.

Coloqué los músculos en posición, esperando ser capaz de mantenerlos inmóviles. Estaba decidida a hacerlo tan bien, por lo menos, como lo había hecho durante la caza. En el peor de los casos, dejaría de respirar y echaría a correr. Nerviosa, aspiré un poco de aire por la nariz, preparada para lo que fuera.

Dolió un poco, pero mi garganta ya ardía sordamente de todas formas. Jacob no olía más humano que el puma. Había un matiz animal en su sangre que me repelía de forma instantánea, aunque el sonido húmedo, fuerte, de su corazón resultaba atractivo, el olor que lo acompañaba me hizo arrugar la nariz. En realidad, su olor me facilitaba el atemperar mi reacción al sonido y calor de su sangre pulsante.

Inspiré de nuevo y me relajé.

—Vaya, veo que todo sigue exactamente igual por aquí: apestas, Jacob.

Edward estalló en carcajadas, sus manos se deslizaron de mis brazos para enredarse en torno a mi cintura. Seth ladró una baja risotada que armonizó con la de Edward y se acercó un poco más mientras que Leah se alejaba varios pasos. Y entonces fui consciente del resto de la audiencia cuando escuché el bajo y diferente carcajeo de Emmett, sofocado por la pared de cristal que había entre nosotros.

—Mira quién habla —replicó Jacob, apretándose la nariz de modo teatral.

Su rostro lobuno no se retorció cuando Edward me abrazó, ni siquiera cuando él se recuperó y susurró «te quiero» al oído. Jacob continuó sonriendo como si nada. Esto me hizo recobrar las esperanzas de que las cosas fueran bien entre nosotros, del mismo modo que habían ido durante tanto tiempo. Tal vez ahora pudiéramos ser amigos de verdad, ahora que tanto le disgustaba físicamente, porque así no podría amarme como antes. Quizás eso era todo lo que hacía falta.

—Vale, pues ya ha pasado, ¿no? —repuse—. ¿Y ahora me vas a contar cuál es el gran secreto?

La expresión de Jacob se tornó muy nerviosa.

—No es nada de lo que debas preocuparte por el momento…

Escuché otra vez la risita de Emmett… un sonido anticipatorio.

Debería haber presionado más, pero mientras escuchaba a Emmett, percibí también otros sonidos. La respiración de siete personas y un juego de pulmones que se movía con mayor rapidez que los otros. Y un solo corazón que latía como las alas de un pájaro, ligero y rápido.

Me distraje por completo. Mi hija estaba justo al otro lado de aquella fina pared de cristal. No podía verla, porque la luz se reflejaba en los cristales reflectantes, como si fueran un espejo. Sólo podía verme a mí misma, con aquel aspecto tan extraño, tan blanca y tan inmóvil. Comparada con Jacob. O comparada con Edward, que era igual.

—Renesmee —susurré. La tensión me convirtió de nuevo en una estatua. Ella seguro que no olería como un animal. ¿La pondría en peligro?

—Ven y lo vemos —me murmuró Edward—. Sé que lo vas a hacer muy bien.

—¿Me ayudarás? —le susurré a través de los labios inmóviles.

—Claro que sí.

—¿Y también Emmett y Jasper…? Sólo por si acaso.

—Cuidaremos de ti, Bella. No te preocupes, estaremos preparados. Ninguno de nosotros pondría en peligro a Renesmee. Creo que te sorprenderá lo rápido que se ha metido a todos en un puñito de los suyos. Estará totalmente a salvo, no importa lo que pase.

Mi anhelo de verla, de comprender la adoración que destilaban los labios de Edward, rompió la inmovilidad de mi postura. Di un paso hacia delante.

Y entonces Jacob me interceptó, con el rostro convertido en una máscara preocupada.

—¿Estás seguro, chupasangres? —le exigió a Edward, con la voz casi suplicante. Nunca le había oído hablar a Edward de esa manera—. Esto no me gusta nada. Quizá debería esperar…

—Ya has tenido tu prueba, Jacob.

¿La prueba había sido idea de Jacob?

—Pero… —comenzó él de nuevo.

—Pero nada —replicó Edward, de repente exasperado—. Bella necesita ver a nuestra hija. Quítate de en medio, ya.

Jacob me lanzó una mirada extraña, frenética, y después se volvió y casi echó a correr hacia la casa delante de nosotros.

Edward gruñó.

No le veía sentido a su enfrentamiento, pero tampoco podía concentrarme en él. Sólo podía pensar en el bebé borroso de mis recuerdos y luchar contra la vaguedad de esa imagen, intentando recordarla con exactitud.

—¿Vamos? —me dijo Edward, con su voz dulce de nuevo.

Asentí con nerviosismo.

Me tomó la mano con fuerza y me guió camino de la casa.

Me esperaban en una línea sonriente que era a la misma vez amigable y defensiva. Rosalie estaba varios pasos detrás de los demás, cerca de la puerta principal. Estaba sola hasta que se le unió Jacob, que se colocó delante de ella, más cerca de lo normal. No había nada casual ni cómodo en esa cercanía, por el contrario, ambos parecían encogerse ante esa proximidad.

Alguien muy pequeño se inclinaba en los brazos de Rosalie, intentando ver algo alrededor de Jacob. De inmediato captó toda mi atención, todos mis pensamientos, de una manera que nada había conseguido desde el momento en que abrí los ojos.

—Pero ¿no tiene sólo dos días? —pregunté en un jadeo, incrédula.

El extraño bebé recostado en los brazos de Rosalie parecía tener semanas, si no meses. Era dos veces más grande que el bebé de mi vaga memoria, y alzaba su torso con facilidad mientras se estiraba hacia mí. Su brillante cabello del color del bronce caía en rizos más allá de sus hombros, y sus ojos del color del chocolate me examinaban con un interés que tenía muy poco de infantil. Con un aire adulto, consciente y lleno de inteligencia. Alzó una mano, moviéndola en mi dirección durante un momento, pero luego se volvió para tocar la garganta de Rosalie.

Si su rostro no fuera tan asombroso en su belleza y perfección, no me habría creído que era el mismo bebé. Mi bebé.

Pero los rasgos eran los de Edward y las mejillas y el color de sus ojos eran míos. Incluso Charlie tenía su lugar en los espesos rizos, aunque fueran del color del pelo de Edward. Debía ser nuestra. Imposible, pero cierto.

De todos modos, la visión de esta personita inesperada no la hacía más real; si acaso, más fantástica.

Rosalie palmeó la manita que tenía contra el cuello y murmuró.

—Sí, es ella.

Los ojos de Renesmee se engarzaron en los míos y entonces, como hizo a los pocos segundos de su violento alumbramiento, me sonrió. Un rayo brillante de diminutos dientes blancos y perfectos.

Temblando en mi interior, di un paso vacilante hacia ella.

Todo el mundo se movió a gran velocidad.

Emmett y Jasper se situaron justo enfrente de mí, hombro con hombro y las manos preparadas. Edward me sujetó por atrás, con los dedos tensos sobre la parte superior de mis brazos. Incluso Carlisle y Esme se movieron para cubrir los flancos de Emmett y Jasper, mientras Rosalie retrocedía hacia la puerta, con los brazos fieramente apretados en torno a Renesmee. Jacob se movió también, manteniendo su postura protectora delante de ellas.

Alice fue la única que se quedó en su sitio.

—Oh, vamos, dadle una oportunidad —les reprendió—. No le va a hacer nada. Sólo quería mirarla un poco más de cerca.

Alice tenía razón. Estaba bajo control. Me habían sujetado para nada, porque su olor no era en absoluto igual que el de los humanos del bosque. La tentación no se le podía comparar. La fragancia de Renesmee equilibraba perfectamente el olor del más hermoso de los perfumes con el de la comida más deliciosa. Había suficiente del dulce aroma vampírico para que contrapesara la parte humana.

Podía manejarlo. Estaba segura.

—Estoy bien —les prometí, palmeando la mano de Edward sobre mi brazo. Entonces dudé y añadí—. De todas formas manteneos cerca, sólo por si acaso.

Los ojos de Jasper estaban entrecerrados, concentrados. Sabía que estaba testando mi clima emocional y yo me empeñaba en mantener una firme calma. Sentí cómo Edward liberaba mis brazos y leí el asentimiento de Jasper, pero aunque éste lo sabía de primera mano, no parecía tenerlas todas consigo.

Cuando ella escuchó mi voz, aquella criatura demasiado lista para su edad, luchó por desprenderse de los brazos de Rosalie, extendiéndolos en mi dirección. De alguna manera se las apañó para que su expresión mostrara impaciencia.

—Jazz, Em, dejadla. Bella puede con ello.

—Edward, el riesgo… —comenzó Jasper.

—Es mínimo. Escucha, Jasper, cuando estábamos de caza, captó el olor de unos excursionistas que se encontraban en el lugar equivocado y la hora inoportuna…

Oí cómo Carlisle tragaba aire con una inspiración de asombro. El rostro de Esme se llenó de pronto de un interés cariñoso mezclado con compasión. A Jasper se le pusieron los ojos como platos, pero asintió ligeramente, como si las palabras de Edward hubieran respondido a alguna pregunta en su cabeza. La boca de Jacob se torció en una mueca disgustada. Emmett se encogió de hombros. Rosalie mostró aún menos interés que su compañero, ya que estaba intentando sujetar al bebé que luchaba en sus brazos.

La expresión de Alice me dijo que a ella no la engañaba. Sus ojos entrecerrados, concentrados con una intensidad ardiente en mi camisa prestada, parecía más preocupada por lo que le había hecho a mi vestido que por ninguna otra cosa.

—¡Edward! —le recriminó Carlisle—. ¿Cómo has podido ser tan irresponsable?

—Ya lo sé, Carlisle, ya lo sé. Simplemente me he comportado como un estúpido. Debería haberme tomado mi tiempo para comprobar que estábamos en una zona segura antes de dejarla suelta.

—Edward —mascullé, avergonzada por la forma en la que me miraban. Era como si intentaran encontrar un rojo más brillante en mis ojos.

—Tiene toda la razón del mundo para reñirme, Bella —repuso Edward con una mueca—. He cometido un error terrible. El hecho de que tú hayas mostrado más fortaleza que nadie que haya conocido no lo cambia.

Alice puso los ojos en blanco.

—Un chiste de buen gusto, Edward.

—No era un chiste. Le estaba explicando a Jasper por qué sé que Bella puede apañárselas bien con esto. No es culpa mía que todos os hayáis precipitado en vuestras conclusiones.

—Espera —le interrumpió Jasper con un jadeo—. ¿Es que ella no cazó a los humanos?

—Empezó a seguirlos —replicó Edward, disfrutando a las claras de la historia. Yo apreté los dientes—. Estaba concentrada por completo en la caza.

—¿Y qué ocurrió? —intervino Carlisle. De repente sus ojos brillaban, mientras una sonrisa asombrada comenzaba a formarse en su rostro. Me recordó a otros momentos, cuando me preguntaba por los detalles de la experiencia de mi transformación. La emoción de la nueva información.

Edward se inclinó hacia él, animado.

—Me escuchó ir detrás de ella y reaccionó a la defensiva. Tan pronto como mi persecución interrumpió su concentración, la abandonó bruscamente. Nunca había visto nada igual. Se dio cuenta de lo que estaba pasando… *y entonces, contuvo el aliento y huyó.*

—Guau —comentó Emmett—. ¿En serio?

—No lo está contando bien —refunfuñé yo entre dientes, aún más avergonzada que antes—. Se ha dejado la parte en la que le gruñí.

—¿Y no le diste un par de buenos sopapos? —me preguntó Emmett con alegría.

—¡No! Claro que no.

—¿No? ¿De verdad que no? ¿De verdad que no le atacaste?

—¡Emmett! —protesté.

—Ah, vaya, qué lástima —gruñó él—. Eres la única persona del mundo que podría haberlo conseguido, porque no estaría en sus cabales para evitarlo, y además tenías una excusa perfecta —suspiró—. Me muero por ver cómo se las apañaría sin esa ventaja.

Le miré con cara de muy pocos amigos y ojos helados.

—Ni se me ocurriría.

El ceño fruncido de Jasper captó mi atención, ya que parecía incluso más molesto que antes.

Edward tocó con su puño ligeramente el hombro de Jasper, con un ademán burlón.

—¿Te das cuenta de lo que quiero decir?

—Esto no es natural —rezongó Jasper.

—Podría haberse vuelto contra ti... Sólo tiene horas —le reprendió Esme, poniéndose la mano sobre el corazón—. Oh, deberíamos haber ido contigo.

Yo no estaba prestando mucha atención, ahora que Edward ya había disfrutado lo suficiente de su broma. Seguía mirando al precioso bebé que estaba al lado de la puerta, todavía pendiente de mí. Sus pequeñas manos llenas de hoyuelos se alzaban hacia mí como si supiera exactamente quién era yo. De forma automática las mías se alzaron también imitando las suyas.

—Edward —le dije, inclinándome hacia un lado de Jasper para verla mejor—. ¿Por favor?

Jasper tenía los dientes encajados con firmeza y no se movió.

—Jazz, esto no es nada parecido a lo que hayas podido ver antes —le comentó Alice en voz tranquila—, confía en mí.

Sus ojos se encontraron durante un breve segundo, y después Jasper asintió. Se apartó de mi camino, pero puso una mano sobre mi hombro y me siguió mientras avanzaba lentamente.

Pensaba cada paso antes de darlo, analizando mi estado de ánimo, la quemazón de mi garganta y la posición de los demás a mi alrededor, y qué fuerte me sentía yo contra lo capaces que serían ellos de contenerme. Fue una procesión muy lenta.

Y entonces el bebé que estaba en los brazos de Rosalie, luchando y lanzando los brazos en mi dirección todo el tiempo, mientras su expresión se mostraba cada vez más irritada, soltó un aullido agudo y cantarín. Todo el mundo reaccionó como si nunca hubiera escuchado su voz antes.

Se reunieron a su alrededor en un segundo, dejándome allí sola, de pie, paralizada en mi lugar. El sonido del llanto de Renesmee me atravesó, clavándome al suelo. Los ojos me picaban de la manera más extraña, como si quisieran llorar.

Parecía como si todo el mundo quisiera ponerle la mano encima, palmeándola e intentando consolarla. Todos menos yo.

—¿Qué pasa? ¿Está herida? ¿Qué ha ocurrido?

La voz de Jacob era la que sonaba más alta, y se alzaba llena de ansiedad sobre las de los demás. Observé horrorizada que la cogía y luego, con un horror aún más profundo, cómo Rosalie se rendía y la dejaba en sus brazos sin luchar.

—No, está bien —le aseguró Rosalie.

¿Rosalie dándole explicaciones a Jacob?

Renesmee se fue con Jacob con bastantes ganas, empujando su mejilla con su mano diminuta pero después retorciéndose de nuevo para estirarse en mi dirección.

—¿Lo ves? —le dijo Rosalie—, sólo quiere a Bella.

—¿Ella quiere venir conmigo? —susurré.

Los ojos de Renesmee —mis ojos— se clavaron en mí con impaciencia.

Edward salió disparado hacia atrás hasta llegar a mi lado. Puso las manos con suavidad en mis brazos y me empujó hacia delante.

—Te ha estado esperando durante casi tres días —me dijo.

Estábamos ahora apenas a unos cuantos pasos de ella. Llegaban hasta mí temblorosas columnas de calor que parecían surgir de su cuerpo.

O quizá era Jacob el que estaba temblando. Vi cómo se sacudían sus manos conforme yo me acercaba. A pesar de ello, y de su obvia ansiedad, su rostro permaneció más sereno de lo que lo había visto en mucho tiempo.

—Jake… estoy bien —le dije. Me estaba entrando pánico de ver a Renesmee en sus manos temblorosas, pero procuré mantenerme bajo control.

Me puso mala cara, con los ojos entrecerrados, como si él tuviera justo el mismo pánico de dejar a Renesmee en mis manos.

La niña gimoteaba con impaciencia y seguía estirándose, cerrando sus pequeñas manos en forma de puños una y otra vez.

En ese momento, algo en mí se encajó en su lugar. El sonido de su llanto, la familiaridad de sus ojos, la forma en que parecía más impaciente que yo en reunirse conmigo… Todo ello se entretejió en el más natural de los patrones mientras ella intentaba agarrar el aire que había entre nosotras. De repente, fue absolutamente real. Y por supuesto que la conocía. Encontré de lo más normal que yo diera el último paso para cogerla, poniendo mis manos en el lugar exacto, donde encajarían mejor, mientras la acercaba a mi cuerpo con ternura.

Jacob dejó que sus largos brazos se extendieran de modo que pudiera acunarla, pero no la soltó del todo. Temblaba un poco cuando nuestras pieles se rozaron. Su piel, que siempre me había parecido tan cálida, la sentía ahora como una llama viva. Tenía casi la misma temperatura que Renesmee, con quizá un par de grados de diferencia.

La niña pareció totalmente indiferente a la frialdad de mi piel, o al menos muy acostumbrada a ella.

Alzó la mirada y me sonrió de nuevo, mostrando sus pequeños dientes cuadrados y sus dos hoyuelos. Entonces, de forma muy deliberada, me tocó la cara.

En el momento en que ella hizo eso, todas las manos que me sujetaban se tensaron, anticipándose a mi reacción. Yo apenas me di cuenta.

Estaba jadeando, aturdida y asustada por la extraña y alarmante imagen que llenaba mi mente. Lo sentía como un recuerdo muy fuerte, tanto, que me parecía estar viéndolo a través de mis ojos mientras lo observaba en mi cerebro, aunque me resultaba completamente desconocido. Miré a través de la expresión expectante de Renesmee, intentando comprender lo que estaba pasando, luchando con desesperación por aferrarme a mi calma.

Además de ser chocante y desconocida, la imagen tenía algo incorrecto, ya que casi podía reconocer mi propio rostro en ella, mi viejo rostro, pero la veía desde fuera, al revés. Comprendí con rapidez, que estaba viendo mi rostro como lo veían otros, más que si fuera un reflejo.

El rostro de mi recuerdo estaba contrahecho, destrozado, cubierto de sangre y sudor. A pesar de ello, mi expresión era la de una sonrisa de adoración. Mis ojos marrones relucían sobre unos profundos círculos. La imagen se agrandó, y mi rostro se acercó desde un punto de vista desconocido, y después, se desvaneció abruptamente.

La mano de Renesmee cayó desde mi mejilla. Sonrió más aún, luciendo de nuevo sus hoyuelos.

Salvo por los latidos de los corazones, se hizo un silencio profundo en la habitación. Sólo respiraban en realidad Jacob y Renesmee. El silencio se alargó, parecía como si estuvieran esperando a que yo dijera algo.

—¿Qué... ha sido... *eso*?

—¿Qué es lo que has visto? —me preguntó Rosalie con curiosidad, inclinándose a un lado de Jacob, que parecía estar tanto como no estar en ese lugar y ese momento—. ¿Qué es lo que te ha mostrado?

—¿Que ella ha sido la que me lo ha mostrado? —susurré yo.

—Ya te conté que era difícil de explicar —murmuró Edward en mi oído—, pero bastante efectivo como medio de comunicación.

—¿Qué ha sido? —preguntó Jacob.

Pestañeé rápidamente varias veces.

—Mmm. A mí. Creo. Pero tenía un aspecto horrible.

—Es el único recuerdo que tiene de ti —explicó Edward. Era obvio que él también había visto lo que ella me había mostrado cuando lo pensaba. Todavía estaba encogido, con la voz áspera al revivir el recuerdo—. Quiere que sepas que ya ha hecho la conexión y que sabe quién eres.

—Pero ¿cómo hace eso?

Renesmee parecía indiferente a mis ojos pasmados. Sonreía levemente y me tiraba de un mechón de pelo.

—¿Cómo puedo escuchar yo los pensamientos de otros? ¿Cómo ve Alice el futuro? —preguntó Edward de modo retórico, y después se encogió de hombros—. Ella tiene un don.

—Es un giro interesante —le dijo Carlisle a Edward—, como si ella hiciera justo lo opuesto a lo que tú eres capaz de hacer.

—Interesante —admitió Edward—, me pregunto…

Yo sabía que ellos se habían puesto a especular, pero no les presté atención. Yo estaba mirando al rostro más hermoso del mundo. La sentía caliente entre mis brazos, recordándome el momento en el que la oscuridad casi había vencido, cuando no quedaba nada en el mundo a lo que aferrarse. Nada lo suficientemente fuerte que me empujara a salir de aquella oscuridad que me aplastaba. El momento en que pensé en Renesmee y encontré algo que nunca dejaría ir.

—Yo también te recuerdo —le dije en voz baja.

Me pareció de lo más natural inclinarme y presionar los labios contra su frente. Olía de maravilla. El aroma de su piel me dejó ardiendo la garganta, pero fue fácil de ignorar. Nada me quitaría la alegría de ese momento, porque Renesmee era real y al fin la conocía. Ella era la misma por la cual yo había luchado desde el principio. Mi pequeña pateadora, aquella que había amado desde que estaba en mi interior. La mitad de Edward, perfecta y adorable. Y mitad mía también, lo que, sorprendentemente, la hacía algo mejor y no peor.

Yo había tenido razón todo el tiempo. Ella había merecido la pena.

—Está bien —murmuró Alice, creo que a Jasper. Aunque les vi mantenerse atentos, aún sin confiar en mí.

—¿No hemos hecho ya suficientes experimentos para un día? —preguntó Jacob, con la voz algo más aguda de lo normal debido a la tensión—. Vale, es verdad que Bella lo está haciendo genial, pero no llevemos las cosas demasiado lejos.

Le eché una mirada malintencionada de pura irritación. Jasper se removió inquieto a mi lado. Todos estábamos apiñados tan cerca unos de otros que cualquier movimiento, por pequeño que fuera, parecía muy grande.

—¿Cuál es tu *problema,* Jacob? —le exigí. Tiré ligeramente de Renesmee y él dio un paso hacia adelante. Ahora estaba apretado contra mí, con Renesmee tocando nuestros pechos.

Edward le siseó.

—No te echo a la calle, Jacob, porque lo entiendo, pero Bella lo está haciendo extraordinariamente bien, así que no le arruines el momento.

—Y yo le ayudaré a echarte, perro —prometió Rosalie, con la voz hirviendo de indignación—. Te debo una buena patada en las tripas.

Resultaba obvio, no había habido ningún cambio en *esa* relación, a menos que consideráramos el empeoramiento como cambio.

Le eché una mirada envenenada a la ansiosa expresión casi enfadada de Jacob. Tenía los ojos clavados en el rostro de Renesmee. Con todo el mundo apretado a su alrededor, debía estar en contacto físico con al menos seis vampiros diferentes en ese momento, pero eso ni siquiera parecía molestarle.

¿De verdad estaba dispuesto a pasar por todo esto sólo para protegerme de mí misma? ¿Qué habría ocurrido durante mi transformación, mi cambio en algo que odiaba, que le hubiera ablandado tanto respecto a la razón que lo había convertido en necesario?

Me rompí la cabeza sobre ese asunto, observándole mirar a mi hija. Mirándola como si fuera un ciego que viera el sol por primera vez.

—¡No! —jadeé.

Los dientes de Jasper se juntaron y los brazos de Edward se cerraron en torno a mi pecho como boas constrictor. Jacob había sacado a Renesmee de mis brazos en el mismo segundo y yo no intenté retenerla. Porque lo sentí venir, el ataque que todos ellos habían estado esperando.

—Rose —le dije entre dientes, con lentitud y precisión—. Llévate a Renesmee.

Rosalie extendió los brazos y Jacob le pasó a mi hija sin dudarlo. Ambos se apartaron de mí, andando hacia atrás.

—Edward, no quiero hacerte daño, así que por favor, suéltame.

Él vaciló.

—Ve y ponte delante de Renesmee —le sugerí.

Él deliberó, y después me dejó ir.

Me incliné hasta adoptar mi posición de ataque, agazapada, y di dos pasos lentos hacia Jacob.

—Tú… ¡no! —le rugí.

Él retrocedió, con las palmas de las manos hacia arriba, intentando razonar conmigo.

—Ya sabes que es algo que no puedo controlar.

—¡Tú, *chucho estúpido*! ¿Cómo has *podido* hacerlo? ¡Es mi *bebé*!

Salió de espaldas por la puerta principal mientras yo le acosaba, casi corriendo por las escaleras.

—¡Bella, no ha sido idea mía!

—Yo la he tenido en mis brazos una sola vez y ¿ya te crees con derecho a no sé qué estúpida reclamación lobuna? ¡Es *mía*!

—Podemos compartirla —me dijo con voz suplicante, mientras se retiraba a través del prado.

—A pagar —escuché decir a Emmett a mis espaldas. Una parte pequeña de mi cerebro se preguntó quién habría apostado en contra de este resultado. No desperdicié mucha atención en él. Estaba demasiado furiosa.

—¿Cómo has osado imprimar a *mi* bebé? ¿Has perdido la cabeza?

—¡Ha sido involuntario! —insistió él, entrando entre los árboles de espaldas.

Y en ese momento dejó de estar solo. Reaparecieron los dos enormes lobos, que le flanquearon por ambos lados. Leah me gruñó.

Un rugido terrorífico surgió de entre mis dientes dirigido a ella. El sonido me molestó, pero no lo suficiente para detener mi avance.

—Bella, ¿te importaría escucharme sólo un segundo? ¿Por favor? —suplicó Jacob—. Leah, lárgate —añadió.

Leah curvó su labio superior en mi dirección y no se movió.

—¿Por qué tengo que escucharte? —bramé. La furia dominaba mi cabeza, nublando cualquier otra cosa.

—Porque tú fuiste la que me dijo esto. ¿No te acuerdas? ¿Tú no dijiste que nuestras vidas nos pertenecían el uno al otro?, ¿a que sí? Que éramos familia. Tú dijiste que era así como se suponía que teníamos que ser. O sea que… aquí estamos. Es lo que tú deseabas.

Le lancé una mirada feroz, aunque realmente recordaba aquellas palabras. Pero mi nuevo y rápido cerebro iba dos pasos por delante de aquel sinsentido.

—Y pretendes forma parte de mi familia, ¡como mi yerno! —le chillé. Mi voz cantarina repiqueteó ascendiendo dos octavas pero aun así siguió sonando como música.

Emmett se echó a reír.

—Detenla, Edward —murmuró Esme—, porque ella será infeliz si le hace daño.

Pero yo no sentí que nadie saliera en mi persecución.

—¡No! —insistía Jacob al mismo tiempo—. ¿Cómo puedes mirarlo de esa manera? ¡Por favor, es sólo un bebé!

—¡Pues eso es lo que yo digo! —aullé.

—¡Tú sabes que no pienso en ella de esa manera! ¿Es que crees que Edward me habría dejado vivir tanto si eso fuera así? Todo lo que quiero es que ella esté a salvo y sea feliz… ¿Es eso tan malo? ¿Es tan diferente de lo que tú quieres? —me gritó en respuesta.

Más allá de las palabras, le lancé un rugido.

—¿A que es sorprendente? —oí murmurar a Edward.

—No se le ha tirado a la garganta ni una sola vez —admitió Carlisle, que sonaba extrañado.

—Vale, ésta la ganas tú —reconoció Emmett a regañadientes.

—Te vas a mantener apartado de ella —le siseé yo a Jacob.

—¡No puedo hacer eso!

Le respondí entre dientes:

—*Inténtalo,* y empieza *ahora mismo.*

—Eso no es posible. ¿Acaso no recuerdas lo mucho que querías que estuviera a tu lado hace tres días? ¿Lo difícil que nos resultaba permanecer separados? Todo eso no significa nada para ti, ¿verdad?

Le miré con mala cara, sin estar segura de lo que pretendía con eso.

—Era por ella —me dijo él—. Desde el mismo principio de todo. Teníamos que estar juntos, incluso entonces.

Lo recordé y de repente lo comprendí. Una pequeñísima parte de mí se sintió aliviada de que aquella locura tuviera explicación, pero ese alivio sólo me hizo sentirme más furiosa. ¿Es que acaso él esperaba que aquello fuera suficiente para mí? ¿Que esa pequeña aclaración haría que me pareciera bien?

—Huye mientras puedas —le amenacé.

—¡Venga, Bells! Yo también le gusto a Nessie —insistió él.

Me quedé helada y se me detuvo la respiración. Detrás de mí sentí un silencio repentino, una ansiosa reacción de los que estaban en la casa.

—¿*Cómo*… la has llamado?

Jacob dio un paso más hacia atrás, intentando parecer avergonzado.

—Bueno —masculló entre dientes—, ese nombre que os habéis sacado de la manga es un trabalenguas y…

—¿Le has puesto a mi hija de apodo el nombre del monstruo del Lago Ness? —chillé.

Y después le salté a la garganta.

Recuerdos

—Lo siento mucho, Seth. Debería haber estado más cerca.

Edward seguía aún disculpándose, y yo no creía que fuera justo ni apropiado. Después de todo, *Edward* no había sido quien había perdido el control de su temperamento, por completo y de forma inexcusable. *Edward* no había intentado arrancarle la cabeza a Jacob, que ni siquiera había entrado en fase para protegerse, ni le había roto el hombro y la clavícula a Seth cuando saltó entre nosotros. *Edward* no había sido quien casi había matado a su mejor amigo.

Tampoco era que mi mejor amigo no tuviera unas cuantas cosas a las que responder, pero resultaba obvio que nada que Jacob hubiera hecho podría justificar mi comportamiento.

Entonces ¿no debería haber sido yo la que se estuviera disculpando? Lo intenté otra vez.

—Seth, yo…

—No te preocupes por eso, Bella, estoy muy bien —dijo Seth al mismo tiempo que Edward replicaba:

—Bella, amor, nadie te está juzgando, lo estás haciendo muy bien.

Todavía no me habían dejado terminar ni una frase.

Y todo lo empeoraba el hecho de que Edward estuviera teniendo muchas dificultades para eliminar la sonrisa de su rostro. Sabía que Jacob no merecía mi reacción exagerada, pero Edward parecía encontrar satisfacción en ello. Quizá habría deseado tener la excusa de ser un neonato para poder hacer algo físico en torno a su irritación contra Jacob.

Intenté extraer la ira por completo de mi sistema, pero me resultaba duro, sabiendo que el licántropo estaba fuera, con Renesmee, justo en ese momento. Manteniéndola a salvo de su madre, la loca neonata.

Carlisle ajustó otra pieza del cabestrillo del brazo de Seth y éste hizo un gesto de dolor.

—¡Lo siento, lo siento! —masculló, sabiendo que nunca conseguiría articular una disculpa por completo.

—No te alteres, Bella —dijo Seth, palmeándome la rodilla con la mano buena mientras Edward me acariciaba el brazo desde el otro lado.

Seth no parecía sentir aversión por tenerme sentada allí, al lado en el sofá, mientras Carlisle le curaba.

—Estaré bien en media hora —continuó él, todavía dándome palmaditas en la rodilla como si no sintiera su textura dura y fría—. Cualquiera hubiera hecho lo mismo, porque eso de Jake y Ness... —se detuvo a mitad de frase y cambió de tema con rapidez—. Quiero decir, que al menos ni me mordiste ni nada. Eso hubiera sido una mierda.

Enterré la cabeza entre las manos y me estremecí ante el pensamiento, ante esa posibilidad tan real. Podría haber ocurrido fácilmente. Y acababan de decirme que los licántropos no reaccionan ante la ponzoña de los vampiros del mismo modo que los humanos, porque los envenena.

—Soy una mala persona.

—Claro que no lo eres. Yo tendría que haber… —comenzó Edward.

—Para de una vez —suspiré. No quería que se pasara todo el tiempo echándose la culpa por esto como se echaba la culpa por todo.

—Qué suerte tiene Ness… Renesmee al no estar cargada de veneno —dijo Seth después de un segundo de silencio extraño—. Porque se pasa todo el día mordiendo a Jake.

Se me cayeron las manos.

—¿Eso hace?

—Claro, cuando él y Rose no le meten la comida en la boca con la suficiente rapidez. A Rose le hace mucha gracia.

Me quedé mirándolo, sorprendida, y también sintiéndome culpable porque tenía que admitir que este hecho me agradaba, un poco en plan adolescente y caprichoso.

Pero claro, yo ya sabía que Renesmee no tenía ponzoña, ya que yo había sido la primera persona a la que había mordido. No hice esta observación en voz alta, ya que estaba simulando una cierta amnesia en los hechos más recientes.

—Bueno, Seth —comentó Carlisle, levantándose y saliendo de la habitación—, creo que esto es todo lo que puedo hacer. Intenta no moverte en, bueno, unas cuantas horas, supongo —se echó a reír—. Ojalá el tratamiento en los humanos fuera igual de gratificante —dejó reposar la mano durante un momento sobre el pelo negro de Seth—. Quédate quieto —le ordenó y después desapareció escaleras arriba. Escuché cómo se cerraba la puerta de su despacho y me pregunté si ya habrían eliminado los restos de mi estancia allí.

—Creo que podré arreglármelas para quedarme sentado un ratito —asintió Seth cuando Carlisle ya se había ido y después abrió la boca en un gran bostezo.

Con cuidado, asegurándose de no poner el hombro en mala postura, Seth inclinó la cabeza sobre el respaldo del sofá y cerró los ojos. Unos segundos más tarde, se quedó dormido con la boca abierta.

Puse mala cara a su rostro sereno durante otro minuto. Como Jacob, Seth parecía tener el don de quedarse dormido a voluntad. Sabiendo que no podría pedirle disculpas otra vez durante un buen rato, me levanté. El movimiento no removió el sofá en lo más mínimo. Todo lo físico era bastante fácil, pero el resto…

Edward me siguió hasta las ventanas traseras y me cogió la mano.

Leah paseaba impaciente a lo largo del río, parándose aquí y allá y mirando una y otra vez hacia la casa. Era fácil darse cuenta de cuándo buscaba a su hermano o cuándo a mí, pues alternaba miradas ansiosas y miradas asesinas.

Escuché a Jacob y Rosalie en las escaleras de la fachada principal discutiendo en voz baja a quién le correspondía el turno de alimentar a Renesmee. Su relación era tan antagonista como siempre. La única cosa en la que se ponían de acuerdo ahora era en que había que apartar al bebé de mí hasta que estuviera recuperada al cien por cien de mi ataque temperamental. Edward había discutido ese veredicto, pero yo les dejé ir. También quería estar segura. Aunque me preocupaba que su cien por cien y el mío no coincidieran del todo.

Aparte de esa discusión, la lenta respiración de Seth, y el enfadado jadeo de Leah, por lo demás todo estaba muy tranquilo. Emmett, Alice y Esme se hallaban de caza. Jasper se había quedado para vigilarme. Estaba apoyado discretamente contra el poste del porche, intentando no comportarse de forma odiosa en ese asunto.

Me aproveché de la tranquilidad para pensar en todo lo que Edward y Seth me habían contado mientras Carlisle le curaba el brazo a este último. Me había perdido un montón de cosas mientras ardía y ésta había sido la primera oportunidad real de ponerme al día.

Lo principal había sido el final de la enemistad con la manada de Sam, lo cual era el motivo por el cual los otros se sentían libres de ir y venir a su antojo otra vez. La tregua era más fuerte que nunca. O quizás más vinculante, dependiendo del punto de vista que uno asumiera, suponía yo.

Vinculante, porque la más absoluta de todas las leyes de la manada era que ningún lobo mataría al objeto de la imprimación de otro lobo. El dolor que esto le ocasionaría sería intolerable para el resto de la manada. La falta, tanto si fuera intencionada como accidental, no sería perdonada jamás, porque los lobos implicados lucharían hasta la muerte, y no había ninguna otra opción. Ya había ocurrido hacía mucho tiempo, me contó Seth, pero sólo por accidente. Ningún lobo destruiría de forma intencionada a un hermano de ese modo.

Así que Renesmee se había vuelto intocable porque Jacob sentía lo que sentía por ella. Intenté concentrarme en el alivio que este hecho suponía más que en el disgusto, pero no era fácil. Había suficiente espacio en mi mente para alojar ambas emociones intensamente y a la vez.

Sam tampoco se podía tomar a mal mi transformación, porque la había permitido Jacob, el legítimo Alfa. Lo que me dolía era darme cuenta una y otra vez de lo mucho que le debía a Jacob cuando lo que más me apetecía era dejarme llevar por la furia.

Deliberadamente redirigí mis pensamientos en otra dirección para controlar mis emociones. Consideré otro fenómeno interesante: aunque el silencio entre las dos manadas continuaba, Jacob y Sam habían descubierto que los Alfa podían comunicarse en su forma lobuna. No era como antaño, no tenían la capacidad de oír los pensamientos el uno del otro de la misma manera que antes de separarse. Se parecía más a hablar en voz alta, según decía Seth. Sam sólo podía escuchar los pensamientos que Jacob quería compartir y viceversa. Habían descubierto que también era posible transmitir en largas distancias, ahora que volvían a hablarse de nuevo.

No descubrieron todo esto hasta que Jacob fue solo, a pesar de las objeciones de Seth y Leah, a explicarle a Sam lo que había sucedido con Renesmee. Había sido la única ocasión en que había abandonado el lado de la niña desde que le puso por primera vez los ojos encima.

Cuando Sam comprendió que esto cambiaba todo por completo, regresó con Jacob a hablar con Carlisle. Conversaron en forma humana, porque Edward se había negado a dejarme para oficiar de traductor, y el tratado se había renovado. El sentido amistoso de la relación, sin embargo, quizá nunca volviera a ser el mismo.

Una preocupación menos.

Pero había otra cosa que, aunque no tan peligrosa físicamente como una manada de lobos enfadados, me parecía aún más urgente.

Charlie.

Había hablado con Esme por la mañana temprano, pero eso no le había disuadido de volver a llamar unos cuantos minutos después de que Carlisle curara a Seth. Carlisle y Edward habían dejado sonar el teléfono.

¿Qué era lo mejor que se le podía decir? ¿Llevaban razón los Cullen? ¿Explicarle que había muerto sería lo menos doloroso?

¿Me encontraría yo capaz de quedarme inmóvil en un ataúd mientras mi madre y él lloraban por mí?

Nada de esto me parecía bien, pero poner en peligro a Charlie o Renée por la obsesión de los Vulturis por el secreto estaba totalmente fuera de la cuestión.

Todavía quedaba mi idea de dejar que Charlie me viera cuando yo estuviera preparada y permitir que él llegara a sus propias conclusiones erróneas. Técnicamente, de ese modo las reglas de los vampiros no se romperían. ¿No sería mejor para Charlie saber que yo estaba viva y más o menos feliz? ¿Incluso aunque tuviera un aspecto extraño y diferente y es probable que atemorizador para él?

Mis ojos, en particular, se habían vuelto mucho más terroríficos. ¿Cuánto tardarían mi autocontrol y el color de mis ojos en ser apropiados para Charlie?

—¿Qué te pasa, Bella? —me preguntó Jasper en voz baja, comprendiendo mi creciente tensión—. Nadie está enfadado contigo —un bajo gruñido desde la orilla del río le llevó la contraria, pero él lo ignoró—, ni siquiera sorprendidos... Bueno, supongo que sí estamos sorprendidos de que fueras capaz de reaccionar con tanta rapidez. Lo hiciste muy bien, mejor de lo que todos esperábamos.

La habitación se tornó muy tranquila mientras él hablaba. La respiración de Seth se transformó en un sordo ronquido. Me sentí más serena, pero no olvidé mi angustia.

—En realidad, estaba pensando en Charlie.

Allí fuera, finalizó la discusión.

—Ah —murmuró Jasper.

—La verdad es que al final tendremos que irnos, ¿no? —le pregunté—. Al menos durante un cierto tiempo, para simular que estamos en Atlanta o algo así.

Pude sentir la mirada de Edward clavada en mi rostro, pero yo estaba mirando a Jasper. Y él fue el que me contestó en tono grave.

—Sí, es la mejor manera de proteger a tu padre.

Rumié el asunto durante un momento.

—Lo voy a echar mucho de menos. Y a todo el mundo, la verdad.

Jacob, pensé, a pesar de mí misma. Aunque ese antiguo anhelo había quedado aclarado y suprimido (y yo me sentía muy aliviada de que fuera así) seguía siendo mi amigo. Alguien que me conocía de verdad y me aceptaba. Incluso siendo un monstruo.

Pensé sobre lo que Jacob había dicho, al suplicarme antes de que le atacara: «¿Tú no dijiste que nuestras vidas nos pertenecían el uno al otro?, ¿a que sí? Que éramos familia. Tú dijiste que era así como se suponía que teníamos que ser. O sea que... aquí estamos. Es lo que tú deseabas».

Sin embargo, ahora las cosas no parecían ser tal y como yo deseaba. Retrocedí en mi memoria muy atrás, a los embrollados y débiles recuerdos de mi vida humana, hasta llegar a la parte más dura de recordar: el tiempo que pasé sin Edward. Unos momentos tan oscuros que había intentado sepultarlos en mi mente. No podía volver a recuperar las palabras con exactitud, sólo recordaba el deseo de que Jacob fuera mi hermano de modo que pudiéramos querernos sin confusión ni dolor. Como familia, pero jamás se me habría ocurrido incluir a una hija en la ecuación.

Recordé un poco más tarde, una de las muchas veces que le había dicho adiós a Jacob, preguntándome en voz alta con quién terminaría él, quién le arreglaría la vida después de lo que yo le había hecho. Había dicho algo sobre que fuera quien fuera ella, no sería lo bastante buena para él.

Resoplé, y Edward alzó una ceja interrogante, pero simplemente, sacudí la cabeza en su dirección.

A pesar de que echaría de menos a mi amigo, sabía que había un problema aún mayor. ¿Habían podido soportar Sam, Jared o Quil un día entero sin ver el objeto de su fijación, Emily, Kim o Claire? *¿Podían?* ¿Qué le haría la separación de Renesmee a Jacob, le causaría dolor?

Todavía quedaba bastante de esa ira mezquina dentro de mí como para alegrarme por eso: no por su dolor, sino por la idea de alejarle de Renesmee. ¿Cómo se suponía que iba a arreglármelas para admitir que pudiera pertenecer a Jacob si apenas me pertenecía a mí?

El sonido de movimiento en el porche de la fachada principal interrumpió mis pensamientos. Les escuché levantarse y ya habían atravesado la puerta. Justo al mismo tiempo, Carlisle bajó las escaleras con las manos llenas de cosas extrañas, una cinta de medir, una balanza. Jasper salió disparado para situarse a mi lado. Como si hubiera alguna señal que yo me hubiera perdido, incluso Leah se sentó fuera y miró fijamente a través de la ventana con la expresión de quien espera algo tan familiar como falto de interés.

—Deben de ser las seis —comentó Edward.

—¿Y? —pregunté, con los ojos fijos en Rosalie, Jacob y Renesmee, que estaban parados en la entrada, la niña en los brazos de la vampira. Rose tenía un aspecto precavido y Jacob parecía preocupado. Renesmee lucía hermosa e impaciente.

—Hora de medir a Ness… esto, Renesmee —explicó Carlisle.

—¡Oh! ¿Hacéis esto todos los días?

—Cuatro veces al día —me corrigió Carlisle con aspecto ausente mientras dirigía a los demás hacia el sofá. Creí ver a Renesmee suspirar.

—¿Cuatro veces? ¿Todos los días? ¿Por qué?

—Ella sigue creciendo con mucha rapidez —me murmuró Edward, la voz serena y contenida. Me apretó la mano, y su otro brazo me envolvió con seguridad alrededor de la cintura, casi como si necesitara apoyarme en él.

No pude apartar mis ojos de Renesmee para comprobar su expresión.

Tenía un aspecto perfecto, sanísimo. Su piel brillaba como si fuera un trozo de alabastro iluminado y el color de sus mejillas era como si llevara pegados allí pétalos de color rosado. No podía haber nada malo en una belleza tan radiante. Seguramente en su vida no había nada más peligroso que su madre, ¿o podía haberlo?

La diferencia entre la niña a la que yo había dado a luz y aquélla con la que me había encontrado hacía una hora habría sido evidente para cualquiera, pero la que había entre la Renesmee de hacía una hora y ésta era más sutil. Unos ojos humanos jamás habrían sido capaces de percibirla, aunque estaba allí.

Su cuerpo era algo más largo y sólo un poco más esbelto. Ya no tenía el rostro tan redondo, se volvía más ovalado con cada minuto que pasaba. Sus tirabuzones colgaban un par de centímetros más cerca de sus hombros. Se estiró obedientemente en brazos de Rosalie mientras Carlisle extendía la cinta en toda su longitud y después la usaba para medir el perímetro de su cráneo. No tomó ninguna nota, lo recordaría a la perfección.

Era consciente de que Jacob tenía los brazos cruzados con gran fuerza sobre su pecho, mientras que los de Edward se trababan con firmeza a mi alrededor. Tenía las cejas fruncidas hasta formar una sola línea sobre sus ojos hundidos.

Ella había madurado de una simple célula a un bebé de tamaño normal en el curso de unas cuantas semanas. Tenía muy buen aspecto, parecía camino de convertirse en un bebé de un par de años de edad en apenas algunos días. Si seguía ese ritmo de crecimiento…

Mi mente vampírica no tenía ningún tipo de problemas con las matemáticas.

—¿Qué vamos a hacer? —susurré, horrorizada.

Los brazos de Edward se tensaron, porque comprendió lo que estaba preguntando.

—No lo sé.

—Va algo más despacio —masculló Jacob entre dientes.

—Necesitaremos unos cuantos días más de medidas para poder establecer la pauta, Jacob. No puedo hacer ninguna promesa.

—Ayer creció cuatro centímetros. Hoy, menos.

—Por apenas una centésima de centímetro, si mis medidas son correctas —replicó Carlisle con tranquilidad.

—Sea exacto, *Doc* —repuso Jacob, haciendo que las palabras sonaran casi amenazadoras. Rosalie se envaró.

—Ya sabes que lo hago lo mejor que puedo —le aseguró Carlisle.

Jacob suspiró.

—Supongo que eso es todo lo que puedo pedir.

Me sentí irritada de nuevo, como si Jacob me estuviera robando el papel, y además haciéndolo mal.

Renesmee también parecía molesta. Comenzó a retorcerse y después levantó la mano imperiosamente hacia Rosalie. Ella se inclinó de modo que pudiera tocarle la cara. Después de un segundo, Rose suspiró.

—¿Qué es lo que quiere? —le exigió Jacob, volviendo a robarme el papel.

—A Bella, por supuesto —le contestó Rosalie, y sus palabras me hicieron sentir algo de calidez en mi interior. Entonces me miró—. ¿Cómo estás?

—Preocupada —admití, y Edward me dio otro apretón.

—Todos lo estamos, pero no es eso lo que quiero decir.

—Estoy bajo control —le prometí. La sed iba bajando puestos en mi lista a gran velocidad. Además, Renesmee olía muy bien, pero de un modo muy distinto a una comida apetecible.

Jacob se mordió el labio pero no hizo ningún movimiento para impedir que Rosalie me ofreciera a la niña. Jasper y Edward vacilaron, pero lo permitieron. Podía ver lo tensa que estaba Rose y me pregunté cómo sentiría la habitación Jasper en ese momento, ¿o es que estaba tan concentrado en mí que no podía sentir a los demás?

Renesmee y yo nos acercamos la una a la otra, con una sonrisa cegadora iluminando su pequeño rostro. Ella encajaba con tanta facilidad en mis brazos como si éstos hubieran sido diseñados especialmente para eso. De inmediato puso su manita caliente en mi mejilla.

Aunque estaba preparada, todavía me hizo emitir un sorprendido jadeo el ver aquel recuerdo como una visión dentro de mi mente. Tan brillante y lleno de colorido, pero por completo transparente.

Ella estaba recordando cómo cargué contra Jacob a través del prado que había delante de la casa y a Seth saltando entre nosotros. Lo había visto y oído todo con total claridad. Yo no parecía yo, ese predador lleno de gracia que saltaba sobre su presa como una flecha lanzada desde un arco. Debía de ser alguna otra persona. Eso no me hizo sentir menos culpable mientras Jacob estaba allí indefenso, con las manos alzadas, unas manos que no temblaban.

Edward se echó a reír entre dientes, observando los pensamientos de Renesmee conmigo. Y ambos dimos un respingo cuando escuchamos el chasquido de los huesos de Seth.

Renesmee exhibió su brillante sonrisa, pero en el recuerdo sus ojos no abandonaron a Jacob a través del jaleo que siguió. Noté un nuevo ingrediente en el recuerdo mientras observaba a Jacob, no exactamente protector, sino más bien posesivo. Percibí la clara impresión de que estaba contenta de que Seth hubiera interceptado mi salto. Ella no quería que nadie hiriera a Jacob porque era *suyo*.

—Oh, maravilloso —gruñí—. Perfecto.

—Seguro que es porque sabe mejor que todos nosotros —me aseguró Edward, con la voz estirada por su propio disgusto.

—Ya os he dicho que le gusto —bromeó Jacob desde el otro lado de la habitación, con los ojos fijos en Renesmee. Su broma fue desganada, el tenso ángulo de sus cejas no se había relajado.

Renesmee palmeó con impaciencia mi mejilla, exigiendo mi atención. Otro recuerdo: Rosalie pasando tiernamente un peine a través de sus rizos. Le hacía sentirse bien.

También apareció Carlisle con la cinta de medir, y ella sabía que tenía que estirarse y quedarse quieta y no le parecía nada interesante.

—Es como si te estuviera haciendo un resumen de todo lo que te has perdido —comentó Edward en mi oído.

Arrugué la nariz cuando ella me inundó con el siguiente recuerdo. El olor venía de una extraña taza de metal, muy dura para que no fuera fácil de morder, y que lanzó un ramalazo de fuego a mi garganta. Ay.

Y entonces Renesmee estuvo fuera de mis brazos, ahora sujetos a mi espalda. No luché con Jasper, sólo observé el rostro asustado de Edward.

—¿Qué es lo que he hecho?

Edward miró a Jasper que estaba a mi espalda, y después a mí otra vez.

—Es que ella estaba recordando la sed —masculló Edward, con la frente formando arrugas—. Estaba recordando el sabor de la sangre humana.

Los brazos de Jasper apretaron con más fuerza los míos uno contra el otro. Parte de mi cerebro registró el hecho de que esto no era particularmente incómodo, sólo algo doloroso, como lo habría sido para un humano. Pero sí resultaba perturbador. Estaba segura de que podía evadir su presión, pero no iba a luchar.

—Sí —admití—. ¿Y...?

Edward me dedicó una vez su ceño fruncido y entonces su expresión se relajó. Soltó una carcajada.

—Pues parece que nada de nada. Esta vez he sido yo el que ha reaccionado de forma exagerada. Jazz, suéltala.

Las manos que me restringían desaparecieron. Alargué las manos para coger a Renesmee tan pronto como me vi libre. Edward me la devolvió sin vacilación.

—No puedo entenderlo —replicó Jasper—. No puedo soportarlo.

Observé sorprendida que Jasper retrocedía hasta la puerta trasera. Leah se apartó para darle un amplio margen de espacio mientras caminaba hacia el río, donde se arrojó de un solo salto.

Renesmee me tocó el cuello, repitiendo la escena que acababa de presenciar, como en una reproducción instantánea. Pude sentir la pregunta en su pensamiento, como un eco de la mía.

Ya no me sorprendía su pequeño y extraño don. Parecía una parte enteramente natural de Renesmee, casi como si fuera algo que hubiera que esperar. Quizás ahora que yo también formaba parte de lo sobrenatural, no volvería a mostrarme escéptica nunca más.

Pero ¿qué era lo que iba mal con Jasper?

—Luego regresará —repuso Edward, no sé si dirigiéndose a mí o a Renesmee—. Necesita un momento a solas para poder reajustar su punto de vista sobre la vida —una sonrisa asomaba en las comisuras de su boca.

Otro recuerdo humano, Edward contándome que Jasper se sentiría mucho mejor si, una vez convertida en vampiro, me costara habituarme a mi nueva naturaleza. Esto fue en el contexto de una discusión sobre cuánta gente llegaría a matar en mi primer año de neófita.

—¿Está furioso conmigo? —le pregunté en voz baja.

Los ojos de Edward se abrieron como platos.

—No, ¿por qué tendría que estarlo?

—¿Pues qué es lo que le pasa entonces?

—Está furioso consigo mismo, Bella. Le preocupa que se trate de… una «profecía de cumplimiento inevitable», supongo que podría llamarse así.

—¿Cómo es eso? —preguntó Carlisle antes de que lo hiciera yo.

—Se está preguntando si la locura de los neonatos es algo realmente tan difícil de superar como siempre hemos pensado, o si por el contrario, con la orientación y preparación adecuadas, cualquiera podría desempeñarse tan bien como Bella. Incluso que quizá él ha experimentado una dificultad tan grande sólo porque pensaba que ello era natural e inevitable. Quizá si hubiera esperado más de sí mismo habría podido hacerlo igual de bien. Tú le estás haciendo plantearse un montón de cosas que hemos dado por supuestas e imposibles de cuestionar, Bella.

—Pero eso es injusto —repuso Carlisle—. Todos somos diferentes, cada uno de nosotros tiene sus propios retos. Es posible que el comportamiento de Bella se salga de lo natural, pero quizá sea ése su «don», por decirlo de algún modo.

Me quedé helada por la sorpresa. Renesmee notó el cambio de mi estado de ánimo y me tocó. Recordó el último segundo y preguntó por qué.

—Es una teoría muy interesante y bastante plausible —repuso Edward.

Durante un espacio de tiempo diminuto, me sentí disgustada. ¿Qué? ¿No había visiones mágicas, ni formidables capacidades ofensivas, como por ejemplo, lanzar rayos por los ojos o algo así? ¿Nada útil ni guay?

Y entonces me di cuenta de lo que eso podría significar, si mi «superpoder» no era más que un autocontrol excepcional.

En primer lugar, al menos poseía un don, porque podía no haber tenido ninguno.

Pero mucho más que eso, si Edward tenía razón, entonces podría saltarme la parte que más temía.

¿Qué pasaría si no tenía que comportarme como un neonato? Al menos no tendría que ser una desquiciada máquina de matar. ¿Qué pasaría si pudiera encajar correctamente en la familia Cullen desde el primer día? ¿Qué pasaría si no tenía que esconderme por ahí, en algún lugar remoto, durante un año mientras «maduraba»? ¿Y qué, si como Carlisle, nunca tenía que matar ni a una sola persona? ¿Qué, si podía ser un vampiro bueno desde el primer momento?

Podría ver a mi padre.

Suspiré en cuanto la realidad se filtró a través de la esperanza. Tampoco podría verle tan pronto. Los ojos, la voz, el rostro perfeccionado. ¿Qué le podría decir?, ¿cómo iba a empezar siquiera? Estaba secretamente aliviada de que tuviera alguna excusa para apartar ese tema durante un tiempo. Del mismo modo que quería encontrar la manera de mantener a Charlie en mi vida, también me aterrorizaba ese primer encuentro. Viendo cómo sus ojos se abrían de repente al tocar mi nuevo rostro, mi nueva piel, sabiendo que se asustaría. Preguntándome qué extraña explicación se formaría en su cabeza.

Era lo bastante cobarde para esperar un año mientras mis ojos se enfriaban. Y mira por dónde había sido yo la que había pensado que, una vez convertida en algo indestructible, no volvería a tener miedo de nada.

—¿Has visto alguna vez el autocontrol como un talento en alguien que conocieras? —le preguntó Edward a Carlisle—. ¿Crees realmente que es un don o sólo un producto de toda su preparación?

Carlisle se encogió de hombros.

—Es algo similar a lo que Siobhan era capaz de hacer, aunque ella nunca lo llamó don.

—Siobhan, ¿tu amiga del aquelarre irlandés? —inquirió Rosalie—. No tenía idea de que tuviera algo especial. Pensé que la que tenía algún talento distintivo en aquel grupo era Maggie.

—Bueno, Siobhan creía lo mismo, pero ella tenía ese modo de decidir sus objetivos y entonces casi… convertirlos en realidad con sólo *desearlos*. Ella consideraba que era únicamente el resultado de un buen planeamiento, pero yo siempre me he preguntado si no sería algo más. Como cuando ella incluyó a Maggie, por ejemplo. Liam era muy territorial, pero Siobhan quería que eso funcionara y así ocurrió.

Edward, Carlisle y Rosalie se acomodaron en unas sillas mientras continuaban con su conversación. Jacob se sentó al lado de Seth con ademán protector, y aspecto de estar aburrido. Por el modo en que empezaron a caérsele los párpados, estaba segura de que se quedaría inconsciente de un momento a otro.

Escuché, pero mi atención estaba dividida. Renesmee estaba todavía contándome lo que había hecho ese día. La sostuve al lado de la pared de cristal, con mis brazos meciéndola de forma automática mientras nos mirábamos a los ojos.

Comprendí que los demás no tenían motivo para sentarse. Yo estaba muy a gusto de pie, me resultaba tan descansado como estirarme en una cama. Sabía que sería capaz de permanecer así durante una semana, sin moverme, y que me sentiría tan relajada al final de los siete días como lo había estado al principio.

Se sentaban por una cuestión de hábito. A los humanos les resultaría extraño alguien capaz de estar horas sin ni siquiera cambiar el peso de un pie a otro. Incluso ahora, veía cómo Rosalie se pasaba los dedos entre el pelo y a Carlisle cruzar las piernas. Eran pequeños movimientos que les evitaban una inmovilidad completa, y les permitían parecer menos vampiros. Tendría que prestar atención a lo que ellos hacían y comenzar a practicar.

Apoyé el peso en la pierna izquierda y me sentí algo tonta.

Quizá pretendían darme un ratito a solas con mi bebé, tan a solas como fuera posible sin amenazar su seguridad.

Renesmee me contó todo lo que había hecho en ese día, minuto por minuto. Y a tenor de sus historietas tuve la sensación de que ella deseaba tanto como yo que yo las conociera hasta el último detalle. Le preocupaba que me hubiera perdido algo, como los gorriones que se le habían acercado a saltitos mientras Jacob la sostenía, los dos muy quietos al lado de uno de los grandes abetos. Los pájaros jamás se hubieran acercado a Rosalie. O aquella pringosa y rarísima cosa blanca, la fórmula láctea para bebés que Carlisle había vertido en su copa, que olía a una especie de polvo amargo. O la canción que Edward le había cantado en voz baja, tan bonita que Renesmee me la reprodujo dos veces. Estaba sorprendida de haber participado en el entorno de ese recuerdo, perfectamente inmóvil, pero con un aspecto bastante maltrecho. Me estremecí, recordando aquel momento desde mi propia perspectiva. Aquel odioso fuego…

Después de casi una hora, mientras los otros seguían por completo absortos en su conversación y Seth y Jacob roncaban de modo armónico en el sofá, los recuerdos de Renesmee comenzaron a disminuir su ritmo. Se volvieron algo borrosos en los bordes y se descentraron antes de terminarse. Estaba a punto de interrumpir a Edward, sintiéndome aterrorizada por si algo le pasaba, cuando sus párpados temblaron y se cerraron. Bostezó, con sus rosados labios gordezuelos formando una perfecta «o» y los ojos se cerraron de forma definitiva.

Se le cayó la mano de mi mejilla mientras se reacomodaba para dormir, y sus párpados parecían tener el mismo pálido color lavanda de las nubes justo antes de la salida del sol. Con mucho cuidado para no molestarla, levanté su manita y la apoyé contra mi piel por curiosidad. Al principio nada, pero luego, después de unos cuantos minutos, aparecieron unos colores fluctuantes, como un puñado de mariposas que fuera volando entre sus pensamientos.

Hipnotizada, continué observando sus sueños, que no tenían sentido alguno. Sólo colores, formas y rostros. Me agradó ver lo a menudo que aparecía mi rostro, ambas caras, la espantosa humana y la gloriosa inmortal, en sus pensamientos inconscientes. Más que Edward o Rosalie. Estaba a la par con Jacob, y procuré que esto no me afectara.

Por primera vez, comprendí cómo Edward había podido pasarse noche tras noche observándome dormir, sólo para escucharme en mis sueños. Yo sería capaz de estar observando dormir a Renesmee toda mi vida.

El cambio en el tono de la voz de Edward captó mi atención cuando dijo «por fin» y se volvió a mirar por la ventana. Era de noche fuera, una noche cerrada de color cárdeno, pero podía ver tan lejos como siempre. Nada quedaba oculto en la oscuridad, simplemente habían cambiado de color.

Leah, aún enfadada, se levantó y se escabulló de modo furtivo entre los arbustos cuando Alice apareció al otro lado del río, balanceándose hacia delante y hacia atrás en una rama como una artista del trapecio, con los dedos de los pies pegados a las manos, antes de arrojar su cuerpo en una graciosa voltereta hacia el río. Esme hizo un salto mucho más convencional, mientras que Emmett se lanzaba contra el agua, chapoteando de tal modo que las salpicaduras llegaron hasta las ventanas traseras. Para mi sorpresa, Jasper los siguió, con su propio y eficaz salto de aspecto sobrio pero sutil frente al de los demás.

La amplia sonrisa que se extendía en el rostro de Alice me resultó familiar en una oscura y extraña manera. Todo el mundo me sonreía de pronto, Esme con dulzura, Emmett excitado, Rosalie con expresión de suficiencia, Carlisle indulgente, y Edward, expectante.

Alice se deslizó dentro de la habitación delante de todos los demás, con la mano extendida delante de ella y una impaciencia que casi se podía ver, como un aura rodeando su cuerpo. Traía en la palma de su mano una llave de bronce de aspecto cotidiano con un enorme lazo rosa de satén atado.

Me dio la llave y yo automáticamente agarré a Renesmee con más firmeza en mi brazo derecho para poder estirar el izquierdo y cogerla. Alice dejó caer la llave sobre mi mano.

—¡Feliz cumpleaños! —canturreó.

Puse los ojos en blanco.

—Nadie empieza a contar su cumpleaños el día de su nacimiento —le recordé—. El primer cumpleaños se celebra al año
de haber nacido, Alice.

Su gran sonrisa se volvió petulante.

—No estamos celebrando tu cumpleaños como vampira, al
menos todavía no. Hoy estamos a trece de septiembre, Bella.
¡Feliz diecinueve cumpleaños!

Sorpresa

—¡Ah, no! ¡Eso no, de ninguna manera! —sacudí la cabeza furiosamente y después lancé una mirada a la sonrisita de suficiencia que mostraba el rostro de mi marido de diecisiete años—. Eso no cuenta. Hace tres días que dejé de cumplir años y tendré dieciocho para siempre.

—Sea como sea —replicó Alice, despreciando mi protesta con un rápido encogimiento de hombros—, vamos a celebrarlo, ¿queda claro?

Suspiré. Rara vez tenía sentido discutir con Alice, cuya sonrisa se agrandó hasta un punto rayano en lo imposible cuando leyó la rendición en mis ojos.

—¿Estás preparada para abrir tu regalo? —canturreó ella.

—Regalos —la corrigió Edward, y sacó otra llave de su bolsillo, más larga y plateada, con un lazo azul menos aparatoso.

Luché por evitar el poner los ojos en blanco. Supe enseguida que ésa debía de ser la llave de mi coche de «después». Me pregunté si tendría que sentirme excitada, porque no parecía que la conversión a vampiro me hubiera suscitado ningún interés repentino por los coches deportivos.

—El mío primero —dijo Alice, y le sacó la lengua, previendo su respuesta.

—El mío está más cerca.

—Pero mira cómo va vestida —las palabras de Alice sonaron casi como un gemido—. Estoy sufriendo desde que la vi por la mañana. Está claro que la mía es una cuestión prioritaria.

Alcé las cejas mientras me preguntaba cómo una llave podía proporcionarme ropa nueva. ¿Es que me había comprado un baúl lleno?

—Ya sé qué vamos a hacer… nos lo jugaremos —sugirió Alice—, a piedra, papel o tijeras.

Jasper se echó a reír entre dientes y Edward suspiró.

—¿Por qué no nos dices simplemente quién va a ganar? —inquirió él con ironía.

Alice mostró una sonrisa deslumbrante.

—Yo. Estupendo.

—De todas formas, será mejor que yo espere a mañana —convino Edward, que primero me dedicó una sonrisa esquinada y después asintió hacia Jacob y Seth, que parecía como si se fueran a quedar esa noche a dormir; me pregunté cuánto tiempo llevarían en pie esta vez—. Creo que sería mucho más divertido si Jacob estuviera despierto cuando se produzca la gran revelación, ¿no crees? Quizás así haya alguien que muestre el nivel adecuado de entusiasmo.

Le devolví la sonrisa. Qué bien me conocía.

—Hala —canturreó Alice—. Bella, deja que Rosalie coja a Ness… a Renesmee.

—¿Dónde suele dormir?

Alice se encogió de hombros.

—En los brazos de Rose, en los de Jacob o en los de Esme. Ya te puedes hacer una idea. No creo que se haya acostado en toda su vida. Se va a convertir en la semivampira más malcriada de la historia.

Edward se echó a reír mientras Rosalie cogía a Renesmee con un gesto experto.

—También es la menos mimada de todas las semivampiras del mundo —replicó Rosalie—. Eso es lo bueno de ser única en su especie.

Luego, me dedicó una gran sonrisa. Ese gesto me confirmó que todavía perduraba la camaradería establecida entre nosotras. Había estado completamente segura de que duraría sólo el tiempo en que la vida de Renesmee hubiera dependido de mí, pero quizás habíamos luchado tanto tiempo en el mismo bando que ahora podríamos ser amigas para siempre. Al final, yo había hecho la misma elección que ella si hubiera estado en mi lugar, y eso parecía haber borrado todo su resentimiento por cualquiera de las otras decisiones que yo pudiera haber tomado en el pasado.

Alice puso la emperifollada llave en mi mano y me tomó del codo, empujándome hacia la puerta trasera.

—Vamos, vamos —gorjeó.

—¿Está fuera?

—Algo así —replicó Alice, empujándome hacia el exterior.

—Disfruta de tu regalo —me dijo Rosalie—. Es de todos nosotros, de Esme especialmente.

—¿No venís ninguno conmigo? —me di cuenta de que nadie se había movido.

—Te daremos la ocasión de que lo disfrutes a solas —replicó Rosalie—. Ya nos dirás qué te parece… más tarde.

Emmett soltó una gran risotada. Algo en su risa me hizo sentir el deseo de ruborizarme, aunque no estaba segura del porqué.

Me percaté del sinnúmero de cosas que no habían cambiado ni un ápice, como la profunda aversión a las sorpresas y el disgusto por los regalos en general. Era un alivio y una revelación descubrir cuántos de mis rasgos esenciales habían permanecido conmigo en este cuerpo nuevo.

Continuaba siendo yo misma, algo que no había esperado. Sonreí con verdadera alegría.

Alice me empujó el codo, y no pude dejar de sonreír mientras la seguía a través de la noche de color púrpura. Sólo Edward nos acompañaba.

—Ése es el entusiasmo que buscaba —murmuró Alice con aprobación. Entonces soltó mi brazo, dio dos ágiles saltos y aterrizó al otro lado del río—. Venga, Bella —me llamó desde la orilla opuesta.

Edward saltó a la vez que yo, y fue tan divertido como por la tarde. Quizás un poco más, porque la noche transformaba todo, aplicándole nuevos y ricos colores.

Alice salió disparada en dirección norte, y la seguimos. Era más fácil guiarse por el susurro del roce de sus pasos contra el suelo y por el camino que dejaba su fresco aroma que por el atisbo de su silueta entre la densa vegetación.

Ante algo que no pude ver, se dio la vuelta y salió disparada hacia donde me había detenido.

—No me ataques —me previno y saltó sobre mí.

—¿Qué estás haciendo? —le exigí, encogiéndome cuando saltó sobre mi espalda y me puso las manos sobre los ojos. Sentí la necesidad de sacudírmela de encima, pero la controlé.

—Asegurándome de que no puedes ver nada.

—Puedo ocuparme de esto sin tanto teatro —ofreció Edward.

—Tú la dejarías hacer trampas. Cógela de la mano y condúcela hacia delante.

—Alice, yo…

—No fastidies, Bella. Vamos a hacer esto a mi manera.

Sentí cómo los dedos de Edward se entrelazaban con los míos.

—Son sólo unos segundos más, Bella. Después, se largará a maltratar a otro.

Me empujó hacia delante y yo me dejé llevar sin resistencia. No me daba miedo darme un golpe contra un árbol, ya que, en ese caso, sería el árbol quien sufriría las consecuencias.

—Podías ser un poco más agradecido —le recriminó ella—. Al fin y al cabo es tanto para ti como para ella.

—Eso es cierto. Gracias de nuevo, Alice.

—Vale, vale, está bien —la voz de Alice repentinamente se alzó llena de emoción—. Detente aquí. Vuélvela un poco hacia la derecha. Sí, vale, así. Estupendo, ¿estás preparada? —chilló.

—Sí, lo estoy —se percibían en aquel lugar nuevos olores que despertaron mi interés y aumentaron mi curiosidad. No eran aromas propios de lo más profundo de un bosque. Madreselva, humo, rosas y… ¿serrín? También algo metálico. La riqueza del olor de la tierra fértil, recién cavada y expuesta al aire. Me incliné hacia el misterio.

Alice saltó bajándose de mi espalda, y me apartó las manos de los ojos.

Miré fijo hacia la oscuridad violácea. Allí, acurrucada en un pequeño claro del bosque, había una casita de campo hecha de piedra gris lavanda que refulgía a la luz de las estrellas.

El chalé *pertenecía* a aquel lugar; tanto era así que parecía como si hubiera surgido de la misma roca, como si fuese una formación natural. La madreselva cubría una de las paredes, una celosía subiendo hasta llegar a cubrir las gruesas tejas de madera. Unas rosas tardías de verano florecían en un jardín del tamaño de un pañuelo bajo las oscuras ventanas profundamente incrustadas en la pared. Había un caminito de piedras planas que refulgían en la noche con un reflejo de color amatista. Conducía a la pintoresca puerta de madera en forma de arco.

Cerré la mano en torno a la llave que sostenía, sorprendida.

—¿Qué te parece? —inquirió Alice con una voz suave que encajaba a la perfección con la inigualable serenidad de la escena, como la de un cuento infantil. Abrí la boca, pero no fui capaz de articular palabra.

—Esme pensó que nos gustaría tener un lugar para nosotros solos durante un tiempo, pero no quería que nos fuéramos demasiado lejos —murmuró Edward—. Y ya sabes que le encanta tener cualquier excusa para renovar cosas. Este sitio, tan pequeño, llevaba casi un siglo cayéndose a pedazos.

Continué con la mirada fija, con la boca abierta como si fuera un pez.

—¿Te gusta? —la expresión del rostro de Alice se vino abajo—. Quiero decir que, si quieres, podemos arreglarla de otra manera completamente distinta. Emmett quería que le añadiéramos unos cientos de metros, con un segundo piso, columnas y una torre, pero Esme pensó que la casa te gustaría más si mantenía el mismo aspecto que se suponía debía tener —empezó a alzar la voz y a acelerarse—. Si estaba equivocada, podemos ponernos otra vez manos a la obra, no creo que nos llevara mucho…

—¡Chist! —conseguí exclamar por fin.

Ella apretó los labios y esperó. Me llevó varios segundos recobrarme.

—¿Me estás regalando una casa por mi cumpleaños? —susurré.

—Todos nosotros —me corrigió Edward—. Y no es más que una cabaña. Creo que la palabra «casa» implica algo más de espacio.

—No te metas con mi casa —le susurré.

La sonrisa de Alice relumbró.

—Te gusta.

Sacudí la cabeza.

—¿Te encanta?

Asentí.

—¡No puedo esperar a contárselo a Esme!

—¿Por qué no ha venido ella?

La sonrisa de Alice se desvaneció un poco, torciéndose de un modo que expresaba que mi pregunta era difícil de contestar.

—Bueno, ya sabes… Todos se acuerdan de cómo eres con los regalos. No querían presionarte mucho para que dijeras que te gustaba.

—Pero si me encanta de verdad. ¿Cómo podría no gustarme?

—A ellos sí que les va a gustar —me dio unas palmaditas en el brazo—. De cualquier modo tienes el armario hasta arriba. Úsalo con cabeza, y… creo que esto es todo.

—¿No vas a entrar?

Ella dio un par de zancadas hacia atrás como si lo hiciera de forma casual.

—Edward conoce bien todo esto. Ya me pasaré… más tarde. Llámame si no sabes cómo conjuntar la ropa —me arrojó una mirada dubitativa y después sonrió—. Jazz quiere ir de caza. Nos vemos.

Salió disparada entre los árboles como una grácil bala.

—Qué extraño —comenté en cuanto se hubo desvanecido del todo el sonido de su carrera—. ¿De verdad soy tan mala? No tendrían que haberse quedado atrás. Ahora me siento culpable. Ni siquiera le he dado las gracias de forma adecuada. Vamos a volver, a decirle a Esme…

—Bella, no seas tonta. Nadie piensa que seas tan irrazonable.

—Entonces, qué...

—Su otro regalo es que podamos tener un poco de tiempo para nosotros solos. Alice intentaba sugerirlo de forma sutil.

—Ah.

Eso fue todo lo que hizo falta para que desapareciera la casa. Podríamos haber estado en cualquier otro lugar. No veía ya ni los árboles ni las piedras ni las estrellas. Sólo a Edward.

—Déjame que te enseñe lo que han hecho —me instó, tirándome de la mano.

¿Acaso no se daba cuenta del modo en que una corriente eléctrica parecía recorrer mi cuerpo como si tuviera la sangre llena de adrenalina?

Una vez más sentí que había perdido el equilibrio, y esperé a que mi cuerpo reaccionara de un modo que ya era imposible. En circunstancias normales, mi corazón estaría ahora atronándonos de forma ensordecedora, como si fuera una máquina de vapor a punto de atropellarnos. Y mis mejillas se habrían puesto de un brillante color rojo.

Por otro lado, tendría que haberme sentido agotada. Ése había sido el día más largo de mi vida.

Me eché a reír, apenas una pequeña y suave risita de asombro, cuando me di cuenta de que ese día no terminaría nunca.

—¿Qué tal si me cuentas el chiste?

—No es muy bueno que digamos —repliqué, mientras él me conducía hasta la pequeña puerta en arco—. Simplemente estaba pensando que hoy es el primer y último día de la eternidad. Me resulta muy difícil asumir esa idea, incluso con todo el espacio extra que hay en mi mente —me eché a reír de nuevo.

Él también coreó mis risas. Luego, con un gesto de invitación, tendió la mano hacia el picaporte para que yo hiciera los honores de entrar la primera. Metí la llave en la cerradura y le di la vuelta.

—Te lo estás tomando todo con tanta naturalidad, Bella, que a veces se me olvida lo nuevo que debe de resultar todo esto para ti. Me gustaría poder *oírlo* —se inclinó y me cogió en brazos tan rápido que apenas lo vi venir… y mira que eso era difícil.

—¡Eh!

—Los umbrales son parte de mi trabajo —me recordó—. Tengo curiosidad. Dime qué te ronda por la cabeza en estos momentos.

Abrió la puerta, que chirrió de forma casi inaudible, y dio un paso hacia el interior del pequeño salón de piedra.

—Pues le estoy dando vueltas a todo —contesté—, ya sabes, y todo a la vez. A las cosas buenas, a las preocupantes, a las que son nuevas… y al modo en el que he ido acumulando superlativos en la cabeza. Justo en estos momentos estaba pensando que Esme es una artista, ¡todo ha quedado tan perfecto…!

El salón de la cabaña parecía sacado de un cuento de hadas. El suelo era un desigual edredón de suaves piedras planas. El techo bajo exponía las vigas de modo que alguien tan alto como Jacob seguramente se hubiera dado un golpe. Las paredes eran de cálida madera en algunos lugares y un mosaico de piedras en otros. La chimenea, colocada en una esquina en forma de colmena, mostraba los rescoldos de un llameante fuego lento. Lo que se quemaba era madera de deriva, y por eso las llamas se veían azules y verdes, debido a la sal.

Estaba amueblado de forma ecléctica, con piezas que no conjuntaban entre sí, pero sin perder por ello la armonía: una silla tenía un aspecto vagamente medieval, la baja otomana contigua al hogar era de estilo contemporáneo, y la estantería llena de libros situada junto a la ventana más lejana me recordaba a algunas películas realizadas en Italia. De algún modo, cada pieza encajaba con las otras como si fuera un gran puzle tridimensional. Había unas cuantas pinturas en las paredes que reconocí como algunas de mis favoritas de la casa grande. Eran valiosos originales, sin duda, pero también parecían pertenecer a ese lugar, como todo lo demás.

Cualquiera habría dado por cierta la existencia de la magia en un paraje donde no hubiera sido sorpresa alguna ver a Blancanieves con una manzana en la mano o a un unicornio mordisqueando los rosales.

Edward siempre había pensado que él pertenecía al mundo de los cuentos de terror, pero claro, yo sabía que estaba del todo equivocado. Era obvio que él correspondía a este lugar, un cuento de hadas.

Y ahora yo compartía el cuento con él.

Estaba a punto de aprovechar el hecho de que él no había vuelto a ponerme sobre mis pies, y de que su rostro, enloquecedoramente hermoso, estaba a pocos centímetros del mío, cuando dijo:

—Tenemos suerte de que Esme pensara en añadir una habitación más. Nadie había planeado que apareciera Ness… Renesmee.

Le puse mala cara, y mis pensamientos adquirieron un rumbo mucho menos agradable.

—Tú también… —me quejé.

—Lo siento, mi amor. Ya sabes, lo he estado oyendo en sus pensamientos todo el tiempo. Se me ha pegado.

Suspiré. Mira que ponerle a mi bebé el nombre de una serpiente marina. Quizá ya no tenía remedio. Bueno, de todos modos yo no pensaba rendirme.

—Estoy seguro de que te mueres por ver el armario. O al menos, eso será lo que le diga a Alice para que se sienta bien.

—¿Debería asustarme?

—Más bien aterrorizarte.

Me llevó a lo largo de un estrecho pasillo de piedra con pequeños arcos en el techo, como si estuviéramos en nuestro propio castillo en miniatura.

—Es la habitación de Renesmee —comentó, señalándome con un asentimiento una estancia vacía con un suelo de madera clara—. No han tenido mucho tiempo de decorarlo, porque con todos esos licántropos cabreados...

Me eché a reír entre dientes, asombrada de cómo ahora todo estaba bien, cuando apenas una semana antes había sido como una pesadilla.

Maldito fuera Jacob por hacerlo todo perfecto pero a *su* manera.

—Aquí está nuestro cuarto. Esme intentó trasladar algo de su isla hasta aquí, supuso que nos traería buenos recuerdos.

La cama era grande y blanca, con nubes vaporosas como telarañas flotando del dosel hasta el suelo. El luminoso suelo de madera armonizaba con el de la otra habitación, y comprendí que imitaba con notable precisión el color de una playa virgen. Las paredes eran del blanco casi azulado de un día brillante y soleado y la pared trasera tenía grandes puertas de cristal que se abrían a un pequeño y recóndito jardín. Había un pequeño estanque redondo, tan liso como un espejo, rodeado de piedras relucientes y rosas que escalaban las paredes. Un diminuto océano en calma sólo para nosotros.

—Oh —fue todo lo que pude decir.

—Lo sé —susurró él.

Estuvimos allí quietos durante un minuto, recordando. Aunque aquellos recuerdos eran humanos y por lo tanto nebulosos, absorbieron mi mente por completo.

Él mostró una amplia y reluciente sonrisa y después rompió en carcajadas.

—El armario está detrás de esas puertas dobles. Te lo aviso… es más grande que esta habitación.

Ni siquiera eché una ojeada a las puertas. En esos momentos no había nada en el mundo más que él, con sus brazos doblados debajo de mí, su dulce aliento en el rostro y sus labios apenas a centímetros de los míos; y tampoco había nada que pudiera distraerme, fuera un vampiro neonato o no.

—Le vamos a decir a Alice que salí disparada a ver los vestidos —le susurré, retorciendo los dedos dentro de su pelo y acercando mi rostro al suyo—, y también que me pasé horas jugando a probármelo todo. *Mentiremos.*

Él captó mi estado de ánimo al instante, o quizás es que ya estaba de ese humor y que sólo estaba intentando que disfrutara a tope de mi regalo de cumpleaños, como un caballero. Atrajo mi rostro contra el suyo con una repentina fiereza y un bajo gemido en la garganta. Ese sonido lanzó una corriente eléctrica a través de mi cuerpo hasta ponerme casi frenética, como si no pudiera acercarme a él lo suficiente ni lo bastante rápido.

Escuché cómo se desgarraba la tela bajo nuestras manos, y me alegré de que mis ropas, al menos, ya estuvieran destrozadas. Para las suyas fue demasiado tarde. Me pareció casi maleducado ignorar la bonita cama blanca, pero no tuvimos tiempo de llegar hasta allí.

Esta segunda luna de miel no fue como la primera.

El tiempo vivido en la isla había sido el mejor de mi vida humana, el mejor de todos. Había estado dispuesta a alargar mi vida como humana sólo para poder prolongar lo que tenía con él durante un poco más de tiempo, porque sabía que la parte física de nuestra relación no iba a volver a ser igual nunca más.

Debería haber adivinado, después de un día como éste, que iba a ser incluso mejor.

Ahora podía apreciarle de verdad, ver con propiedad cada una de las líneas de su rostro perfecto, cada ángulo y plano de su cuerpo esbelto e impecable con la precisión de mis nuevos ojos. Podía saborear también su puro y vívido olor con la lengua y sentir la increíble sedosidad de su piel marfileña bajo la sensible punta de mis dedos.

También mi piel mostraba la misma sensibilidad bajo sus manos.

Era una persona desconocida por completo la que entrelazaba su cuerpo con el mío, con una gracia infinita, en el suelo del color pálido de la arena. Sin precaución, sin restricción alguna. Y también sin miedo, sobre todo, eso. Podíamos hacer el amor juntos, participando ambos activamente. Por fin, como iguales.

Del mismo modo que había sucedido antes con sus besos, su contacto también era ahora mucho mejor que aquel al que me había acostumbrado. Edward se había contenido tanto… No me podía creer todo lo que me había perdido.

Intenté no olvidar que era más fuerte que él, pero resultaba difícil concentrarse con esas sensaciones tan intensas que, a cada segundo, atraían mi atención en un millón de lugares distintos de mi cuerpo. Si le hice daño, él no se quejó.

Una parte muy, muy pequeña de mi mente consideró el interesante acertijo que suponía esta situación. No me iba a sentir cansada jamás, ni él tampoco. No debíamos detenernos para recuperar el aliento, descansar, comer o incluso usar el baño, puesto que no teníamos las mundanas necesidades humanas. Edward tenía el cuerpo más hermoso, más perfecto del mundo y era todo para mí. Y yo no me sentía precisamente como si pudiera llegar el momento en que se me ocurriera pensar, «bueno, ya he tenido bastante por hoy». Siempre iba a querer más y ese día no iba a acabarse jamás. Así, en una situación como ésta, ¿cómo íbamos a parar?

No me molestó en absoluto desconocer la respuesta.

Me di cuenta (o algo así) cuando el cielo comenzó a iluminarse. Nuestro pequeño océano de fuera cambió del negro al gris y una alondra empezó a cantar en algún lugar muy cercano, como si tuviera su nido entre las rosas.

—¿Lo echas de menos? —le pregunté cuando terminó de cantar.

No era la primera vez que habíamos hablado, pero tampoco es que estuviéramos manteniendo una conversación hilada, ni mucho menos.

—¿Echar de menos, qué? —murmuró él.

—Todo eso: el calor, la piel blanda, el olor sabroso… Yo nada añoro, pero me estaba preguntando si no te entristecería a ti el haberlo perdido.

Se echó a reír, un sonido bajo y lleno de dulzura.

—Sería difícil encontrar a alguien menos triste que yo en estos momentos. Te diría que es casi imposible. No hay mucha gente que consiga todo lo que desea, además de otras cosas con las que ni siquiera había soñado, y encima en el mismo día.

—¿Estás evitando la cuestión?

Él presionó su mano contra mi rostro.

—Eres *cálida* —repuso.

Eso era cierto, al menos en un sentido. Para mí, su mano también resultaba cálida. No era lo mismo que tocar la piel ardiente como una llama de Jacob, pero sí más agradable. Más natural.

Deslizó los dedos muy lentamente por mi rostro, hacia abajo, siguiendo con levedad el contorno de mi mandíbula hasta mi garganta y después más abajo aún hasta llegar a mi cintura. Los ojos casi se me pusieron en blanco otra vez.

—Eres suave.

Sentí sus dedos como satén contra mi piel, de modo que comprendí lo que quería decir.

—Y en cuanto al olor, bueno, yo no diría que lo echo de menos. ¿Recuerdas el olor de aquellos excursionistas cuando salimos de caza?

—Estoy haciendo un gran esfuerzo para no recordarlo.

—Imagínate besando eso.

Mi garganta ardió en llamas como si hubiéramos tirado de la cuerda de un globo de aire caliente.

—Oh.

—Precisamente. Así que la respuesta es no. Estoy lleno de alegría, porque no echo nada de menos. Nadie tiene más que yo ahora.

Estuve a punto de informarle de la única excepción a esta afirmación, pero mis labios estuvieron de nuevo ocupados con rapidez.

Cuando el pequeño estanque adquirió un tono perlado con el amanecer, pensé en hacerle otra pregunta.

—¿Cuánto durará todo esto? Quiero decir, Carlisle y Esme, Em y Rose, Alice y Jasper... no se pasan el día encerrados en sus habitaciones. Tienen una vida pública, vestidos todo el tiempo —me retorcí para pegarme más a él, lo que era algo parecido a un cumplido; en realidad, para dejar bien claro de qué estaba hablando—. ¿Es que esta… ansia se acaba alguna vez?

—Eso es difícil de decir. Todo el mundo es distinto y, bueno, tú eres de lejos la más diferente de todos. El vampiro neonato medio está demasiado obsesionado con la sed para notar alguna otra cosa durante un tiempo. Esto no parece aplicarse a ti. Volviendo a ese vampiro medio, después del primer año, aparecen otras necesidades. En realidad, ni la sed ni cualquier otro deseo desaparecen. Es simplemente cuestión de aprender a equilibrarlos, a priorizarlos y manejarlos…

—¿Cuánto tiempo?

Él sonrió, arrugando un poco la nariz.

—Los peores fueron Rosalie y Emmett. Me llevó una década larga poder soportar acercarme a ellos a menos de un radio de dos kilómetros. Incluso Carlisle y Esme tenían dificultades para digerirlo. De hecho, expulsaban a la pareja feliz de vez en cuando. Esme les construyó una casa también. Era más grande que ésta, ya que Esme sabía lo que le gusta a Rose igual que ha adivinado lo que tú preferirías.

—Así que… ¿unos diez años, entonces? —estaba bastante segura de que Emmett y Rosalie no tenían nada que ver con nosotros, pero podría haber sonado como una chulería por mi parte si pretendía alargar la cosa más de una década—. ¿Después todo el mundo se vuelve normal? ¿Como son ahora?

Edward sonrió de nuevo.

—Bueno, no estoy seguro de lo que consideras normal. Tú has visto a mi familia desenvolverse en una vida que casi podríamos considerar humana, pero te has pasado las noches durmiendo —me guiñó un ojo—. Cuando no tienes que dormir hay una cantidad tremenda de tiempo disponible, lo cual hace bastante fácil… equilibrar tus intereses. Existe un motivo por el cual yo soy el mejor músico de la familia, o por el cual, aparte de Carlisle, soy el que más libros ha leído, o por el que puedo hablar con fluidez la mayoría de los idiomas. Puede que Emmett te haya hecho creer que soy un sabelotodo porque leo la mente, pero la verdad es que he tenido más tiempo libre que el resto.

Nos echamos a reír a la vez, y el movimiento que provocaron nuestras carcajadas tuvo como consecuencia cosas bastante interesantes por el modo en el que nuestros cuerpos estaban conectados. Y dimos por concluida la conversación de forma muy eficaz.

Un favor

Fue un poco más tarde cuando Edward me recordó mis prioridades.

Sólo necesitó una palabra.

—Renesmee…

Suspiré. Se despertaría pronto, ya que debían de ser casi las siete de la mañana. ¿Me buscaría entonces? De repente, me quedé helada y me asaltó una sensación cercana al pánico. ¿Qué aspecto tendría ella hoy?

Edward percibió el modo en que el estrés me había distraído por completo.

—Todo va a ir bien, mi amor. Vístete, y regresaremos a la casa en menos de dos segundos.

La manera en la que pegué un salto debió de ser muy parecida a la de un dibujo animado. Y entonces me volví hacia él, a su cuerpo como de diamante relumbrando bajo la luz difusa y después nuevamente al oeste, donde nos esperaba Renesmee. Volví a mirarle de nuevo, y otra vez a ella, con la cabeza girando de un lado a otro más de una docena de veces en menos de un segundo. Edward sonrió, pero no se rió. Era un hombre fuerte.

—Todo consiste en el equilibrio, mi amor. Pero se te está dando tan bien que no creo que tardes mucho en poner las cosas en la perspectiva adecuada.

—Pero tendremos todas las noches para nosotros, ¿no?

Él sonrió con más ganas.

—¿Crees que podría soportar ver cómo te vistes ahora si no fuera ése el caso?

Aquello bastó para hacerme salir a la luz del día. Podría equilibrar ese deseo irresistible y devastador de modo que lograra convertirme en una buena… resultaba difícil pensar en la palabra. Aunque Renesmee era algo real y muy presente en mi vida, todavía me parecía muy difícil pensar en mí como madre. Supongo que cualquiera se habría sentido igual en mi caso, sin haber tenido nueve meses para hacerse a la idea. Y máxime con un bebé que cambiaba a cada hora.

Pensar en el crecimiento acelerado de Renesmee me estresó en un instante. Ni siquiera me detuve en las puertas dobles de madera, elaboradamente ornamentadas, para quedarme sin aliento ante lo que Alice había hecho. Sólo me sumergí allí, buscando cualquier cosa que ponerme. Debía de haber supuesto que no sería tan fácil.

—¿Cuáles son los míos? —susurré.

Tal y como me había explicado Edward, la habitación era más grande que nuestro dormitorio. Más bien habría que decir que era más grande que toda la casa entera, pero fui poco a poco intentando tomármelo de forma positiva. Una imagen relampagueó en mi cabeza: contemplé cómo Alice trataba de persuadir a Esme de que ignorara las proporciones clásicas de un armario para permitir esta monstruosidad. Y me pregunté cómo había conseguido Alice salirse con la suya.

Todo estaba envuelto en bolsas para ropa, impoluta y sin etiquetar, fila tras fila.

—Según lo que me han contado, todo lo que ves aquí es tuyo —y señaló una barra que se extendía a la izquierda de la puerta, como a mitad de la pared—. Menos este perchero de aquí.

—¿Todo esto?

Él se encogió de hombros.

—Alice —dijimos a la vez, él en tono explicativo y yo como si fuera una palabrota.

—Magnífico —masculló y tiré de la cremallera de la bolsa más cercana. Gruñí para mis adentros cuando vi el vestido que había dentro. Era de seda color rosa bebé y llegaba hasta el suelo.

¡Me iba a llevar todo el día encontrar algo normal que ponerme!

—Déjame que te ayude —se ofreció Edward.

Olisqueó con cuidado el aire y después siguió algún aroma hasta la parte trasera de la gran habitación. Allí había un ropero empotrado. Olfateó de nuevo y abrió un cajón. Con un guiño triunfal, sacó unos vaqueros azules artísticamente desgastados.

Revoloteé hasta llegar a su lado.

—¿Cómo lo has hecho?

—La tela vaquera tiene un olor particular, como casi todas las cosas, y ahora… Mmm, ¿algodón con licra?

Siguió su olfato hasta un estante donde halló una camiseta de algodón blanca de manga larga y me la entregó.

—Gracias —le dije con fervor.

Olí cada una de las telas, memorizando su aroma peculiar para realizar futuras búsquedas en aquella casa de locos. Recordé el de la seda y el del satén, para evitarlos cuidadosamente.

A él sólo le llevó unos segundos encontrar sus ropas, y si no le hubiera visto desnudo, habría jurado que no había nada más hermoso que Edward con sus pantalones caquis y un jersey de color beis. Me cogió de la mano y salimos disparados hacia el jardín escondido, saltamos con ligereza el muro de piedra y abordamos el bosque en una carrera mortal. Le solté la mano para que no pudiera tirar de mí, pero aun así me ganó esta vez.

Renesmee estaba despierta, sentada en el suelo con Rose y Emmett cuidando de ella, jugando con una pila de cacharros de plata estropeados. Tenía una cuchara doblada en la mano derecha. Tan pronto como me vio a través del cristal, soltó el cubierto con un golpe que dejó marcado el suelo de madera y señaló imperiosamente en mi dirección. Su público se echó a reír. Alice, Jasper, Esme y Carlisle estaban sentados en el sofá, observándola como si fuera la más apasionante de las películas.

Yo había cruzado la puerta casi antes de que sus carcajadas hubieran empezado, cubriendo el espacio de un salto y alzándola del suelo en un solo segundo. Nos sonreímos con ganas la una a la otra.

Había cambiado, pero no mucho. Era un poco más alta, y sus proporciones se iban transformando de las propias de un bebé a las de una niña. El pelo le había crecido casi un centímetro, y sus rizos saltaban como muelles con cada movimiento. Había dejado mi imaginación suelta en el camino de vuelta a la casa y me había imaginado todo peor de lo que lo había encontrado. Gracias a mis miedos exagerados, estas alteraciones me supusieron casi un alivio. Incluso sin tener en cuenta las mediciones de Carlisle, estaba segura de que los cambios habían sido más lentos que los del día anterior.

Renesmee me palmeó la mejilla y yo me estremecí. Tenía hambre otra vez.

—¿Cuánto tiempo lleva levantada? —pregunté mientras Edward desaparecía a través del umbral de la puerta de la cocina. Estaba segura de que él había ido a buscarle su desayuno, ya que habría percibido lo que ella había pensado tan claramente como yo. Me pregunté si él se habría dado cuenta de la pequeña singularidad de la niña si hubiera sido el único en conocerla. Lo más probable es que para Edward fuera como escuchar la mente de cualquiera.

—Sólo unos cuantos minutos —repuso Rose—. Os íbamos a llamar. Ha estado preguntando por ti, aunque «exigiendo» sería una descripción más acertada. Esme ha sacrificado su segundo mejor servicio de plata para mantener a este pequeño monstruo entretenido —Rose sonrió a Renesmee con un afecto tan lleno de deleite que la crítica quedó sin sentido—. No queríamos... esto... molestaros.

Rosalie se mordió el labio y apartó la mirada, intentando no echarse a reír. Pude sentir las carcajadas silenciosas de Emmett a mis espaldas, enviando las vibraciones a través de los cimientos de la casa.

Mantuve la barbilla alzada.

—Pronto tendremos preparada tu habitación en la cabaña —le dije a Renesmee—. Te va a gustar mucho. Es un sitio mágico —alcé la mirada hacia Esme—. Gracias, Esme, muchísimas gracias. Es absolutamente perfecta.

Antes de que ella respondiera, Emmett se puso a reír de nuevo, pero esta vez no fue en silencio.

—Ah, pero ¿aún continúa en pie? —se las apañó para decir entre carcajadas—. Habría jurado que, a estas alturas, la habríais reducido a escombros. ¿Qué estuvisteis haciendo anoche? ¿Discutiendo los detalles de la deuda nacional? —se puso a aullar de la risa.

Yo apreté los dientes y me recordé a mí misma las consecuencias negativas que tuvieron lugar el día anterior, cuando dejé libre mi temperamento. Aunque claro, Emmett no era tan vulnerable como Seth...

Al pensar en él acudieron unas cuantas preguntas a mi mente.

—¿Dónde están hoy los lobos? —eché una ojeada a través de la pared de cristal, pero allí no había ni rastro de Leah.

—Jacob se marchó esta mañana muy temprano —me contó Rosalie, con una ligera arruga cruzándole la frente—, y Seth le siguió.

—¿Qué es lo que tanto le preocupa? —preguntó Edward cuando regresó a la habitación con la taza de Renesmee. Debía de haber más cosas en la memoria de Rosalie que las que yo había captado en su expresión.

Le devolví a Renesmee a Rosalie, sin respirar. Puede que mi don fuera un autocontrol superlativo, quizás, pero no había modo de que me sintiera capaz de alimentarla. Al menos no todavía.

—Ni lo sé, ni me preocupa —gruñó Rosalie, pero respondió más extensamente a la pregunta de Edward—. Estaba observando cómo dormía Nessie, con la boca caída como el tarado que es, cuando se puso en pie de un salto sin nada que lo hubiera provocado, o que yo notara, y salió disparado. Me puse la mar de contenta por deshacerme de él. Cuanto más tiempo pasa en la casa, menos posibilidades hay de que consigamos sacar de aquí la peste.

—Rose —la reconvino Esme con suavidad.

Rosalie se apartó con brusquedad el pelo.

—Supongo que no importa. No nos quedaremos aquí mucho más tiempo.

—Sigo pensando que podríamos irnos directamente a New Hampshire y dejar que las cosas se tranquilicen —comentó

Emmett, continuando con una conversación que debían de haber comenzado antes—. Bella ya está matriculada en Dartmouth, y así no parecerá que se está tomando demasiado tiempo en incorporarse a las clases —se volvió hacia mí con una risa burlona—. Estoy seguro de que serás la número uno de tu clase... Al parecer no tienes nada interesante que hacer por las noches aparte de estudiar.

Rosalie soltó unas risitas.

No pierdas los nervios, no pierdas los nervios, entoné para mis adentros. Y en ese momento me sentí muy orgullosa de mantener fría la cabeza.

Así que me llevé una gran sorpresa porque Edward, no.

Rugió, con un repentino y sorprendente sonido chirriante, y la más negra de las furias cruzó por su expresión como nubes de tormenta.

Antes de que ninguno de nosotros pudiera responder, Alice se puso de pie.

—¿Pero qué está *haciendo*? ¿Qué es lo que está haciendo ese *perro* que me ha estropeado el plan para todo el día? ¡No puedo ver *nada*! ¡No! —me lanzó una mirada torturada—. ¡Mira qué pinta tienes! ¡*Necesitas* que te enseñe cómo usar tu armario!

Durante un segundo sentí un enorme agradecimiento por lo que fuera que hubiera emprendido Jacob.

Y entonces las manos de Edward se cerraron en forma de puños y bramó:

—Se lo ha dicho a Charlie y cree que le está siguiendo y que viene hacia aquí, hoy.

Alice dijo una palabra que sonó muy extraña en su gorjeante voz femenina y después se puso en movimiento con tanta rapidez que apenas se pudo percibir un borrón, y salió disparada hacia la puerta trasera.

—¿Se lo ha dicho a Charlie? —pregunté con un jadeo—, pero... ¿es que no lo entiende? ¿Cómo ha podido hacer eso?

—¡Charlie no podía saber nada de mí! ¡Nada sobre vampiros! Eso lo pondría tan alto en la lista de condenados que ni siquiera los Cullen podrían salvarle—. ¡No!

Edward habló entre dientes.

—Jacob viene de camino.

Debía de haber empezado a llover más lejos, hacia el este, porque cuando Jacob atravesó la puerta iba sacudiéndose el pelo mojado como un perro, dejando caer gotas en la alfombra y en el sofá donde quedaron unas pequeñas manchas de color gris que destacaban contra el blanco. Sus dientes relucían entre sus labios oscuros. Tenía los ojos brillantes, llenos de excitación. Caminaba a saltitos, como si estuviera entusiasmado con la idea de destruir la vida de mi padre.

—Hola, chicos —saludó, sonriendo.

Se hizo un silencio profundo.

Leah y Seth se deslizaron a sus espaldas en forma humana, al menos de momento, ya que las manos de ambos temblaban por la tensión que se respiraba en la habitación.

—Rose —dije, extendiendo los brazos. Sin una palabra, Rosalie me tendió a Renesmee. La apreté cerca de mi corazón inmóvil, sosteniéndola como un talismán para evitar un ataque por mi parte. La tendría en mis brazos hasta que estuviera segura de que mi decisión de matar a Jacob se basaba, más que en la furia, en un completo juicio racional.

Ella estaba muy quieta, observando y escuchando. ¿Cuánto de todo esto entendería?

—Charlie llegará pronto —anunció Jacob como quien no quiere la cosa—, os lo aviso. Supongo que Alice habrá ido a buscarte unas gafas de sol o algo así, ¿no?

—Tus asunciones van un demasiado lejos —escupí entre dientes—. ¿Qué-has-hecho?

La sonrisa de Jacob desfalleció, pero estaba demasiado nervioso para contestar con seriedad.

—La rubita y Emmett me despertaron esta mañana charloteando como locos de que todos os ibais al otro lado del país, como si yo os pudiera dejar marchar. Charlie era el punto más importante del asunto, ¿no? Bueno, problema resuelto.

—¿Es que acaso no te *das cuenta* de lo que has hecho? ¿Sabes en qué peligro le has puesto?

Él resopló.

—Yo no le he puesto en peligro, salvo en lo que a ti se refiere, pero tú tienes alguna especie de autocontrol sobrenatural, ¿no? No tan bueno como leer la mente, si me pides opinión, y bastante menos emocionante.

Edward se movió entonces, cruzando con celeridad la habitación para encararse con Jacob. Aunque era casi media cabeza más bajo que Jacob, éste se echó hacia atrás, intentando evitar su pasmosa ira, como si fuera Edward el que se cerniera sobre él.

—Eso es sólo una teoría, chucho —rugió—, ¿crees que la vamos a poner a prueba con Charlie? ¿Has considerado por un momento el dolor físico que le harás pasar a Bella, incluso aunque ella pueda resistirlo? ¿O el dolor emocional, si es que no puede? ¡Supongo que lo que pasa es que lo que le suceda a Bella ya no te importa! —y soltó la última palabra como un escupitajo.

Renesmee apretó los dedos contra mi mejilla con ansiedad, con la angustia coloreando la repetición de la escena en su cerebro.

Las palabras de Edward al fin atravesaron el estado de ánimo extrañamente enrabietado de Jacob. Frunció la boca.

—¿Bella sufrirá dolor?

—¡Como si le hubieras pegado una plancha de hierro al rojo vivo contra la garganta!

Yo me encogí, al recordar el aroma de la sangre humana pura.

—No sabía eso —susurró Jacob.

—Pues entonces quizás deberías haber preguntado primero —le gruñó Edward entre dientes.

—Podrías haberme detenido.

—Tú eres el que se tenía que haber parado a pensar…

—Esto no tiene nada que ver conmigo —los interrumpí. Me quedé muy quieta, manteniéndome pegada a Renesmee y a la cordura—. Esto tiene que ver con Charlie, Jacob, ¿cómo has podido ponerle en peligro de esta manera? ¿No te das cuenta de que no le dejas ninguna alternativa entre la muerte o su conversión en vampiro? —mi voz tembló con las lágrimas que mis ojos ya no podían derramar.

Jacob todavía estaba preocupado por las acusaciones de Edward, así que las mías no parecieron alterarle.

—Tranquilízate, Bella. No le he dicho nada que tú no hubieras planeado decirle.

—¡Pero viene hacia aquí!

—Ah, sí, ésa es la idea. ¿No se trataba de dejar que sacara conclusiones equivocadas? Pues creo que le he ofrecido una pista falsa la mar de estupenda, si me permites decirlo.

Mis dedos se apartaron de Renesmee y los cerré a mi espalda, por seguridad.

—Explícate ya de una vez, Jacob. No tengo paciencia para esto.

—No le he dicho nada de ti, Bella. En realidad, no. Le hablé de mí, bueno, se lo *mostré* más bien, ésa es la palabra adecuada.

—Entró en fase delante de Charlie —masculló Edward.

Yo susurré.

—¿Que tú qué?

—Es valiente, tanto como tú. Ni se desmayó ni se asustó ni nada, la verdad es que me dejó impresionado. Tendrías que haberle visto la cara cuando empecé a quitarme la ropa. No tuvo precio —se echó a reír de lo más satisfecho.

—¡Tarado de las narices! ¡Le podía haber dado un ataque al corazón!

—Charlie está genial. Es duro. Si te detienes a pensarlo un minuto, te darás cuenta del pedazo de favor que te acabo de hacer.

—No te enteras de nada, Jacob —mi voz sonaba monótona y acerada—. Tienes treinta segundos para explicármelo todo con detalle antes de que le entregue a Renesmee a Rosalie y te arranque tu miserable cabeza. Y Seth no va a poder detenerme esta vez.

—¡Caray, Bells! Nunca te me has puesto así de melodramática. ¿Esto es cosa de vampiros o qué?

—Veintiséis segundos.

Jacob puso los ojos en blanco y se dejó caer en la silla más cercana. La pequeña manada tomó posiciones a sus flancos, para nada relajados por el aspecto que él mostraba; los ojos de Leah estaban fijos en los míos, mostrando ligeramente los dientes.

—Pues nada, que esta mañana llamé a la puerta de Charlie y le pregunté si quería venir a dar un paseo conmigo. Pareció confuso, pero cuando le dije que tenía que ver contigo y que habías regresado a la ciudad, me siguió hasta el bosque.

»Le dije que ya no estabas enferma y que las cosas se habían puesto algo chungas, pero que todo iba bien. Estaba a punto de salir disparado para venir a verte, pero le dije que tenía que enseñarle algo antes. Y entonces entré en fase —Jacob se encogió de hombros.

Sentí como si un torno me estuviera apretando unos dientes contra otros.

—Quiero que me lo expliques palabra por palabra, tú, monstruo.

—A ver, me has dicho que sólo tenía treinta segundos, vale, vale —mi expresión debió de convencerle de que no estaba de humor para bromas—. Vamos a ver... Revertí la fase y me vestí, y entonces, cuando comenzó a respirar de nuevo le dije: «Charlie, no vives en el mundo en que creías vivir. Las buenas noticias son que nada ha cambiado, excepto que ahora lo sabes. La vida seguirá igual que siempre. Ya puedes volver a hacer como que no te crees nada de esto». Bueno, eso o algo parecido.

»Le llevó lo menos un minuto recobrarse, y luego quiso saber lo que realmente te había pasado, con todo ese rollo de la enfermedad rara. Le dije que *habías* estado enferma, pero que ya te encontrabas bien, sólo que habías cambiado un poquito en el proceso de recuperación. Entonces, me exigió saber qué quería decir con "cambio", y le expliqué que ahora te parecías un poco más a Esme que a Renée.

Edward siseó mientras yo lo miraba aterrorizada. Todo esto iba en la dirección más peligrosa.

—Después de unos cuantos minutos, me preguntó, con mucha tranquilidad, si también te habías convertido en un animal. Y yo le dije: «¡Ya querría ella que fuera algo tan guay!».

Y Jacob se echó a reír de nuevo.

Rosalie profirió un sonido de disgusto.

—Empecé a contarle más cosas sobre los hombres lobo, pero ni siquiera había terminado de decir la palabra entera cuando Charlie me cortó y me soltó que prefería ahorrarse los detalles. Luego, me preguntó si tú sabías dónde te metías cuando te casaste con Edward y le contesté: «De sobra, ha estado al cabo de la calle desde hace años, desde que pisó Forks». Eso no le gustó ni pizca. Le dejé despotricar hasta que se desahogó a gusto y después de haberse calmado sólo quería dos cosas. Una de ellas era verte, así que le dije que sería mejor que me permitiera venir primero para explicar el asunto.

Yo inhalé profundamente.

—¿Y qué era lo otro que quería?

Jacob sonrió.

—Esto te va a gustar. Su principal requerimiento era que le contara lo menos posible de todo esto. Deseaba que te guardaras para ti todo aquello que no fuera esencial que él supiera. Sólo quería saber cómo estabas, nada más.

Sentí alivio por primera vez desde que Jacob había entrado por la puerta.

—Creo que puedo apañármelas con eso.

—Por otro lado, él prefiere mantener la apariencia de que las cosas son normales —la sonrisa de Jacob se volvió petulante, quizá porque sospechaba que, en ese momento, comenzaría a sentir los primeros y ligeros indicios de gratitud por su actuación.

—¿Qué le has contado sobre Renesmee? —luché por mantener el filo acerado en mi voz, rechazando a regañadientes el agradecimiento. Aún era prematuro. Todavía quedaban muchas cosas negativas implícitas en esta situación, incluso aunque la intervención de Jacob hubiera provocado en Charlie una reacción mejor de lo que yo hubiera esperado…

—Ah, sí, claro. También le conté que Edward y tú habíais heredado una pequeña boca que alimentar —le echó una ojeada a Edward—. Es una huérfana pupila de él, como Bruce Wayne y Dick Grayson[2] —Jacob resopló—. No creo que os importe que haya mentido; al fin y al cabo, es parte del juego, ¿no? —Edward no contestó de ninguna manera así que él continuó—. Charlie a estas alturas ya no debería haberse sorprendido por nada, pero me preguntó si la habías adoptado: «¿Como una hija? ¿Soy una especie de abuelo?», preguntó; dijo eso, palabra por palabra. «Chócala, abuelete», le contesté.

»El resto fue en ese plan. Incluso sonrió un poco y todo.

El escozor volvió a mis ojos, pero esta vez no de miedo o angustia. ¿Charlie se había sonreído ante la idea de ser abuelo? ¿Charlie tenía que ver a Renesmee?

—Pero es que ella cambia tan rápido... —susurré.

—Le dije que ella era más especial que todos nosotros juntos —replicó Jacob en voz baja. Se puso en pie y caminó derecho hacia mí, deteniendo a Leah y a Seth cuando empezaron a seguirle. Renesmee le tendió las manos, pero yo la abracé con más fuerza, reteniéndola—. Y añadí: «Confía en mí, no querrás saber nada más de esto; pero si puedes ignorar todo lo que te resulte extraño, vas a alucinar, porque ella es la persona más maravillosa del mundo». Y entonces le conté que si podía adaptarse a esta situación, os quedaríais por aquí un poco más de tiempo y tendría la oportunidad de conocerla, pero habríais de marcharos si todo esto era demasiado para él. Y él repuso que siempre y cuando nadie le metiera más información de la que podía digerir, tragaría.

Jacob se me quedó mirando con una media sonrisa, expectante.

---

[2] Referencia a los superhéroes de DC Comics, Bruce Wayne (Batman) y Dick Grayson (Robin). [N. de los T.]

—No te voy a dar las gracias —repliqué—. Todavía sigue existiendo para Charlie un peligro muy grande.

—Lo siento si te duele. Yo no sabía que eso era así. Bella, las cosas son diferentes ahora entre nosotros, pero siempre serás mi mejor amiga, y yo siempre te querré, aunque ahora es mejor todavía. Por fin hay un equilibrio entre nosotros, ya que ahora ambos tenemos gente sin la cual no podemos vivir —me dedicó su mejor sonrisa «estilo Jacob»—. ¿Seguimos siendo amigos?

Tuve que devolverle la sonrisa, aunque intenté por todos los medios resistirme a ello. De todos modos, fue una sonrisa diminuta.

Él extendió la mano: una oferta de paz.

Yo inhalé un gran trago de aire y cambié a Renesmee sobre un solo brazo. Puse mi mano izquierda sobre la suya, y él ni siquiera se estremeció al contacto de mi piel fría.

—Si no mato a Charlie esta noche, consideraré el perdonarte lo que has hecho.

—*Cuando* no mates a Charlie esta noche, me deberás una bien grande.

Puse los ojos en blanco.

Luego extendió su otra mano en dirección a Renesmee, con una petición esta vez.

—¿Puedo…?

—En realidad ahora la llevo en brazos porque no quiero tener las manos libres para matarte, Jacob. Quizá más tarde.

Él suspiró, pero no me presionó. Chico listo.

Alice se precipitó ahora por la puerta, con las manos llenas y una expresión que prometía violencia.

—Tú, tú, y tú —increpó con brusquedad lanzándoles una mirada envenenada a los licántropos—. Si os vais a quedar, idos a aquella esquina y prometed que vais a permanecer ahí quietos un ratito. Necesito ver. Bella, será mejor que le des el bebé. De todas formas, necesitas tener las manos libres.

Jacob sonrió ampliamente en pleno triunfo.

Me asaltó un miedo concentrado que se extendió por mi estómago ante la enormidad de lo que tenía que emprender. Iba a probar suerte basándome en mi dudoso autocontrol con mi auténtico padre humano como conejillo de Indias. Las anteriores palabras de Edward se estamparon de nuevo contra mis oídos.

«¿Has considerado por un momento el dolor físico que le harás pasar a Bella, incluso aunque ella pueda resistirlo? ¿O el dolor emocional, si es que no puede?»

No podía imaginarme el dolor si fallaba. Mi respiración se convirtió en una sucesión de jadeos.

—Cógela —murmuré, deslizando a Renesmee en los brazos de Jacob.

Él asintió, mientras la preocupación fruncía su frente. Le hizo un gesto a los otros, y todos se marcharon hacia la esquina más lejana de la habitación. Seth y Jacob se repantigaron en el suelo a la vez, pero Leah sacudió la cabeza y frunció los labios.

—¿Tengo permiso para irme? —refunfuñó ella. Parecía incómoda en su aspecto humano, vistiendo la misma camiseta sucia y los pantalones de algodón que llevaba cuando me chilló algunos días antes, con su pelo corto tieso en mechones irregulares. Las manos le temblaban todavía.

—Por supuesto —repuso Jake.

—Quédate en el este, de modo que no te cruces en el camino de Charlie —añadió Alice.

Leah no miró a Alice, simplemente, atravesó la puerta trasera y se lanzó sobre los arbustos para entrar en fase.

Edward regresó a mi lado y me acarició el rostro.

—Puedes hacerlo, sé que puedes. Yo te ayudaré, y los demás también.

Busqué los ojos de Edward mientras sentía cómo me dominaba el pánico. ¿Tendría la suficiente fuerza para detenerme si hacía algún mal movimiento?

—Si pensara que no puedes apañártelas, desapareceríamos hoy mismo, en este minuto. Pero sé que eres capaz, y serás mucho más feliz si Charlie permanece en tu vida.

Intenté apaciguar mi respiración.

Alice alzó la mano. Tenía una pequeña caja blanca en la palma.

—Esto te irritará los ojos... No te hará daño pero te nublará la visión. Es un fastidio, pero aunque no se parecerá a tu antiguo color de ojos, al menos será mejor que el rojo brillante, ¿no?

Lanzó la caja de lentillas al aire y yo la cogí.

—¿Cuándo…?

—Cuando os marchasteis de luna de miel. Estaba preparada para varias posibles versiones de futuro.

Asentí y abrí el estuche. Nunca había llevado lentillas antes, pero no podía ser tan difícil. Cogí las pequeñas lentes marrones y me las puse, con la parte cóncava hacia el interior de los ojos.

Pestañeé y una película interceptó mi vista. Podía ver a través de ellas, sin duda, pero también se percibía la textura de la delgada pantalla. Mi ojo se concentró en las ralladuras microscópicas y las secciones combadas.

—Ya sé lo que quieres decir —murmuré mientras me ponía la otra. Intenté no pestañear esta vez, pero mis ojos trataron de deshacerse del estorbo automáticamente—. ¿Qué aspecto tengo?

Edward sonrió.

—Algo estrafalario. Aunque claro…

—Sí, sí, ella siempre tiene ese aspecto extravagante —terminó Alice su pensamiento con impaciencia—. Es mejor que el rojo y eso es todo lo que puedo decir en su favor. Es de un color marrón fangoso, y tu marrón era mucho más bonito. De todos modos, ten presente que no duran para siempre, porque la ponzoña de tus ojos las disolverá en unas cuantas horas. Así que si Charlie está aquí más rato, tendrás que disculparte e ir a cambiártelas. Lo cual de todos modos es una gran idea, porque los humanos necesitan ir al baño de vez en cuando —sacudió la cabeza—. Esme, dale unas cuantas recomendaciones sobre cómo actúan los humanos mientras yo lleno el tocador de señoras de lentillas.

—¿Cuánto tiempo tengo?

—Charlie llegará aquí en unos cinco minutos. No lo compliques.

Esme asintió una sola vez y me cogió de las manos.

—Lo más importante es no quedarse demasiado quieto o moverse demasiado deprisa —me dijo.

—Siéntate cuando él lo haga —intervino Emmett—. A los humanos no les gusta estar de pie.

—Deja que tus ojos vaguen de un lado para otro cada treinta segundos más o menos —añadió Jasper—. Los humanos no se quedan mirando fijamente las cosas durante mucho rato.

—Cruza las piernas durante cinco minutos y luego cambia a los tobillos durante otros cinco —comentó Rosalie.

Asentí a cada una de las sugerencias que me hicieron. Ya había notado cómo ellos hacían estas cosas el día anterior. Pensé que sería capaz de imitar sus movimientos.

—Y pestañea por lo menos tres veces por minuto —aconsejó Emmett. Frunció el ceño, y después salió disparado a donde estaba la televisión por satélite en el extremo de la mesa. La encendió, conectó el canal de un partido de fútbol universitario y asintió para sí mismo.

—Mueve las manos también. Apártate el pelo de la cara o haz como si te estuvieras rascando algo —aportó Jasper a su vez.

—Dije *Esme* —se quejó Alice cuando regresó—. La vais a agobiar entre todos.

—No, creo que me he quedado con todo —asentí—: Sentarme, mirar alrededor, pestañear, removerme de vez en cuando.

—Muy bien —aprobó Esme, y me apretó los hombros.

Jasper puso mala cara.

—Debes contener el aliento tanto como sea posible, pero mover un poco los hombros para que *parezca* que estás respirando.

Inhalé una vez más, y después asentí de nuevo.

Edward me abrazó por el costado que tenía libre.

—Puedes hacerlo —me repitió, murmurándome las palabras de ánimo al oído.

—Dos minutos —anunció Alice—. Quizá deberías echarte en el sofá. Después de todo has estado enferma. De ese modo él no tendrá que ver desde el principio si te mueves bien o no.

Alice me empujó hacia el sofá. Yo intenté caminar con lentitud, hacer que mis extremidades parecieran más torpes. Ella puso los ojos en blanco, por lo que supuse que no estaba haciendo un buen trabajo en absoluto.

—Jacob, necesito a Renesmee —le dije.

Jacob puso mala cara y no se movió.

Alice sacudió la cabeza.

—Bella, eso no me ayuda a ver.

—Pero yo la necesito. Consigue que mantenga la calma —el filo de pánico que denotaba mi voz resultaba inconfundible.

—Estupendo —gruñó Alice—. Sostenla lo más quieta que puedas y yo intentaré mirar a su alrededor —suspiró preocupada, como si se le hubiera pedido que trabajara horas extraordinarias en vacaciones. Jacob suspiró, también, pero me trajo a Renesmee, y después se retiró con rapidez ante la mirada de malas pulgas de Alice.

Edward tomó asiento a mi lado y pasó sus brazos a nuestro alrededor, de la niña y mío. Se inclinó hacia delante y la miró muy seriamente a los ojos.

—Renesmee, va a venir alguien especial a verte, a ti y a tu madre —dijo con una voz muy solemne, como si esperara que ella entendiera palabra por palabra. ¿Era así? Ella le devolvió la mirada con sus ojos claros y graves—. Pero él no es como nosotros, ni siquiera como Jacob. Has de tener mucho cuidado con él. No le digas cosas de la manera en que nos las dices a nosotros.

Renesmee le tocó la cara.

—Exactamente —dijo él—. Y va a hacer que sientas mucha sed, pero no debes morderle. No se cura como Jacob.

—¿Te ha entendido? —le susurré.

—Claro que me entiende. Tendrás cuidado, ¿verdad, Renesmee? ¿Nos ayudarás?

La niña le tocó de nuevo.

—No, no me preocupa que le muerdas a Jacob. Eso me parece estupendo.

El aludido se echó a reír entre dientes.

—Quizá deberías irte, Jacob —se dirigió Edward a él con voz muy fría, mirándole de mala manera.

Edward no había perdonado a Jacob, porque sabía que no importaba lo que sucediera ahora, yo iba a sufrir de todos modos. Pero soportaría el ardor con alegría si eso era lo peor a lo que tenía que enfrentarme esa noche.

—Le dije a Charlie que estaría por aquí —repuso Jacob—. Necesita un poco de apoyo moral.

—¿Apoyo moral? —se burló Edward—. Según lo que sabe Charlie, el monstruo más repulsivo que hay aquí eres tú.

—¿Repulsivo? —protestó Jake, y después se echó a reír para sus adentros.

Escuché los neumáticos dar la vuelta en la autovía para abordar el camino de tierra húmeda de la entrada de los Cullen, y mi respiración se aceleró de nuevo. Si hubiera sido humana, mi corazón tendría que haber estado martilleando como loco. Me puso muy nerviosa que mi cuerpo no reaccionara del modo adecuado.

Me concentré en el rápido ritmo del corazón de Renesmee para tranquilizarme y funcionó.

—Bien hecho, Bella —me susurró Jasper, aprobando mi esfuerzo.

Edward tensó su brazo sobre mis hombros.

—¿Estás seguro? —le pregunté.

—Seguro. Tú puedes hacer casi cualquier cosa —me sonrió y me besó.

No fue precisamente un piquito en los labios y mis salvajes reacciones vampíricas me pillaron otra vez con la guardia baja. Los labios de Edward eran como un chute de algún compuesto químico extraño que entraba directo en mi sistema nervioso. Casi de forma instantánea, ansiaba más y más. Me costó un gran esfuerzo de concentración recordar que tenía al bebé en brazos.

Jasper percibió mi cambio de humor.

—Esto, Edward, sería mejor que no la distrajeras justo en este momento. Necesita estar concentrada.

Edward se apartó.

—Uy —exclamó.

Me eché a reír. Ése había sido siempre mi problema, desde el principio de todo, desde el primerísimo beso.

—Más tarde —le dije, y la anticipación me apretó el estómago hasta dejármelo hecho una bola.

—Concéntrate, Bella —me urgió Jasper.

—De acuerdo —y aparté a un lado mis estremecedoras sensaciones. Charlie era lo importante ahora, mantenerle hoy a salvo. Luego tendríamos toda la noche...

—Bella.

—Lo siento, Jasper.

Emmett se echó a reír.

El sonido de la patrullera de Charlie se acercó más y más. El momento de frivolidad pasó y todo el mundo se quedó inmóvil. Crucé las piernas y practiqué los pestañeos.

El coche aparcó en la fachada de la casa aunque el motor se mantuvo en marcha durante unos segundos. Me pregunté si Charlie estaba tan nervioso como yo. Entonces el motor se paró de modo definitivo y sonó un portazo. Luego, tres pasos por la hierba y después, el eco de ocho golpes sordos en las escaleras de madera. Cuatro pasos más atravesando el porche. Y un silencio. Charlie inhaló profundamente dos veces.

Toc, toc, toc.

Yo también inhalé aire por última vez. Renesmee se acurrucó de forma más profunda entre mis brazos, escondiendo el rostro entre mi pelo.

Carlisle salió a la puerta. Su expresión tensa se cambió a una de bienvenida, como si hubiera cambiado la televisión de canal.

—Hola, Charlie —dijo, aparentando estar avergonzado de forma apropiada. Después de todo, se suponía que estábamos en Atlanta, en el Centro para el Control y la Prevención de Enfermedades, y Charlie sabía que le habíamos mentido.

—Carlisle —le saludó Charlie con rigidez—. ¿Dónde está Bella?

—Estoy aquí, papá.

¡Ugh! Mi voz había sonado demasiado fuerte. Además había usado parte de mi reserva de aire. Tragué de modo apresurado un poco más, contenta de que el olor de Charlie no hubiera saturado la habitación todavía.

El rostro carente de expresión de Charlie me dejó ver con claridad cómo de fuera de tono había estado mi voz. Se le pusieron los ojos redondos y como platos cuando me vio.

Leí todas las emociones conforme se fueron deslizando por su rostro.

Sorpresa. Incredulidad. Dolor. Pérdida. Miedo. Ira. Sospecha. Más dolor.

Me mordí el labio. Esto fue divertido porque mis nuevos dientes eran más agudos contra mi piel de granito de lo que habían sido los humanos contra mis blandos labios de antes.

—¿Eres tú, Bella? —susurró él.

—Sí —me estremecí ante mi voz como de campanillas—. Hola papá.

Él tragó una gran bocanada de aire para tranquilizarse.

—Hola, Charlie —le saludó Jacob desde la esquina de la habitación—, ¿qué tal?

Charlie miró con muy mala cara a Jacob una vez, se estremeció ante el recuerdo y después volvió a clavar en mí la mirada.

Lentamente, caminó a través de la habitación hasta que estuvo a pocos pasos de mí. Lanzó una mirada acusadora a Edward, y luego sus ojos regresaron conmigo. El calor de su cuerpo me golpeaba con cada latido de su corazón.

—¿Bella? —preguntó de nuevo.

Hablé en voz más baja, intentando contener el tono cantarín.

—Soy yo, de verdad.

Sus mandíbulas se encajaron.

—Lo siento, papá —añadí.

—¿Estás bien? —me preguntó en tono exigente.

—Pues más que bien, en serio —le prometí—. Sana como un buey.

Y aquí se me acabó el oxígeno.

—Jake me dijo que había sido… necesario. Que te estabas muriendo —pronunció las palabras como si no se creyera ni una sola sílaba.

Me armé de valor, me concentré en el peso cálido de Renesmee, me incliné hacia Edward buscando apoyo e inhalé en profundidad.

El olor de Charlie era como un puñado de llamas, perforándome garganta abajo. Pero era mucho más que dolor. También había una aguda punzada de deseo, porque Charlie olía de la manera más deliciosa que cualquier otra cosa que pudiera haber imaginado. Era una tentación doble, ya que por una parte resultaba tan atractivo como los excursionistas anónimos que encontramos el día que estuve de caza, y por el otro, se encontraba sólo a unos cuantos pasos, dispersando un calor y una humedad que me hacían la boca agua en el aire seco.

Pero ahora no estaba de caza, y éste era mi padre.

Edward me apretó los hombros en ademán de simpatía y Jacob me lanzó una mirada de disculpa a través de la habitación.

Intenté recuperarme, ignorar el dolor y el ansia de la sed. Charlie estaba esperando mi contestación.

—Jacob te dijo la verdad.

—Entonces estáis de acuerdo —gruñó Charlie.

Tenía la esperanza de que Charlie pudiera ver a través de los cambios de mi rostro el remordimiento.

Debajo de mi pelo, Renesmee olisqueó el aroma de Charlie a la vez que yo. La sujeté con más fuerza.

Charlie vio cómo bajaba la mirada con ansiedad y la siguió.

—Oh —exclamó, y la ira desapareció de su rostro, dejando nada más que la sorpresa—. Es ella, la huérfana que Jacob me dijo que estabais adoptando.

—Mi sobrina —mintió Edward en voz baja. Debió de haber decidido que el parecido entre él y la niña era demasiado grande para que pudiera ignorarse. Mejor poder decir que eran parientes desde el principio.

—Creí que habías perdido a toda tu familia —replicó Charlie, mientras la acusación volvía a su voz.

—Perdí a mis padres. Mi hermano mayor fue adoptado, como yo. Nunca le vi después de eso, pero un tribunal me localizó cuando él y su mujer murieron en un accidente de coche, dejando a la niña sin ninguna otra familia.

Edward era tan bueno para estas cosas. Su voz era monótona, con justo la cantidad exacta de inocencia. Yo iba a necesitar mucha práctica para poder hacer lo mismo.

Renesmee miró entre mi pelo, olisqueando de nuevo. Miró a Charlie con timidez bajo sus largas pestañas y se escondió de nuevo.

—Ella... ella es... bueno, es preciosa.

—Sí —admitió Edward.

—Es una gran responsabilidad, de todos modos, y vosotros dos apenas habéis empezado una vida juntos.

—¿Qué otra cosa podíamos hacer? —Edward frotó los dedos ligeramente sobre su mejilla y luego vi que tocaba sus labios durante un momento, un recordatorio—. ¿Es que tú la habrías rechazado?

—Mmm. Bueno —sacudió la cabeza de manera ausente—. Jake dice que la llamáis Nessie.

—No, no es así —repliqué con la voz aguda y cortante—. Se llama Renesmee.

Charlie volvió a dirigir su atención hacia mí.

—¿Y qué sientes respecto a esto? Quizá Carlisle y Esme podrían…

—Es mía —le interrumpí—. La *quiero*.

Charlie puso mala cara.

—¿Es que me quieres hacer abuelo tan joven?

Edward sonrió.

—También Carlisle es abuelo.

Charlie lanzó una mirada incrédula hacia Carlisle, que aún estaba de pie al lado de la puerta de entrada. Parecía como el hermano menor, y bien parecido, del dios Zeus.

Charlie bufó y después se echó a reír.

—Supongo que eso debería hacerme sentir algo mejor, más o menos —sus ojos regresaron de nuevo a Renesmee—. Desde luego es algo que merece la pena verse —su cálido aliento cubrió con ligereza el espacio que había entre nosotros.

Renesmee se inclinó para percibir mejor el olor, desprendiéndose de mi pelo y mirándole a la cara con toda la intención por primera vez. Charlie jadeó.

Sabía lo que él estaba viendo. Mis ojos, sus ojos, copiados con exactitud en aquel pequeño rostro perfecto.

Charlie comenzó a hiperventilar. Sus labios temblaron y pude leer en ellos los números que musitaba. Estaba contando hacia atrás, intentando encajar los nueve meses en uno solo. Intentaba ordenar la evidencia, pero no era capaz de aclararla de modo que tuviera sentido para él.

Jacob se levantó y se acercó a dar una palmadita en su espalda. Se inclinó para susurrarle algo al oído. Sólo que mi padre no sabía que todos podíamos oírlo.

—No necesitas saberlo, Charlie. Te digo que todo está bien. Te lo prometo.

Charlie tragó saliva y asintió. Y luego sus ojos llamearon y dio un paso hacia Edward con los puños firmemente cerrados.

—No quiero saberlo todo, pero ¡ya está bien de mentiras!

—Lo siento —replicó Edward con voz tranquila—, pero necesitas conocer la historia que haremos pública más de lo que precisas conocer la verdad. Si vas a formar parte de este secreto, la historia que contaremos a todo el mundo es la única que tiene valor. Se trata de proteger a Bella y a Renesmee, al igual que al resto de todos nosotros. ¿Podrás soportar las mentiras por ellos?

La habitación se quedó llena de estatuas y yo crucé los tobillos.

Charlie se puso de morros y volvió su mirada furiosa hacia mí.

—Niña, deberías haberme avisado de alguna manera.

—¿Es que habría hecho todo esto más fácil?

Él puso mala cara, y después se arrodilló en el suelo frente a mí. Pude captar el movimiento de la sangre en su cuello, por debajo de la piel. Sentí su cálida vibración también.

Y lo mismo hizo Renesmee. Sonrió y alzó una de sus manitas rosadas hacia él. Yo la sujeté y me puso la otra mano en la garganta, expresando su sed, curiosidad y el rostro de Charlie en sus pensamientos. Había un matiz sutil en su mensaje que me hizo pensar que ella había entendido las palabras de Edward a la perfección. Reconoció la sed, pero hizo caso omiso de ella en el mismo pensamiento.

—Vaya —exclamó Charlie con voz ahogada, y los ojos fijos en sus dientes perfectos—, ¿qué tiempo tiene?

—Mmm...

—Tres meses —repuso Edward, y después añadió con lentitud—, bueno al menos tiene el tamaño de un bebé de tres meses, más o menos. En algunos sentidos es más pequeña y más madura en otros.

Renesmee le saludó con la mano, de forma muy deliberada.

Charlie pestañeó como si se hubiera vuelto tarado.

Jacob le dio un codazo.

—Ya te dije que era especial, ¿a que sí?

Él se encogió ante el contacto.

—Oh, vamos, Charlie —gruñó Jacob—. Soy la misma persona de siempre, simplemente haz como si esta tarde no hubiera sucedido nunca.

El recuerdo hizo que los labios se le pusieran blancos, pero asintió una sola vez.

—Sólo por saberlo, ¿y cuál es tu papel en todo esto, Jake? —le preguntó—. ¿Cuánto sabe Billy de este asunto? ¿Por qué estás aquí? —miró hacia el rostro de Jacob que observaba maravillado a Renesmee.

—Bueno, eso sí que te lo puedo explicar. Billy está al tanto de todo, y eso tiene que ver con un montón de cosas sobre los licántro…

—¡Ugh! —protestó Charlie, cubriéndose las orejas—, no importa.

Jacob mostró una amplia sonrisa.

—Todo va a ir genial, Charlie. Simplemente no te creas nada de lo que veas.

Mi padre masculló entre dientes algo ininteligible.

—¡Guau! —retumbó la voz de Emmett con su tono grave—. ¡Arriba los Gators[3]!

---

[3] Florida Gators es el equipo de la Universidad de Florida, campeones de fútbol americano y baloncesto. [N. de los T.]

Jacob y Charlie se pusieron en pie de un salto. El resto de nosotros nos quedamos parados.

Charlie se recuperó y después miró a Emmett por encima del hombro.

—¿Va ganando Florida?

—Acaba de puntuar el primer *touchdown* —confirmó Emmett. Lanzó una mirada en mi dirección, alzando las cejas como si fuera el villano en un vodevil—. Pero parece que alguien de por aquí también se ha apuntado un tanto no hace mucho.

Contuve un siseo como pude. ¿Lo decía aquí, frente a Charlie? Eso era pasarse de la raya.

Pero éste no estaba para pillar indirectas. Volvió a inhalar en profundidad, tragando el aire con tanta desesperación como si intentara hacerlo llegar hasta la punta de sus pies. Le envidié. Se tambaleó, dio un paso alrededor de Jacob y casi se dejó caer sobre una silla vacía.

—Bien —lanzó un suspiro—. Veamos si son capaces de mantener la ventaja.

Soy brillante

—No sé cuánto de todo esto contarle a Renée —admitió Charlie, vacilando con un pie ya fuera de la puerta. Se estiró y entonces su estómago gruñó.

Yo asentí.

—Ya lo sé, pero será mejor que no le dé un ataque. Y además así la protegemos. Estas cosas no son para la gente pusilánime.

Sus labios se torcieron hacia un lado con ademán arrepentido.

—Habría intentado protegerte a ti también, si hubiera sabido cómo. Pero supongo que tú nunca has entrado en la categoría de los pusilánimes, ¿verdad?

Le devolví la sonrisa, impulsando un aliento abrasador a través de mis dientes.

Charlie se palmeó el estómago con gesto ausente.

—Ya pensaré en algo. Tenemos tiempo para discutir esto, ¿no?

—Así es —le prometí.

En algunos sentidos había sido un día muy largo, pero en otros, demasiado corto. Charlie llegaba tarde a cenar, ya que Sue Clearwater iba a cocinar para él y Billy. Ésa iba a ser, sin duda, una tarde algo incómoda, pero al menos tomaría comida de verdad. Estaba contenta de que alguien intentara salvarle de morir de inanición, dada su poca habilidad como cocinero.

La tensión había hecho que los minutos pasaran lentamente a lo largo del día, tanto era así, que Charlie no había relajado ni un momento los hombros, pero tampoco se había apresurado a marcharse. Se vio dos partidos completos, y gracias a los cielos estuvo tan absorto en sus pensamientos que hizo caso omiso a los sugerentes chistes de Emmett que, a medida que pasaba el tiempo, se alejaban del fútbol e iban con más mala intención. También se quedó a ver los comentarios de después del partido y luego las noticias, y no se le ocurrió moverse hasta que Seth le recordó la hora.

—¿No dejarás tirados a mi madre y a Billy, no, Charlie? Venga, Bella y Nessie estarán aquí mañana. Vamos a pillar algo de manduca, ¿eh?

Había quedado bien claro en los ojos de Charlie que no se fiaba para nada de la afirmación de Seth, pero dejó que le precediera al salir. La duda seguía presente cuando se detuvo. Las nubes iban menguando y la lluvia había desaparecido. Al parecer, el sol haría justo su aparición para ponerse.

—Jake me dijo que os ibais por mí —masculló al salir.

—No quería hacer eso si había alguna manera de evitarlo. Ése es el motivo por el que aún estamos aquí.

—Me dijo que podríais quedaros un poco más sólo si soy capaz de resistirlo y mantengo la boca cerrada.

—Sí, pero no puedo prometerte que no tengamos que irnos en otra ocasión, papá. Es bastante complicado.

—No necesito saberlo —me recordó.

—Vale.

—Entonces, ¿me visitarás si tenéis que marcharos?

—Te lo prometo, papá. Ahora que ya sabes lo suficiente, creo que esto puede funcionar. Me mantendré tan cerca como quieras.

Se mordió el labio durante medio segundo y después se inclinó con lentitud hacia mí, los brazos extendidos de forma cautelosa. Cambié a Renesmee al brazo izquierdo, ahora que se estaba echando un sueñecito, apreté los dientes, contuve el aliento y pasé mi brazo derecho sin apretar mucho alrededor de su cálida y blanda cintura.

—Pues mantente cerca de verdad, Bells —murmuró entre dientes—. Cerca de verdad.

—Te quiero, papá —susurré también entre dientes.

Él se estremeció, se apartó, y yo dejé caer el brazo.

—Yo también te quiero, nena. Sea lo que sea lo que haya cambiado, eso sigue igual —tocó con un dedo la mejilla rosada de Renesmee—. Se te parece muchísimo.

Mantuve mi expresión aparentemente despreocupada, y sólo comenté:

—Se parece más a Edward, creo —vacilé, y después añadí—. Tiene tus rizos.

Charlie comenzó a decir algo pero luego bufó.

—Mmm. Supongo que sí. Mmm, abuelo —sacudió la cabeza con incredulidad—. ¿Podré cogerla alguna vez?

Pestañeé de pura sorpresa y luego me recuperé. Después de considerarlo durante medio segundo y juzgar el aspecto de Renesmee, que estaba del todo dormida, decidí que igual podía forzar mi suerte al límite, ya que las cosas parecían estar yendo tan bien...

—Toma —le dije y se la pasé.

De forma automática creó una torpe cuna con los brazos y yo coloqué allí a Renesmee. La piel de mi padre no estaba tan caliente como la de la niña, pero hizo que me hormigueara la garganta al sentir cómo fluía el calor bajo la fina membrana. Allí donde mi piel rozó la suya, se le puso la carne de gallina.

No estaba segura de si era una reacción a la nueva temperatura de mi piel o algo totalmente psicológico.

Charlie gruñó por lo bajo cuando sintió su peso.

—Está… bien fuerte.

Yo puse mala cara, porque para mí era ligera como una pluma, aunque quizá mi capacidad de medición no resultaba muy útil en este caso.

—Pero eso es estupendo —comentó Charlie, al ver mi expresión. Y entonces murmuró para sus adentros—. Más le vale ser bien recia, rodeada de toda esta locura —meció los brazos lentamente, de un lado a otro—. Es la niña más bonita que he visto en mi vida, incluyéndote a ti, nena. Lo siento, pero es la verdad.

—Ya sé que es así.

—Qué bebé más precioso —repitió de nuevo, pero en este caso era algo más cercano a un arrullo que a otra cosa.

Lo vi en su rostro, pude observar cómo iba creciendo allí. Charlie era igual de vulnerable a la magia que desprendía mi hija que el resto de nosotros. Dos segundos en sus brazos y ya era suyo.

—¿Puedo volver mañana?

—Claro que sí, papá. Claro, estaremos aquí.

—Será mejor que sí —dijo con dureza, aunque la expresión de su rostro era dulce, mirando todavía a Renesmee—. Nos vemos mañana, Nessie.

—¡No, tú también, no!

—¿Qué?

—Se llama Renesmee. Como Renée y Esme, juntos. Y no hay variaciones —luché por mantener la calma, pero sin respirar profundamente como antes—. ¿Quieres oír cuál es su segundo nombre?

—Claro que sí.

—Carlie, con «c». Como Carlisle y Charlie juntos.

Aquella sonrisa de Charlie que sembraba de arruguitas sus ojos me cogió con la guardia baja.

—Gracias, Bells.

—Gracias a ti, papá. Han cambiado tantas cosas y tan deprisa que a veces la cabeza no deja de darme vueltas. Si no te tuviera aquí conmigo, no sabría cómo mantenerme cerca de… la realidad —había estado a punto de decir «quien siempre he sido», pero eso era más información de la que él necesitaba.

El estómago de Charlie gruñó.

—Ve a comer, papá. Estaremos aquí —y recordé entonces cómo se sentía uno al hacer esa primera e incómoda inmersión en la fantasía, una sensación de que todo podría desaparecer a la luz del sol cuando sale.

Charlie asintió y después me devolvió a Renesmee a regañadientes. Echó una ojeada a la casa a mis espaldas y sus ojos se disgustaron durante un minuto al pasear la mirada por el gran salón. Todo el mundo estaba allí aún, además de Jacob, al que escuché haciendo una incursión en el frigorífico de la cocina. Alice estaba repantigada en el último escalón de la escalera, con la cabeza de Jasper en su regazo; Carlisle tenía la suya inclinada sobre un grueso libro que había apoyado en los muslos; Esme tarareaba para sus adentros, dibujando en un cuaderno de notas, mientras que Rosalie y Emmett ponían los cimientos de una casa de naipes monumental bajo las escaleras. Edward se había instalado en su piano y tocaba algo muy bajito para él. No había evidencia alguna de que el día estuviera tocando a su fin, de que fuera hora de comer o de comenzar la preparación de las actividades apropiadas para el final de un día. Algo intangible había cambiado en la atmósfera. Los Cullen no estaban intentando parecer humanos con tanto interés como de costumbre, y aunque esa charada se había relajado muy poco, fue suficiente para que Charlie sintiera la diferencia.

Se estremeció, sacudió la cabeza y suspiró.

—Nos vemos mañana, Bella —luego puso una cara rara y añadió—. Quería decirte que... no es que no tengas buen... aspecto. Creo que podré acostumbrarme.

—Gracias, papá.

Charlie asintió y caminó pensativo hacia su coche. Le observé mientras conducía, alejándose. Y no fue hasta que sentí que las cubiertas del coche abordaban la autopista cuando me di cuenta de que lo había conseguido. Había logrado pasar todo el día sin herir a Charlie. Todo yo solita. ¡Quién decía que yo no tenía un superpoder!

Parecía demasiado bueno para ser cierto. ¿Es que acaso iba a poder tener a mi nueva familia y retener algo de la anterior? Y yo que había pensado que el día de ayer había sido perfecto.

—Guau —susurré. Pestañeé y sentí cómo se disolvía el tercer par de lentillas.

El sonido del piano se detuvo de repente, los brazos de Edward envolvieron mi cintura, y su barbilla se apoyó en mi hombro.

—Me has quitado la palabra de la boca.

—¡Edward, lo he conseguido!

—Claro que sí. Eres increíble. Toda esa preocupación por convertirte en una neófita y resulta que todo sale a la perfección —se echó a reír quedamente.

—Yo ni siquiera estoy seguro de que sea de verdad un vampiro, así que mucho menos uno reciente —intervino Emmett desde las escaleras—. Es demasiado comedida.

Volvieron a resonar en mis oídos todos los comentarios embarazosos que había hecho delante de mi padre y es probable que fuera buena idea el que continuara con Renesmee en brazos. Pero fui incapaz de controlar del todo mi reacción, así que le rugí entre dientes.

—Uy, qué susto —se rió Emmett.

Yo siseé y Renesmee se removió. Pestañeó varias veces, luego miró alrededor, con la expresión llena de confusión. Olisqueó y luego alzó la mano hasta mi rostro.

—Charlie volverá mañana —le aseguré.

—Excelente —replicó Emmett, y esta vez Rosalie se echó a reír con él.

—No es que hayas estado precisamente brillante, Emmett —replicó Edward con resentimiento, extendiendo las manos para que le diera a Renesmee. Él me guiñó un ojo cuando yo vacilé y, con una cierta confusión por mi parte, se la entregué.

—¿Qué quieres decir? —exigió Emmett.

—¿No te parece un poco torpe por tu parte hacer enojar al vampiro más fuerte que hay en la casa?

Emmett echó la cabeza hacia atrás y bufó.

—¡Venga ya, por favor!

—Bella —murmuró Edward para mí mientras Emmett escuchaba de cerca—, ¿te acuerdas de que hace unos cuantos meses te pedí que me hicieras un favor cuando fueras inmortal?

Esto hizo sonar unas lejanas campanas en mi mente. Buceé en aquellas borrosas conversaciones humanas. Un momento más tarde, recordé y exclamé con un jadeo:

—¡Oh!

Alice gorjeó una larga carcajada y Jacob asomó la cabeza por la esquina, con la boca llena de comida.

—¿Qué? —gruñó Emmett.

—¿De verdad? —le pregunté a Edward.

—Confía en mí —replicó él.

Yo inhalé un gran trago de aire.

—Emmett, ¿qué te parece si hacemos una pequeña apuesta?

Se puso de pie en un instante.

—Formidable. Vamos allá.

Me mordí el labio un segundo. Es que él era tan *enorme*...

—Claro, a menos que tengas miedo... —sugirió él.

Cuadré los hombros.

—Te echo un pulso en la mesa del comedor. Ahora mismo.

La sonrisa de Emmett se extendió a todo lo ancho de su cara.

—Esto, Bella... —se apresuró a intervenir Alice—. Creo que a Esme le gusta mucho esa mesa. Es de anticuario.

—Gracias —replicó Esme, articulando la palabra con los labios.

—Sin problemas —repuso Emmett con una sonrisa resplandeciente—. Vamos por aquí, Bella.

Le seguí por la puerta trasera hacia el garaje y escuché cómo todos los demás caminaban a nuestra espalda. Había una gran roca de granito erguida entre un amontonamiento de piedras, al lado del río, y ése era el claro objetivo de Emmett. Aunque la roca era algo redondeada e irregular, serviría para la ocasión.

Emmett colocó su codo sobre la roca y me hizo gestos con la otra mano para que avanzara.

Me puse nerviosa cuando observé contraerse los gruesos músculos de su brazo, pero mantuve una expresión indiferente. Edward me había prometido que sería la más fuerte de todos al menos durante una temporada, y parecía muy confiado en esa idea. Además yo me sentía muy fuerte, *pero ¿tan fuerte?*, me pregunté al mirar los bíceps de Emmett. Sin embargo, yo ni siquiera tenía dos días, y eso debía de contar algo, aunque claro, conmigo nada estaba resultando normal. Quizá yo no fuera tan fuerte como cualquier otro neonato y por eso me resultaba tan fácil conservar el control.

Intenté mantener una fachada de despreocupación cuando puse también mi codo sobre la piedra.

—Vale, Emmett. Si gano, no volverás a hablar de mi vida sexual con nadie, ni siquiera con Rose. Ninguna alusión, ni indirectas, ni nada.

Entrecerró los ojos.

—Trato hecho, pero si gano yo, las cosas se te van a poner bastante *peor.*

Oyó cómo de repente se detenía mi respiración y sonrió con verdadera maldad. No había ningún farol en sus ojos.

—¿Te vas a echar para atrás tan fácilmente, hermanita? —me provocó—. No hay mucho de salvaje en ti, ¿eh? Te apuesto a que no le habéis hecho a esa cabaña ni un arañazo —se echó a reír—. ¿No te ha contado Edward cuántas casas echamos abajo Rose y yo?

Apreté los dientes y agarré su mano gigantesca.

—Una, dos…

—Tres —gruñó él y empujó contra mi mano.

No ocurrió nada.

Oh, bueno podía sentir la presión que estaba ejerciendo. Mi nuevo cerebro parecía bastante bueno en toda clase de cálculos, de modo que era capaz de decir con toda claridad que si no hubiera encontrado algún tipo de resistencia, su mano se habría empotrado contra la roca sin ninguna dificultad. La presión se incrementó y me pregunté al azar si un camión de cemento que fuera a sesenta kilómetros por hora en una cuesta en pendiente podría haber tenido la misma fuerza. ¿Y si fueran setenta y cinco? ¿Y ochenta? Probablemente era más.

Pero no lo suficiente para moverme. Su mano empujaba la mía con una fuerza demoledora, pero no me resultaba nada desagradable. De una manera extraña, incluso me sentía bien. Había tenido tanto cuidado con todo desde la última vez que me desperté, intentando con tanto interés no romper nada, que esto era un raro alivio para mis músculos, el permitir que la fuerza fluyera con naturalidad en vez de estar reteniéndola todo el tiempo.

Emmett gruñó, se le arrugó la frente y todo su cuerpo se tensó en una línea rígida contra el obstáculo de mi mano inmóvil. Le dejé sudar, en sentido figurado, durante un momento mientras disfrutaba de aquella fuerza enloquecida que corría por mi brazo.

Fue cuestión de unos cuantos segundos, hasta que me aburrí un poco. Entonces flexioné el brazo y Emmett perdió unos centímetros.

Me eché a reír. Él rugió con aspereza entre los dientes.

—Sólo se trata de que mantengas la boca cerrada —le recordé y entonces aplasté su mano contra la roca. Un crujido ensordecedor lanzó su eco entre los árboles.

La roca se estremeció y un trozo, aproximadamente de un octavo de su masa, se desprendió a lo largo de una invisible línea de fractura y cayó con gran ruido contra el suelo. De hecho, cayó sobre el pie de Emmett y yo me reí para mis adentros. También escuché las risas sofocadas de Edward y Jacob.

Edward pateó los trozos de roca hacia el río, que partieron en dos un joven arce antes de caer con un golpe sordo contra la base de un gran abeto, donde rebotaron y fueron a parar a otro árbol.

—Quiero la revancha. Mañana.

—No va a desaparecer tan rápido —le dije—, quizá sería mejor que te diera un mes.

Emmett rugió, mostrando los dientes.

—Mañana.

—Eh, eh, lo que te haga feliz, hermano.

Cuando se volvió para marcharse a grandes zancadas, Emmett golpeó el granito, produciendo una gran avalancha de fragmentos y polvo. Fue una especie de rabieta infantil.

Fascinada por la prueba innegable de que era más fuerte que el vampiro más fuerte que había conocido en mi vida, coloqué la mano con los dedos bien extendidos contra la roca. Entonces apreté los dedos lentamente, aplastando más que excavando y la consistencia me recordó a la del queso duro. Terminé con un montón de grava en las manos.

—Guay —mascullé.

Con una sonrisa ensanchándose en mi rostro, giré en una vuelta repentina y le di un golpe de kárate a la roca con el borde de la mano. La piedra chirrió, y crujió y con una gran humareda de polvo, se partió en dos.

Empecé a reírme.

No presté atención a las otras risitas que se oían a mis espaldas cuando golpeé y pateé el resto de la gran roca hasta que la reduje a fragmentos. Me lo estaba pasando genial, sin dejar de reírme todo el rato. No fue hasta que escuché la última risita, como un repique muy agudo de campanitas, cuando dejé mi juego de tontos.

—¿Acaba ella de reírse?

Todo el mundo se había quedado contemplando a Renesmee con la misma mirada estupefacta que debía de haber en mi rostro.

—Sí —dijo Edward.

—Pero ¿quién no se estaba riendo? —masculló Jacob, poniendo los ojos en blanco.

—Dime que tú no te dejaste ir un poco en tu primera carrera, perro —bromeó Edward, pero sin que hubiera un antagonismo real en su voz.

—Eso es distinto —repuso Jacob, y observé sorprendida cómo le daba un puñetazo amistoso en el hombro a Edward—. Bella se supone que es una mujer madura, casada, madre y todo eso. ¿No debería mantener una actitud más digna?

Renesmee puso mala cara y tocó el rostro de Edward.

—¿Qué quiere? —pregunté.

—Menos dignidad —replicó Edward con una gran sonrisa—. Se lo ha pasado, por menos, tan bien como yo viendo cómo disfrutabas.

—¿Es que tengo un aspecto divertido? —le pregunté a Renesmee, apresurándome en su dirección y tendiéndole mis brazos del mismo modo que ella los tendía hacia mí. La saqué del regazo de Edward y le ofrecí el trozo de roca que tenía en la mano—. ¿Quieres probar tú?

Ella sonrió con aquella reluciente sonrisa suya y cogió la piedra con las dos manos. Apretó y se formó una pequeña arruga entre sus cejas mientras se concentraba.

Se escuchó un pequeño sonido, como un chirrido y vimos un poco de polvo. Ella puso mala cara y me devolvió el trozo.

—Yo lo haré —le dije, y aplasté la piedra hasta reducirla a polvo.

Ella palmoteó y rió, y ese sonido delicioso hizo que todos nos uniéramos a ella.

El sol salió repentinamente entre las nubes, lanzando unos largos rayos de color oro y rubí sobre nosotros diez, y de inmediato me perdí en la belleza de mi piel a la luz del crepúsculo, asombrada por el espectáculo.

Renesmee acarició las suaves facetas brillantes como un diamante y después puso su brazo al lado del mío. Su piel tenía una tenue luminosidad, sutil y misteriosa. Nada que la obligara a recluirse en pleno día soleado como las refulgentes chispas que yo despedía. Me tocó el rostro, pensando en la diferencia que había entre nosotras y sintiéndose contrariada.

—Pero tú eres la más hermosa —le aseguré.

—Pues yo no estoy seguro de estar de acuerdo con eso —replicó Edward y cuando me volví para responderle, el reflejo de la luz del sol en su rostro me aturdió tanto que me quedé en silencio.

Jacob se había puesto la mano sobre los ojos, simulando protegerlos del fulgor.

—Bella la *friqui* —comentó.

—Qué criatura tan sorprendente es —murmuró Edward, como si estuviera de acuerdo con él, aunque tomándose el comentario de Jacob como un cumplido. Estaba tan deslumbrante como deslumbrado.

Era un sentimiento extraño para mí, aunque supongo que no sorprendente, puesto que todo lo sentía ahora de forma rara. Lo extraño era que lo sentía como algo natural en cierto sentido. Cuando era humana, nunca había sido la mejor en nada. Llevaba muy bien mis relaciones con Renée, pero probablemente habría mucha gente que lo hubiera hecho mejor que yo. De hecho, Phil parecía estar haciéndolo mejor que bien. Era una buena estudiante, pero nunca la mejor de la clase, y obviamente, no se podía contar conmigo para nada referido al deporte. Tampoco tenía ningún talento particular en lo artístico ni en lo musical. Nadie me dio nunca un trofeo por leer libros y después de dieciocho años de mediocridad, estaba más que acostumbrada a ser una medianía. Me di cuenta en ese momento de que hacía mucho tiempo que me había resignado a no brillar jamás en nada. Hacía lo mejor que podía con lo que tenía, pero sin terminar de encajar nunca del todo en mi propio mundo.

Sin embargo, esto era completamente distinto. Me había vuelto algo sorprendente, tanto para ellos como para mí misma. Era como si hubiera nacido para ser vampiro. Esa idea me hizo querer echarme a reír, pero también me dieron ganas de cantar. Había encontrado mi verdadero lugar en el mundo, el lugar en el que por fin encajaba, el lugar donde podía brillar.

Planes de viaje

Me tomaba la mitología mucho más en serio desde que me había convertido en vampiro.

Cuando recordaba mis primeros tres meses como inmortal, solía imaginar el aspecto que tendría el hilo de mi destino en el telar de las Parcas, porque claro, ¿quién podía saber si existían o no en realidad? Estaba persuadida de que mi hilo había cambiado de color, pensaba incluso que podía haber comenzado como un beis encantador, sufrido y contemporizador, algo que resultaría bien como fondo de las cosas. Ahora debía de ser de un escarlata intenso o tal vez un dorado refulgente.

Las hebras de mi familia, amigos y vecinos se entretejían hasta formar un tapiz hermoso, deslumbrante, compuesto por sus propios y brillantes colores de complemento.

Me sorprendían algunas de las hilazas que había terminado por incluir en mi vida. Por ejemplo, los licántropos, con sus colores amaderados, intensos, no eran algo que cupiera esperar; Jacob y Seth sí, por supuesto, pero otros viejos amigos como Quil y Embry también acabaron por convertirse en parte de la tela cuando se unieron a la manada de Jacob, e incluso Sam y Emily terminaron por mostrar una cierta cordialidad.

Las tensiones entre nuestras familias se redujeron en buena parte gracias a Renesmee, ese ser tan adorable.

Del mismo modo se entrelazaron en nuestras vidas Sue y Leah Clearwater, otras dos que no había previsto.

Sue parecía haber tomado sobre sus hombros la tarea de suavizar la transición de Charlie hacia un mundo de fantasía. Solía acompañarle a casa de los Cullen la mayor parte de los días, aunque en realidad nunca pareció cómoda con el comportamiento de su hijo en particular y de la manada de Jacob en general. No tenía por costumbre hablar, se limitaba a merodear en torno a Charlie con ademán protector. Ella era la primera persona a la que él miraba cuando la niña hacía algo inquietante, demasiado avanzado para su edad, lo cual sucedía a menudo. En respuesta, Sue dirigía una mirada significativa a Seth como si le dijera: «Vale, tendrás que contarme a qué se debe esto».

Leah estaba aún más incómoda que Sue y era la única parte de nuestra recién extendida familia que se mostraba abiertamente hostil a la fusión. Sin embargo, ella y Jacob habían desarrollado una nueva camaradería que la mantenía en conexión con todos los demás. Una vez le pregunté por esto a él, no sin cierta vacilación, pues no quería entrometerme, pero la relación que había ahora entre ellos era tan diferente a como solía ser que me hizo sentir curiosidad. Él se encogió de hombros y me contó que era un asunto de la manada. Ella era su segunda al mando, su «Beta», como yo lo llamé una vez, tiempo atrás.

—Supongo que mientras deba andar metido en este rollo de Alfa y creérmelo y todo —me explicó Jacob—, será mejor que cumpla con las formalidades.

Esa nueva responsabilidad hacía que Leah sintiera la necesidad de controlar a menudo el paradero del jefe de su manada, y teniendo en cuenta que él estaba siempre con Renesmee…

Leah no se mostraba nada feliz de estar tan cerca de nosotros, pero era la excepción. La felicidad era el componente primordial de mi vida en esos momentos, y el diseño principal de mi tapiz. Tanto que mi relación con Jasper se había convertido en algo mucho más cercano de lo que había soñado jamás.

Sin embargo, al principio me sentía algo molesta con él.

—¡Ya está bien! —me quejé a Edward una noche después de que pusiéramos a Renesmee en su cuna de hierro forjado—. Si no he matado ya a Charlie o a Sue, es muy probable que eso no vaya a ocurrir en un futuro. ¡Me gustaría que Jasper dejara de andar a mi alrededor todo el día!

—Nadie duda de ti, Bella, ni lo más mínimo —me aseguró él—. Ya conoces a Jasper, no puede resistirse a un buen clima emocional. Tú rezumas tanta felicidad todo el tiempo, amor, que gravita a tu alrededor sin pensárselo. No lo hace de forma consciente.

Y entonces Edward me abrazó estrechamente, porque nada le agradaba más que el éxtasis sobrecogedor que sentía en esta vida nueva.

Y yo estaba eufórica casi siempre. Los días no eran lo bastante largos para poder disfrutar de la adoración que sentía por mi hija; y las noches no tenían horas suficientes para satisfacer mi necesidad de Edward.

Sin embargo, había un punto débil en esta alegría. Si le daba la vuelta a la tela de nuestras vidas, imaginaba que el diseño en la parte del revés debía de basarse en los hilos desvaídos y grisáceos de la duda y el miedo.

Renesmee pronunció su primera palabra cuando tuvo justo una semana de edad. La palabra fue «mami», que debería haberme hecho feliz todo el día, salvo porque me aterraban tanto los progresos que iba haciendo que apenas pude forzar mi rostro paralizado a devolverle la sonrisa. Y no ayudó el hecho de que le siguiera su primera frase, sin pararse ni siquiera a respirar.

—¿Dónde está el abuelito, mami?

La enunció con una clara y aguda voz de soprano. Se había tomado la molestia de hablar sólo porque yo estaba al otro lado de la habitación. Ya le había preguntado a Rosalie usando su medio de comunicación normal, o gravemente anormal, según el punto de vista. Renesmee se había vuelto hacia mí, pues Rosalie ignoraba la respuesta.

Algo parecido ocurrió cuando caminó por primera vez, poco más de tres semanas después. Se había quedado mirando a Alice durante un buen rato, observándola con interés mientras su tía arreglaba ramos de flores en los jarrones dispersos por la habitación, bailoteando de un lado para otro con los brazos llenos de flores. La niña se puso en pie, sin tambalearse lo más mínimo, y cruzó la habitación con casi la misma gracia.

Jacob había estallado en aplausos, porque ésa era claramente la reacción deseada por Renesmee. La manera en la que él estaba vinculado a ella convertía sus propias reacciones en algo secundario; su primer acto reflejo era siempre darle a la niña cualquier cosa que necesitara, pero cuando nuestros ojos se encontraron, vi reflejado en los suyos todo el pánico que mostraban los míos. Le imité y aplaudí también en un intento de esconder el miedo, para que ella no lo percibiera, al igual que Edward, que hizo lo mismo a mi lado, y no tuvo que poner sus pensamientos en palabras para saber que eran los mismos.

Edward y Carlisle se sumergieron en una investigación dirigida a obtener todo tipo de respuestas, con el fin de saber qué era lo que podíamos esperar. No había mucho que pudiera encontrarse y nada que confirmar.

Alice y Rosalie comenzaban el día con un desfile de modas. Renesmee nunca se ponía lo mismo dos veces, en parte porque las ropas rápidamente se le quedaban pequeñas y en parte porque Alice y Rosalie querían crear un álbum de fotos que diera la impresión de reflejar una infancia de varios años en vez de semanas. Para ello, tomaban miles de fotografías, documentando cada fase de su crecimiento acelerado.

A los tres meses, Renesmee mostraba el aspecto de un niño grande de un año o de uno pequeño de dos. Para ser exactos, no tenía las formas propias de un niño de esa edad, pues era más esbelta y más graciosa y guardaba unas proporciones más equilibradas, como las de un adulto. Sus tirabuzones de color bronce le llegaban hasta la cintura y no podía soportar la idea de cortárselos, aunque Alice lo hubiera permitido, que no era el caso. Renesmee era capaz de hablar con una entonación y una gramática impecables, pero rara vez se molestaba en emplearlas, porque prefería simplemente mostrarle a la gente lo que quería. No sólo andaba, sino que también corría y bailaba, e incluso sabía leer.

Me veía obligada a investigar de continuo a la búsqueda de nuevo material porque a Renesmee no le gustaba repetir las historias de antes de irse a dormir, como en teoría complace a otros niños, y además no tenía ni pizca de paciencia con los libros de dibujos. Una noche me puse a leerle unos versos de Alfred Tennyson porque el flujo y el ritmo de su poesía parecían relajantes. Alzó la mano para tocarme la mejilla, con una imagen en la mente de nosotras dos, sólo que esta vez era *ella* la que sostenía el libro. Se lo entregué con una sonrisa.

—«Hay aquí una dulce música —leyó sin vacilaciones—, que cae con más suavidad que los pétalos sobre la hierba tras desprenderse de las rosas, o el rocío de la noche sobre aguas tranquilas entre las paredes de granito sombrío de un desfiladero reluciente...»[4].

Mi mano se movía con torpeza, como la de un robot cuando recuperé el libro.

—Si eres tú la que lee, ¿cómo te vas a dormir? —le pregunté con una voz en la que apenas podía disimular el temblor.

Según los cálculos de Carlisle, el crecimiento de su cuerpo iba disminuyendo de forma paulatina, aunque su mente continuaba su prodigioso salto hacia delante. Sería una adulta en menos de cuatro años, incluso aunque fuera a más el ratio de decrecimiento.

Cuatro años. Y una anciana a los quince.

Sólo quince años de vida.

Pero ella estaba tan sana, vital, brillante, deslumbrante y feliz. Su evidente bienestar hacía más fácil para mí ser feliz a su lado, viviendo el momento, y dejar los problemas del porvenir para el día de mañana.

Carlisle y Edward discutían en voz baja nuestras opciones para el futuro desde cada ángulo posible y yo procuraba no escucharlos. Ellos nunca mantenían estas discusiones en presencia de Jacob, ya que sólo *había* una manera de detener el envejecimiento y ésa sería una opción que a él no le emocionaría precisamente. Y a mí tampoco. ¡Demasiado peligroso!, me gritaban mis instintos. Jacob y Renesmee se parecían en muchos aspectos, ambos seres a medias, dos cosas a la vez. Y todos los cuentos de licántropos insistían en que la ponzoña vampírica era una sentencia de muerte más que un camino hacia la inmortalidad...

---

[4] Fragmento inicial del poema *Los lotófagos,* de Tennyson. [N. de los T.]

Carlisle y Edward habían investigado ya todo lo que podían a distancia y ahora nos estábamos preparando para seguir las viejas leyendas en sus mismas fuentes. Íbamos a regresar a Brasil, y empezar allí mismo. Los ticunas tenían leyendas sobre niños como Renesmee, y si habían existido otros como ella, quizá quedara algún cuento sobre el ciclo vital de estos niños semimortales…

La única cuestión que quedaba era cuándo íbamos a partir exactamente.

Yo era la causa de la demora. Una pequeña parte del asunto era mi deseo de permanecer cerca de Forks hasta después de las vacaciones, por el bien de Charlie; pero más aún, había un viaje diferente que sabía que habríamos de realizar primero… y tenía una clara prioridad. Y también, debía ser una excursión a solas.

Ésa había sido la única discusión que Edward y yo habíamos tenido desde que me había convertido en vampiro. El punto singular de este enfrentamiento era la cuestión de ir sola, pero los hechos eran los que eran, y mi plan era el único que tenía sentido desde un punto de vista racional. Debía realizar una visita a los Vulturis y tenía que ir sola por completo.

No lograba olvidarlos a pesar de estar liberada de las viejas pesadillas y de cualquier tipo de sueños. Ni tampoco ellos nos habían abandonado sin dejarnos algún que otro recordatorio.

No supe que Alice les había enviado un anuncio de boda hasta que me llegó el regalo de Aro. Estábamos muy lejos, en la isla Esme, cuando ella había tenido una visión de Jane y Alec, los gemelos de poderes devastadores, con otro grupo de soldados. Cayo planeaba enviar una partida de caza para comprobar si todavía era humana, algo que iba en contra de su edicto, porque yo debía convertirme o ser silenciada de forma permanente ante la amplitud de mis conocimientos sobre el mundo de la noche. Así que Alice había enviado el anuncio por correo en previsión de que esto retrasara su actuación, mientras ellos descifraban el significado que esto ocultaba. Pero vendrían en algún momento. Eso era cierto.

El regalo en sí no era una abierta amenaza. Extravagante, sí, casi atemorizador en su misma excentricidad. La advertencia estaba en la frase de despedida de la felicitación de Aro, escrita de su puño y letra con tinta negra en un cuadrado de pesado papel blanco:

Aspiro con deleite a ver a la nueva señora Cullen en persona.

El regalo venía presentado en una antigua caja de madera elaboradamente tallada, grabada con oro y madreperla y adornada con un arco iris de gemas. Según Alice, la caja en sí misma era un tesoro de valor incalculable que podría haber oscurecido a cualquier pieza de joyería que fuera allí dentro.

—Siempre me he preguntado por el paradero de las joyas de la corona después de que Juan de Inglaterra las empeñara en el siglo XIII —comentó Carlisle—. Supongo que no me sorprende que los Vulturis tomaran parte en ello.

La gargantilla de oro era sencilla, una gruesa cadena con eslabones en forma de escamas, imitando a una suave serpiente que podía enrollarse alrededor del cuello. De ella colgaba una joya: un diamante blanco del tamaño de una pelota de golf.

El poco sutil recordatorio de la nota de Aro me interesó más que la misma joya. Los Vulturis necesitaban cerciorarse de mi inmortalidad y de la obediencia de los Cullen, y no tardarían en querer comprobar ambos aspectos. Y yo no deseaba verlos cerca de Forks, por lo que sólo había una manera de mantener nuestra vida allí a salvo.

—No vas a ir sola —había insistido Edward entre dientes, con las manos cerradas en forma de puños.

—No me harán daño —repliqué yo en el tono de voz más tranquilizador que pude improvisar, forzándola a que sonara segura—. No tienen motivos para eso, ahora soy un vampiro. Caso cerrado.

—No. No, ni hablar.

—Edward, es la única manera de proteger a la niña.

Y él no había sido capaz de argumentar en contra de esto. Mi lógica era clara como el agua.

Incluso durante el corto periodo de tiempo que había conocido a Aro me había dado cuenta de que su naturaleza era la del coleccionista, y sus piezas más valoradas eran las vivas. Codiciaba la belleza, el talento, y la rareza en sus seguidores inmortales más que cualquier joya que pudiese atesorar bajo las bóvedas de su hogar. Ya era suficientemente desafortunado que ambicionara las capacidades de Alice y Edward y yo no quería darle más razones para que estuviera celoso de la familia de Carlisle. Renesmee era hermosa, tenía un don y era única, sólo existía ella en su especie. Él no debía verla ni siquiera a través de los pensamientos de otro.

Y yo era la única a la cual no era capaz de leerle el pensamiento, motivo por el que debía ir sola.

Alice no preveía ningún problema en mi viaje, pero le preocupaba la poca definición de sus visiones. Decía que a veces percibía algo brumoso cuando había decisiones externas que podrían entrar en conflicto, pero que aún no habían sido resueltas con solidez. Esta falta de certeza hacía que Edward, ya vacilante, se opusiera de modo resuelto a mi propósito. Quería acompañarme hasta que hiciera la conexión en Londres, pero yo no deseaba dejar a Renesmee sin ambos padres, así que Carlisle vendría en su lugar. Esto nos relajó a los dos un tanto, el saber que Carlisle estaría a unas pocas horas de distancia.

Alice continuó escaneando el futuro, pero sus hallazgos no guardaban relación alguna con lo que ella estaba buscando. Una nueva tendencia en el mercado de valores, una posible visita de reconciliación por parte de Irina, aunque su decisión aún no era firme, una tormenta de nieve que no nos afectaría al menos durante otras seis semanas, una llamada de Renée, para la cual yo estaba practicando una voz algo más «ruda» que la mía habitual y en la que mejoraba día a día…, porque para su conocimiento, yo todavía estaba enferma, aunque recuperándome.

Compramos los billetes para Italia el día después de que Renesmee cumpliera los tres meses. Planeaba que fuera una expedición muy corta, así que no había hablado del tema con Charlie. Jacob lo sabía y se puso de lado de Edward en este asunto. Sin embargo, la discusión de aquel día versaba sobre Brasil, porque él estaba decidido a ir con nosotros.

Nosotros tres, Jacob, Renesmee y yo, habíamos salido juntos de caza. La dieta de sangre animal no era la favorita de la niña, y ése era el motivo por el cual se le permitía a Jacob que nos acompañase. Jacob lo había convertido en una competición entre ellos dos y eso hacía que Renesmee estuviera más dispuesta a esta sesión de caza que a ninguna otra cosa.

Renesmee tenía muy claro el asunto este de que cazar humanos no era bueno, por eso para ella la sangre donada era un buen acuerdo. La sangre humana le satisfacía y parecía ser compatible con su sistema, pero reaccionaba a toda clase de comida sólida con la misma resignación martirizada que yo había mostrado en algún momento ante la coliflor y las judías blancas. Al menos, la sangre animal era mejor que eso. Tenía una naturaleza competitiva y el reto de vencer a Jacob hacía que mirara la caza con expectación.

—Jacob —le dije, intentando razonar con él de nuevo, mientras Renesmee bailoteaba delante de nosotros en el gran claro, buscando un olor que le gustara—, tú tienes aquí obligaciones, Seth, Leah…

Él resopló.

—No soy la niñera de la manada. De todos modos, ellos también tienen responsabilidades en La Push.

—¿Y tú no? ¿Acaso vas a dejar de modo oficial el instituto, entonces? Si quieres mantener el nivel de Renesmee vas a tener que estudiar en firme.

—Sólo me he tomado un año sabático. Regresaré a la escuela cuando las cosas… vayan más despacio.

Perdí la concentración en mi parte de la discusión cuando él dijo eso, y ambos miramos de modo automático a la niña. Ella estaba observando cómo los copos de nieve revoloteaban por encima de su cabeza. Se derretían antes de que llegaran a la hierba que amarilleaba en el enorme prado con forma de cabeza de flecha donde nos encontrábamos. Su arrugado vestido de color marfil era sólo un tono más oscuro que la nieve y sus rizos marrón rojizo resplandecían aunque el sol estaba bien oculto detrás de las nubes.

Se agazapó durante un instante y luego saltó a unos cinco metros de altura por el aire delante de nosotros. Sus manitas atraparon un copo y se dejó caer con ligereza sobre los pies.

Se volvió hacia nosotros con su sorprendente sonrisa, algo a lo que era imposible acostumbrarse, y abrió las palmas de las manos para mostrarnos la estrella de hielo de ocho puntas perfectamente formada antes de que se derritiera.

—Qué bonita —le contestó Jacob, apreciando su gesto—, pero creo que estás perdiendo el tiempo, Nessie.

Ella corrió de regreso hacia Jacob y él le tendió los brazos justo en el momento en que ella saltó dentro de ellos. Siempre se movían de un modo absolutamente sincronizado. Ella hacía esto cuando debía decirle algo, porque seguía prefiriendo no hablar en voz alta.

Renesmee tocó su rostro, poniendo una adorable mala cara cuando escuchamos el sonido de un pequeño rebaño de alces alejándose en el bosque.

—Segurísimo que no tienes sed, Nessie —repuso Jacob con cierto talante sarcástico, pero más indulgente que otra cosa—. ¡Lo que pasa es que te da miedo que sea yo el que coja el más grande otra vez!

Ella saltó al suelo de nuevo desde los brazos de Jacob, aterrizando con ligereza y poniendo los ojos en blanco, un gesto que la hacía parecerse un montón a Edward. Y luego salió disparada entre los árboles.

—¡Ya voy yo! —me dijo Jacob cuando me incliné como si fuera a seguirla. Se arrancó la camiseta mientras cargaba detrás de ella hacia el bosque, temblando ya—. ¡No vale si haces trampas! —le gritó a Renesmee.

Le sonreí a las hojas que habían dejado flotando detrás de ellos, al tiempo que sacudía la cabeza. Algunas veces Jacob era más crío que la misma Renesmee.

Hice una pausa, dándoles a mis cazadores una ventaja de unos cuantos minutos. Era de lo más sencillo seguirles la pista y a Renesmee le encantaría sorprenderme con el tamaño de su presa. Sonreí otra vez.

El estrecho prado estaba muy tranquilo, y desocupado. Los copos revoloteaban y se disolvían para desaparecer antes de caerme encima. Alice había visto que no llegaría una verdadera nevada hasta dentro de bastantes semanas.

Por lo general, Edward solía acompañarme en estas expediciones de caza, pero hoy estaba con Carlisle, planeando el viaje a Río, discutiendo el tema a espaldas de Jacob... Fruncí el ceño. Cuando volviera, me pondría de parte de Jacob. Él *debía* venir con nosotros, se jugaba en esto casi tanto como cualquiera de nosotros, ya que arriesgaba su vida, igual que yo la mía.

De forma rutinaria, recorrí con los ojos la ladera de la montaña en busca de presas y peligros mientras me ensimismaba en los acontecimientos inminentes. No pensé en ello, fue un impulso automático.

O quizás había una razón para mi escaneo, algo imperceptible que disparó mis sentidos agudos como cuchillas antes de que yo fuera siquiera consciente de ello.

Cuando mis ojos recorrieron el borde de un acantilado distante, que alzaba su contorno azul grisáceo contra el verde casi negro del bosque, un fulgor plateado, ¿o tal vez dorado?, atrapó mi atención.

Mi mirada se concentró en el color que no debía estar allí, tan lejano en la bruma que ni un águila hubiera sido capaz de descubrirlo. Me quedé observándolo.

Ella me devolvió la mirada.

No albergué duda de que se trataba de una vampira. Su tez era del color blanco del mármol, y su textura un millón de veces más suave que la de la piel humana. Incluso bajo las nubes, relucía con ligereza. Y si no la hubiera delatado la piel, lo habría hecho la inmovilidad. Sólo los vampiros y las estatuas eran capaces de estar tan perfectamente quietos.

Tenía el pelo de color rubio muy claro, casi plateado. Ése había sido el resplandor que había captado mi atención, ya que le caía recto, como cortado con una regla, hasta la altura de la barbilla, partido en dos lados iguales por una raya en medio.

Era una extraña para mí, estaba segura de que no la había visto jamás antes, ni siquiera cuando era humana. Ninguno de los rostros que había en mi nebulosa memoria era como éste, pero la reconocí por sus oscuros ojos dorados.

Irina había decidido venir, después de todo.

Durante un momento me quedé mirándola y ella me devolvió la mirada. Me pregunté si adivinaría de forma inmediata mi identidad. Alcé la mano a medias, como para saludar, pero su labio se torció un poco, dándole a su rostro un aspecto repentinamente hostil.

Escuché el grito de victoria de Renesmee en el bosque y enseguida el aullido de Jacob, haciéndole eco, y vi cómo Irina contorsionaba la cara de modo reflexivo ante el sonido, cuando le llegó unos segundos más tarde. Su mirada se deslizó hacia la derecha, y supe lo que estaba viendo. Un enorme licántropo de color rojizo, quizás el mismo que había matado a su Laurent. ¿Cuánto tiempo llevaba observándonos? Seguro que el suficiente para apreciar la naturaleza y profundidad del cambio que se había producido entre nosotros.

Su rostro se contrajo en un espasmo de dolor.

De forma instintiva, abrí las manos frente a mí en un gesto de disculpa. Mientras me daba la espalda, curvó el labio hacia arriba sobre los dientes, abrió las mandíbulas y aulló.

Cuando el tenue sonido me llegó, ella ya se había vuelto definitivamente y había desaparecido en el bosque.

—¡Mierda! —gruñí.

Salí disparada hacia el bosque detrás de Renesmee y Jacob, preocupada por no tenerles a la vista. No sabía en qué dirección había partido Irina, o lo furiosa que estaba en esos momentos. La venganza era una obsesión bastante común entre los vampiros, y no era nada fácil de suprimir.

Corriendo a la máxima velocidad, sólo me llevó dos segundos alcanzarlos.

—El mío es más grande —insistía Renesmee cuando me precipité entre los espesos arbustos hasta el pequeño claro donde estaban.

Las orejas de Jacob se aplastaron hacia atrás cuando reconoció mi expresión; se inclinó hacia delante, mostrando los dientes, con el hocico ensangrentado después de la caza. Sus ojos rastrearon el bosque y pude escuchar el rugido que comenzaba a formarse en su garganta.

La niña estaba tan alerta como Jacob. Abandonando el ciervo muerto a sus pies, saltó hacia mis brazos que la esperaban, apretando sus manos curiosas contra mis mejillas.

—Es una reacción exagerada —les aseguré con rapidez—. Todo va bien, o eso creo. Tranquilos.

Saqué el móvil y toqué el botón de marcación rápida. Edward contestó al primer timbrazo. Jacob y la niña escucharon con atención, a mi lado, mientras informaba a Edward.

—Ven, trae a Carlisle —comenté con tanta rapidez que me pregunté si Jacob podría seguir la frase—, he visto a Irina y ella me ha visto a mí, pero entonces ha percibido a Jacob, se ha enfurecido y ha huido, creo. No ha aparecido por aquí, bueno, no todavía, pero parecía bastante enfadada o sea que quizás se presente en cualquier momento. Y si no es así, Carlisle y tú debéis salir tras ella y hablarle. Me siento fatal.

El rugido de Jacob retumbó.

—Estaremos ahí en medio minuto —me aseguró Edward y escuché el roce del viento que generó su carrera.

Nos apresuramos hacia el prado grande y allí esperamos en silencio mientras yo aguzaba el oído para detectar la aproximación de alguien que no pudiéramos reconocer.

Pero el primer sonido que percibí era muy conocido. En un instante Edward estuvo a mi lado y Carlisle, unos cuantos segundos más tarde. Me sorprendió escuchar el conjunto de pesadas y grandes patas que siguió a Carlisle. Supongo que no debía haberme sorprendido que Jacob hubiera pedido refuerzos, ya que era lo normal al estar Renesmee en el más mínimo riesgo.

—Estaba allí, en lo alto de aquel acantilado —les dije con rapidez, señalando el punto exacto. Si Irina estaba huyendo gozaba ya de una buena ventaja; ¿pararía ella para escuchar a Carlisle? Su expresión me hacía pensar que no—. Quizá deberíais haberles dicho a Emmett y Jasper que vinieran también con vosotros. Parecía… realmente enfadada. Me rugió.

—¿Qué? —inquirió Edward con voz alterada.

Carlisle puso una mano sobre su hombro.

—Está sufriendo. Yo iré detrás de ella.

—Yo voy contigo —insistió Edward.

Intercambiaron una larga mirada, en la que quizás Carlisle estuvo midiendo la irritación de Edward con Irina frente a su capacidad de ayuda como lector de mentes. Al final, Carlisle asintió, y ambos se marcharon para seguir el rastro sin llamar a Emmett o Jasper.

Jacob, enojado, empujó mi espalda con la nariz. Quería llevar a Renesmee de vuelta a la seguridad de la casa, sólo por si acaso. Estuve de acuerdo con él y ambos nos apresuramos hacia allá con Seth y Leah flanqueándonos.

Renesmee estaba encantada en mis brazos con una mano aún descansando en mi mejilla. Como la expedición de caza se había suspendido, tendría que apañarse con la sangre donada. Sus pensamientos eran bastante petulantes.

El futuro

Carlisle y Edward no fueron capaces de interceptar a Irina antes de que su rastro desapareciera en el estrecho. Nadaron hasta el otro lado para ver si se había marchado en línea recta, pero no había ninguna pista suya en kilómetros fuera cual fuese la dirección que se tomara en la playa que daba al este.

Todo había sido por mi culpa. Ella había venido para hacer las paces con los Cullen, tal y como Alice había visto, sólo para llenarse de ira al ver mi camaradería con Jacob. Desearía haberla visto antes de que mi amigo el lobo entrara en fase. También desearía haber ido a cazar a cualquier otro lado.

No había mucho que se pudiera hacer. Carlisle había llamado a Tanya con aquellas noticias tan decepcionantes. Tanya y Kate no habían visto a Irina desde que decidieron ir a mi boda y estaban consternadas por que hubiera llegado tan cerca sin volver a casa. Para ellas no era fácil haber perdido a su hermana, por muy temporal que fuera la separación. Me pregunté si esto les traería dolorosos recuerdos de cuando habían perdido a su madre hacía ya tantos siglos.

Alice pudo captar algunos atisbos del inmediato futuro de Irina, aunque nada demasiado concreto. No iba a regresar a

Denali, y eso era todo lo que Alice podía decir. La imagen se mostraba nebulosa. Casi todo cuanto había podido entrever era que Irina estaba visiblemente alterada y que vagaba con una expresión devastada en el rostro por tierras salvajes barridas por la nieve… ¿Hacia el norte?, ¿al este…? No había tomado ninguna decisión definida sobre qué hacer más allá de este vagabundeo entristecido y sin dirección precisa.

Los días pasaron y aunque por supuesto no olvidé nada, Irina y su dolor se trasladaron al fondo de mi mente. Había cosas más importantes que pensar en esos momentos. Me marcharía a Italia en pocos días y todos partiríamos a Sudamérica en cuanto regresara.

Ya habíamos repasado cientos de veces hasta el menor de los detalles. Comenzaríamos con los ticunas, rastreando sus leyendas hasta donde pudiéramos llegar, lo más cerca posible de sus fuentes. Ahora que se había aceptado que Jacob vendría con nosotros, él había adquirido un papel importante en los planes, ya que no parecía probable que la gente que creía en los vampiros quisiera contarnos a nosotros sus historias. Si los ticunas nos llevaban a un callejón sin salida, había otras tribus relacionadas con ellos en la zona a las que investigar. Carlisle tenía algunos viejos amigos en el Amazonas; si éramos capaces de encontrarlos, podrían tener también información para nosotros. O al menos alguna sugerencia sobre dónde ir para buscar respuestas. Quedaban tres vampiros en el Amazonas, y era poco probable que ninguno de ellos guardara relación alguna con las leyendas de vampiros híbridos, ya que todas ellas eran mujeres. No había forma de saber adónde nos llevaría nuestra búsqueda.

No le había hablado todavía a Charlie del largo viaje que íbamos a abordar y le daba vueltas a la manera más adecuada de decírselo mientras continuaba la discusión entre Edward y Carlisle. ¿Cuál sería la mejor manera posible de contarle las novedades?

Me quedé mirando a Renesmee. Estaba acurrucada en el sofá, con la respiración más lenta debido al sueño profundo y sus rizos enredados de forma desordenada en torno a su rostro. Por lo general, Edward y yo la llevábamos a nuestra cabaña para acostarla, pero esa noche, al estar él y Carlisle enfrascados en sus planes, nos habíamos quedado con la familia.

Mientras tanto, Emmett y Jasper se mostraban emocionados con la perspectiva de explorar nuevas posibilidades de caza. El Amazonas ofrecía un cambio respecto a nuestras presas habituales. Jaguares y panteras, por ejemplo. Emmett tenía el capricho de luchar contra una anaconda. Esme y Rosalie estaban planeando qué meterían en las maletas. Jacob había salido con la manada de Sam, preparando las cosas para su propia ausencia.

Alice se movió lentamente —para ella— alrededor de la gran habitación, arreglando de modo innecesario aquel espacio ya inmaculado, enderezando las guirnaldas colgadas por Esme a la perfección. Estaba recolocando los jarrones en el centro exacto del aparador justo en ese momento. Pude observar por el modo en que cambiaba su rostro —ahora consciente, luego ausente, consciente de nuevo— que estaba escaneando el futuro. Yo suponía que intentaba ver, a través de los puntos ciegos que Jacob y Renesmee provocaban en sus visiones, lo que nos esperaba en Sudamérica. Hasta que Jasper dijo: «Déjalo ya, Alice, ella no es cosa nuestra», y una nube de serenidad se extendió silenciosa e invisiblemente a través de la habitación. Alice debía de haberse estado preocupando otra vez por Irina.

Le sacó la lengua a Jasper y después elevó un jarrón de cristal que estaba lleno de rosas blancas y rojas y se volvió hacia la cocina. Una de las flores blancas había comenzado a marchitarse, apenas una mínima traza, pero aquella noche Alice parecía querer alcanzar la perfección para distraerse de su falta de visiones.

Me quedé mirando de nuevo a Renesmee, así que no lo vi cuando el jarrón se deslizó de las manos de Alice. Sólo escuché el susurro del aire al rozar el cristal y mis ojos se elevaron a tiempo de ver cómo el florero se destrozaba contra el suelo de mármol de la cocina en diez mil fragmentos diamantinos.

Todos nos quedamos inmóviles mientras los trozos saltaban y se dispersaban en todas direcciones con un tintineo desagradable, los ojos fijos en la espalda de Alice.

Mi primer pensamiento ilógico fue que nos estaba gastando alguna broma. Porque no había forma alguna de que pudiera haber dejado caer el jarrón por accidente. Me habría lanzado a través de la habitación para cogerlo yo misma, y con tiempo suficiente, si no hubiera supuesto que ella lo haría. Además, ¿cómo era posible que se le hubiera deslizado entre los dedos? Esos dedos perfectamente seguros...

Nunca había visto a ningún vampiro dejar caer nada por accidente. Jamás.

Y después Alice se volvió para enfrentarse a nosotros, con un movimiento tan rápido que casi no existió.

Sus ojos estaban en parte aquí y en parte perdidos en el futuro, dilatados, fijos, llenando de tal modo su rostro delgado que parecía que se le iban a salir. Mirarla a los ojos era como asomarse desde el interior de una tumba hacia fuera. Me quedé sumida en el terror, la desesperación y la agonía de aquella mirada.

Escuché jadear a Edward, un sonido roto, medio ahogado.

—¿*Qué?* —rugió Jasper, saltando a su lado en un movimiento borroso por su rapidez, aplastando los cristales rotos bajo sus pies. La agarró de los hombros y la sacudió con fuerza. Ella pareció balancearse en silencio entre sus manos—. *¿Qué es, Alice?*

Emmett se movió en mi visión periférica, con los dientes al descubierto mientras sus ojos se precipitaban hacia la ventana anticipando un ataque.

No hubo más que silencio procedente de Esme, Carlisle y Rose, que se quedaron completamente paralizados, al igual que yo.

Jasper sacudió de nuevo a Alice.

—¿Qué pasa?

—Vienen a por nosotros —susurraron Alice y Edward a la vez, sincronizados a la perfección—, y acuden todos.

Silencio.

Por una vez, fui la más rápida en comprender, porque algo en sus palabras disparó mi propia visión. Era sólo el recuerdo distante de un sueño, tenue, transparente, inconcreto, como si estuviera mirando a través de una gasa espesa… En mi mente, vi la línea negra avanzar hacia mí, el fantasma de mi pesadilla humana casi olvidada. No pude distinguir el reflejo de sus ojos color rubí en esa imagen que se percibía tras un velo, ni el brillo de sus agudos dientes húmedos, pero sabía que estaban allí…

Más fuerte que el recuerdo de la pesadilla llegó la evocación del sentimiento, la necesidad desgarradora de proteger aquella cosa preciosa que tenía a mis espaldas.

Quería coger a Renesmee en mis brazos, esconderla detrás de mi piel y mi pelo, hacerla invisible, pero ni siquiera logré darme la vuelta para mirarla, porque más que en piedra, parecía haberme convertido en hielo. Por primera vez desde que había renacido como vampiro, sentí frío.

Apenas pude escuchar la confirmación de mis miedos. No lo necesitaba, porque yo ya lo sabía.

—Los Vulturis —gimió Alice.

—Vienen todos —gimió Edward casi al mismo tiempo.

—¿Por qué? —susurró Alice para sus adentros—. ¿Cómo?

—¿Cuándo? —preguntó Edward con un hilo de voz.

—¿Por qué? —inquirió Esme a su vez en un eco.

—¿Cuándo? —insistió Jasper con un gruñido que sonó igual que el hielo al astillarse.

Los ojos de Alice no pestañearon, pero fue como si un velo los hubiera cubierto, quedaron completamente inexpresivos. Sólo su boca mantenía aquella expresión horrorizada.

—No tardarán mucho —replicaron Alice y Edward a la vez. Y luego ella habló sola—. Hay nieve en el bosque y en la ciudad. En poco más de un mes.

—¿Por qué? —Carlisle fue el que preguntó esta vez.

Esme contestó.

—Ha de haber una razón. Quizá si supiéramos…

—No tiene nada que ver con Bella —repuso Alice con la voz cavernosa—. Vienen todos: Aro, Cayo, Marco, todos los miembros de su guardia, incluso sus esposas.

—Ellas nunca abandonan la torre —le contradijo Jasper con voz monótona—. Jamás, ni siquiera durante los años de la rebelión del sur. Ni cuando los vampiros rumanos intentaron derrocarlos. Ni cuando fueron a cazar a los niños inmortales. Jamás.

—Pues ahora sí vienen —murmuró Edward.

—Pero, ¿por qué? —repitió Carlisle de nuevo—. ¡No hemos hecho nada! Y si lo hemos hecho, ¿qué puede ser que justifique todo *eso*?

—Somos tantos —respondió Edward desanimado—, que querrán asegurarse de que… —no terminó la frase.

—¡Eso no explica la cuestión crucial! ¿Por qué?

Comprendí que yo sí conocía la respuesta a la pregunta de Carlisle, y que al mismo tiempo no la conocía. Renesmee era la razón, de eso estaba segura. De algún modo había sabido desde el mismísimo principio que vendrían a por ella. Mi subconsciente me lo había advertido antes incluso de que me enterara de que la traería al mundo. Sin saber por qué, ahora me parecía que debíamos haber esperado este movimiento. Como si de alguna manera hubiera sabido desde siempre que los Vulturis tenían que venir a llevarse mi felicidad.

Pero aun así eso no respondía la pregunta.

—Ve hacia atrás, Alice —le suplicó Jasper—, busca lo que ha ocasionado esto, busca.

La interpelada sacudió lentamente la cabeza, con los hombros hundidos.

—Ha venido de la nada, Jazz. No les estaba buscando a ellos, ni siquiera a nosotros, sólo rastreaba a Irina. Ella no estaba donde yo esperaba que estuviera... —la voz de Alice se desvaneció, con los ojos perdidos de nuevo. Se quedó mirando a la nada durante un segundo largo.

Y entonces alzó la cabeza con brusquedad, los ojos tan duros como el pedernal. Escuché cómo Edward contenía el aliento.

—Ella decidió dirigirse a ellos —nos informó Alice—, Irina acudió a los Vulturis. Y entonces ellos resolvieron... Es como si la hubiesen estado esperando. Como si ya hubieran tomado la decisión, y sólo aguardaran por ella...

Se hizo el silencio de nuevo mientras digeríamos la información. ¿Qué les habría dicho Irina a los Vulturis que diera lugar a la visión atroz de Alice?

—¿Podemos detenerla? —preguntó Jasper.

—No hay forma. Ya casi ha llegado.

—¿Qué está haciendo? —preguntó Carlisle, pero yo ya no prestaba atención a la discusión. Estaba concentrada en la imagen que de un modo tan doloroso se enseñoreaba de mi mente.

Recordé a Irina acuclillada en el acantilado, observando al acecho. ¿Qué era lo que había visto? Un vampiro y un licántropo en términos de estrecha amistad. Me había concentrado en esa imagen, una que habría explicado de manera lógica su reacción. Pero eso no era todo lo que ella había visto.

También había visto a una niña de belleza exquisita, saltando en medio de los copos de nieve, una niña manifiestamente más que humana…

Rememoré lo relativo a Irina y a las hermanas huérfanas… Carlisle había comentado que la pérdida de su madre a manos de la justicia de los Vulturis había convertido a Tanya, Kate e Irina en unas puristas en lo tocante a las leyes.

Apenas un minuto antes, el propio Jasper lo había dicho: «Ni cuando fueron a cazar a los niños inmortales…». Los niños inmortales… la ruina innombrable, el terrible tabú…

Teniendo en cuenta el pasado de Irina, ¿cómo podía ella entender lo que había visto aquel día en el pequeño claro? No había estado lo bastante cerca para haber oído latir el corazón de Renesmee, sentir el calor que irradiaba su cuerpo. Por todo lo que ella sabía, sus mejillas sonrosadas podrían haber sido un mero truco por nuestra parte.

Después de todo, los Cullen eran aliados de los hombres lobo. Desde el punto de vista de la vampira, quizá esto quería decir que no había nada de lo que no fuéramos capaces…

Irina, hundiendo sus manos en aquella inhóspita tierra nevada, no haciendo duelo por Laurent, después de todo, sino sabiendo que era su deber acabar con los Cullen, conociendo lo que les ocurriría si lo hacía. Por lo que se ve, su conciencia había vencido sobre siglos de amistad.

Y la respuesta de los Vulturis a esta clase de infracción era automática, ya estaba decidido.

Me volví y me arrojé sobre el cuerpo dormido de Renesmee, cubriéndola con mi pelo, enterrando mi rostro en sus rizos.

—Pensad en lo que ella vio aquella tarde —exclamé en voz baja, interrumpiendo lo que fuera que Emmett había comenzado a decir—. ¿Qué le parecería Renesmee a alguien que hubiera perdido a su madre debido a los niños inmortales?

Todos volvieron a quedar en silencio cuando comprendieron lo que yo había adivinado ya.

—Un niño inmortal —susurró Carlisle.

Edward se arrodilló a mi lado y nos cubrió a ambas con su abrazo.

—Pero está equivocada —continué—, Renesmee no es como los otros niños. El crecimiento de ellos se había detenido, pero ella es justo lo contrario. Ellos estaban fuera de control, pero ella jamás ha hecho daño a Charlie, Sue, ni les muestra cosas que puedan alterarles. Renesmee es capaz de controlarse, de hecho lo hace bastante mejor que muchos adultos. No habría razón…

Continué parloteando a la espera de que alguien exhalara con alivio, confiando que aquella tensión helada que flotaba en la habitación se relajara cuando se dieran cuenta de que yo llevaba razón, pero la habitación sólo se volvía más fría cada vez. Incluso mi voz débil terminó por desvanecerse.

Nadie habló durante un buen rato.

Y entonces Edward susurró en mi pelo.

—Ésta no es la clase de crimen por la cual ellos hacen un juicio, amor —me dijo en voz baja—. Aro verá la prueba de Irina en sus pensamientos. Ellos vendrán a destruir, no a razonar.

—Pero están equivocados —insistí con terquedad.

—No esperarán a que se lo demostremos.

Su voz aún era tranquila, dulce, como terciopelo… y aun así el dolor y la desolación en el sonido se distinguían a la perfección. Su voz era como los ojos de Alice antes, como el interior de una tumba.

—¿Y qué podemos hacer nosotros? —le exigí.

Sentía a Renesmee tan cálida y perfecta en mis brazos, soñando en paz. Me había preocupado tanto por la velocidad de crecimiento de la niña, de que sólo fuera a disfrutar de una década de vida… que ese miedo parecía ahora pura ironía.

Un poco menos de un mes…

Entonces, ¿ése era el límite? Yo había disfrutado de una felicidad mayor que la de mucha gente. ¿Acaso había alguna ley natural que exigiera cantidades iguales de felicidad y desesperación en el mundo? ¿Es que mi alegría había desequilibrado la balanza? ¿Eran cuatro meses todo lo que tendría?

Fue Emmett el que respondió a mi pregunta retórica.

—Lucharemos —dijo con calma.

—No podemos ganar —gruñó Jasper. Era capaz de imaginarme ahora el aspecto de su cara, y cómo su cuerpo se curvaría protectoramente en torno a Alice.

—Bueno, tampoco podemos huir. No con Demetri alrededor —Emmett hizo un ruido de disgusto, y supe de forma instintiva que no le molestaba la idea de enfrentarse al rastreador de los Vulturis, sino la de escapar—. Y no sé por qué no podemos ganar —insistió—, hay unas cuantas opciones que considerar. No tenemos por qué luchar solos.

Mi cabeza se alzó con brusquedad al oír aquello.

—¡No tenemos por qué sentenciar a los quileute a muerte, Emmett!

—Cálmate, Bella —su expresión no era diferente a cuando contemplaba la idea de luchar contra las anacondas. Incluso la amenaza de la aniquilación no cambiaría la perspectiva de Emmett, su capacidad para enfrentarse a un reto—. No me estaba refiriendo a la manada. Sin embargo, sé realista, ¿crees que Sam o Jacob ignorarán una invasión de este calibre, incluso aunque no tuviera que ver con Nessie? Por no mencionar que, gracias a Irina, Aro sabe también ahora lo de nuestra alianza con los lobos. Pero pensaba más bien en otros amigos.

Carlisle se hizo eco de mis palabras con otro susurro.

—Otros amigos a los que no tenemos por qué sentenciar a muerte.

—Vale, pues dejémosles a ellos que decidan —sugirió Emmett con tono implacable—. No digo que tengan que luchar con nosotros —pude ver cómo el plan se refinaba en su cerebro conforme hablaba—. Si tan sólo se mantuvieran a nuestro lado, justo lo suficiente para hacer dudar a los Vulturis… Bella tiene razón después de todo. Tal vez bastara con que fuéramos capaces de obligarles a hacer un alto y escucharnos, quizá eso nos permitiera demostrar que no hay motivo alguno para combatir…

Había ahora un asomo de sonrisa en el rostro de Emmett. Me sorprendía que nadie le hubiera golpeado a estas alturas. Yo quería hacerlo.

—Sí —convino Esme con rapidez—. Eso tiene sentido, Emmett. Todo lo que necesitamos es que los Vulturis se detengan un momento, lo suficiente para *escuchar*.

—Lo que necesitamos es algo así como una exposición de testigos —replicó Rosalie con dureza, la voz tan quebradiza como el cristal.

Esme asintió, de acuerdo con sus palabras, como si no hubiera percibido el sarcasmo en el tono de voz de Rosalie.

—Eso sí es algo que podamos pedirles a nuestros amigos, sólo que actúen como testigos.

—Nosotros lo haríamos por ellos —añadió Emmett.

—Deberíamos explicárselo de la manera correcta —murmuró Alice; la miré y vi cómo se abría en sus ojos un oscuro vacío otra vez—. Tendríamos que demostrárselo con mucho cuidado.

—¿Demostrárselo? —preguntó Jasper.

Ambos, Alice y Edward, miraron a Renesmee y los ojos de Alice se vidriaron de nuevo.

—La familia de Tanya —dijo ella—. El aquelarre de Siobhan y el de Amun. Algunos de los nómadas… Garrett y Mary, seguro. Quizá también Alistair.

—¿Y qué te parece Peter y Charlotte? —preguntó Jasper, algo temeroso, como si esperara que la respuesta fuera «no» y le pudiera ahorrar a su viejo hermano la carnicería en ciernes.

—Quizás.

—¿Y qué me decís de las del Amazonas? —preguntó Carlisle—. ¿Kachiri, Zafrina y Senna?

Alice parecía estar totalmente sumergida en su visión como para contestar al principio, pero al final se estremeció y sus ojos se movieron para volver al presente. Se encontró durante una centésima de segundo con la mirada de Carlisle y después la bajó.

—No puedo ver más.

—¿Qué ha sido eso? —preguntó Edward, su susurro convertido en una exigencia—. ¿Vamos a ir a buscarlas a esa parte en la jungla?

—No puedo ver más —repitió Alice, sin encontrarse con sus ojos y un relámpago de confusión recorrió el rostro de Edward—. Debemos separarnos y apresurarnos antes de que la nieve caiga al suelo. Hay que dar una vuelta por ahí, encontrar al mayor número posible de aliados y traerlos para enseñarles —y declaró de nuevo—. Ah, pregunta a Eleazar. Aquí hay mucho más que el asunto de un niño inmortal.

El silencio se hizo ominoso durante otro buen rato mientras Alice volvía a estar en trance. Pestañeó con lentitud cuando se le pasó, los ojos peculiarmente opacos a pesar de que se encontraba en el presente.

—Hay tanto trabajo pendiente, hemos de apresurarnos —susurró ella.

—¿Alice? —preguntó Edward—. Eso fue demasiado rápido... No comprendo. ¿Qué fue...?

—¡No puedo ver más! —explotó ella dirigiéndose a él—. ¡Jacob casi ha llegado!

Rosalie dio un paso hacia la puerta principal.

—Me las apañaré...

—No, déjale que venga —replicó Alice con rapidez, la voz más aguda conforme hablaba. Agarró la mano de Jasper y comenzó a arrastrarle hacia la puerta trasera—. Mejor que me aleje también de Nessie para ver mejor. Necesito irme. Necesito concentrarme de verdad y ver todo lo que sea posible. Tengo que irme. Vamos, Jasper, ¡no tenemos tiempo que perder!

Todos pudimos escuchar cómo se acercaba Jacob por las escaleras del porche, y Alice tiró impaciente de la mano de Jasper. Él la siguió con rapidez, con la confusión reflejada en los ojos al igual que en los de Edward. Salieron disparados por la puerta hacia la noche plateada.

—Apresuraos —nos gritó a sus espaldas—. ¡Debéis encontrarlos a todos!

—¿Encontrar qué? —preguntó Jacob, cerrando la puerta detrás de él—. ¿Adónde va Alice?

Nadie le respondió, todos nos quedamos mirándole.

Él se sacudió el pelo mojado y metió las manos por las mangas de su camiseta, con los ojos puestos en Renesmee.

—¡Hola, Bells! Creía que os habríais ido a casa a estas horas…

Entonces me miró, pestañeó y luego volvió a mirarme con más atención. Observé en su expresión cómo la atmósfera de la habitación le afectaba por fin. Bajó los ojos al suelo y sus pupilas se dilataron al observar la mancha mojada, las rosas dispersas, los fragmentos de cristal. Sus dedos temblaron.

—¿Qué…? —inquirió con voz monótona—. ¿Qué es lo que ha ocurrido?

No sabía por dónde empezar. Tampoco nadie conseguía encontrar las palabras.

Jacob cruzó la habitación en tres largas zancadas y cayó de rodillas al lado de Renesmee y mío. Pude sentir el calor que desprendía su cuerpo mientras los temblores descendían por sus brazos hasta sus manos convulsas.

—¿Ella está bien? —preguntó con exigencia, tocándole la frente e inclinando la cabeza para escuchar su corazón—. ¡No juegues conmigo, Bella, por favor!

—A Renesmee no le pasa nada —conseguí hablar con voz ahogada, las palabras quebrándose de modo extraño.

—¿Entonces, quién?

—Todos nosotros, Jacob —susurré y también apareció en mi voz el sonido del interior de la tumba—. Todo ha terminado. Hemos sido sentenciados a muerte.

Deserción

Nos sentamos allí la noche entera, como estatuas llenas de pavor y pena, pero Alice no regresó.

Todos estábamos al límite, frenéticos en nuestra absoluta inmovilidad. Carlisle apenas había sido capaz de mover los labios para explicárselo todo a Jacob. La repetición de la historia únicamente sirvió para que nos pareciera aún peor, incluso Emmett se quedó en silencio y quieto a partir de ese momento.

No fue hasta que amaneció y pensé que pronto Renesmee comenzaría a removerse bajo mis manos cuando me pregunté por primera vez qué era lo que le estaría llevando a Alice tanto tiempo. Esperaba saber un poco más antes de verme obligada a enfrentar la curiosidad de mi hija, tener algo con lo que contestarle, y también alguna diminuta y minúscula porción de esperanza de modo que pudiera sonreír y evitar que la verdad la aterrorizara.

Mi rostro permaneció paralizado en la máscara fija que había llevado puesta toda la noche. No estaba segura de recuperar la capacidad de sonreír nunca más.

Jacob estaba roncando en una esquina, como una gran montaña de pelo en el suelo, retorciéndose con ansiedad en su sueño. Sam lo sabía todo… y los licántropos se estaban preparando para lo que se nos avecinaba, pero esa preparación no serviría de nada: los asesinarían junto con el resto de mi familia.

La luz del sol irrumpió a través de las ventanas traseras, arrancando chispas en la piel de Edward. Yo no había movido los ojos de los suyos desde que Alice se había marchado. Nos habíamos pasado toda la noche mirándonos el uno al otro, con la vista fija en lo que ninguno de los dos podía soportar perder: al otro. Mi reflejo relucía en sus ojos llenos de agonía conforme el sol tocaba mi propia piel.

Sus cejas se movieron de forma infinitesimal, y después sus labios.

—Alice —dijo.

El sonido de su voz fue como el del hielo al fracturarse cuando se derrite. Todos nosotros nos rompimos y nos ablandamos un poco también. Y nos pusimos de nuevo en movimiento.

—Lleva fuera mucho tiempo —murmuró Rosalie, sorprendida.

—¿Dónde estará? —se preguntó Emmett, dando un paso hacia la puerta.

Esme le puso la mano en el brazo.

—No queremos molestar…

—Nunca había tardado tanto —dijo Edward. Una nueva preocupación hizo añicos la máscara en que se había convertido su rostro. Sus rasgos volvían a parecer vivos, los ojos repentinamente abiertos por un miedo añadido, un pánico extra—. Carlisle, ¿no crees que pueda ser algo… preventivo? ¿Habrá tenido Alice tiempo de ver si han enviado a alguien a por ella?

El rostro de piel traslúcida de Aro llenó mi mente. Aro había recorrido todos los recovecos de la mente de Alice y estaba al tanto de todo de lo que ella era capaz...

Emmett comenzó a despotricar en voz tan alta que Jacob se puso en pie con un rugido. En el patio, su bramido tuvo el eco de su manada. Mi familia se había convertido ya en un borrón en movimiento.

—¡Quédate con Renesmee! —le grité a Jacob conforme salía disparada hacia la puerta.

Yo todavía era más fuerte que el resto de ellos, y usé esa fuerza para impulsarme hacia delante. Sobrepasé a Esme en unos cuantos saltos y a Rosalie en unas cuantas zancadas más. Aceleré a través de lo más espeso del bosque hasta que me situé justo detrás de Edward y Carlisle.

—¿Habrán sido capaces de sorprenderla? —inquirió Carlisle, su voz tan monótona como si siguiera inmóvil más que corriendo a toda velocidad.

—No veo cómo —respondió Edward—, aunque Aro la conoce mejor que nadie. Desde luego mejor que yo.

—¿Es una trampa? —gritó Emmett detrás de nosotros.

—Tal vez —replicó Edward—, pero por aquí no hay otro olor que el de Alice y Jasper. ¿Adónde habrán ido?

El rastro de Alice y Jasper se curvaba en un amplio arco; se extendía primero al este de la casa, pero luego se dirigía hacia el norte al otro lado del río, y después de nuevo hacia el oeste durante unos cuantos kilómetros. Volvimos a cruzar el río, saltando los seis que íbamos a un segundo unos de otros. Edward corría el primero, totalmente concentrado.

—¿Has captado ese efluvio? —gritó Esme hacia delante, unos cuantos momentos después de que saltáramos el río por segunda vez. Era la que iba más lejos, en el extremo izquierdo de nuestra partida de caza. Hizo unos gestos señalando hacia el sudeste.

—Seguid el rastro principal... Estamos ya cerca de la frontera con los quileute —ordenó Edward de modo conciso—. Manteneos juntos. Mirad si han girado al norte o al sur.

Yo no estaba tan familiarizada con la línea del tratado como todos ellos, pero percibía el ligero olor a lobo en la brisa que soplaba desde el este. Edward y Carlisle disminuyeron el ritmo y pude ver cómo movían sus cabezas de lado a lado, esperando que el rastro volviera a aparecer.

Entonces el olor a lobo se hizo de pronto más fuerte, y Edward alzó la cabeza bruscamente. Se detuvo de forma repentina y los demás también nos quedamos inmóviles.

—¿Sam? —preguntó Edward en voz monótona—. ¿Qué pasa aquí?

El líder de la otra manada apareció entre los árboles a unos cientos de metros, caminando con celeridad hacia nosotros en forma humana, flanqueado por dos grandes lobos, Paul y Jared. Sam tardó un poco en llegar hasta nosotros, y su ritmo humano me impacientó. No quería tiempo para pensar en lo que estaba pasando. Deseaba estar en movimiento, haciendo algo. Quería poder poner mis brazos alrededor de Alice, saber sin lugar a dudas que se encontraba a salvo.

Observé cómo el rostro de Edward se ponía blanco cuando leyó lo que Sam estaba pensando. Él le ignoró, mirando directamente a Carlisle cuando se detuvo y comenzó a hablar.

—Justo después de medianoche, Alice y Jasper vinieron hasta este lugar y pidieron permiso para cruzar nuestras tierras hasta el océano. Les concedí el permiso y los escolté hasta la costa yo mismo. Entonces se metieron en el agua y no han regresado. Mientras viajábamos, Alice me dijo que era de la mayor importancia que no le contara nada a Jacob de que les había visto hasta que hablara contigo. Yo debía esperar aquí a que vinieras a buscarla y entonces tenía que darte esta nota. Me dijo que la obedeciera como si todas nuestras vidas dependieran de ello.

El rostro de Sam mostraba una expresión sombría cuando le tendió un papel doblado e impreso entero con un pequeño texto en negro. Era una página arrancada de un libro y mi vista aguda leyó las palabras cuando Carlisle lo desdobló para leer el otro lado. La página que daba hacia mí era una copia de *El mercader de Venecia;* de ella se desprendió algo de mi propio olor cuando Carlisle estiró el papel. Me di cuenta de que era una página arrancada de uno de mis libros. Me había traído unas cuantas cosas desde la casa de Charlie a la cabaña: conjuntos de ropa normal; todas las cartas de mi madre, y mis libros favoritos, entre lo cuales figuraba mi baqueteada colección de libros en rústica de Shakespeare, que hasta ayer por la mañana había estado en la estantería de la pequeña sala de estar de la casita…

—Alice ha decidido dejarnos —susurró Carlisle.

—¿Qué? —chilló Rosalie.

Carlisle le dio la vuelta a la página de modo que todos pudiéramos leerla.

No tratéis de encontrarnos, no hay tiempo que perder. Recordad: Tanya, Siobhan, Amun, Alistair y todos los nómadas que podáis hallar. Nosotros buscaremos a Peter y Charlotte de camino. Sentimos muchísimo dejaros de esta manera, sin despedida ni explicaciones, pero es el único modo de hacerlo. Os queremos.

Volvimos a quedarnos paralizados en un silencio sepulcral, salvo por el sonido de los corazones de los hombres lobo y su respiración. Sus pensamientos también deberían haber sido en voz alta. Edward fue el primero en moverse otra vez, contestando a lo que había oído en la mente de Sam.

—Sí, las cosas están así de peligrosas.

—¿Tanto que tengas que abandonar a tu familia? —preguntó Sam en voz alta, con la censura implícita en el tono. Estaba claro que no había leído la nota antes de dársela a Carlisle. Se mostraba enfadado, parecía arrepentido de haberle hecho caso a Alice.

La expresión de Edward era envarada... y lo más probable es que a Sam le pareciera airada o arrogante, pero yo podía percibir el dolor en los planos endurecidos de sus rasgos.

—No sabemos qué fue lo que vio —replicó Edward—. Alice no es insensible ni cobarde. Simplemente dispone de más información que nosotros.

—*Nosotros* no... —comenzó Sam.

—La relación que mantenéis entre vosotros es distinta a la nuestra —le interrumpió Edward con brusquedad—. *Nosotros* mantenemos libre nuestra voluntad.

Sam alzó la barbilla y sus ojos se volvieron de pronto de un intenso color negro.

—También vosotros deberíais hacer caso del aviso —continuó Edward—. Esto no es algo en lo que os gustará veros implicados, tampoco podéis evitar lo que haya visto Alice.

Sam sonrió forzadamente.

—*Nosotros* no somos de los que huyen —detrás de él, Paul resopló.

—No dejes que masacren a tu familia por orgullo —intervino Carlisle en voz baja.

Sam miró a Carlisle con una expresión más suave.

—Como Edward ha señalado, nosotros no tenemos la misma clase de libertad de la que vosotros disfrutáis. Renesmee es ahora tan parte de nuestra familia como de la vuestra. Jacob no puede abandonarla y nosotros no le abandonaremos a él —sus ojos se movieron hacia la nota de Alice, y sus labios se apretaron hasta formar una fina línea.

—Tú no la conoces —replicó Edward.

—¿Y tú? —inquirió Sam con rudeza.

Carlisle puso una mano en el hombro de Edward

—Tenemos mucho que hacer, hijo. Sea cual sea la decisión de Alice, resultaría estúpido no seguir ahora sus recomendaciones. Vayamos a casa y pongámonos a trabajar.

Edward asintió y su rostro pareció en ese momento menos rígido por la pena. Detrás de mí, podía escuchar los sollozos sordos de Esme, sin lágrimas.

No sabía cómo se podía llorar con este cuerpo, porque no podía hacer otra cosa que mirar. No había aún ningún sentimiento. Todo me parecía irreal, como si estuviera durmiendo otra vez después de todos estos meses, teniendo de nuevo una pesadilla.

—Gracias, Sam —señaló Carlisle.

—Lo siento —respondió Sam—. No deberíamos haberla dejado pasar.

—Hicisteis lo correcto —le replicó Carlisle—. Alice es libre de hacer lo que desee y yo jamás le denegaría el ejercicio de su libertad.

Yo siempre había pensado en los Cullen como un todo, una unidad indivisible. De repente, recordé que no siempre había sido así. Carlisle había creado a Edward, Esme, Rosalie y Emmett, Edward me había creado a mí. Estábamos físicamente conectados por la sangre y la ponzoña. Nunca había pensado en Alice y Jasper como entes separados, como si hubieran sido adoptados por la familia, pero lo cierto era que Alice *había* adoptado a los Cullen. Había aparecido con un pasado a cuestas que no tenía nada que ver con los demás y también había traído a Jasper con el suyo, y había encajado en una familia que ya existía. Tanto ella como él habían conocido otra existencia fuera de la familia Cullen. ¿Acaso había escogido comenzar otra vida después de haber visto que su camino con los Cullen había terminado?

Entonces, estábamos malditos, ¿era eso, verdad? No había ninguna esperanza en absoluto. Ni un solo rayo, ni un pequeño atisbo que hubiera convencido a Alice de que tenía una oportunidad a nuestro lado.

El alegre aire de la mañana se había vuelto oscuro de repente, más denso, como si mi desesperación lo hubiera teñido de un modo físico.

—Pues yo no voy a rendirme sin luchar —rugió Emmett entre dientes—. Alice nos ha dicho lo que tenemos que hacer, así que manos a la obra.

Los demás asintieron con expresiones voluntariosas y me di cuenta de que confiaban en la oportunidad que fuese que Alice nos había dado. Y también de que no iban a rendirse por pura desesperanza ni aguardar a la muerte de brazos cruzados.

Sí, todos lucharíamos, ¿qué otra cosa podíamos hacer? Y además, daba la impresión de que íbamos a arrastrar a otros en nuestra caída, porque eso era lo que había dicho Alice antes de dejarnos. Pero ¿cómo no íbamos a seguir el último aviso de Alice? Los lobos también pelearían a nuestro lado por causa de Renesmee.

Nosotros lucharíamos, ellos también, y todos moriríamos.

Yo no sentía la misma resolución que los demás. Alice conocía las probabilidades y nos estaba dando la única oportunidad que podía ver, pero era tan remota que ni ella misma apostaba a su favor.

Ya me sentía vencida cuando le di la espalda al rostro crítico de Sam y seguí a Carlisle hasta casa.

Corríamos ahora de forma automática, sin la prisa llena de pánico que nos había embargado antes. Cuando nos acercamos al río, Esme alzó la cabeza.

—Todavía está la otra pista, y aún es reciente.

Ella señaló hacia delante, donde antes había llamado la atención de Edward. Cuando nos apresurábamos para *salvar* a Alice…

—Es de un momento anterior. Y era sólo de Alice, sin Jasper —comentó Edward con la voz mortecina.

El rostro de Esme se contrajo y volvió a asentir.

Me dirigí hacia la derecha, quedándome algo retrasada. Estaba segura de que Edward tenía razón, pero al mismo tiempo… Después de todo, ¿cómo había conseguido Alice la página de uno de mis libros?

—¿Bella? —inquirió Edward, con una voz tan desprovista de emoción que me hizo dudar.

—Quiero seguir esta pista —le dije, olisqueando el ligero aroma de Alice que se apartaba del primer camino que había empleado en su huida. Yo era nueva en esto, pero a mí me olía exactamente igual, excepto porque faltaba el rastro de Jasper.

Los ojos de Edward estaban vacíos.

—Lo más probable es que sólo nos lleve de regreso a la casa.

—Entonces, nos encontraremos allí.

Al principio pensé que me dejaría ir sola, pero luego, cuando di unos cuantos pasos, sus ojos inexpresivos volvieron a la vida.

—Yo iré contigo —dijo en tono tranquilo—. Nos vemos en casa, Carlisle.

El doctor asintió y todos se marcharon. Yo esperé hasta que estuvieron fuera de nuestra vista y entonces miré a Edward con una interrogación en los ojos.

—No puedo dejar que te alejes de mí —me explicó en voz baja—. Me duele sólo imaginarlo.

Yo le comprendí sin más explicaciones, porque también pensaba en esa separación y me daba cuenta de que sentiría la misma pena, no importaba lo corta que fuera.

Nos quedaba tan poco tiempo para estar juntos.

Le alargué mi mano y él la cogió.

—Apresurémonos —me instó—. Renesmee debe de haberse despertado ya.

Yo asentí y comenzamos de nuevo a correr.

Seguro que era una tontería desaprovechar el escaso tiempo disponible para estar con Renesmee simplemente por pura curiosidad, pero aquella nota me inquietaba. Alice podría haber tallado sus palabras en una piedra plana o en el tronco de un árbol si no tenía utensilios de escritura. Incluso podía haber robado un par de Post-it de cualquiera de las casas que bordeaban la autovía. ¿Por qué mi libro? ¿Cuándo se había hecho con él?

Con toda certeza, el rastro llevaba hacia la cabaña, pero en una ruta tan enrevesada que se mantenía bien lejos de la casa de los Cullen y de los lobos de los bosques cercanos. Edward frunció las cejas confundido cuando se hizo obvio adónde conducía la pista.

Intentó razonar en voz alta.

—¿Dejó que Jasper la esperara en otro sitio y vino hasta aquí?

Casi habíamos llegado a la casa y me encontré intranquila. Estaba contenta de tener la mano de Edward en la mía, pero también sentía como si hubiera tenido que venir sola. Alice había arrancado la página y la había llevado hasta donde estaba Jasper, lo cual era una cosa muy extraña. Parecía que hubiera un mensaje en su acción, uno que no conseguía entender en absoluto. Pero era mi libro, así que el mensaje *debía* ser para mí. Y si hubiera sido algo que hubiera querido que supiera Edward, ¿habría arrancado la página de uno de sus libros…?

—Dame sólo un minuto —le dije, soltando sus manos cuando llegamos a la puerta.

Él arrugó la frente.

—¿Bella?

—¿Por favor? Treinta segundos.

No esperé a que él me contestara. Me precipité a través de la puerta, cerrándola a mis espaldas. Me dirigí recta hacia la estantería. El olor de Alice era reciente, de menos de un día de antigüedad. Ardía un fuego bajo, pero aún caliente en la chimenea, un fuego que yo no había encendido. Saqué de un tirón *El mercader de Venecia* de la estantería y lo abrí por la página del título.

Allí, pegada al borde destrozado de la página arrancada, bajo las palabras «*El mercader de Venecia,* por William Shakespeare», había una nota.

Destrúyelo.

Y debajo, un nombre y una dirección de Seattle.

Apenas habían pasado trece segundos de los treinta pactados cuando Edward irrumpió en la casa. Observó cómo se quemaba el libro.

—¿Qué está pasando, Bella?

—Ella estuvo aquí. Arrancó la página de mi libro para escribir la nota.

—¿Por qué?

—No lo sé.

—¿Por qué lo estás quemando?

—Yo… yo… —puse mala cara, dejando que salieran a mi rostro todo el dolor y la confusión que sentía. Ignoraba qué era lo que Alice intentaba decirme, sólo estaba segura de que ella había ido muy lejos para que nadie más que yo lo supiera, la única persona cuya mente Edward no podía leer. Así que Alice no quería que él se enterara y lo más probable es que fuera por algún buen motivo—. Me pareció apropiado.

—No sé qué es lo que se trae entre manos —dijo en voz baja.

Yo me quedé mirando fijamente las llamas. Era la única persona en el mundo capaz de mentirle a Edward. ¿Era eso lo que Alice quería de mí? ¿Su última petición?

—Cuando íbamos en el avión hacia Italia —le susurré, esto no era una mentira, o quizá sólo lo era si teníamos en cuenta el contexto—, de camino para rescatarte… ella le mintió a Jasper de modo que no nos siguiera. Sabía que si él se enfrentaba a los Vulturis, moriría. Y Alice prefería morir antes que ponerle a él en peligro. Y que muriera yo. O tú.

Edward no contestó.

—Ella tiene sus prioridades —le dije, y mi corazón paralizado me dolió cuando me di cuenta de que mi explicación no parecía una mentira en absoluto.

—No lo creo —replicó Edward, y no lo hizo como si estuviera discutiendo conmigo, sino como si fuera con él mismo con quien argumentara—. Quizá sólo era Jasper el que estaba en peligro. Su plan podría funcionar con el resto de nosotros, pero él estaría perdido en el caso de quedarse. Quizás…

—Pero nos habría dicho eso y le habría enviado lejos.

—¿Y Jasper se hubiera ido? Quizá le está mintiendo de nuevo.

—Quizá —simulé que estaba de acuerdo con él—. Vayamos a casa. No tenemos tiempo.

Edward me cogió de la mano y echamos a correr.

La nota de Alice no me había dado esperanzas. Alice se habría quedado si hubiera habido alguna manera de evitar la matanza que se avecinaba. No debía haber visto otra posibilidad. Así que lo que me estaba dando era alguna otra cosa, no una vía de escape. Pero ¿qué otra cosa habría pensado ella que podía desear yo? ¿Quizá una forma de salvar *algo*? ¿Es que había algo que yo quisiera salvar?

Carlisle y los otros no habían estado inactivos en nuestra ausencia. Habíamos estado separados no más de cinco minutos, y ya estaban preparados para marcharse. En la esquina, Jacob había adquirido de nuevo su forma humana, y tenía a Renesmee en su regazo, ambos mirándonos a los demás con ojos redondos como platos.

Rosalie se había cambiado su traje cruzado de seda por unos vaqueros de aspecto resistente, zapatos de correr, y una camisa abotonada de la tela gruesa que los mochileros usan para las excursiones largas. Esme estaba vestida de manera similar. Había un globo terráqueo en la mesa de café, pero ya lo habían estado mirando, y sólo nos esperaban.

La atmósfera ahora era más positiva que antes, ya que les había sentado bien ponerse en marcha. Sus esperanzas se habían aferrado a las instrucciones de Alice.

Me quedé mirando al globo y me pregunté adónde nos enviarían primero.

—¿Nosotros hemos de quedarnos aquí? —preguntó Edward, mirando a Carlisle. No sonaba nada feliz.

—Alice dijo que debíamos mostrarle a Renesmee a todo el mundo, pero hemos de tener cuidado con ello —contestó

Carlisle—. Nosotros enviaremos aquí a quien sea que logremos encontrar. Edward, tú eres el que mejor sabrá sortear este particular campo de minas.

Edward le respondió con un seco asentimiento, aunque sin mostrar ninguna felicidad.

—Hay mucho campo que cubrir.

—Nos separaremos todos —intervino Emmett—. Rose y yo iremos en busca de los nómadas.

—Aquí tendréis las manos bien ocupadas —dijo Carlisle—. La familia de Tanya llegará aquí por la mañana, y no tienen ni idea del motivo. Primero, tendrás que persuadirlas para que no reaccionen del modo en que lo hizo Irina. Segundo, debes averiguar qué era lo que quería decir Alice respecto a Eleazar. Y después de eso, ¿se quedarán para servirnos de testigos? Todo empezará de nuevo cuando los otros vengan… Eso, si antes logramos persuadir a alguien para que venga —suspiró Carlisle—. Tu trabajo seguramente será el más duro. Nosotros regresaremos para ayudar en cuanto sea posible.

Carlisle puso la mano en el hombro de Edward durante un segundo y después me besó en la frente. Esme nos abrazó a los dos y Emmett nos dio un puñetazo amistoso en el brazo. Rosalie forzó una sonrisa para Edward y para mí, le lanzó un beso con un soplo a Renesmee y le dedicó una mueca de despedida a Jacob.

—Buena suerte —les despidió Edward.

—Y también para vosotros —correspondió Carlisle—. Todos la vamos a necesitar.

Les observé marcharse, deseando poder compartir con ellos las esperanzas que parecían mantenerlos en marcha, y deseando también quedarme a solas con el ordenador durante unos cuantos segundos. Tenía que averiguar quién era esa persona,

J. Jenks, y por qué Alice se había tomado tantas molestias para que sólo yo tuviera su nombre.

Renesmee se retorció en brazos de Jacob para tocarle la mejilla.

—No sé si vendrán los amigos de Carlisle. Espero que sí. Suena como si de momento nos superaran algo en número —le murmuró Jacob a Renesmee.

Así que ella lo sabía, Renesmee entendía ya con toda claridad lo que estaba sucediendo. El lote completo de «hombre lobo imprimado dándole todos los caprichos al objeto de su imprimación» se había puesto en marcha a gran velocidad. ¿Es que acaso no era más importante protegerla de lo que estaba pasando que responder a sus preguntas?

Miré cautelosa su rostro y no me pareció asustada, sino que conversaba a su modo silencioso con Jacob, con ansiedad y muy seria.

—No, nosotros no podemos ayudar, hemos de quedarnos aquí —continuó él—. La gente vendrá a verte a ti, no el *escenario* de los hechos.

Renesmee lo miró con cara de pocos amigos.

—No, yo no debo ir a ninguna parte —le estaba diciendo ahora y entonces levantó la vista hacia Edward con el rostro aturdido por la repentina comprensión de que quizá estuviera equivocado—. ¿O sí?

Edward vaciló.

—Escúpelo ya —replicó Jacob en tono cortante debido a la tensión. También él estaba al límite, como todos los demás.

—Los vampiros que vienen a ayudarnos no son como nosotros —le explicó Edward—. La familia de Tanya es la única, aparte de la nuestra, que siente respeto por la vida humana, e incluso ellas no aprecian mucho a los licántropos. Creo que quizá sería más seguro…

—Soy capaz de cuidarme solito —le interrumpió Jacob.

—Será más seguro para Renesmee —continuó Edward— si la posibilidad de creer nuestra historia no se ve contaminada con la participación de hombres lobo.

—¿Son amigos y se volverán contra ti simplemente por saber con quién andas ahora?

—Creo que en su mayoría serían tolerantes en circunstancias normales, pero debes entender que aceptar a Nessie no será fácil para ninguno de ellos. ¿Por qué ponérselo entonces más difícil?

Carlisle le había explicado a Jacob lo de las leyes sobre los niños inmortales la noche anterior.

—¿Los niños inmortales eran de verdad tan malos? —preguntó.

—No te puedes imaginar la profundidad de las cicatrices que han dejado en la psique colectiva de los vampiros.

—Edward… —todavía me resultaba la mar de extraño escuchar a Jacob usar el nombre de Edward sin amargura.

—Ya lo sé, Jake. Sé lo duro que te resulta estar lejos de ella. Juzgaremos de oído para ver cómo reaccionan ante ella. De cualquier modo, Nessie tendrá que estar de incógnito en las próximas semanas. Habrá de quedarse en la cabaña hasta que se produzca el momento oportuno para presentarla. Mientras te mantengas a una distancia segura de la casa principal…

—Eso sí que lo puedo hacer. Tenemos compañía mañana ya, ¿eh?

—Sí. Nuestros amigos más cercanos. En este caso particular, lo más probable es que sea mejor descubrir nuestras cartas lo antes posible, así que puedes quedarte aquí. Tanya sabe de tu existencia e incluso se ha encontrado con Seth.

—Vale.

—Deberías contarle a Sam lo que está pasando. Pronto habrá extraños en los bosques.

—Bien pensado. Aunque tendría que castigarle con mi silencio después de la última noche.

—Escuchar a Alice es hacer lo correcto.

Jacob apretó los dientes y pude comprobar que compartía los sentimientos de Sam sobre lo que habían hecho Jasper y Alice.

Mientras estaban hablando, me acerqué hacia las ventanas traseras, intentando mostrarme ansiosa y distraída, lo cual realmente no era difícil de fingir. Incliné la cabeza contra la pared que se curvaba alejándose del salón en dirección hacia el comedor, justo a la derecha de una de las consolas de los ordenadores. Dejé correr los dedos por el teclado mientras miraba hacia el bosque, simulando que tenía la cabeza en otra cosa. ¿Es que los vampiros hacían algo de forma distraída? No creía que nadie me estuviera dedicando ninguna atención en particular, pero no me volví para cerciorarme. El monitor volvió a la vida y deslicé los dedos nuevamente por las teclas. Las golpeé con mucho cuidado y de forma silenciosa sobre el escritorio, con el fin de que pareciera casual. Una pulsación cualquiera de las teclas.

Observé la pantalla con la visión periférica.

No había ningún J. Jenks, pero sí un Jason Jenks, abogado. Acaricié el teclado intentando mantener un ritmo, de modo que pareciera como cuando acaricias al gato que tienes casi olvidado sobre el regazo. Jason Jenks tenía una web de lo más elaborada destinada a su firma, pero la dirección en la página estaba equivocada. Se encontraba en Seattle, pero en otro distrito postal. Anoté mentalmente el número de teléfono y después seguí acariciando rítmicamente el teclado. Esta vez buscaba la dirección, pero no aparecía por ninguna parte, como si no existiera. Quería buscarla en un mapa, pero decidí que estaba abusando de mi suerte. Una pulsación más, para borrar el historial…

Continué mirando por la ventana y acaricié la madera unas cuantas veces más. Escuché unos pasos ligeros cruzando el suelo hacia mí, y me volví con una expresión que esperaba fuera la misma de antes.

Renesmee quería que la cogiera y le abrí los brazos. Ella saltó para refugiarse en ellos, oliendo mucho a licántropo, y acunó su cabeza contra mi cuello.

No sabía si podría llegar a soportar esto. Aunque sentía mucho miedo por mi vida, la de Edward y la del resto de mi familia, en nada se parecía al terror devastador que sentía por mi hija. Debía haber una manera de salvarla, incluso aunque no pudiera hacer otra cosa.

De repente, supe que eso era todo lo que quería. El resto podría soportarlo de no quedar otro remedio, pero no podía costarle la vida a Renesmee. Eso no.

Ella era la única cosa que, sencillamente, *tenía* que salvar.

¿Había adivinado Alice cómo iba a sentirme?

La mano de Renesmee me tocó la mejilla con ligereza.

Me mostró mi propio rostro, el de Edward, Jacob, Rosalie, Esme, Carlisle, Alice, Jasper, pasando de un rostro a otro de nuestra familia con rapidez. Seth y Leah. Charlie, Sue y Billy. Una y otra vez, una y otra vez. Agobiados, como estábamos todos aquí. Y sin embargo, ella sólo estaba preocupada. Por lo que pude percibir, Jacob había conseguido ahorrarle lo peor. Aquella parte según la cual no nos quedaban esperanzas y cómo íbamos a morir todos al término de un mes.

Se detuvo en el rostro de Alice, confusa y con nostalgia. ¿Dónde estaba Alice?

—No lo sé —le susurré—, pero se trata de Alice, y está haciendo lo correcto, como siempre.

O en todo caso, lo más correcto para Alice. Odiaba pensar en ella de esa forma, pero ¿de qué otra manera se podía entender la situación?

Renesmee suspiró, y la nostalgia se intensificó.

—Yo también la echo de menos.

Busque una expresión que concordara con la pena que sentía en el interior. Tenía los ojos extraños y secos y pestañeaban ante la sensación de incomodidad. Me mordí el labio. Cuando inspiré de nuevo, el aire atravesó mi garganta, como si me estuviera ahogando.

Renesmee se echó hacia atrás para mirarme y vi mi rostro reflejado en sus pensamientos y sus ojos. Tenía el mismo aspecto que Esme esa misma mañana.

Así era como una se sentía cuando quería llorar.

Los ojos de mi hija relumbraron húmedos cuando vio mi cara. Me la acarició sin mostrarme nada, simplemente tratando de consolarme.

Nunca había pensado que el rol madre-hija pudiera revertirse en nuestro caso, del mismo modo que nos había sucedido a Renée y a mí, pero lo cierto es que nunca había tenido una clara percepción del futuro.

Una lágrima se desbordó por la comisura del ojo de la niña. Se la limpié con un beso. Ella se tocó sorprendida y después miró la humedad en la punta de su dedo.

—No llores —le dije—. Todo va a salir bien. Tú también estarás bien. Yo encontraré la manera de salir de todo esto.

Y si no había nada que se pudiera hacer, aun así salvaría a mi Renesmee. Estaba más segura que nunca de que esto era lo que Alice me había dado. Ella lo sabía. Y me había dejado una manera de hacerlo.

Irresistible

Había demasiadas cosas en las que pensar.

¿De dónde iba a sacar tiempo para estar a solas y localizar al tal J. Jenks? Además, ¿por qué quería Alice que supiera algo de él?

Si la pista de Alice no tenía nada que ver con Renesmee, ¿qué podía hacer para salvar a mi hija?

¿Y cómo le íbamos a explicar las cosas a la familia de Tanya por la mañana? ¿Qué íbamos a hacer si reaccionaban como Irina? ¿Y qué sucedería si al final todo derivaba en una batalla?

Yo no sabía luchar. ¿Cómo iba a aprender en sólo un mes? ¿Es que había alguna posibilidad de que me pudieran enseñar con la suficiente rapidez para que me convirtiera en un peligro para cualquier miembro de los Vulturis? ¿O estaba condenada a ser una completa inútil, como cualquier otro neonato fácil de despachar?

Necesitaba tantas respuestas… aunque no parecía encontrar la ocasión para formular las preguntas.

Insistí en llevar a Renesmee a la casa de la cabaña para dormir con el fin de mantener alguna apariencia de normalidad en su vida. Jacob estaba más cómodo en su forma de lobo en ese momento. Lidiaba mejor con el estrés cuando se sentía preparado para luchar. Deseé sentir lo mismo, poderme notar preparada, mientras él corría por los bosques, montando guardia de nuevo.

Una vez que estuvo profundamente dormida, la puse en su cama y fuimos hacia la habitación de la entrada para que yo pudiera hacerle mis preguntas a Edward. Al menos aquellas que podía hacer, ya que uno de los problemas más difíciles para mí era cómo seguir ocultándole cosas, incluso con la ventaja de poder esconder mis pensamientos.

Él permaneció de pie dándome la espalda, con la mirada fija en el fuego.

—Edward, yo…

Se dio la vuelta y cruzó la habitación en lo que pareció un tiempo inexistente, ni siquiera la mínima parte de un segundo. Sólo tuve ocasión de registrar la feroz expresión de su rostro antes de que sus labios se aplastaran contra los míos y sus brazos se enredaran a mi alrededor como vigas de acero.

No pude volver a pensar en mis preguntas en el resto de la noche. Me llevó poco tiempo captar la razón de ese estado de ánimo e incluso menos sentirme exactamente de la misma manera.

Había estado planeando que iba a necesitar años para poder aprender a controlar la pasión física arrolladora que sentía por él. Y después siglos para disfrutarlo, pero si ahora sólo nos quedaba un mes para estar juntos… Bueno, no veía cómo soportar un fin como ése. Por el momento, no podía hacer otra cosa salvo comportarme de modo egoísta. Todo lo que quería era amarle cuanto fuera capaz en el tiempo limitado que se nos había concedido.

Me resultó muy duro apartarme de él cuando el sol se alzó, pero teníamos que hacer nuestro trabajo, un trabajo que sería más difícil que todas las búsquedas juntas emprendidas por el resto de la familia. Tan pronto como me permití pensar en lo que se avecinaba, me puse en una tensión total. Sentía como si me estuvieran estirando los nervios en un potro de tortura para dejarlos cada vez más finos.

—Desearía que hubiera alguna manera de conseguir la información que necesitamos de Eleazar antes de que les hablemos de Nessie —masculló Edward mientras nos vestíamos de forma apresurada en aquel armario enorme que era un recordatorio más de Alice en un momento poco apropiado—. Sólo por si acaso.

—Pero él no podría comprender la pregunta para contestarla —admití—. ¿Crees que nos dejarán que nos expliquemos?

—No lo sé.

Cogí a Renesmee, que aún dormía en su cama, y la sostuve tan cerca de mí que aplasté sus rizos contra mi rostro. Su dulce olor, tan próximo, sobrepasaba a cualquier otro.

No podía malgastar ni un solo minuto más. Estaban las respuestas que necesitaba conseguir y no tenía la certeza de cuánto tiempo podríamos estar solos Edward y yo. Si todo iba bien con la familia de Tanya, con un poco de suerte, estaríamos acompañados por un largo periodo.

—Edward, ¿me enseñarás a luchar? —le pregunté y me tensé esperando su reacción, mientras me sostenía la puerta para que saliera.

Ocurrió como lo esperaba. Se quedó helado, y entonces sus ojos me recorrieron con una gran intensidad, como si me estuviera viendo por primera o por última vez. Su mirada se detuvo en nuestra hija, que aún dormía en mis brazos.

—Si tiene lugar una lucha, no habrá mucho que podamos hacer ninguno de nosotros —intentó escaparse por la tangente.

Yo mantuve la voz tranquila.

—¿Dejarías que fuera incapaz de defenderme a mí misma?

Él tragó saliva convulsivamente, y cuando su mano apretó la puerta, ésta tembló y las bisagras protestaron, pero luego asintió.

—Ya que lo pones de ese modo... supongo que tendremos que ponernos a trabajar tan pronto como sea posible.

Yo también asentí y comenzamos a caminar hacia la casa grande, sin apresurarnos.

Me pregunté qué podría hacer que nos trajera algo de esperanza o supusiera al menos una diferencia. Yo era un poquito especial, a mi estilo... Si tener un cráneo duro de un modo casi sobrenatural podía en verdad considerarse como algo especial... ¿En qué podría emplearlo, cuál sería su utilidad?

—¿Cuál dirías tú que es su principal ventaja? ¿Tienen alguna debilidad conocida?

Edward no tuvo que preguntar para darse cuenta de que me refería a los Vulturis.

—Alec y Jane son lo mejor que tienen de cara a una ofensiva —replicó con emoción, como si estuviera hablando de un partido de baloncesto—. Sus defensas rara vez participan de la acción.

—Ya sé que Jane puede prenderte fuego donde estés, al menos mentalmente hablando, pero, ¿qué es lo que hace Alec? ¿No me dijiste una vez que era incluso más peligroso que Jane?

—Sí. De algún modo, él es un antídoto de Jane. Ella te hace sufrir el dolor más intenso que puedas imaginar, pero Alec, por otro lado, hace que no sientas nada. Absolutamente nada. Algunas veces, cuando a los Vulturis les da por ser amables, permiten que Alec anestesie a quien vayan a ejecutar, siempre que se haya rendido a tiempo o les haya complacido de alguna otra manera.

—¿Anestesia? ¿Y por qué eso lo hace más peligroso que Jane?

—Porque te priva por completo de sensaciones, y no sientes dolor, pero tampoco puedes ver, oír u oler. Es una total privación sensorial y te quedas solo en la oscuridad. Ni siquiera experimentas la quemazón de las llamas en la hoguera.

Me eché a temblar. ¿Era esto lo mejor a lo que podía aspirar? ¿A no ver o sentir cuando viniera la muerte?

—Eso es lo que le hace tan peligroso como Jane —continuó Edward con la misma voz indiferente—. Ambos pueden incapacitarte, convertirte en un objetivo indefenso. La diferencia entre ellos es la misma que entre Aro y yo. Aro escucha la mente de una sola persona por vez y Jane sólo puede hacer daño al objetivo sobre el que se concentre. Yo soy capaz de oír a todo el mundo al mismo tiempo.

Sentí frío mientras veía adónde quería ir él a parar.

—Entonces, ¿Alec conseguiría incapacitarnos a todos al mismo tiempo? —susurré.

—Sí —respondió él—. Si usa su don contra nosotros, todos nos quedaremos ciegos y sordos hasta que nos caigan encima para matarnos... y en este caso, quizá simplemente nos quemen en vez de partirnos en trozos primero. Oh, claro que podemos intentar luchar, pero lo más probable es que terminemos haciéndonos daño unos a otros antes de que seamos capaces de herirles a ellos.

Caminamos en silencio durante unos cuantos segundos.

Se estaba formando una idea en mi cabeza. No resultaba muy prometedora, pero era mejor que nada.

—¿Crees que Alec es un buen luchador? —le pregunté—, aparte de lo que es capaz de hacer, claro. Me refiero a si tuviera que pelear sin su don. Me pregunto incluso si ha llegado a intentarlo alguna vez.

Edward me echó una ojeada de repente.

—¿En qué estás pensando?

Me limité a mirar al frente.

—Bueno, posiblemente no podrá hacerme eso a mí, ¿no? Si lo que hace es como lo de Aro, Jane o lo tuyo. Quizá… si él nunca ha tenido que defenderse… y si yo he llegado a aprender unos cuantos trucos…

—Él ha estado con los Vulturis durante siglos —me cortó Edward, con la voz teñida de pánico. Lo más probable es que estuviera viendo la misma imagen en su mente que yo: los Cullen de pie, inermes, como pilares insensibles en el campo de batalla… todos menos yo. Sería la única que *podría* luchar—. Sí, tal vez seas inmune a su poder, pero todavía eres una neófita, Bella. No puedo convertirte en una luchadora tan buena en sólo unas pocas semanas. Estoy seguro de que él, al menos, ha recibido entrenamiento.

—Quizá sí, quizá no. Es la única cosa que yo soy capaz de hacer y los demás no. Incluso aunque sólo consiga distraerle durante un rato… ¿Podría durar lo suficiente para darles a los otros una oportunidad?

—Por favor, Bella —replicó Edward entre dientes—. No hablemos más de esto.

—Sé razonable.

—Intentaré enseñarte lo que pueda, pero por favor, no me hagas pensar en que eso serviría para que te inmolaras como distracción… —la voz se le ahogó, y no logró terminar.

Yo asentí. Tendría que hacer mis planes a solas. Primero Alec, y si contaba con una suerte milagrosa y le vencía, después Jane. Sólo con que fuera capaz de igualar algo las cosas y nivelar la abrumadora ventaja de los Vulturis en la ofensiva, quizás entonces podría haber alguna oportunidad. Mi mente se desbocó al imaginar semejante posibilidad. ¿Qué ocurriría si conseguía distraerlos o quitarlos de en medio? Honestamente, ¿por qué habrían tenido que aprender Jane o Alec habilidades de combate? No alcanzaba a imaginarme a la pequeña Jane, tan petulante, cediendo lo más mínimo de su ventaja, ni siquiera para aprender.

Si era capaz de matarles, menuda diferencia marcaría eso.

—Tengo que aprenderlo todo. Tanto como sea posible introducir en mi cabeza en el próximo mes —murmuré.

Él actuó como si yo no hubiera hablado.

Entonces, ¿cuál sería el siguiente? Mejor que pusiera mis planes en orden de modo que, si vivía después de agredir a Alec, no hubiera ninguna vacilación en mi próximo ataque. Intenté pensar en otra situación donde un cráneo duro como el mío me diera una ventaja. No sabía mucho de las capacidades de los demás. Resultaba obvio que luchadores como el gigantesco Felix estaban más allá de mis posibilidades. Lo único que podía intentar era ofrecerle a Emmett la oportunidad de una lucha justa. Tampoco sabía mucho sobre el resto de la guardia de los Vulturis, aparte de Demetri…

Mi mente se mantuvo por completo serena mientras reflexionaba sobre Demetri. Sin duda, sería un buen luchador. No había ninguna otra razón por la que hubiera podido sobrevivir tanto tiempo, siempre en la punta de lanza de cualquier ataque. Y siempre debía ser el líder, ya que era su rastreador… probablemente el mejor rastreador del mundo. Sin duda alguna, porque si hubiera habido alguno mejor, los Vulturis se habrían hecho con él. Aro no se conformaba jamás con los segundones.

Si Demetri no existiera, entonces podríamos huir. Al menos, los supervivientes. Mi hija, tan cálida en mis brazos… Alguien podría escapar con ella, Jacob o Rosalie, quien quedara.

Y... si Demetri no existiera, entonces Alice y Jasper estarían a salvo para siempre. ¿Era eso lo que Alice había visto, que parte de nuestra familia podría salir adelante? Al menos, ellos dos.

¿Le envidiaría eso a ella?

—Demetri... —dije.

—Demetri es mío —replicó de nuevo Edward, con una voz tensa y dura. Le miré con rapidez y vi que su expresión se había vuelto violenta.

—¿Por qué? —le susurré.

Él al principio no contestó. Estábamos ya casi al lado del río cuando al fin murmuró.

—Por Alice. Es la única muestra de agradecimiento que puedo ofrecerle por los últimos cincuenta años.

De modo que sus pensamientos iban en la misma dirección que los míos.

Escuché las fuertes pisadas de las patas de Jacob golpeando con un ruido sordo el suelo helado. En unos segundos, se estaba paseando delante de mí, con sus ojos oscuros clavados en Renesmee.

Le dediqué un asentimiento y luego volví a mis preguntas. Teníamos poco tiempo.

—Edward, ¿por qué crees que Alice nos dijo que le preguntáramos a Eleazar por los Vulturis? ¿Ha estado él en Italia hace poco o algo parecido? ¿Qué podrá saber?

—Eleazar conoce todo lo referente a los Vulturis. Se me había olvidado que tú no lo sabías. Él formó parte de ellos.

Siseé de forma involuntaria y Jacob rugió a mi lado.

—¿Qué...? —le pregunté con la voz llena de exigencia, imaginándome al hermoso hombre de pelo negro que asistió a nuestra boda envuelto en una capa larga, de color ceniciento.

El rostro de Edward tenía ahora un aspecto más apacible e incluso sonrió un poquito.

—Eleazar es una persona muy buena. No era del todo feliz con los Vulturis, pero respetaba la ley y la necesidad de defenderla. Sentía que estaba trabajando por el bien común y no lamenta nada del tiempo que pasó con ellos, pero cuando se encontró con Carmen, halló su lugar en el mundo. Son gente muy parecida, ambos son muy compasivos para ser vampiros —él sonrió de nuevo—. Se encontraron con Tanya y sus hermanas y nunca miraron hacia atrás. Tenían madera para este nuevo estilo de vida. Si no se hubieran encontrado nunca con Tanya, me imagino que habrían descubierto algún día por ellos mismos una manera de vivir sin sangre humana.

Las imágenes desentonaban en mi mente, no había forma de que pudiera casarlas, ¿un soldado de los Vulturis compasivo?

Edward le echó una mirada a Jacob y respondió a su pregunta silenciosa.

—No, él no era uno de sus guerreros, hablando en sentido estricto. Pero tiene un don que encontraban conveniente.

Jacob debió de preguntar la obvia cuestión que surgía a continuación.

—Él tenía un instinto especial para captar los dones de los demás, las capacidades extraordinarias que disfrutan algunos vampiros —le contestó Edward—. Sabía darle a Aro una idea general de lo que cada vampiro concreto era capaz de hacer sólo con estar en sus proximidades. Esto era muy conveniente cuando los Vulturis entraban en combate, si alguien en el aquelarre que se les enfrentaba tenía alguna habilidad que pudiera causarles algún problema. Pero claro, algo así era poco habitual, debía tratarse de una capacidad realmente sobresaliente para que supusiera un inconveniente para los Vulturis, ni siquiera durante un momento. Más a menudo, el aviso le servía a Aro para salvar a aquellos enemigos que pudieran serle de utilidad. Hasta un cierto punto, el don de Eleazar funciona incluso con humanos. Ha de concentrarse mucho en ese caso, claro, porque la habilidad latente en un mortal es más confusa. Aro le hacía probar a la gente que quería que se les uniera para ver si tenían algún potencial. Por eso sintió mucho su marcha.

—¿Le dejaron marchar? —le pregunté—. ¿Así porque sí?

Su sonrisa era ahora más sombría y algo torcida.

—Se supone que los Vulturis no son los villanos, como a ti te lo parecen. Son los cimientos de nuestra civilización y de la paz. Cada miembro de la guardia escoge servirles, y se trata de algo muy prestigioso. Todos se sienten orgullosos de estar allí, y no se les puede forzar a ello.

Miré al suelo con mala cara.

—En teoría sólo les parecen malvados y abyectos a los criminales, Bella.

—Nosotros no somos criminales.

Jacob resopló, de acuerdo con mi afirmación.

—Ellos no lo saben.

—¿Crees de verdad que podemos hacer que se detengan el tiempo necesario para que nos escuchen?

Edward vaciló justo lo mínimo y después se encogió de hombros.

—Si encontramos suficientes amigos que nos apoyen, tal vez.

Sí. Repentinamente percibí la importancia de lo que teníamos que hacer ese día. Edward y yo comenzamos a movernos con más rapidez, hasta que por fin rompimos a correr y Jacob nos siguió de modo inmediato.

—No creo que Tanya tarde mucho más —comentó Edward—. Tenemos que estar preparados.

Pero, ¿cómo nos íbamos a preparar? Organizamos las cosas una y otra vez, las pensamos y las volvimos a pensar. ¿Dejaríamos a Renesmee a la vista o la esconderíamos al principio? Y Jacob ¿debería estar en la habitación o fuera? Él había ordenado a su manada que permaneciera cerca sin dejarse ver. ¿Haría él lo mismo?

Al final, Renesmee, Jacob —de nuevo en su forma humana— y yo, esperamos en el comedor, situado al otro lado de la esquina a la que daba la puerta principal, sentados ante la gran mesa de madera pulida. Jacob me dejó que sostuviera a Renesmee, quería espacio por si tenía que entrar en fase con rapidez.

Aunque estaba contenta de tenerla entre mis brazos, aquello me hizo sentir inútil. Me recordó que, en una lucha con vampiros maduros, no era más que un objetivo fácil y no necesitaba tener las manos libres.

Intenté evocar a Tanya, Kate, Carmen y Eleazar en la boda. Sus rostros aparecían opacos en mis recuerdos escasamente iluminados. Sólo sabía que eran hermosos, dos rubias y dos morenos. No podía rememorar si había algún rastro de amabilidad en sus ojos.

Edward se reclinó, inmóvil contra la pared donde estaba la ventana trasera, mirando con fijeza hacia la puerta principal, aunque no parecía que estuviera viéndola.

Escuchamos el zumbido del motor de los coches al pasar por la autovía, sin que ninguno de ellos disminuyera la velocidad.

Renesmee se acomodó pegada a mi cuello, con la mano contra mi mejilla pero sin imágenes en su mente. No tenía ninguna imagen para lo que sentía en esos momentos.

—¿Y qué pasará si no les gusto? —susurró y todos nuestros ojos se dirigieron hacia ella.

—Claro que les… —comenzó a decir Jacob, pero yo le silencié con una mirada.

—Ellos no comprenden tu existencia, Renesmee, porque jamás se han encontrado con nadie como tú —le expliqué, sin querer mentirle con promesas que podían no hacerse realidad—. El problema está en hacérselo entender.

Ella suspiró, y en mi mente relampaguearon imágenes de todos nosotros en un súbito y rápido pase. Vampiros, humanos, licántropos. Ella no encajaba en ningún sitio.

—Tú eres especial, y eso no es malo.

Ella sacudió la cabeza expresando así su desacuerdo. Pensó en nuestras caras tensas y dijo:

—Es culpa mía.

—No —Jacob, Edward y yo lo dijimos los tres a la vez, al mismo tiempo, pero antes de que pudiéramos argumentar algo más, escuchamos el sonido que habíamos estado esperando: el de un motor que reducía la velocidad en la autovía y el de las cubiertas de las ruedas moviéndose del asfalto a la tierra.

Edward salió disparado hacia la esquina para esperarlos en la puerta y Renesmee se escondió entre mi pelo. Jacob y yo nos quedamos mirándonos el uno al otro a través de la mesa, con la desesperación pintada en las caras.

El coche se trasladó con rapidez a través del bosque, con un estilo de conducción más rápido que el de Sue o Charlie. Le escuchamos atravesar el prado y pararse delante del porche delantero, y luego cómo se abrían las cuatro puertas y se cerraban. No hablaron mientras se aproximaban hacia la puerta y Edward la abrió antes de que llamaran.

—¡Edward! —exclamó una voz femenina con entusiasmo.

—Hola, Tanya. Kate, Eleazar, Carmen.

Los tres murmuraron saludos.

—Carlisle nos dijo que necesitaba hablar con nosotros de forma urgente —comentó la primera voz, Tanya, y percibí que todos permanecían en el exterior de la casa. Me imaginé que Edward estaba en la entrada, bloqueándoles el paso—. ¿Cuál es el problema? ¿Algún lío con los licántropos?

Jacob puso los ojos en blanco.

—No —replicó Edward—. Nuestra tregua con los hombres lobo es más fuerte que nunca.

Una mujer se echó a reír entre dientes.

—¿Vas a invitarnos a entrar o no? —preguntó Tanya y después continuó hablando sin esperar respuesta—. ¿Dónde está Carlisle?

—Ha tenido que marcharse.

Se hizo un corto silencio.

—¿Qué es lo que está pasando, Edward? —inquirió Tanya con voz exigente.

—Si me concedierais el beneficio de la duda durante unos cuantos minutos —respondió él—. Tengo algo difícil que explicar, y necesito que mantengáis una actitud abierta hasta que podáis entenderlo.

—¿Carlisle está bien? —preguntó una voz masculina con ansiedad. Eleazar.

—Ninguno de nosotros se encuentra bien, Eleazar —le informó Edward y después palmeó algo, quizá el hombro del vampiro—. Pero al menos físicamente, sí, se encuentra bien.

—¿Físicamente? —preguntó Tanya de repente—. ¿Qué quieres decir?

—Que toda mi familia corre un peligro muy grave, pero antes de que me explique, os pido que me prometáis que lo escuchareis todo antes de reaccionar. Os suplico que oigáis toda la historia primero.

Su petición se encontró con un silencio más largo, tenso, a lo largo del cual Jacob y yo nos miramos el uno al otro sin palabras. Sus labios rojizos palidecieron.

—Estamos escuchando —dijo Tanya al fin—. Lo escucharemos todo antes de juzgar nada.

—Gracias, Tanya —repuso Edward con fervor—. No os habríamos implicado en esto de haber tenido otra posibilidad.

Edward se puso en marcha y percibimos cuatro pares de pasos cruzando la entrada.

Alguien olisqueó.

—Ya sabía que esos licántropos tenían que estar en el asunto —masculló Tanya.

—Sí, y están de nuestro lado. Otra vez.

El recuerdo de lo sucedido silenció a Tanya.

—¿Dónde está tu Bella? —inquirió otra de las voces femeninas—. ¿Cómo se encuentra?

—Se nos unirá pronto. Y ella está bien, gracias. Se ha incorporado a la inmortalidad con una sorprendente finura.

—Cuéntanos en qué consiste el peligro, Edward —solicitó Tanya en voz baja—. Todos te escucharemos y estaremos de vuestro lado, donde pertenecemos.

Edward inhaló un gran trago de aire.

—Primero quiero que lo veáis por vosotros mismos. Prestad atención… en la otra habitación. ¿Qué oís?

Se hizo un nuevo silencio y después algo se puso en movimiento.

—Sólo escuchad, por favor —insistió Edward.

—Un hombre lobo, supongo. Puedo oír su corazón —repuso Tanya.

—¿Qué más? —preguntó Edward.

Se hizo una pausa.

—¿Qué es ese sonido como de repiqueteo? —preguntó Carmen o Kate—. ¿Es… alguna clase de pájaro?

—No, pero recordad que lo habéis oído. Ahora, ¿qué oléis? Además del licántropo.

—¿Hay ahí un humano? —susurró Eleazar.

—No —Tanya expresó su desacuerdo—. No es humano, pero… es más cercano a lo humano que el resto de los olores que hay por aquí. ¿Qué es eso, Edward? No creo que haya olido nada igual en toda mi vida.

—Seguro que no, Tanya. Por favor, *por favor,* recordad que esto es algo por completo nuevo para vosotros. Apartad vuestras ideas preconcebidas.

—Te prometimos que te escucharíamos, Edward.

—Muy bien, entonces ¿Bella? Tráenos a Renesmee, por favor.

Sentí las piernas extrañamente dormidas, pero sabía que esa sensación sólo estaba en mi cabeza. Me forcé a no refrenarme, a no moverme con lentitud cuando me puse en pie y caminé los pocos pasos que había hasta la esquina. El calor del cuerpo de Jacob flameó muy cerca de mí mientras me seguía.

Di un paso más hacia la habitación grande y entonces me detuve, incapaz de caminar más. Renesmee inhaló en profundidad y después se asomó para mirar por debajo de mi pelo, con sus pequeños hombros tensos, esperando ser rechazada.

Pensé que me había preparado para su reacción, para las acusaciones, los gritos, para la inmovilidad del estrés agudo.

Tanya saltó hacia atrás cuatro pasos, con sus rizos del color de las fresas temblorosos, como un humano que se enfrentara a una serpiente venenosa. Kate también recorrió a saltos hacia atrás todo el camino hacia la puerta principal y tanteó a ciegas para ver dónde tenía la pared a sus espaldas. De entre sus dientes apretados brotó un siseo mezcla de sorpresa y miedo. Eleazar se agazapó delante de Carmen en una postura defensiva.

—Oh, por favor —escuché quejarse a Jacob para sus adentros.

Edward puso el brazo alrededor de mí y de Renesmee.

—Prometisteis escuchar —les recordó.

—¡Hay algunas cosas que no deben escucharse! —exclamó Tanya—. ¿Cómo has podido, Edward? ¿Es que no sabes lo que esto significa?

—Tenemos que salir de aquí —replicó Kate con ansiedad, con la mano en el pomo de la puerta.

—Edward… —Eleazar parecía encontrarse más allá de las palabras.

—Esperad —dijo Edward, con la voz endurecida ahora—. Recordad lo que oísteis, lo que olisteis. Renesmee no es lo que creéis.

—No hay excepciones a esa regla, Edward —replicó Tanya con brusquedad.

—Tanya —replicó Edward con dureza—, ¡has oído el sonido de su corazón! Para y piensa en lo que eso significa.

—¿El latido de su corazón? —susurró Carmen, mirando por encima del hombro de Eleazar.

—No es una niña vampira completa —respondió Edward, dirigiendo su atención a la expresión menos hostil de Carmen—. Es semihumana.

Los cuatro vampiros se le quedaron mirando como si estuviera hablando en un idioma ininteligible para todos ellos.

—Escuchadme —la voz de Edward se moduló ahora hacia su aterciopelado tono de persuasión—. Renesmee es única en su especie. Yo soy su padre; no su creador, no, soy su padre biológico.

La cabeza de Tanya temblaba, aunque era un movimiento casi imperceptible. Ella no parecía ser consciente.

—Edward, no puedes esperar de nosotros que… —comenzó Eleazar a hablar.

—Pues dame otra explicación que te encaje, Eleazar. Puedes sentir la calidez de su cuerpo en el aire. La sangre corre por sus venas, Eleazar, puedes olerla.

—¿Cómo ha sucedido esto? —preguntó Kate, casi sin aliento.

—Bella es su madre biológica —le contestó Edward—. Concibió, la llevó en su seno, y dio a luz a Renesmee mientras todavía era humana. Eso casi la mató, así que me vi obligado a introducir una cantidad suficiente de ponzoña en su corazón para salvarla.

—Nunca había oído hablar de una cosa así —replicó Eleazar. Tenía todavía los hombros rígidos y una expresión fría en el semblante.

—Las relaciones íntimas entre vampiros y humanos no son frecuentes —contestó Edward, ahora con algo de humor negro en su tono—. Y que existan humanos que hayan sobrevivido a este tipo de citas, menos aún. ¿No estáis de acuerdo, primas?

Tanto Tanya como Kate le miraron con cara de pocos amigos.

—Fíjate bien ahora, Eleazar. Seguro que puedes apreciar el parecido.

Pero fue Carmen la que respondió a las palabras de Edward. Dio un paso para salir de detrás del vampiro, ignorando su advertencia a medias y caminó con cautela hasta permanecer justo delante de mí. Se inclinó con ligereza, mirando cuidadosamente el rostro de Renesmee.

—Parece que tienes los ojos de tu madre —comentó con una voz tranquila y baja—, pero el rostro de tu padre —y después, como si no hubiera podido evitarlo, le sonrió.

La sonrisa de Renesmee en respuesta fue deslumbrante. Rozó mi rostro sin apartar la mirada de Carmen. Se imaginaba tocando el rostro de Carmen y se preguntaba si eso estaría bien.

—¿Te importaría que la misma Renesmee te lo cuente? —le pregunté a Carmen. Todavía estaba demasiado tensa para poder hablar en voz más alta que un simple susurro—. Tiene un don para explicar las cosas.

Carmen todavía le sonreía a la niña.

—¿Hablas, pequeña?

—Sí —respondió con su aguda voz de soprano. Toda la familia de Tanya se estremeció ante el sonido de su voz, salvo Carmen—. Pero puedo mostrarte más cosas de las que puedo contar.

Colocó su pequeña mano llena de hoyuelos en la mejilla de Carmen.

La vampira se envaró como si le hubieran aplicado una corriente eléctrica. Eleazar estuvo a su lado en un instante, con las manos en sus hombros como si fuera a apartarla con brusquedad.

—Espera —pidió Carmen casi sin aliento, con sus ojos que no pestañeaban fijos en Renesmee.

La niña le «mostró» a Carmen su explicación durante un buen rato. El rostro de Edward permaneció atento mientras observaba, y yo hubiera deseado tanto poder oír lo que él escuchaba… Jacob cambió el peso de un pie a otro con impaciencia a mis espaldas y supe que también habría querido lo mismo.

—¿Qué le está enseñando Nessie? —gruñó entre dientes.

—Todo —murmuró Edward.

Pasó otro minuto y Renesmee dejó caer la mano del rostro de Carmen y sonrió con alegría a la asombrada vampira.

—Realmente es tu hija, ¿a que sí? —comentó Carmen casi sin aliento, moviendo sus grandes ojos de color topacio al rostro de Edward—, ¡qué don tan vivo! Esto sólo podía venir de un padre igual de bien dotado.

—¿Crees lo que te ha contado? —preguntó Edward, con una expresión llena de intensidad.

—Sin ninguna duda —replicó Carmen con sencillez.

El rostro de Eleazar estaba rígido de la angustia.

—¡Carmen!

Ella le cogió las manos con las suyas y se las apretó.

—Aunque parezca imposible, Edward no nos ha dicho más que la verdad. Deja que la niña te lo muestre.

Carmen empujó a Eleazar hacia mí y luego asintió a Renesmee.

—Enséñaselo, *querida mía.*

Renesmee sonrió de oreja a oreja, de alegría por la aceptación de Carmen, y tocó a Eleazar en la frente con un toque ligero.

—¡*Ay, caray!*[5]—escupió él, y saltó hacia atrás.

—¿Qué es lo que te ha hecho? —inquirió Tanya al tiempo que se acercaba, embargada por la preocupación. Kate también se deslizó hacia delante.

—Sólo está intentando mostrarte su lado de la historia —le dijo Carmen con voz tranquilizadora.

Renesmee frunció el ceño con impaciencia.

—Ven, mira, por favor —le ordenó a Eleazar. Le extendió la mano y después dejó unos cuantos centímetros entre sus dedos y su rostro, esperando.

Eleazar le echó una ojeada suspicaz y después clavó sus ojos en Carmen buscando su ayuda. Ella asintió para darle ánimos. El vampiro inhaló un gran trago de aire y después se inclinó hacia ella hasta que su frente tocó la pequeña mano otra vez.

---

[5] Tanto esta frase como la anterior de Carmen en castellano en el original. [N. de los T.]

Él se estremeció cuando el proceso comenzó pero se quedó quieto en esta ocasión, con los ojos cerrados, concentrado.

—Ahh —suspiró cuando sus ojos se reabrieron unos cuantos minutos más tarde—. Ya veo.

Renesmee le sonrió. Él vaciló, y después le devolvió una sonrisa desganada en respuesta.

—¿Eleazar? —preguntó Tanya.

—Es todo cierto, Tanya. No es una niña inmortal, es semihumana. Ven. Míralo por ti misma.

En silencio, Tanya acudió a su vez para colocarse delante de la niña con ademán precavido y después Kate, ambas mostrando sorpresa cuando les llegó la primera imagen al contacto de Renesmee; pero luego, en cuanto terminó, parecieron del todo convencidas, igual que Carmen y Eleazar.

Dirigí una mirada al rostro tranquilo de Edward, preguntándome si podía ser tan fácil. Sus ojos dorados lucían claros, sin sombras. No había engaño en esto, entonces.

—Gracias por escucharnos —dijo con voz serena.

—Pero aún existe el *grave peligro* del que nos hablaste —le dijo Tanya a su vez—, ya veo que no procede directamente de esta niña, pero entonces ha de proceder de los Vulturis. ¿Cómo han llegado a saber de ella? ¿Cuándo vendrán?

No me sorprendió su rápida comprensión de las cosas. Después de todo, ¿de dónde podría venir una amenaza a una familia tan fuerte como la mía? Sólo de los Vulturis.

—El día en que Bella vio a Irina en las montañas —le explicó Edward—, tenía a Renesmee con ella.

Kate siseó, entrecerrando los ojos hasta convertirlos en rendijas.

—¿Ha sido *Irina* quien ha hecho esto? ¿A vosotros? ¿A Carlisle? *¿Irina?*

—No —susurró Tanya—. Ha debido de ser otra…

—Alice la vio acudiendo a ellos —comentó Edward. Me pregunté si los demás notaron la forma en que se encogió ligeramente cuando mencionó el nombre de Alice.

—Pero ¿cómo ha podido hacer eso? —preguntó Eleazar sin dirigirse a nadie en concreto

—Imagínate que hubieras visto a Renesmee sólo a distancia, y que no te hubieras esperado a oír nuestra explicación.

Los ojos de Tanya se entrecerraron.

—No importa lo que ella haya pensado… Vosotros sois nuestra familia.

—Ya no hay nada que podamos hacer respecto a la decisión de Irina. Es demasiado tarde. Alice nos ha dado un mes de plazo.

Tanto Tanya como Kate inclinaron la cabeza hacia un lado, y esta última frunció el ceño.

—¿Tanto tiempo? —preguntó Eleazar.

—Vienen todos juntos y eso requiere una cierta preparación previa.

Eleazar soltó un jadeo.

—¿La guardia completa?

—No sólo la guardia —replicó Edward, con las mandíbulas apretadas—. También Aro, Cayo, Marco… incluso las esposas.

La sorpresa relampagueó en los ojos de todos los vampiros.

—Imposible —repuso Eleazar sin podérselo creer.

—Justo lo que yo dije hace dos días —comentó Edward.

El vampiro puso muy mala cara y cuando habló lo que surgió fue casi un rugido.

—Pero eso no tiene sentido alguno. ¿Por qué se iban a poner ellos mismos y a las esposas en peligro?

—No tiene ningún sentido desde ese punto de vista. Alice dijo que se trataba de algo más que un simple castigo por lo que creían que habíamos hecho. Ella pensó que tú podrías ayudarnos.

—¿Más que un castigo? Pero ¿qué otra cosa puede ser?

Eleazar comenzó a caminar de un lado para otro, dirigiéndose primero hacia la puerta y luego hacia atrás como si estuviera solo en la habitación, con las cejas fruncidas mientras miraba hacia el suelo.

—¿Dónde están los demás, Edward? ¿Carlisle, Alice y los otros? —preguntó Tanya.

La vacilación de Edward apenas fue perceptible y respondió sólo a parte de la pregunta.

—Buscando a amigos capaces y dispuestos a ayudarnos.

Tanya se inclinó hacia él, adelantando las manos en su dirección.

—Edward, no importa cuántos amigos consigas reunir, no podemos ayudarte a ganar. Sólo podemos morir contigo. Debes saber eso. Claro, quizás nosotros cuatro nos lo merecemos después de lo que Irina ha hecho, y después de cómo os fallamos en el pasado... y esta vez también por el bien de la niña.

Edward sacudió la cabeza con rapidez.

—No os vamos a pedir que luchéis y muráis con nosotros, Tanya. Ya sabes que Carlisle jamás solicitaría una cosa así.

—Entonces, ¿cuál es la naturaleza de vuestra petición, Edward?

—Simplemente estamos buscando testigos. Si les podemos detener, aunque sea por un momento, si dejan que nos expliquemos... —tocó la mejilla de Renesmee y ella agarró su mano y la mantuvo apretada contra su piel—. Es difícil dudar de nuestra historia cuando la ves por ti mismo.

Tanya asintió con lentitud.

—¿Tú crees que su pasado les importará mucho?

—Sólo en la medida en que amenace su futuro. El sentido de mantener la restricción estaba en protegernos de quedar expuestos y de los excesos de los niños que no podían educarse.

—Yo no soy peligrosa en absoluto —intervino Renesmee. Escuché su voz alta y clara con nuevos oídos, imaginando cómo sonaría a los demás—. Nunca le he hecho daño al abuelito, a Sue o a Billy. Me encantan los humanos. Y los lobos como mi Jacob —ella dejó caer la mano de Edward hacia atrás y dio una palmadita al brazo de Jacob.

Tanya y Kate intercambiaron una mirada rápida.

—Si Irina no hubiera venido tan pronto —musitó Edward—, nos podríamos haber evitado todo esto. Renesmee crece a un ritmo sin precedentes. Cuando pase este mes, habrá ganado otro año de desarrollo.

—Bueno, eso es algo que lograremos atestiguar sin ninguna duda —replicó Carmen en tono decidido—. Podemos prometer que la hemos visto madurar por nosotros mismos. ¿Cómo iban a ignorar los Vulturis una evidencia como ésa?

Eleazar masculló entre dientes.

—¿Cómo, en verdad? —pero no alzó la mirada y continuó paseándose como si no estuviera prestando atención en absoluto.

—Sí, os serviremos de testigos —admitió Tanya—. Al menos eso sí. Y consideraremos qué otras cosas hacer.

—Tanya —protestó Edward, escuchando algo más en sus pensamientos de lo que había en sus palabras—, no esperamos que luchéis con nosotros.

—Si los Vulturis no se detienen lo suficiente para escuchar nuestra declaración, no nos vamos a quedar de brazos cruzados —insistió Tanya—. Aunque claro, yo sólo puedo hablar por mí misma.

Kate resopló.

—¿Realmente dudas tanto de mí, hermana?

Tanya le dirigió una gran sonrisa.

—Después de todo, es una misión suicida.

Kate le devolvió otra sonrisa y después se encogió de hombros con indiferencia.

—Yo también estaré.

—Y yo haré todo lo que pueda para proteger a la niña —acordó también Carmen. Y luego, como si no se pudiera resistir, tendió las manos hacia Renesmee—. ¿Me dejas que te coja, *mi precioso bebé*?[6]

Renesmee se inclinó decidida hacia Carmen, encantada de haber hecho una nueva amiga. La vampira la abrazó con fuerza, murmurándole algo en español.

Sucedió lo mismo que había pasado con Charlie, y antes con todos los demás Cullen. La niña resultaba irresistible. ¿Qué era lo que había en ella que hacía que todos se le rindieran, que les hacía incluso desear entregar sus vidas para defenderla?

Durante un momento pensé que lo que estábamos intentando *quizá* podía funcionar. Tal vez Renesmee lograra lo imposible: ganarse a nuestros enemigos como se había ganado a nuestros amigos.

Y entonces recordé que Alice nos había dejado y mi esperanza se desvaneció tan deprisa como había aparecido.

---

[6] En castellano en el original. [N. de los T.]

Talentos

—¿Y qué tienen que ver los licántropos en todo esto? —preguntó entonces Tanya, mirando a Jacob.

Antes de que Edward pudiera contestar, habló Jacob.

—Si los Vulturis deciden no detenerse hasta escuchar lo que haya que decir sobre Nessie, es decir, Renesmee —se corrigió a sí mismo, recordando que Tanya no reconocería su estúpido apodo—, seremos *nosotros* los que los detengamos.

—Muy valiente por tu parte, chico, pero sería imposible hasta para luchadores más experimentados que vosotros.

—No sabéis de lo que somos capaces.

Tanya se encogió de hombros.

—Es tu vida, la verdad, y puedes hacer con ella lo que quieras.

Los ojos de Jacob se movieron hacia Renesmee, que estaba todavía en los brazos de Carmen, con Kate revoloteando alrededor… y era fácil leer la añoranza en ellos.

—Es especial, esta pequeñaja —musitó Tanya—, difícil de resistir.

—Una familia llena de talentos —murmuraba Eleazar mientras caminaba, incrementando cada vez más el ritmo. Tardaba un segundo en ir de la puerta hasta donde estaba Carmen y luego regresar—. Un padre lector de mentes, una madre escudo y la magia que sea con la que esta niña extraordinaria nos ha hechizado. Me pregunto si hay un nombre para lo que ella hace, o si ésta sería la norma para un híbrido de vampiro. ¡Como si una cosa como ésta pudiera considerarse normal! ¡Vaya, un vampiro híbrido!

—Perdóname —dijo Edward con voz aturdida. Se acercó a Eleazar y lo cogió por el hombro cuando se giraba para volver hacia la puerta—. ¿Cómo has llamado a mi esposa?

Eleazar miró a Edward con curiosidad, su manía de pasear olvidada por el momento.

—«Escudo», *creo* que he dicho. Me está bloqueando justo ahora, así que no puedo estar seguro.

Me quedé mirando a Eleazar, con las cejas fruncidas debido a la confusión. ¿Escudo? ¿Qué quería decir con que estaba «bloqueándole»? Yo sólo estaba allí, justo a su lado, sin hacer nada en mi defensa.

—¿Un escudo? —repitió Edward, desconcertado.

—¡Venga ya, Edward! Si yo no puedo leer en ella, dudo que tú seas capaz. ¿Estás escuchando sus pensamientos ahora? —le preguntó Eleazar.

—No —murmuró Edward—, pero jamás he podido hacerlo, ni siquiera cuando era humana.

—¿Nunca? —Eleazar pestañeó—. Qué interesante. Eso indicaría un talento latente bastante poderoso, si ya se manifestaba de forma tan clara antes de la transformación. No puedo encontrar ningún camino por el que abrirme acceso a través de su escudo para ver de qué va la cosa. Todavía no debe de estar madura en este sentido… sólo tiene unos cuantos meses —la mirada que le dirigió a Edward era casi exasperada—. Y por lo que parece no es consciente en absoluto de lo que está haciendo. Para nada. Qué ironía. Aro me envió por todo el mundo a la búsqueda de este tipo de anomalías y tú simplemente te la tropiezas por accidente y ni siquiera te das cuenta de lo que tienes.

Eleazar sacudió la cabeza con incredulidad.

Yo puse mala cara.

—¿De qué estás hablando? ¿Cómo puedo yo ser un escudo? ¿Qué quiere decir eso? —toda la imagen que podía conjurar en mi cerebro era la de una ridícula armadura medieval.

Eleazar inclinó la cabeza a un lado mientras me examinaba.

—Supongo que éramos demasiado formales en la guardia sobre este tema. La verdad es que categorizar un talento es un asunto subjetivo y azaroso. Cada don es único y nunca se repite la misma cosa dos veces; pero tú, Bella, eres bien fácil de clasificar. Hay aptitudes que son nada más que defensivas, protegen algunos aspectos del portador, y a ésos siempre les hemos llamado escudos. ¿Nunca has comprobado tus habilidades? ¿No has bloqueado a nadie más además de a mí y a tu compañero?

Me llevó varios segundos organizar la respuesta, a pesar de lo rápido que trabajaba mi nuevo cerebro.

—Sólo funciona con ciertas cosas —le expliqué—. Mi cabeza es una especie de… zona privada, pero no ha impedido que Jasper sea capaz de modificar mi estado de ánimo y Alice lea mi futuro.

—Es una defensa puramente mental —Eleazar asintió para sí mismo—. Limitada, pero fuerte.

—Aro no podía escucharla —intervino Edward—, aunque ella era humana cuando se encontraron.

Eleazar puso unos ojos redondos como platos.

—Y Jane intentó hacerme daño pero tampoco lo logró —relaté yo—. Edward cree que Demetri no es capaz de encontrarme y que tampoco Alec podrá conmigo, ¿eso es bueno?

Eleazar todavía boquiabierto, volvió a asentir.

—Mucho.

—¡Un escudo! —exclamó Edward con una profunda satisfacción que saturaba su voz—. Nunca lo había contemplado desde ese punto de vista. La única persona que conocí con ese don era Renata, y lo que ella hacía era bastante diferente.

Eleazar se recobró un poco.

—Sí, no todos los talentos se manifiestan siempre de la misma manera, porque tampoco nadie *piensa* justo del mismo modo.

—¿Quién es Renata? ¿Qué es lo que hace ella? —pregunté, y Renesmee se mostró interesada también, apartándose de Carmen para poder mirar por detrás de Kate.

—Renata es la guardaespaldas personal de Aro —me contó Eleazar—. Tiene un escudo la mar de práctico y muy fuerte además.

Recordaba vagamente una pequeña multitud de vampiros rodeando a Aro en su macabra torre, hombres y mujeres. Pero no conseguía rememorar los rostros femeninos en aquella imagen desagradable y terrorífica. Una de ellas debía de ser Renata.

—Me pregunto… —musitó Eleazar—. Verás, Renata es un poderoso escudo frente a un ataque físico. Si alguien se acerca a ella (o a Aro, siempre está a su lado cuando hay una situación hostil), se encuentra… desviado. Hay una fuerza a su alrededor que repele, aunque resulta casi imperceptible. Simplemente te encuentras yendo en una dirección que no habías planeado, con la memoria confusa, sin conseguir recordar por qué te habías planteado ir en la otra dirección en primer lugar. Puede proyectar ese escudo a varios metros de donde se sitúa. También protege a Cayo y Marco cuando les es necesario, pero Aro es su prioridad.

»Lo que hace no es en realidad físico. Como la mayoría de los dones que poseemos, surge de la mente. Si ella intentara rechazarte, me pregunto quién ganaría —sacudió la cabeza—. Nunca había oído que los dones de Alec o Jane hubieran sido burlados.

—Mami, eres especial —me dijo Renesmee sin mostrar sorpresa alguna, como si estuviera comentando el color de mis ropas.

Me sentí desorientada. ¿Había sabido yo algo de mi don antes de ahora? Lo único que creía tener era ese autocontrol superlativo que me había permitido superar bien el año de neófita que tanto me amedrentaba. En su mayoría los vampiros sólo tenían un don, ¿no?

¿O era Edward el que había tenido razón desde el principio? Antes de que Carlisle sugiriera que ese autocontrol podía ser algo fuera de lo natural, Edward había pensado que mi contención era producto de una buena disposición... «orientación y preparación», ésas habían sido sus palabras.

¿Cuál de los dos tenía razón? ¿Había algo más que yo pudiera hacer? ¿Había algún nombre o categoría para lo que yo era?

—¿Eres capaz de proyectarlo? —preguntó Kate con gran interés.

—¿Proyectarlo? —inquirí yo a mi vez.

—Empujarlo al exterior, fuera de ti —me explicó Kate—. Proteger a alguien además de a ti misma.

—No lo sé. Nunca lo he intentado. Y tampoco sé cómo hacerlo.

—Oh, puede que no sea posible —repuso ella con rapidez—. Los cielos saben que yo llevo trabajando en esto desde hace siglos y lo máximo que he logrado es hacer correr una especie de corriente sobre mi piel.

Me quedé mirándola, perpleja.

—Kate tiene un don ofensivo —me explicó Edward— muy similar al de Jane.

Me aparté de ella automáticamente, y se echó a reír.

—Yo no lo uso en plan sádico —me aseguró—. Es sólo algo que viene muy bien cuando has de luchar.

Las palabras de Kate me calaban poco a poco, comenzando a crear relaciones en mi mente. «Proteger a alguien además de a ti misma», había dicho ella. Como si pudiera haber alguna forma de incluir a alguien en mi extraña y estrafalaria cabeza silenciosa.

Recordé a Edward encogiéndose sobre las antiguas piedras de la torre del castillo de los Vulturis. Aunque era un recuerdo humano, resultaba más agudo y doloroso que la mayoría… como si hubiera sido grabado en los tejidos de mi cerebro.

¿Cómo podía conseguir que eso no volviera a ocurrir? ¿Qué pasaría si pudiera protegerle, a él y a Renesmee? ¿Qué pasaría si tuviera la más mínima posibilidad de escudarlos a todos?

—¡Tienes que enseñarme cómo hacerlo! —exclamé, agarrando a Kate del brazo sin pensar—. ¡Debes enseñarme cómo!

Kate se encogió ante la fuerza de mi agarre.

—Quizá podría hacerlo… si dejas de intentar machacarme el antebrazo.

—¡Oh! ¡Lo siento!

—Tu escudo está actuando, seguro —dijo Kate—. Ese movimiento que he hecho podría haberte arrancado el brazo. ¿No sientes nada en estos momentos?

—Eso no era necesario, Kate. Ella no quería hacerte daño —masculló Edward, pero ninguno de nosotros le prestó atención.

—No, no siento nada. ¿Estabas haciendo lo de tu corriente eléctrica?

—Sí. Mmm. Nunca he encontrado a nadie que no la percibiera, fuera inmortal o cualquier otra cosa.

—¿Dijiste que la proyectabas? ¿Sobre tu piel?

Kate asintió.

—Antes sólo me ocurría en las palmas de las manos. Algo parecido a lo de Aro.

—O Renesmee —intervino Edward.

—Pero después de un montón de práctica, puedo irradiar la corriente por todo mi cuerpo.

Estaba escuchando a Kate a medias, ya que mis pensamientos se aceleraban alrededor de la idea de que podría proteger a mi pequeña familia sólo con que aprendiera a hacerlo con la suficiente rapidez. Deseaba fervientemente ser lo bastante buena en este asunto de la proyección como lo había sido —de un modo tan misterioso— en todos los otros aspectos que conllevaban la vida de vampiro. Mi vida humana no me había preparado para que las cosas vinieran de forma natural, y no podía confiar en que esta aptitud durara.

Sentía como si nunca hubiera deseado nada con tantas ganas: ser capaz de proteger a los que amaba.

Como estaba tan preocupada, no noté el silencioso intercambio que se estaba produciendo entre Edward y Eleazar hasta que se convirtió en una conversación hablada.

—¿Puedes pensar en al menos una excepción? —preguntaba Edward.

Fijé mi atención para captar el sentido de su comentario y me di cuenta de que todo el mundo estaba ya mirando a los dos hombres. Se inclinaban el uno hacia el otro con interés, la expresión de Edward tensa debido a la sospecha y la de Eleazar, infeliz y renuente.

—No quiero pensar en ellos de esa forma —decía Eleazar entre dientes. Me sorprendió el profundo cambio que se había producido en la atmósfera—. Si tuvieras razón… —comenzó de nuevo Eleazar.

Edward le cortó.

—El pensamiento era tuyo, no mío.

—Si *yo* tuviera razón… ni siquiera puedo comprender lo que eso significaría. Cambiaría de arriba abajo el mundo que hemos creado. Cambiaría incluso el sentido de mi vida, de aquello a lo que he pertenecido.

—Tus intenciones siempre fueron buenas, Eleazar.

—¿Y qué importaría eso? ¿Qué es lo que he hecho? Cuántas vidas…

Tanya puso la mano sobre el hombro de Eleazar en un gesto de consuelo.

—¿Qué es lo que nos hemos perdido, amigo mío? Quiero saberlo para poder argüir en contra de esos pensamientos. Tú nunca has hecho nada que merezca que te castigues así a ti mismo.

—¿Ah, no lo he hecho? —masculló Eleazar.

Entonces, se sacudió la mano con un encogimiento de hombros y comenzó a caminar de nuevo, más rápido aún que antes. Tanya le observó durante medio segundo y después se concentró en Edward.

—Explícate.

Edward asintió, con sus ojos tensos siguiendo a Eleazar mientras andaba.

—Él estaba intentando comprender por qué venían tantos de los Vulturis a castigarnos. Ésa no es la manera en la que suelen hacer las cosas. Es verdad que nosotros somos el aquelarre más maduro y grande con el que han tratado, pero en el pasado otros aquelarres se han unido para protegerse y nunca han sido un gran reto, a pesar del número que llegaran a sumar. Nosotros estamos más íntimamente ligados y ése es un factor a tener en cuenta, pero no el principal.

»Estaba recordando otras veces en las que algunos aquelarres han sido castigados, por una cosa u otra, y se le ha ocurrido que hay un modelo. Un modelo que el resto de la guardia no habría notado nunca, ya que Eleazar era el encargado de pasar la información confidencial a Aro, en privado. Un modelo que sólo se repite cada siglo más o menos.

—¿Y cuál es ese modelo? —preguntó Carmen, observando a Eleazar igual que Edward.

—Aro no suele asistir a las expediciones de castigo —explicó Edward—, pero en el pasado, cuando Aro quería algo en particular, no tardaba mucho en encontrarse evidencias de que tal o cual aquelarre había cometido un crimen imperdonable. Los antiguos decidían en ese caso acompañar a la guardia para observar cómo se impartía justicia. Y entonces, cuando el aquelarre estaba definitivamente destruido, Aro garantizaba el perdón a aquel miembro cuyos pensamientos, según declaraba él, mostraban un arrepentimiento especial. Ese vampiro *siempre* era el que tenía el don que Aro había admirado. Y a esa persona *siempre* se le daba un lugar en la guardia. El vampiro se integraba con rapidez, *siempre* se sentía agradecido por el honor concedido. Nunca hubo excepciones.

—Debía de ser algo embriagador resultar escogido —sugirió Kate.

—¡Ja! —bramó Eleazar, todavía en movimiento.

—Hay una vampira en la guardia —explicó Edward, para que comprendieran la reacción de enfado del vampiro—, cuyo nombre es Chelsea, y tiene influencia sobre los lazos emocionales entre las personas, tanto para consolidarlos como para soltarlos. Es capaz de hacer que alguien se sienta vinculado a los Vulturis, que quiera pertenecer a ellos, y complacerlos...

Eleazar interrumpió de forma abrupta.

—Todos nosotros entendíamos el porqué de la importancia de Chelsea. En una lucha, podía provocar que se disolvieran alianzas entre los aquelarres y de ese modo era más fácil vencerlos. Si lográbamos distanciar emocionalmente a los miembros inocentes de un aquelarre de los culpables, podíamos impartir justicia sin una brutalidad innecesaria... así los culpables eran castigados y se salvaba a los inocentes. No quedaba otro remedio, porque no había forma de evitar la lucha contra el aquelarre en bloque. Así que Chelsea rompía los lazos que los mantenían unidos. A mí aquello me parecía un gran detalle por parte de Aro, una evidencia de su piedad. También sospechaba que mantenía nuestro bando más unido, pero eso también era bueno. Nos hacía más efectivos y nos ayudaba a coexistir con más facilidad.

Esto aclaró muchos de mis viejos recuerdos. No había tenido sentido para mí antes el hecho de que los guardias obedecieran a sus señores con tanta alegría, casi con devoción de amantes.

—¿Es muy fuerte su don? —preguntó Tanya con un cierto deje afilado en la voz. Su mirada rozó con rapidez a todos los miembros de su familia.

Eleazar se encogió de hombros.

—Yo fui capaz de marcharme con Carmen —y entonces sacudió la cabeza—. Pero cualquier otra cosa más débil que el sentimiento que une a las parejas se encuentra en peligro. En un aquelarre normal, al menos. Porque también es cierto que las uniones de los demás son más laxas que las de nuestra familia. El abstenernos de sangre humana nos hace más civilizados y nos permite entablar auténticos lazos de amor. Dudo que pudiera disolver nuestra alianza, Tanya.

Ella asintió, como si se sintiera más segura, mientras el vampiro continuaba con su análisis.

—Lo único que se me ocurre, la razón por la que Aro ha decidido venir por sí mismo, y traer a tanta gente con él, es que su objetivo no sea el castigo sino la adquisición —comentó el vampiro—. Necesita estar aquí para controlar la situación, pero también necesita a toda la guardia para protegerse de un aquelarre tan grande y dotado. Por otro lado, eso dejaría al resto de los antiguos desprotegidos en Volterra, lo cual es demasiado arriesgado, ya que alguien podría intentar aprovechar la ventaja. Así que por eso vienen todos juntos. ¿De qué otro modo se aseguraría el apropiarse de los dones que quiere? Debe desearlos con verdadera ansia —musitó Eleazar.

La voz de Edward sonó tan baja como un suspiro.

—Según lo que vi en sus pensamientos la pasada primavera, no hay nada que Aro quiera más que a Alice.

Me quedé boquiabierta, recordando las imágenes de pesadilla que había creado en mi mente hacía tiempo: Edward y Alice con capas negras y ojos de color rojo, sus rostros fríos e inexpresivos mientas acechaban como sombras, con las manos de Aro en sus... ¿Era esto lo que había visto Alice? ¿Había visualizado a Chelsea intentando separarla de nosotros, para ligarla a Aro, Cayo y Marco?

—¿Ése es el motivo por el que Alice se ha marchado? —pregunté, con la voz quebrada al pronunciar su nombre.

Edward puso la mano contra mi mejilla.

—Quizá, para privar a Aro de lo que más desea y mantener su poder fuera de sus manos.

Escuché las voces alteradas de Tanya y Kate murmurando y recordé que no sabían nada de lo de Alice.

—Él también te quiere a ti —le susurré.

Edward se encogió de hombros, con su rostro repentinamente algo descompuesto.

—Ni de lejos tanto como a ella. En realidad, yo no le puedo dar mucho más de lo que ya tiene. Y claro, dependería de que encontrara un modo de forzarme a hacer su voluntad. Él me conoce y sabe lo improbable que es eso —alzó una ceja en un gesto sardónico.

Eleazar frunció el ceño ante la despreocupación de Edward.

—Él también conoce tus debilidades —le señaló y luego me miró.

—No es algo que tengamos que debatir ahora —respondió Edward con rapidez.

Eleazar ignoró la indirecta y continuó.

—Lo más probable es que también quiera a tu compañera. Debe de estar intrigado por un talento que ha sido capaz de desafiarlo en su encarnación humana.

A Edward le incomodaba este tema, y a mí tampoco me gustaba. Si Aro quería que yo hiciera algo, lo que fuera, le bastaba con amenazar a Edward y yo lo haría, y viceversa.

¿La muerte entonces no era el problema? ¿Lo que debíamos temer era la captura?

Edward cambió de asunto.

—Creo que los Vulturis han estado esperando esto, encontrar algún pretexto. No sabían qué forma adoptaría la excusa, pero el plan estaba en marcha para cuando se presentara la oportunidad. Por eso Alice vio su decisión incluso antes de que Irina la provocase, sencillamente porque ya había sido tomada; sólo aguardaban algo que pudiera justificarla.

—Si los Vulturis están abusando de la confianza que todos los inmortales hemos puesto en ellos... —murmuró Carmen.

—¿Acaso eso importa? —preguntó Eleazar—, ¿quién nos creería? E incluso aunque otros se convencieran también de que están explotando el poder que tienen, ¿qué diferencia marcaría eso? Nadie lograría enfrentarse a ellos y vencer.

—Aunque algunos parece que estamos lo bastante locos como para intentarlo —murmuró Kate.

Edward sacudió la cabeza.

—Sólo estáis aquí para servir de testigos, Kate. Sea cual sea al objetivo de Aro, no creo que esté preparado para manchar la reputación de los Vulturis con este asunto. Si podemos rechazar sus argumentos en nuestra contra, se verá obligado a dejarnos en paz.

—Claro —murmuró Tanya.

Nadie parecía convencido. Durante unos cuantos y largos minutos ninguno dijo nada.

Entonces escuché el sonido de las cubiertas de un coche girando desde la autovía hacia la entrada de tierra de los Cullen.

—Oh, mierda, Charlie —masculló—. Quizá a los de Denali no os importe subir al primer piso hasta que...

—No —repuso Edward con voz distante. Sus ojos se veían lejanos, mirando inexpresivamente hacia la puerta—. No es tu padre —su mirada volvió a concentrarse en mí—. Alice ha enviado a Peter y Charlotte, después de todo. Ha llegado el momento de prepararse para el siguiente asalto.

En compañía

Los invitados atestaban el hogar de los Cullen. La gran casa habría resultado incómoda para todos de no ser porque ninguno de los convidados dormía, aunque la hora de las comidas sí que era un problema. Nuestros compañeros colaboraron lo mejor que pudieron. Cazaron fuera del estado para evitar la localidad de Forks y la reserva de La Push. Edward se comportó como un anfitrión lleno de cortesía, prestando sus coches conforme fueran necesarios sin un pestañeo. El compromiso me hacía sentir bastante incómoda, aunque intentaba convencerme a mí misma de que daba igual después de todo, si no hubieran venido, estarían cazando en algún otro lugar del mundo.

Jacob estaba aún más molesto. Los licántropos existían para prevenir la pérdida de vidas humanas, y ahora debía cerrar los ojos ante lo que consideraba asesinato puro y duro aunque se cometiera fuera del territorio defendido por la manada. Bajo estas circunstancias, y con Renesmee en tan grave peligro, mantenía la boca cerrada y miraba con mala cara al suelo en vez de a los convidados.

Me sorprendió la facilidad con que los vampiros aceptaron a Jacob. No llegó a producirse ninguno de los problemas temidos por Edward. Los visitantes fingían no verle ni como persona ni como posible comida. Su trato con él se asemejaba al trato que la gente a la que no le gustan los animales dispensa a la mascota de sus amigos.

A Leah, Seth, Quil y Embry se les asignó el cometido de patrullar con Sam por el momento. Jacob se les habría unido alegremente si no hubiera sido porque no podía soportar estar lejos de Renesmee, muy ocupada dejando fascinada a aquella extraña colección de amigos de Carlisle.

Escenificamos otra vez el número de la presentación de Renesmee al aquelarre de Denali como una media docena de veces. Primero para Peter y Charlotte, a quien Alice y Jasper habían enviado a casa sin darles ninguna explicación. Como la mayoría de sus conocidos, seguían sus instrucciones a pesar de la falta de información. Alice no les había dicho nada sobre la dirección a la que se dirigían ella y Jasper. No habían hecho ninguna promesa de que volviéramos a verles en el futuro.

Aunque estaban al corriente de la regla sobre los niños inmortales, ni Peter ni Charlotte habían visto jamás a uno, de modo que su reacción negativa no fue tan violenta como la de los vampiros de Denali al principio. Habían permitido la «explicación» de Renesmee por pura curiosidad, y eso fue todo. En esos momentos estaban tan comprometidos con la tarea de servir de testigos como la familia de Tanya.

Carlisle había enviado amigos desde Irlanda y Egipto.

El primero en llegar fue el clan de los irlandeses y fueron sorprendentemente fáciles de convencer. Siobhan era su líder: una mujer de inmensa presencia y cuerpo enorme y tan hermoso como hipnótica su forma de moverse con aquellas suaves ondulaciones. Pero tanto ella como su compañero de rostro duro, Liam, estaban más que acostumbrados a confiar en el juicio del miembro más joven del aquelarre. La pequeña Maggie, con sus elásticos rizos pelirrojos, no tenía una presencia física tan imponente como los otros dos, aunque poseía el don de saber cuándo se le mentía y sus veredictos nunca se discutían. Maggie declaró que Edward decía la verdad, así que Siobhan y Liam aceptaron la historia incluso antes de tocar a Renesmee.

Amun y los otros vampiros egipcios fueron harina de otro costal. A pesar de que los dos miembros más jóvenes de su aquelarre, Benjamin y Tia, quedaron convencidos por la explicación de Renesmee, Amun rehusó tocarla y ordenó a su aquelarre que se marchara. Benjamin, un vampiro extrañamente jovial que parecía apenas mayor que un niño y tan seguro de sí mismo como despreocupado, persuadió a Amun de que se quedara con unas cuantas amenazas sutiles de disolver su alianza. El cabecilla del aquelarre no se marchó, pero continuó negándose a tocar a Renesmee y no permitió que tampoco lo hiciera su compañera, Kebi. Parecía un grupito insólito, aunque todos los egipcios tenían un aspecto similar, con su pelo del color de la medianoche y aquella palidez olivácea, tanto que habrían pasado por ser una verdadera familia biológica. Amun era el miembro más antiguo y el líder indiscutido. Kebi estaba tan pegada a él que parecía su propia sombra y nunca le oí decir ni una sola palabra. Tia, la compañera de Benjamin, era también una mujer tranquila, aunque cuando hablaba lo hacía con una gran clarividencia y circunspección. Aun así, Benjamin parecía la persona en torno a la cual giraba todo, como si ejerciera algún tipo de magnetismo invisible del cual los demás dependían para mantener el equilibrio. Vi cómo Eleazar miraba al chico con ojos abiertos como platos y supuse que tenía un talento que atraía a los otros hacia él.

—No es eso —me contó Edward cuando estuvimos a solas esa noche—. Su don es tan singular que a Amun le aterroriza perderlo. Igual que nosotros planeamos mantener a Renesmee fuera del conocimiento de Aro, él ha intentado reservarlo apartado de su atención —suspiró—. Amun creó a Benjamin a sabiendas de que iba a ser especial.

—¿Y qué es lo que hace?

—Algo que Eleazar no había visto nunca antes. Algo de lo que nunca habíamos oído hablar siquiera. Algo contra lo que tampoco tu escudo podría hacer nada —me dedicó una de sus sonrisas torcidas—. Puede influir en los elementos de la naturaleza: tierra, viento, agua y fuego. Hablamos de una manipulación física real, nada de ilusiones de la mente. Benjamin aún está experimentando con ello y Amun pretende moldearlo para convertirlo en un arma, pero ya ves lo independiente que es, no permite que nadie le use.

—A ti te gusta —deduje del tono de su voz.

—Tiene un sentido muy claro del bien y del mal y por supuesto, me gusta su actitud.

La actitud de Amun era otra cosa, él y Kebi se mantenían muy reservados, aunque Benjamin y Tia iban en buen camino de hacer grandes amigos entre los de Denali y los aquelarres irlandeses. Esperaba que el regreso de Carlisle relajara la evidente tensión del vampiro egipcio.

Emmett y Rose enviaron individuos sueltos, cualquiera de los amigos nómadas de Carlisle que pudieron localizar.

El primero en acudir fue Garrett, un vampiro larguirucho, de ademanes impacientes, ojos del color del rubí y una melena rubia como la arena que anudaba a la nuca con una cuerda de cuero. Rápidamente llegamos a la conclusión de que era un aventurero. Me imaginé que habría aceptado cualquier reto que le hubiéramos presentado, nada más que para probarse a sí mismo. Le cayeron muy bien las hermanas de Denali, y se pasaba el tiempo formulando preguntas infinitas acerca de su estilo de vida poco habitual. Me pregunté si el vegetarianismo era otro desafío que emprendería sólo por ver si era capaz de hacerlo.

Mary y Randall también vinieron y eran amigas ya, aunque no viajaban juntas. Escucharon la historia de Renesmee y se quedaron para atestiguar, igual que los demás. Como los de Denali, estaban considerando su actuación en el caso de que los Vulturis no se detuvieran a escuchar explicaciones. Los tres nómadas jugaban con la idea de permanecer con nosotros.

Como era de esperar, Jacob se volvía cada vez más hosco con cada nuevo recién llegado. Se mantenía a distancia cuando podía y cuando no, le gruñía enfurruñado a Renesmee que alguien iba a tener que elaborar un índice* si esperaban que se acordase de los nombres de todos los nuevos chupasangres.

Carlisle y Esme regresaron al cabo de una semana mientras que Emmett y Rosalie lo hicieron unos cuantos días más tarde. Todos nos sentimos mejor cuando llegaron a casa. Carlisle trajo con él un amigo más, aunque la palabra «amigo» quizá podía inducir a error. Alistair era un vampiro inglés misántropo que contaba con Carlisle como su relación más cercana, aunque apenas podía soportar más de una visita al siglo. Alistair prefería con diferencia vagabundear a solas y Carlisle tuvo que recordarle un montón de favores que le había hecho para conseguir que viniera. Rechazaba toda compañía y quedó claro que no tenía muchos admiradores entre los aquelarres reunidos.

El inquietante vampiro de pelo negro creyó en la palabra de Carlisle sobre el origen de Renesmee, pero rehusó, como Amun,

---

* Ver al final del libro el Índice de vampiros.

tocar a la niña. Edward nos dijo a Carlisle, Esme y a mí que Alistair tenía miedo de estar allí, pero más aún temía no conocer el resultado de este asunto. Recelaba profundamente de todo tipo de autoridad, y en especial era suspicaz respecto a los Vulturis. Lo que estaba sucediendo ahora parecía confirmar todos sus miedos.

—Claro que ahora sabrán que estoy aquí —le escuchamos gruñir para sí mismo en el ático, su lugar preferido para despotricar—. No hay forma de que Aro no lo sepa a estas alturas. Esto se va a saldar con siglos de huida continua. Cualquiera con quien Carlisle haya hablado en la última década estará en su lista negra. No me puedo creer cómo me he podido ver envuelto en un lío como éste. ¿Qué manera es ésta de tratar a los amigos?

Pero si él tenía razón en lo de tener que huir de los Vulturis, al menos albergaba más esperanzas de conseguirlo que los demás. Alistair era un rastreador, aunque no tan preciso y eficiente como Demetri. Simplemente, sentía una fuerza difícil de definir hacia lo que estuviera buscando, pero esa fuerza sería suficiente para decirle en qué dirección huir, que sería la opuesta a Demetri.

Y entonces llegaron otro par de amigos inesperados, inesperados porque ni Carlisle ni Esme habían podido ponerse en contacto con las vampiras del Amazonas.

—Carlisle —saludó una de ellas.

Eran dos mujeres muy altas y de aspecto salvaje. Saludó la de mayor estatura de las dos. Ambas parecía como si hubieran sido estiradas, con sus piernas y brazos largos, largos dedos, largas trenzas negras, y caras alargadas con narices alargadas también. No llevaban nada más que pieles de animales, túnicas amplias y pantalones ceñidos que se ataban a los lados con correas de cuero. No sólo eran sus ropas excéntricas las que les daban ese aspecto salvaje, sino todo lo que les rodeaba, desde sus incansables ojos de color escarlata a sus movimientos súbitos y apresurados. Nunca había encontrado unos vampiros menos civilizados.

Pero las había enviado Alice, y eso eran noticias «interesantes», por decirlo con suavidad. ¿Por qué estaba Alice en Sudamérica? ¿Había visto que ninguno de nosotros iba a poder ponerse en contacto con ellas?

—¡Zafrina, Senna! Pero ¿dónde está Kachiri? —preguntó Carlisle—. Nunca os había visto a las tres separadas.

—Alice nos dijo que necesitábamos separarnos —contestó Zafrina con una voz ruda y grave que encajaba a la perfección con su apariencia rústica—. Es muy incómodo estar así, pero Alice nos aseguró que nos necesitabais aquí, mientras que ella necesitaba mucho a Kachiri en otro lugar. Eso fue todo lo que pudo decirnos, ¿excepto que tenía muchísima prisa...? —la afirmación de Zafrina terminó decantándose en una pregunta y con un estremecimiento nervioso que nunca se me pasaba, no importaba las veces que lo hiciera, les traje a Renesmee para que la conocieran.

A pesar de su fiera apariencia, escucharon con gran tranquilidad nuestra historia y después permitieron que Renesmee les ofreciera su prueba. Quedaron igual de encantadas con la niña que todos los demás vampiros, pero no pude evitar preocuparme cuando observé sus súbitos y rápidos movimientos tan cerca de ella. Senna siempre estaba próxima a Zafrina, aunque nunca hablaba, pero no era lo mismo que Amun y Kebi, ya que esta última parecía hacerlo por obediencia, mientras que las dos vampiras amazónicas era como si fueran dos extremidades del mismo organismo, y Zafrina representaba la boca.

Las noticias sobre Alice resultaron un consuelo, por extraño que pareciera. Sin duda, estaba en alguna oscura misión de las suyas con el propósito de eludir los designios que Aro le tenía reservados.

Edward estaba emocionado de tener a las vampiras del Amazonas con nosotros, porque Zafrina poseía un talento muy desarrollado, y su don podía ser un arma ofensiva muy peligrosa. No es que Edward fuera a pedirle a Zafrina que se alineara con nosotros en la batalla, pero si los Vulturis no se detenían cuando vieran a nuestros testigos, quizá pararan por un motivo diferente.

—Es una ilusión muy impactante —explicó Edward cuando se descubrió que yo no podía ver nada, como era habitual. Zafrina estaba intrigada y divertida por mi inmunidad, algo que jamás se había encontrado antes y se removía de continuo mientras Edward me describía lo que me estaba perdiendo. Los ojos de Edward se desconcentraron ligeramente en ese momento—. Puede hacer que la mayoría de la gente vea lo que ella quiera, y vea eso y nada más. Por ejemplo, justo ahora tengo la sensación de estar en mitad de la selva. Resulta tan nítido que es muy posible que me lo creyera si no fuera porque todavía puedo sentirte entre mis brazos.

Los labios de Zafrina se torcieron en su ruda versión de una sonrisa y un segundo más tarde, los ojos de Edward se enfocaron de nuevo, y él le devolvió la sonrisa.

—Impresionante —comentó él.

Renesmee estaba fascinada por la conversación y tendió los brazos sin miedo a Zafrina.

—¿Puedo verlo yo también? —preguntó.

—¿Qué es lo que quieres ver? —inquirió Zafrina a su vez.

—Lo que le has enseñado a mi papá.

Zafrina asintió y yo observé con ansiedad cómo los ojos de Renesmee miraban al vacío. Un segundo más tarde su asombrosa sonrisa le iluminó el rostro.

—Más —ordenó ella.

Después de eso resultó difícil mantener a Renesmee lejos de Zafrina y sus «dibujitos bonitos». Yo me preocupé, porque estaba bastante segura de que Zafrina era capaz de crear imágenes que no serían del todo «bonitas», pero a través de los pensamientos de la niña pude ver las visiones de Zafrina por mí misma, ya que eran tan claras como cualquiera de los auténticos recuerdos de mi hija, como si fueran reales. Y pude juzgar si eran apropiadas o no.

Aunque no la cedía de buena gana, me vi obligada a admitir que era bueno que Zafrina mantuviera a Renesmee entretenida, porque yo necesitaba tener libres las manos. Era mucho lo que debía aprender, tanto física como mentalmente, y nos quedaba muy poco tiempo.

La primera vez que intenté aprender a luchar no me fue muy bien.

Edward tardó apenas dos segundos en inmovilizarme, pero en vez de permitir que luchara para liberarme, lo que desde luego yo habría podido hacer, dio un salto y se alejó de mí. Supe de inmediato que algo iba mal, se quedó inmóvil como una piedra, mirando a través del prado donde estábamos practicando.

—Lo siento, Bella —se disculpó.

—No, estoy bien —le dije—. Empecemos otra vez.

—No puedo.

—¿Qué quieres decir con que no puedes? Acabamos de empezar —él no contestó—. Mira, sé que no soy nada buena en esto, pero no podré mejorar algo si no me ayudas.

Edward no dijo nada. Salté sobre él en plan juguetón. No hizo ningún gesto para defenderse, y ambos caímos al suelo. Tampoco hizo movimiento alguno cuando presioné mis labios sobre su yugular.

—He ganado —anuncié.

Sus ojos se entrecerraron, pero no dijo nada.

—¿Edward? ¿Qué va mal? ¿Por qué no quieres enseñarme?

Pasó todo un minuto antes de que hablara de nuevo.

—Simplemente, es que… no lo soporto. Emmett y Rosalie saben tanto como yo, y Tanya y Eleazar es probable que mucho más. Pídeselo a alguno de ellos.

—¡Eso no es justo! Tú eres *bueno* en esto. Ayudaste a Jasper en su momento, cuando luchaste con él y los otros. ¿Por qué yo no? ¿Qué es lo que hago mal?

Él suspiró, exasperado. Tenía los ojos oscuros, apenas ningún destello dorado iluminaba el fondo negro.

—No puedo mirarte de esa manera, analizándote como un objetivo, buscando todas las maneras en las que puedo matarte… —se estremeció—. Se me hace demasiado real. No tenemos tanto tiempo para que en realidad importe quién te enseñe. Cualquiera será capaz de mostrarte los principios fundamentales.

Le puse mala cara.

Él tocó mi sobresaliente labio inferior y sonrió.

—Además, no es necesario, porque los Vulturis se detendrán. Haremos que entiendan.

—Pero, ¿¡y si no es así!? *Necesito* aprender esto.

—Encuentra otro maestro.

Y ésa fue nuestra última conversación sobre el asunto, porque nunca conseguí moverle ni un centímetro de la decisión tomada.

Emmett fue quien se mostró más predispuesto a ayudar, aunque su estilo docente me pareció más cercano a la venganza por todos los pulsos que le había hecho perder. Si hubieran podido salirme cardenales, habría estado de color púrpura de pies a cabeza. Rose, Tanya y Eleazar se mostraron tan pacientes como deseosos de apoyarme. Sus lecciones me recordaron a las instrucciones de lucha que Jasper impartió a los otros el pasado junio, aunque aquellas imágenes me resultaban confusas y borrosas. Algunos de nuestros visitantes encontraron interesante mi adiestramiento, y otros incluso ofrecieron su aporte. Garrett, el nómada, hizo varios turnos y encontré que era un maestro sorprendentemente bueno. Se relacionaba con todo el mundo con tanta facilidad que me preguntaba por qué nunca había encontrado un aquelarre. Incluso luché una vez con Zafrina mientras Renesmee observaba desde los brazos de Jacob. Aprendí varios trucos, aunque nunca volví a pedirle ayuda. Lo cierto era que aunque ella me gustaba y sabía que en realidad no me haría daño, aquella mujer salvaje me daba mucho miedo.

Aprendí muchas cosas de mis maestros, pero tenía la sensación de que mis conocimientos seguían siendo básicos hasta lo increíble. No tenía idea de cuántos segundos podría aguantar frente a Alec y Jane. Sólo rezaba por que fuera lo suficiente para que sirviera de algo.

Cada minuto del día que no estaba con Renesmee o aprendiendo a luchar, me iba al patio de atrás a trabajar con Kate e intentaba proyectar mi escudo interno fuera de mi cerebro para poder proteger a otros. Edward me animaba en este tipo de entrenamiento. Sabía que él tenía la esperanza de que encontrara una manera de contribuir a la lucha que me satisficiera, pero que sirviera a la vez para mantenerme fuera de la línea de fuego.

Pero resultó de lo más difícil. No había nada a lo que aferrarse, nada sólido con lo que poder trabajar. Sólo tenía mi airado deseo de ser de utilidad, de mantener a salvo conmigo a mi esposo, a mi hija y a tantos de mi familia como fuese posible. Una y otra vez intentaba forzar ese escudo nebuloso fuera de mí, con nada más que algún fugaz y esporádico éxito. Me sentía como si estuviera peleando para estirar una goma invisible, una goma que cambiaba de algo tangible y concreto a un vapor insustancial a cada momento.

Únicamente Edward se prestaba a ser nuestro conejillo de Indias y recibía descarga tras descarga eléctrica de Kate, mientras yo forcejeaba con incompetencia manifiesta con lo que había en el interior de mi cerebro. Trabajábamos durante varias horas por turno y me sentía como si estuviera cubierta de sudor por el esfuerzo, aunque por supuesto mi cuerpo perfecto no me traicionaba de esa manera. Todo el cansancio era mental.

Me mataba que fuera Edward quien debiera sufrir, con mis brazos inútiles a su alrededor mientras pestañeaba una y otra vez bajo la descarga más «baja» que Kate era capaz de emitir. Yo intentaba con todas mis fuerzas empujar el escudo a nuestro alrededor, y de vez en cuando lo conseguía, aunque poco después se desvanecía de nuevo.

Odiaba estas prácticas, y deseaba que fuera Zafrina la que ayudara en vez de Kate. Entonces, todo lo que Edward tendría que hacer sería mirar las ilusiones de la vampira del Amazonas hasta que pudiera hacer que no las viera, pero Kate insistía en que necesitaba más motivación, con lo cual se refería a cómo odiaba ver sufrir a Edward. Yo ya comenzaba a dudar de si, tal como había afirmado aquel primer día, era verdad que no solía hacer un uso sádico de su don. A mí me daba la sensación de que disfrutaba con todo esto.

—Eh —dijo Edward con la voz alegre, intentando ocultar cualquier evidencia de dolor en ella, ya que estaba dispuesto casi a cualquier cosa con tal de mantenerme lejos de las prácticas de lucha—. Ése apenas me ha llegado, buen trabajo, Bella.

Inhalé un gran trago de aire, intentando captar con claridad qué era lo que había hecho bien esta vez. Probé la goma elástica, luchando para que se mantuviera sólida mientras la estiraba hacia fuera de mí.

—Otra vez, Kate —resoplé a través de mis dientes apretados.

Kate apretó la palma de su mano contra el hombro de Edward.

Él suspiró aliviado.

—Nada, en esta ocasión.

Ella alzó una ceja.

—Pues ése no fue nada flojo.

—Estupendo —bufé enfurruñada.

—Prepárate —me dijo ella, y alzó su mano hacia Edward de nuevo.

Esta vez él se estremeció y se le escapó un siseo bajo entre los dientes.

—¡Lo siento!, ¡lo siento!, ¡lo siento! —canturreé, mordiéndome el labio. ¿Por qué no lo había conseguido ahora?

—Estás haciendo un trabajo impresionante, Bella —comentó Edward, abrazándome estrechamente contra él—. Apenas llevas trabajando en esto unos días y ya has conseguido hacer alguna proyección de vez en cuando. Kate, dile lo bien que lo está haciendo.

Kate frunció los labios.

—No lo sé. Es obvio que tiene una habilidad tremenda, y sólo estamos empezando a acercarnos. Puede hacerlo mejor, estoy segura. Le hace falta un poco más de incentivo.

Me quedé mirándola con incredulidad, mientras los labios se me curvaban de forma automática sobre los dientes. ¿Cómo podía ella pensar que me faltaba motivación cuando estaba sacudiendo con sus descargas a Edward justo delante de mí?

Escuché murmullos entre el público que se había ido reuniendo mientras practicaba. Al principio sólo habían sido Eleazar, Carmen y Tanya, pero luego se había pasado por allí Garrett y más tarde Benjamin y Tia, Siobhan y Maggie y ahora incluso Alistair estaba mirando fijamente a través de una ventana del tercer piso. Los espectadores estaban de acuerdo con Edward, pensaban que lo estaba haciendo bastante bien.

—Kate… —le advirtió Edward cuando algo nuevo se le pasó por la cabeza a ella, aunque ya estaba en movimiento. Se apresuró hacia la curva del río donde Zafrina, Senna y Renesmee caminaban con tranquilidad, con la mano de la niña en la de la alta mujer del Amazonas mientras se mandaban imágenes la una a la otra. Jacob las observaba a unos cuantos pasos detrás.

—Nessie —dijo Kate, ya que los recién llegados se habían acostumbrado enseguida al irritante apodo—, ¿quieres venir a ayudar a tu madre?

—No —medio rugí.

Edward me abrazó de modo tranquilizador, pero me lo quité de encima con una sacudida justo cuando Renesmee revoloteaba por el patio en mi dirección, con Kate, Zafrina y Senna justo detrás de ella.

—No, y es un no rotundo, Kate —masculle.

La niña llegó hasta donde yo estaba y le abrí los brazos de modo automático. Ella se acurrucó contra mi cuerpo, presionando su cabeza en el hueco que había justo debajo de mi cuello.

—Pero mami, yo quiero ayudar —ofreció la niña con voz voluntariosa. Su mano descansó contra mi cuello reforzando su deseo con imágenes de nosotras dos juntas, como un equipo.

—No —repliqué, retrocediendo con rapidez. Kate había dado un paso deliberado en mi dirección, con su mano extendida delante de ella.

—Apártate de nosotras, Kate —le advertí.

—No —ella comenzó a perseguirnos, como si fuera una cazadora arrinconando a su presa.

Cambié de posición a Renesmee de modo que quedó colgada de mi espalda, mientras seguía caminando hacia atrás a un ritmo que se acompasaba al de Kate. Ahora tenía las manos libres, y si la vampira quería seguir conservando sus manos pegadas a sus muñecas, haría mejor manteniendo la distancia.

Kate no lo entendió, ya que no había conocido por sí misma la pasión de una madre por su hijo. Es probable que no se diera cuenta de cuán lejos había ido esta vez. Me sentía tan furiosa que mi visión adquirió un extraño color rojizo y la lengua me supo a metal quemado.

La fuerza que yo habitualmente procuraba mantener bajo control fluía ahora a través de mis músculos y supe que podría convertir a Kate en un montón de escombros de la dureza del diamante si me presionaba lo suficiente. La ira había hecho que cada aspecto de mi ser se intensificara. Ahora, incluso podía sentir la elasticidad de mi escudo con mayor exactitud, y me di cuenta de que más que una banda era una capa fina, una película delgada que me cubría de los pies a la cabeza. Con la ira rugiendo a través de mi ser, tuve una mejor percepción de él, un control más estrecho de su presencia. Lo estiré a mi alrededor hasta sacarlo al exterior de mi cuerpo, y envolví a Renesmee con él, por si acaso Kate conseguía traspasar mi guardia.

Kate dio un paso calculado hacia delante, y un rugido despiadado me desgarró la garganta y salió a través de mis dientes apretados.

—Ten cuidado, Kate —le advirtió Edward.

La vampira dio otro paso más y entonces cometió un error que incluso alguien tan inexperto como yo podía reconocer. A sólo un pequeño salto de distancia de mí, apartó la vista y trasladó su atención a Edward.

Renesmee estaba segura a mi espalda y me agaché para saltar.

—¿Puedes escuchar algo de Nessie? —le preguntó Kate, con la voz calmada y serena.

Edward se precipitó en el espacio que había entre las dos, bloqueando mi línea de actuación hacia Kate.

—No, nada en absoluto —contestó él—. Y ahora dale a Bella un poco de espacio para que se calme, Kate. No deberías aguijonearla de ese modo. Ya sé que no lo parece, pero no olvides que sólo tiene unos meses.

—No contamos con tiempo para hacer esto con amabilidad, Edward. Hemos de empujarla un poco. Únicamente disponemos de unas cuantas semanas y ella tiene el potencial de…

—Apártate durante un minuto, Kate.

Kate puso mala cara pero aceptó la advertencia de Edward con más seriedad de lo que se había tomado la mía.

La mano de Renesmee estaba sobre mi cuello. Me recordaba el ataque de Kate, me mostraba que no pretendían hacerle daño, que su papá ya estaba en ello…

Esto no me pacificó. El espectro de luz se hallaba teñido de escarlata. Pero yo estaba más controlada y pude ver la sabiduría de las palabras de Kate. La ira me ayudó, porque podía aprender más rápido bajo presión.

Sin embargo, eso no quería decir que me gustara.

—Kate —gruñí, descansando la mano en la parte más estrecha de la espalda de Edward. Todavía podía sentir el escudo como una lámina fuerte y flexible alrededor de mí y de Renesmee. Lo empujé algo más lejos, forzándolo alrededor de Edward. No había signo de imperfección en la tela elástica, ni amenaza de un desgarrón. Yo jadeaba por el esfuerzo, y mis palabras salieron casi sin aliento, más que furiosas—. Otra vez —le dije a Kate—, pero a Edward sólo.

Ella puso los ojos en blanco, pero revoloteó hacia delante y presionó su palma contra el hombro de Edward.

—Nada —dijo Edward, y percibí la sonrisa en el tono de su voz.

—¿Y ahora? —preguntó Kate.

—Nada todavía.

—¿Y ahora? —esta vez se notaba el sonido de la tensión en su voz.

—Nada en absoluto.

Kate gruñó y dio un paso hacia atrás.

—¿Puedes ver esto? —preguntó Zafrina con su voz profunda y ruda, mirando con intención a los tres. Su inglés tenía un acento extraño, y sus palabras se acentuaban en los lugares más inesperados.

—No veo nada que no debiera ver —repuso Edward.

—¿Y tú, Renesmee? —inquirió Zafrina de nuevo.

Renesmee le sonrió y sacudió la cabeza.

Mi furia se había desvanecido casi por completo y apreté los dientes, jadeando con más fuerza mientras seguía empujando contra el escudo elástico; parecía que se iba haciendo más pesado cuanto más lo estiraba. Tiraba hacia atrás, intentando encogerse hacia dentro.

—Que a nadie le dé un ataque de pánico —advirtió Zafrina al pequeño grupo de espectadores—. Deseo ver cuánto puede extenderlo.

Todos los presentes emitieron un jadeo de sorpresa —Eleazar, Carmen, Tanya, Garrett, Benjamin, Tia, Siobhan y Maggie—, todos menos Senna, que parecía estar preparada para el comportamiento de Zafrina. Los ojos de los demás parecían ahora desenfocados, y sus expresiones llenas de ansiedad.

—Alzad la mano cuando recuperéis la visión —les instruyó Zafrina—. Vamos, Bella. A ver a cuántos puedes cubrir con el escudo.

Mi respiración salió como un resoplido. Kate era la persona que tenía más cerca además de Edward y Renesmee, pero incluso ella estaba a unos diez pasos. Apreté las mandíbulas y empujé de nuevo, intentando extender la lámina protectora elástica que se resistía lo más lejos posible de mí. Centímetro a centímetro la conduje hasta Kate, luchando con la reacción que se producía con cada fracción de terreno que ganaba. Sólo observaba la expresión llena de ansiedad de Kate mientras trabajaba, y gruñí por lo bajo con alivio cuando sus ojos pestañearon y se concentraron. Alzó la mano.

—¡Fascinante! —murmuró Edward, casi sin aliento—. Es como un cristal de una sola cara. Puedo leer lo que todos están pensando, pero ellos no me pueden alcanzar aquí dentro. Y soy capaz de escuchar a Renesmee, aunque no lo era cuando estaba en el exterior. Apuesto a que Kate podría lanzarme una buena descarga ahora, porque está dentro del paraguas. Pero, por otro lado, no logro escuchar a Bella. Mmm, a ver, a ver… ¿Cómo funciona esto? Me pregunto si…

Continuó mascullando para sus adentros, mas yo no conseguía escuchar las palabras. Apreté los dientes de nuevo, luchando por extender el escudo hacia Garrett, que era el que estaba más cerca de Kate. También alzó la mano.

—Muy bien —me felicitó Zafrina—. Ahora…

Pero habló demasiado pronto. Con un grito ahogado sentí que mi escudo se encogía como una goma elástica que se ha estirado en exceso y recobra de modo brusco su forma original. Renesmee comenzó a temblar en mi espalda cuando experimentó por primera vez la ceguera que Zafrina había conjurado para los otros. Aun con lo cansada que estaba, luché de nuevo contra la lámina elástica para forzar el escudo e incluirla otra vez.

—¿Puedes darme un minuto? —jadeé pesadamente. Desde que me había convertido en vampiro no había sentido la necesidad de descansar en ninguna ocasión antes de ese momento. Me ponía nerviosa sentirme tan agotada y a la vez tan fuerte.

—Claro —replicó Zafrina y los espectadores se relajaron cuando les permitió ver de nuevo.

—Kate —la llamó Garrett mientras los otros murmuraban y se dispersaban con ligereza, molestos por el momento de ceguera, ya que los vampiros no están acostumbrados a sentirse vulnerables. Garrett, alto y de pelo color arena, era el único inmortal sin don que parecía atraído por mis sesiones de práctica. Me preguntaba qué atractivo le encontraría siendo como era un aventurero.

—Yo no lo haría, Garrett —le advirtió Edward.

Garrett continuó avanzando hacia Kate a pesar de la advertencia, con los labios fruncidos en una mueca especulativa.

—Dicen que puedes tumbar a un vampiro de espaldas.

—Sí —admitió ella. Y después, con una sonrisa ladina, removió juguetona los dedos en su dirección—. Qué, ¿sientes curiosidad?

Garrett se encogió de hombros.

—Es algo que jamás he visto, y parece un poco exagerado…

—Quizá —repuso Kate, con el rostro de repente serio—. Quizá sólo funciona en los débiles o los jóvenes. No estoy segura. Vaya, y tú pareces bien fuerte. A lo mejor sí que puedes resistir mi don —extendió la mano en su dirección, con la palma hacia arriba, en una clara invitación. Torció los labios y estuve bastante segura de que su grave expresión era un intento de enredarlo.

Garrett sonrió ante el reto, y tocó su palma con el dedo índice, muy seguro de sí mismo.

Y entonces, con un grito ahogado que aun así resonó con fuerza, se le doblaron las rodillas y salió disparado de espaldas, hasta que golpeó con la cabeza en un trozo de granito que se rompió con un agudo chasquido. Resultó sorprendente. Me encogí instintivamente al ver a un inmortal incapacitado de esa manera, era algo que estaba peor que mal.

—Ya te lo dije —masculló Edward.

Los párpados de Garrett temblaron durante unos segundos y después abrió los ojos como platos. Se quedó mirando a Kate, que tenía grabada en el rostro una sonrisita de suficiencia, mientras otra sonrisa vagabundeaba por el rostro de él, iluminándolo.

—Guau —dijo.

—¿Lo has disfrutado? —le preguntó ella con cierto escepticismo.

—No estoy loco —rió Garrett, sacudiendo la cabeza mientras se levantaba con lentitud desde su posición de rodillas—, ¡pero ha sido toda una experiencia!

—Eso es lo que he oído.

Y entonces se produjo una cierta conmoción en el patio delantero. Escuché a Carlisle hablando sobre un barboteo de voces sorprendidas.

—¿Os ha enviado Alice? —le estaba preguntando a alguien, con la voz insegura, algo molesta.

¿Otro huésped inesperado?

Edward salió disparado hacia la casa y la mayoría de los otros le imitaron. Yo le seguí más despacio, con Renesmee aún aferrada a mi espalda. Le daría a Carlisle un momento para que recibiera apropiadamente al nuevo invitado, y le preparara para la idea de lo que se le avecinaba.

Cogí a la niña en brazos mientras caminaba con cautela rodeando la casa para entrar por la puerta de la cocina, escuchando la escena que no podía ver.

—Nadie nos ha enviado —decía una profunda voz susurrante al contestar a la pregunta de Carlisle. Me recordó al pronto las voces de los antiguos como Aro y Cayo, y me quedé paralizaba dentro de la cocina.

Sabía que la puerta principal estaba atestada de gente, ya que casi todo el mundo había ido a ver a los nuevos visitantes, pero apenas se percibía algún ruido. Sólo una respiración superficial.

La voz de Carlisle sonaba precavida cuando respondió.

—Entonces, ¿qué os trae por aquí?

—Las palabras vuelan —contestó una voz diferente, que sonaba como un murmullo, igual que la primera—. Hemos oído por ahí que los Vulturis se estaban organizando para ir a por vosotros. Hay rumores también de que no estaréis solos. Como es obvio, los rumores son ciertos. Ésta es una reunión de lo más impresionante.

—No estamos desafiando a los Vulturis —repuso Carlisle en tono tenso—. Ha habido algún malentendido, eso es todo. Y uno muy serio, a decir verdad, pero que confiamos en ser capaces de aclarar en su momento. Lo que estáis viendo son testigos, nada más, porque sólo necesitamos que los Vulturis nos escuchen. Nosotros no...

—No nos preocupa lo que digan que habéis hecho —le interrumpió la primera voz—. Y nos da igual si habéis incumplido la ley.

—Ni lo atrozmente que lo hayáis hecho —intervino el segundo.

—Hemos estado esperando un milenio y medio para que alguien desafiara a esa escoria de los Vulturis —continuó el primero—. Si hay alguna oportunidad de que caigan, queremos estar aquí para verlo.

—O incluso para ayudar a derrotarlos —apostilló el segundo. Hablaban en una sucesión continua, de modo que sus voces se enlazaban la una a la otra y al ser tan similares, un receptor menos sensitivo las habría percibido como una única voz—. Creemos que tienes una posibilidad de éxito.

—¿Bella? —me llamó Edward con una voz dura—. Trae a Renesmee, por favor. Quizá deberíamos poner a prueba la petición de nuestros visitantes rumanos.

Me ayudó saber que probablemente la mitad de los vampiros que había en la otra habitación saldrían en defensa de Renesmee si estos rumanos se sentían molestos por ella. No me gustaba el sonido de sus voces o la oscura amenaza que destilaban sus palabras. Mientras caminábamos a través de la habitación, pude ver que no era sólo yo la que lo percibía así. La mayoría de los vampiros inmóviles que había allí los miraban con ojos hostiles y unos cuantos —Carmen, Tanya, Zafrina y Senna— cambiaron con ligereza de postura, adoptando posiciones defensivas entre los recién llegados y Renesmee.

Los vampiros de la puerta eran esbeltos y bajos, uno con el pelo oscuro y el otro con el pelo de un tono rubio ceniza tan claro que casi parecía gris pálido. Su piel tenía el mismo aspecto polvoriento que la de los Vulturis, aunque no me pareció tan acusado. No podía estar segura de ello, ya que sólo había visto a los Vulturis con mis ojos humanos y no era capaz de hacer una comparación exacta. Sus ojos agudos, pequeños, eran de un color borgoña oscuro, sin ninguna película lechosa. Llevaban simples ropas oscuras, que podían pasar por modernas aunque con aspecto de pasadas de moda.

El del pelo oscuro sonrió cuando yo aparecí a la vista.

—Vaya, vaya, Carlisle, pero qué chicos más malos habéis sido, ¿eh?

—Ella no es lo que crees, Stefan.

—Y nos da igual de todos modos —respondió el rubio—. Como ya os hemos dicho antes.

—Entonces sois bienvenidos como observadores, Vladimir, pero nuestro plan no es para nada desafiar a los Vulturis, como también hemos dicho antes.

—En ese caso, simplemente cruzaremos los dedos —comenzó Stefan.

—Y esperaremos tener suerte —finalizó Vladimir.

Al final, habíamos conseguido reunir diecisiete testigos: los irlandeses, Siobhan, Liam y Maggie; los egipcios, Amun, Kebi, Benjamin y Tia; las del Amazonas, Zafrina y Senna; los rumanos, Vladimir y Stefan; y los nómadas, Peter y Charlotte, Garrett, Alistair, Mary y Randall, además de los once miembros de nuestra familia, ya que Tanya, Kate, Eleazar y Carmen insistieron en ser contados como tales.

Aparte de los Vulturis, ésta era quizás la reunión amigable de vampiros maduros más grande que se había producido en la historia de los inmortales.

Todos comenzábamos a concebir pequeñas esperanzas e incluso yo no pude resistirme a ello. Renesmee se había ganado a todos para su causa en un periodo muy corto de tiempo. Los Vulturis sólo tenían que escuchar durante un segundo escaso…

Los dos rumanos supervivientes, concentrados en su amargo resentimiento por aquellos que habían derribado su imperio hacía quince siglos, se lo tomaban todo con calma. No tocaron a Renesmee, pero tampoco le mostraron aversión. Parecían misteriosamente encantados por nuestra alianza con los licántropos. Me observaron practicar con mi escudo con Zafrina y Kate, contemplaron a Edward contestar a preguntas no expresadas en voz alta, también a Benjamin alzando géiseres de agua del río o violentos brotes de viento del aire quieto sólo con el poder de su mente, y sus ojos relucían con la ardiente esperanza de que los Vulturis hubieran encontrado por fin la horma de su zapato.

Todos teníamos nuestras esperanzas, aunque no fueran las mismas.

Falsificación

—Charlie, todavía tenemos aquí ese tipo de compañía de la que es mejor que no sepas nada. Soy consciente de que ha pasado más de una semana desde que viste a Renesmee, pero no es buena idea que nos visites ahora. ¿Qué te parece si te la llevo?

Mi padre se quedó callado durante tanto rato, que me pregunté si había llegado a captar la tensión bajo mi fachada de aparente tranquilidad. Pero entonces masculló:

—Ya, claro, no es necesario saber, agh —y entonces me di cuenta de que era su cautela frente a lo sobrenatural lo que le había hecho lento en responder—. Vale, nena —repuso Charlie—. ¿Puedes traérmela esta mañana? Sue me va a traer el almuerzo. Está tan horrorizada por mi forma de cocinar como lo estuviste tú la primera vez que viniste.

Se echó a reír, y luego suspiró por los viejos tiempos.

—Esta mañana me va genial —cuanto antes mejor. Ya había pospuesto esto demasiado tiempo.

—¿Vendrá Jacob con vosotras?

Aunque Charlie no sabía nada acerca de la imprimación de los hombres lobo, nadie dejaba de percibir el apego entre Jacob y Renesmee.

—Probablemente —no había forma de evitar que Jacob se perdiera de modo voluntario una tarde con Renesmee y sin chupasangres.

—Quizá debería invitar a Billy también —musitó Charlie—, pero... mira, casi mejor en otra ocasión.

Sólo le estaba prestando a mi padre una atención a medias, lo suficiente para notar la extraña renuencia en su voz cuando hablaba de Billy, aunque no tanto como para preocuparme por el tema. Charlie y Billy ya eran mayorcitos, si se traían algo entre manos, se podían apañar ellos solos. Yo tenía demasiadas cosas importantes con las que obsesionarme.

—Te veo en un rato —le dije, y colgué.

El viajecito se debía más al hecho de proteger a mi padre de los veintisiete vampiros reunidos de una forma tan azarosa, pues no terminaba de fiarme del todo por mucho que hubieran jurado no matar a nadie en un radio de cuatrocientos kilómetros. Resultaba evidente que era buena idea no poner a ningún ser humano en la cercanía de este grupo. Ésa era la excusa que le había dado a Edward, que le llevaba a Renesmee a Charlie de modo que no decidiera venir hasta la casa. Una buena razón para ausentarme, pero no la auténtica en absoluto.

—¿Por qué no nos podemos llevar tu Ferrari? —se quejó Jacob cuando nos encontramos en el garaje. Yo ya estaba dentro del Volvo con la niña.

Edward le había dado muchas vueltas antes de enseñarme mi coche «de después»; como había sospechado, no fui capaz de mostrar un entusiasmo apropiado. Seguro que era bonito y rápido, pero yo sólo quería que *anduviese*.

—Demasiado llamativo —le respondí—. Podríamos ir a pie, pero eso pondría a Charlie de los nervios.

Jacob refunfuñó algo para sus adentros, pero se sentó en el asiento delantero. Renesmee saltó de mi regazo al suyo.

—¿Qué tal lo llevas? —le pregunté cuando saqué el coche del garaje.

—¿Y tú qué crees? —me preguntó Jacob a su vez con amargura—. Me ponen malo todos esos apestosos chupasangres —vio mi expresión y habló antes de que yo pudiera intervenir—. Sí, lo sé, lo sé. Son buenos chicos, están aquí para ayudar, nos van a salvar a todos y etcétera, etcétera. Di lo que quieras, pero tengo muy claro que Drácula Uno y Drácula Dos son espeluz-taculares.

Tuve que sonreír. Tampoco los rumanos eran mis invitados favoritos.

—En eso estoy de acuerdo contigo.

Renesmee sacudió la cabeza, pero no dijo nada, ya que a diferencia de todos los demás encontraba a los rumanos extrañamente fascinantes. Hizo incluso el esfuerzo de hablarles en voz alta, ya que ellos no habían permitido que ella los tocara. Les hizo una pregunta acerca de su piel, tan poco habitual, y aunque temía que pudieran sentirse ofendidos, me alegré en cierta manera: yo también sentía curiosidad.

Ellos no parecieron molestarse por su interés, en todo caso, se mostraron algo compungidos.

—Estuvimos sentados inmóviles durante mucho tiempo, niña —le respondió Vladimir mientras Stefan asentía, aunque sin continuar su frase como solía—, contemplando nuestra propia divinidad. Todo el mundo venía a nosotros como muestra de nuestro poder. Presas, diplomáticos, y aquellos que buscaban nuestro favor. Nos sentamos en nuestros tronos y nos creímos dioses. No nos dimos cuenta durante mucho tiempo de que estábamos transformándonos, casi petrificándonos. Supongo que los Vulturis nos hicieron un favor cuando quemaron nuestros castillos. Stefan y yo, por lo menos, no continuamos convirtiéndonos en piedra. Ahora, los ojos de los Vulturis está cubiertos con una película de escoria, pero los nuestros siguen brillando. Imagino que eso nos dará una ventaja cuando les saquemos los suyos de las órbitas.

Después de aquello procuré mantener a la niña apartada de ellos.

—¿Cuánto tiempo podemos pasar con Charlie? —preguntó Jacob, interrumpiendo mis pensamientos. Se iba relajando de forma visible mientras nos alejábamos de la casa y sus nuevos habitantes. Me hizo feliz que para él yo no fuera un vampiro más, sino simplemente Bella.

—Pues bastante, en realidad.

El tono de mi voz captó su atención.

—¿Hay algo más aparte del hecho de ir a visitar a tu padre?

—Jake, creo que no eres consciente de lo poco capaz que eres de controlar tus pensamientos cuando Edward anda cerca.

Alzó una gruesa ceja negra.

—¿Ah, sí?

Yo asentí nada más, desviando los ojos hacia Renesmee. Ella miraba por la ventana y no podía saber si estaba interesada o no en nuestra conversación, pero decidí no arriesgarme a decir nada más.

Jacob esperó que añadiera algo, y entonces su labio inferior se adelantó mientras pensaba en lo poco que le había dicho.

Mientras viajábamos en silencio, miré a través de aquellas molestas lentillas hacia la lluvia helada, aunque no hacía el frío suficiente para que se convirtiera en nieve. Mis ojos no tenían ya un aspecto tan macabro como al principio y se iban acercando más al naranja rojizo que al brillante carmesí. Pronto adquirirían el tono ambarino que me permitiría quitarme las lentillas. Esperaba que el cambio no molestara mucho a Charlie.

Jacob todavía estaba digiriendo nuestra conversación interrumpida cuando llegamos a casa de mi padre. No hablamos mientras caminábamos a un ritmo humano vivo a través de la lluvia que seguía cayendo. Mi progenitor nos estaba esperando y tenía la puerta abierta antes de que llamáramos.

—¡Hola chicos! ¡Parece que han pasado años! ¡Mírate, Nessie! ¡Ven con el abuelito! Te juro que has crecido quince centímetros y pareces más delgada, Ness —me miró con mala cara—. ¿Es que no te dan allí de comer?

—Se debe a lo acelerado del crecimiento —masculló—. Hola, Sue —la llamé por encima de su hombro. El olor a pollo, tomate, ajo y queso provenía de la cocina, un buen aroma para cualquiera menos para mí. Y también olía a pino fresco y a espuma de embalaje.

Renesmee marcó sus hoyuelos. Nunca hablaba delante de Charlie.

—Bueno, venga, entrad, que hace frío, chicos. ¿Dónde está mi yerno?

—Atendiendo a los amigos —replicó Jacob y después resopló—. No sabes la suerte que tienes de estar fuera de combate, Charlie. Eso es todo lo que te puedo decir.

Le di un golpecito amistoso a Jacob en los riñones mientras Charlie se estremecía.

—Ay —se quejó Jacob para sus adentros; bueno, *pensé* que le estaba dando un «golpecito».

—Charlie, lo cierto es que tengo que hacer algunos recados. Jacob me echó una ojeada, pero no dijo nada.

—¿De compras navideñas, Bella? Ya sabes que te quedan pocos días.

—Ah, sí, las compras de Navidad —repuse con poca convicción. Eso explicaba la espuma de embalaje, porque Charlie habría sacado ya los viejos adornos navideños.

—No te preocupes, Nessie —le susurró al oído—. Yo me haré cargo si tu madre te falla.

Le puse los ojos en blanco, pero la verdad era que no había pensado para nada en las vacaciones.

—El almuerzo está en la mesa —anunció Sue desde la cocina—. Venga, chicos.

—Nos vemos luego, papá —le dije, e intercambié una mirada rápida con Jacob. Incluso si éste no fuera capaz de evitar pensar en la presente situación cuando permaneciera cerca de Edward, al menos no habría mucho que pudiera compartir con él. No tenía ni idea de adónde iba ni en qué andaba yo.

Aunque claro, pensé para mis adentros cuando me monté en el coche, tampoco es que yo tuviera mucha idea, de todas formas.

Las carreteras estaban resbaladizas y oscuras, pero conducir ya no me intimidaba. Mis reflejos estaban más que preparados para hacer el trabajo por mí y apenas le presté atención a la carretera. El problema era más bien evitar que mi velocidad atrajera la atención de nadie cuando llevaba compañía, pero quería terminar la misión de ese día y resolver el misterio para volver a mi tarea vital de aprendizaje. Aprender a proteger a unos y matar a otros.

Cada vez me iba mejor con mi escudo. Kate ya no sentía la necesidad de motivarme, y no me resultaba difícil encontrar motivos de enojo ahora que sabía que ésa era la clave; así que generalmente trabajaba con Zafrina. Ella estaba encantada con la extensión que había alcanzado, ya era capaz de cubrir un área de más de tres metros durante más de un minuto, aunque eso me dejaba exhausta. Esa mañana había intentado encontrar la forma de empujar el escudo totalmente fuera de mi mente. Yo no veía la utilidad de aquello, pero ella pensaba que me ayudaría a fortalecerme, como cuando se ejercitan músculos del estómago y de la espalda además de los de los brazos. La verdad es que puedes levantar más peso cuando todos los músculos están fortalecidos.

No se me daba nada bien. Sólo conseguí un vislumbre del río de la selva que ella intentaba mostrarme.

Pero había otras muchas maneras de prepararme para lo que se nos avecinaba, y como únicamente quedaban dos semanas, me preocupaba que pudiera estar dejando de lado la más importante. Así que ahora estaba dispuesta a corregir ese descuido.

Había memorizado los mapas apropiados, y no tuve problema en encontrar el camino hacia la dirección que no existía en Internet, la única que tenía de J. Jenks. Mi paso siguiente sería encontrar a Jason Jenks en la otra dirección, la que Alice no me había dado.

Decir que aquél no era un buen vecindario habría sido quedarse corto. El más insulso de los coches de los Cullen hubiera tenido un aspecto estrafalario en aquella calle, aunque mi viejo Chevy hubiera encajado la mar de bien. Durante mis años como humana, habría cerrado todas las puertas y habría huido de allí tan rápido como hubiera podido. Fuera como fuera, estaba un poco fascinada. Intenté imaginarme a Alice en este sitio por alguna razón y no lo conseguí.

Los edificios, todos de tres plantas, todos estrechos y todos inclinándose ligeramente como si los aplastara la lluvia que caía a cántaros, eran por lo general casas viejas divididas en múltiples apartamentos. Resultaba difícil decir de qué color era la pintura de cada fachada, porque todas habían terminado por adoptar alguno de los matices del gris. Unos cuantos edificios tenían oficinas en la primera planta: un bar mugriento con las cristaleras pintadas de negro, una tienda de objetos parapsicológicos con manos de neón y cartas de tarot brillando en la puerta, un estudio de tatuajes, y una guardería, cuya ventana de la fachada estaba sujeta con cinta adhesiva plateada. No había lámparas en el interior de ninguna de las habitaciones, aunque el exterior estaba tan en penumbra como para que los humanos necesitaran luz. Escuché un murmullo bajo de voces en la distancia, que sonaban como un televisor.

Había unas cuantas personas por ahí, dos vagabundeaban a través de la lluvia en direcciones opuestas y otra permanecía sentada en el porche poco hondo de una oficina de abogados de ocasión cerrada con tablas, leyendo un periódico mojado y silbando. El sonido resultaba demasiado alegre en aquel escenario.

Me encontraba tan desconcertada por el descuidado silbador que no me di cuenta al principio de que el edificio abandonado se hallaba justo en la dirección que estaba buscando, por si existiera. No había ningún número en aquel lugar abandonado, pero el salón de tatuajes situado a su lado marcaba precisamente dos números más.

Aparqué junto al bordillo y dejé el motor en marcha durante unos segundos. Debía entrar en aquel basurero de un modo u otro pero, ¿cómo hacerlo sin que lo notara el hombre que silbaba? Podría aparcar en la calle paralela e introducirme a través de la parte trasera. Habría más testigos en aquel sitio. ¿Quizá por los tejados? ¿Estaba lo suficientemente oscuro para ello?

—Hola, señora —me gritó el silbador.

Bajé la ventana del lado del copiloto como si no pudiera oírle bien.

El hombre apartó el papel y sus ropas me sorprendieron, ahora que podía verlas. Parecía demasiado bien vestido debajo de ese largo guardapolvos andrajoso. No soplaba ninguna brisa que me pudiera hacer llegar su olor, pero el brillo de su camisa rojo oscuro parecía seda. Su negro pelo rizado estaba enmarañado y desordenado, pero su piel morena tenía un aspecto suave y perfecto y sus dientes lucían blancos y derechos. Una contradicción.

—Quizá no debería aparcar ahí ese coche, señora —me dijo—. No estará aquí cuando regrese.

—Gracias por el aviso —repuse.

Apagué el motor y me bajé. Quizás mi amigo el de los silbidos podía darme las respuestas que necesitaba sin necesidad de forzar la entrada. Abrí mi gran paraguas gris. No es que en realidad me preocupara proteger el traje largo de punto de cachemira que llevaba. Pero es lo que habría hecho un humano.

El hombre entrecerró los párpados a través de la lluvia al ver mi rostro, y entonces se le pusieron los ojos como platos. Tragó saliva y escuché cómo se aceleraba su corazón conforme me acercaba.

—Estoy buscando a alguien —comencé.

—Yo soy alguien —me ofreció con una sonrisa—. ¿Qué puedo hacer por usted, guapa?

—¿Es usted J. Jenks? —le pregunté.

—Oh —exclamó él y su rostro cambió de la anticipación a la comprensión. Se puso en pie y me examinó con los ojos entrecerrados—. ¿Por qué está buscando a J?

—Eso es asunto mío —además no tenía ninguna pista—. ¿Es usted?

—No.

Nos encaramos el uno al otro durante un buen rato mientras sus ojos agudos recorrían de arriba abajo la ajustada funda de color gris perla que llevaba puesta. Su mirada al fin regresó a mi rostro.

—No tiene usted la pinta del cliente habitual.

—Probablemente es porque no lo soy —admití—, pero necesito verle tan pronto como sea posible.

—No estoy muy seguro de cómo hacerlo —admitió él a su vez.

—¿Por qué no me dice usted su nombre?

Él sonrió.

—Max.

—Encantada de conocerle, Max. Y ahora, ¿por qué no me dice qué es lo que hace por los *habituales*?

Su sonrisa se convirtió en un ceño fruncido.

—Bueno, los clientes habituales de J no tienen su pinta. Los de su clase no se molestan en venir a la oficina de este barrio, se dirigen a la oficina de diseño que tiene en el rascacielos.

Repetí la otra dirección disponible, convirtiendo la lista de los números de la dirección en una pregunta.

—Ah, sí, ése es el sitio —me contestó, de nuevo suspicaz—. ¿Y cómo es que usted ha venido hasta aquí?

—Porque ésta fue la dirección que me facilitó… una fuente de mucha confianza.

—Si viniera por algo bueno, no estaría aquí.

Fruncí los labios. En la vida se me había dado bien eso de mentir, pero tal y como me había dejado la cosa Alice, no es que tuviera demasiadas alternativas.

—Quizá no estoy aquí para algo bueno.

El rostro de Max adoptó una expresión de disculpa.

—Mire, señora…

—Bella.

—De acuerdo, Bella. Mire, yo necesito este trabajo. J me paga la mar de bien por andar por aquí todo el día. Quiero ayudarla, claro que sí, pero bueno… y claro, estoy hablando de forma hipotética, ¿no?, *off the record* o lo que le vaya bien a usted, pero si dejo pasar a alguien que pueda causarle líos, me echa. ¿Ve cuál es mi problema?

Pensé durante un minuto, mordiéndome el labio.

—¿No ha visto a nadie como yo por aquí antes? Bueno, o algo parecido a mí. Mi hermana es un poco más baja que yo y tiene el pelo erizado y oscuro, negro, en realidad.

—¿J conoce a su hermana?

—Eso creo.

Max reflexionó durante un rato. Yo le sonreí y su respiración se atolondró.

—Le diré lo que vamos a hacer. Voy a llamar a J. Le describiré cómo es usted. Dejemos que él tome la decisión.

¿Qué era lo que sabía J. Jenks? ¿Significaría algo mi descripción para él? Era un pensamiento preocupante.

—Mi apellido es Cullen —le dije a Max, preguntándome si no era ésa demasiada información. Empezaba a sentirme irritada con Alice. ¿Resultaba necesario que me hubiera dejado a ciegas de esa manera? Podría haberme escrito una o dos palabras más…

—Cullen, ya lo tengo.

Lo observé mientras marcaba y capté con facilidad el número. Bueno, podría llamar yo misma a J. Jenks si esto no funcionaba.

—Hola, aquí Max. Ya sé que no debo llamarle a este número, salvo en caso de emergencia…

—¿Hay una emergencia? —escuché de forma lejana desde el otro extremo de la línea.

—Bueno, exactamente no. Es que hay una chica que quiere verle…

—No veo ninguna emergencia en eso. ¿Por qué no sigues el procedimiento habitual?

—No sigo el procedimiento habitual porque ella no tiene un aspecto habitual para nada…

—¿Lleva placa?

—No.

—No puedes estar seguro de eso. ¿Tiene pinta de ser una de las chicas de Kubarev?

—No, déjeme hablar, ¿vale? Dice que usted conoce a su hermana o algo así.

—No es probable. ¿Qué aspecto tiene?

—Ella es… —sus ojos recorrieron desde mi rostro hasta mis zapatos con expresión apreciativa—. Bueno, parece una «cacho modelo», eso es lo que parece —sonrió y me guiñó un ojo, y después continuó—. Tiene un cuerpo de escándalo, pálida como una sábana, el pelo castaño oscuro casi hasta la cintura, y necesita una buena noche de sueño… ¿Algo de esto le resulta familiar?

—No, para nada. No estoy nada contento con que dejes que tu debilidad por las mujeres guapas me interrumpa…

—Vale, ya sé que me comporto como un imbécil por culpa de cualquier chica bonita, ¿qué tiene eso de malo? Siento haberle molestado, hombre. Olvídelo.

—Dígale el nombre —le susurré.

—Ah, vale. Espere —añadió Max—. Dice llamarse Bella Cullen, ¿ayuda eso?

Hubo un momento de profundo silencio y entonces la voz al otro lado comenzó a gritar repentinamente, usando un montón de palabras que no se escuchan con frecuencia fuera de los lugares habituales de los camioneros. La expresión de Max cambió, se desvanecieron todas sus ganas de broma y se le pusieron los labios pálidos.

—¡Porque usted no me lo preguntó! —gritó Max en respuesta, lleno de pánico.

Hubo otra pausa mientras J se tranquilizaba.

—¿Hermosa y pálida? —preguntó, algo más calmado.

—¿No es eso lo que he dicho?

¿Hermosa y pálida? ¿Qué era lo que sabía ese hombre sobre vampiros? ¿Era él uno de nosotros? No estaba preparada para esa clase de encuentro, así que apreté los dientes. ¿En qué lío me había metido Alice?

Max esperó durante un minuto a través de otra descarga cerrada de insultos e instrucciones a voces y después me miró con unos ojos que parecían casi asustados.

—Pero usted sólo ve a los clientes de los barrios bajos los jueves… ¡Vale, vale! Ya está —y cerró su teléfono.

—¿Quiere verme? —pregunté con alegría.

Max me fulminó con la mirada.

—Debía usted haberme dicho que era un cliente de los importantes.

—No sabía que lo era.

—Pensé que era usted policía —admitió él—. Quiero decir, que no tiene aspecto de eso, pero actúa de una manera muy rara, guapa.

Me encogí de hombros.

—¿Narcotraficantes? —intentó adivinar.

—¿Quién, yo? —pregunté.

—Claro, o tu novio o quien sea.

—No, lo siento. Realmente no es que me gusten mucho y tampoco a mi marido. «Di no a las drogas» y esas cosas.

Max maldijo para sus adentros.

—Casada, y no podrá darse un descanso.

Le sonreí.

—¿La mafia?

—No.

—¿Contrabando de diamantes?

—¡Basta! ¿Ésa es la clase de gente con la que trata Max de modo habitual? Quizá necesita un nuevo trabajo.

Tenía que admitirlo, me lo estaba pasando bastante bien. No me había relacionado mucho con humanos, aparte de Charlie y Sue. Era divertido ver cómo ese hombre se quedaba sin palabras y también estaba encantada de comprobar lo fácil que me resultaba no matarle.

—Pues ha de estar metida en algo gordo. Y malo —musitó él.

—En realidad, no es así.

—Sí, eso es lo que dicen todos, pero ¿quién necesita papeles o se puede pagar los precios de J por ellos? Nadie que se dedique a lo mío, eso está claro —comentó él, y después masculló la palabra «casada» otra vez.

Me dio una dirección completamente nueva con instrucciones básicas para llegar y después me vio alejarme al volante con ojos suspicaces y llenos de pesar.

Llegados a este punto, estaba ya preparada para casi cualquier cosa, alguna especie de madriguera de alta tecnología, al estilo de los malos de una película de James Bond. Así que al principio pensé que Max me había dado una dirección equivocada en plan de prueba. O quizás el escondite era subterráneo, bajo aquel centro comercial de las afueras de lo más corriente, anidado en lo alto de una colina con árboles y en un encantador vecindario familiar.

Aparqué en una plaza libre y miré hacia la discreta y elegante placa donde se leía: Jason Scott, abogado.

La oficina que había dentro era beis con algunos toques en verde apio, apenas perceptibles y que no desentonaban. No percibí ningún olor a vampiro por allí y eso me ayudó a relajarme. Sólo el olor de un humano desconocido. Había una pecera contra una pared y una insulsa y bonita recepcionista sentada detrás de un escritorio.

—Hola —me saludó—. ¿Cómo puedo ayudarla?

—Estoy aquí para ver al señor Scott.

—¿Tiene cita?

—No, no exactamente.

Me puso una sonrisita de suficiencia.

—Entonces puede que tarde un rato. ¿Por qué no toma asiento mientras yo…?

—¡April! —gritó una exigente voz masculina por el interfono—, estoy esperando que venga la señora Cullen.

Yo sonreí y me señalé a mí misma.

—Hazla entrar de inmediato, ¿entiendes? No me importa lo que haya que interrumpir.

Podía detectar algo más en su voz además de la impaciencia. Tensión. Nervios.

—Acaba de llegar —dijo April tan pronto como la dejó hablar.

—¿Qué? ¡Hazla entrar! ¿A qué estás esperando?

—¡Ahora mismo, señor Scott! —se puso en pie, revoloteando con las manos mientras encabezaba la marcha por un corto pasillo, ofreciéndome una taza de café o de té o lo que quisiera.

—Aquí es —dijo cuando me condujo hacia la puerta de una oficina que mostraba poderío en todo, desde su pesado escritorio de madera hasta su pared llena de títulos.

—Cierra la puerta cuando salgas —ordenó una rasposa voz de tenor.

Examiné al hombre situado detrás del escritorio mientras April hacía una pronta retirada. Era bajito y calvo, probablemente en torno a los cincuenta y cinco, con una buena barriga. Llevaba una corbata de seda roja, una camisa a rayas azules y blancas y un *blazer* de color azul marino colgaba del respaldo del sillón. Estaba temblando y tan blanco que rozaba el tono enfermizo de la pasta, y el sudor le goteaba de la frente. Me imaginé que había de tener una buena úlcera debajo de los michelines.

J se recuperó un poco y se alzó presuroso de su asiento. Me ofreció la mano a través de la mesa.

—Señora Cullen, qué maravilla verla.

Crucé la habitación hasta llegar frente a él y le di la mano, aunque la sacudí sólo una vez. Él se encogió un poco al contacto de mi piel fría, pero no pareció muy sorprendido por ella.

—Señor Jenks… ¿O prefiere usted que le llame Scott?

Él se estremeció de nuevo.

—Lo que usted desee, desde luego.

—¿Qué tal si usted me llama Bella y yo J?

—Como viejos amigos —acordó él, pasándose un pañuelo de seda por la frente. Me hizo el gesto de que me sentara y él lo hizo a su vez—. Debo preguntar, ¿finalmente tengo el placer de encontrarme con la encantadora esposa del señor Jasper?

Sopesé la idea durante un segundo. Así que este hombre conocía a Jasper, no a Alice. Lo conocía y parecía temerlo también.

—En realidad, soy su cuñada.

Frunció los labios, como si estuviera buscando información de un modo tan desesperado como yo.

—¿Confío en que el señor Jasper goza de buena salud? —me preguntó con cautela.

—Estoy segura de que es así. De hecho, en estos momentos está disfrutando de unas largas vacaciones.

Esto pareció aclarar parte de la confusión de J, que asintió como para sí mismo y tabaleó sobre la mesa con los dedos.

—Estupendo, pero debería haber venido directamente a la oficina principal. Mis asistentes la habrían traído hasta mí, sin necesidad de pasar por canales… menos hospitalarios —asentí una sola vez. No estaba segura de por qué Alice me había dado la dirección del gueto—. Ah, bueno, pero ya está aquí… ¿Qué puedo hacer por usted?

—Papeles —le dije, intentando hacer sonar mi voz como si supiera de lo que estaba hablando.

—Muy bien —replicó J, diligente—. ¿Hablamos de certificados de nacimiento, de muerte, permisos de conducir, pasaportes, tarjetas de la seguridad social…?

Inhalé un gran trago de aire y sonreí. Le debía a Max el éxito en este asunto.

Y después mi sonrisa se desvaneció. Alice me había enviado aquí por algún motivo, y estaba segura de que era para proteger a Renesmee. Su último regalo para mí. Aquello que sabía que necesitaría.

La única razón por la cual mi hija necesitaría un falsificador sería si tenía que huir. Y la única razón por la cual tendría que huir sería si perdíamos.

Si Edward y yo huíamos con ella, no necesitaría esos documentos para nada. Estaba segura de que Edward sabía cómo echar mano de papeles para identificarnos o bien cómo hacerlos él mismo y estaba convencida de que conocía maneras de escapar sin ellos. Incluso podríamos correr miles de kilómetros o nadar a través del océano con Renesmee.

Eso si estábamos allí para salvarla…

Y además estaba el secretismo para mantener esto fuera de la cabeza de Edward, porque había una gran probabilidad de que Aro pudiera acceder a todo lo que él supiera. Si perdiéramos, seguramente Aro obtendría la información que codiciaba antes de destruir a Edward.

Era justo lo que había sospechado: no podíamos ganar, pero nos apuntaríamos un buen tanto si matábamos a Demetri antes de perder, ya que de este modo le daríamos a Renesmee la oportunidad de escapar.

Sentí el corazón como una gran losa sobre mi pecho, un peso aplastante. Todas mis esperanzas se desvanecieron como la niebla bajo la luz del sol. Me escocieron los ojos.

¿A quién debía poner en esos documentos? ¿A Charlie? No, estaba del todo indefenso al ser un humano. Además, ¿cómo iba a entregarle a Renesmee? No iba a estar cerca de la lucha cuando se produjera. Así que sólo quedaba una persona. En realidad, nunca había existido ninguna otra.

Pensé todo esto a tanta velocidad que J no notó mi pausa.

—Dos certificados de nacimiento, dos pasaportes, un permiso de conducir —repuse en voz baja y tensa.

Si él notó algún cambio en mi tono de voz, lo disimuló.

—¿Los nombres?

—Jacob… Wolfe. Jacob Wolfe y Vanessa Wolfe —Nessie parecía un diminutivo adecuado para Vanessa. A Jacob le haría gracia ese rollo del apellido Wolfe[7].

Su bolígrafo escribía con rapidez en un bloc de documentos legales.

—¿Primer apellido?

—Ponga cualquiera.

---

[7] Juego de palabras entre el apellido Wolfe y el sustantivo *wolf*, que significa «lobo». [N. de los T.]

—Como prefiera… ¿Qué edades debo consignar?

—Veintisiete para el hombre, cinco para la niña —el muy bestia de Jacob los aparentaba sin problema alguno, y al ritmo al que crecía Renesmee, más valía calcular por lo alto. Él podía ser su padre adoptivo…

—Necesitaré fotografías si precisa los documentos terminados —me dijo J interrumpiendo mis pensamientos—. El señor Jasper generalmente prefiere terminarlos él mismo.

Bueno, eso explicaba por qué J no estaba al tanto del aspecto de Alice.

—Espere un instante —le contesté.

Esto sí que era suerte. Tenía varias fotos familiares guardadas en mi cartera y una perfecta, en la cual Jacob sostenía a Renesmee en los escalones frontales del porche, sólo tenía un mes de antigüedad. Alice me la había dado sólo unos cuantos días antes… Oh. Quizá después de todo no era una suerte en absoluto. Alice sabía que la necesitaría. Quizá había tenido alguna oscura visión al respecto.

—Aquí la tiene.

J examinó la foto durante un momento.

—Su hija se le parece mucho.

Yo me puse tensa.

—En realidad, se parece más a su padre.

—Que no es este hombre —y tocó el rostro de Jacob.

Entrecerré los ojos y nuevas gotas de sudor brotaron de la frente brillante de J.

—No. Es un amigo muy cercano a la familia.

—Disculpe —masculló, y el bolígrafo comenzó a rascar el papel otra vez—. ¿Para cuándo necesita en su poder los documentos?

—¿Puede conseguirlos en una semana?

—Eso es un encargo muy apresurado. Costará el doble…, pero perdóneme de nuevo. Se me había olvidado con quién estaba hablando —estaba claro que conocía a Jasper.

—Sólo deme una cifra.

Pareció dudar, aunque estaba segura de que habiendo tratado con Jasper debía saber que el precio no sería un problema real para mí. Ni siquiera había que considerar las abultadas cuentas que existían por todo el mundo con los diversos nombres de los Cullen: había suficiente dinero en metálico por toda la casa para mantener un país pequeño a flote durante toda una década. Esto me recordó los cientos de anzuelos que había en el fondo de los cajones de la casa de Charlie. Dudaba que nadie hubiera notado el pequeño montoncito que había cogido para el día de hoy.

J escribió el precio en la parte inferior del bloc legal.

Asentí con calma. Había traído más que eso. Abrí el bolso de nuevo y conté la cantidad correcta, lo que me llevó muy poco tiempo porque llevaba los billetes agrupados con clips en grupos de cinco mil dólares.

—Tenga.

—Ah, Bella, no tiene por qué darme toda la suma ahora. Es la costumbre que retenga la mitad para asegurarse la entrega.

Le sonreí al hombre con languidez.

—Pero yo confío en usted, J; además, le daré una recompensa: la misma cantidad a la entrega de los documentos.

—Eso no es necesario, se lo aseguro.

—No se preocupe —me daba igual el dinero con tal de poder conseguir esos documentos—. Así que, ¿nos vemos aquí la semana próxima a la misma hora?

Me devolvió una mirada apenada.

—En realidad, prefiero hacer este tipo de transacciones en lugares alejados de mis varios negocios.

—Claro. Estoy segura de que no estoy haciendo esto del modo que usted esperaba.

—Estoy acostumbrado a no tener ningún tipo de expectativas en mis tratos con la familia Cullen —hizo una mueca y de inmediato recompuso el rostro—. ¿Qué le parece si nos vemos en una semana a las ocho de la tarde en el Pacífico? Está en Union Lake y la comida es exquisita.

—Perfecto.

Y no es que me fuera a unir a él para cenar. En realidad, a él no le gustaría nada estar cerca de mí durante la cena.

Me puse en pie y nos dimos la mano de nuevo. Esta vez no se estremeció, pero parecía tener otra preocupación en la cabeza. Tenía la boca apretada y la espalda tensa.

—¿Tendrá algún problema con la fecha? —quise saber.

—¿Qué? —alzó la mirada, cogido con la guardia baja por mi pregunta—. ¿La fecha? Oh, no, no me preocupa en absoluto. Tendré sus documentos preparados a tiempo, sin lugar a dudas.

Habría sido estupendo tener a Edward allí conmigo, de modo que pudiera averiguar cuáles eran las preocupaciones reales de J en ese momento. Suspiré. Guardarle secretos a Edward ya me parecía bastante malo, pero estar separada de él era casi demasiado.

—Entonces, nos vemos en el plazo de una semana.

Declaración

Escuché la música cuando apenas había salido del vehículo. Edward no había tocado el piano desde la noche en que se fue Alice. Ahora, cuando cerré la puerta del coche, oí la canción transformarse en una sintonía transitoria hasta convertirse en mi nana. Edward me daba la bienvenida a casa.

Me moví con lentitud mientras sacaba a Renesmee del Volvo, profundamente dormida, ya que habíamos pasado todo el día fuera. Jacob se había quedado en casa de Charlie, porque había dicho que se iba a dar una vuelta con Sue. Me pregunté si estaba intentando llenarse la cabeza con suficientes trivialidades para expulsar la expresión que debía de tener en mi rostro cuando crucé la puerta de Charlie.

Mientras caminaba con lentitud hacia el hogar de los Cullen reconocí que la esperanza y la exaltación que percibía casi como un aura visible alrededor de la gran casa blanca y que había sentido por la mañana ahora me parecían como algo ajeno.

Me entraron ganas de llorar otra vez al escuchar a Edward interpretar una pieza para mí, pero me recompuse. No quería que sospechara nada y tampoco dejar ningún tipo de pista en su mente que pudiera encontrar Aro.

Edward volvió la cabeza y sonrió cuando atravesé la puerta, pero siguió tocando.

—Bienvenida a casa —dijo, como si fuese un día cualquiera y como si no hubiera otros doce vampiros en la habitación dedicados a actividades distintas y una docena más esparcidos por ahí—. ¿Lo has pasado hoy bien con Charlie?

—Sí, siento haber tardado tanto. Salí para comprar algunos regalos de Navidad para Renesmee. No sé si será una celebración que merezca la pena, pero... —me encogí de hombros.

Las comisuras de los labios de Edward se volvieron hacia abajo. Dejó de tocar y le dio la vuelta al banquillo de modo que me enfrentó con su cuerpo. Me puso una mano en la cintura y me acercó a él.

—No he pensado mucho en eso. Si de verdad *deseas* que lo celebremos...

—No —le interrumpí y me encogí internamente ante la idea de intentar simular algún tipo de entusiasmo más allá del mínimo necesario—. Pero tampoco me apetecía que se pasase sin darle algo.

—¿Me dejas verlo?

—Si quieres... Es una fruslería sin importancia.

La niña estaba por completo inconsciente, roncando con delicadeza contra mi cuello. La envidiaba. Habría sido una maravilla poder escapar de la realidad, aunque hubiera sido durante sólo unas horas.

Con cuidado, pesqué la bolsita de terciopelo de joyería en mi bolso, pero sin abrirlo demasiado para que Edward no pudiera ver el dinero en metálico que aún llevaba conmigo.

—Lo encontré por casualidad en el escaparate de una tienda de antigüedades mientras conducía por ahí.

Puse el pequeño guardapelo dorado en la palma de su mano. Era redondo, con una esbelta guirnalda de pámpanos grabada alrededor del borde exterior del círculo. Edward abrió el pequeño pestillo y miró dentro. Había un espacio para una foto pequeña y en el lado opuesto una inscripción en francés.

—¿Sabes lo que dice? —me preguntó en un tono diferente, más contenido que antes.

—El dependiente me explicó que ponía algo así como «Más que mi propia vida». ¿Es correcto?

—Sí, tiene razón.

Alzó sus ojos hacia mí, sondeándome con su mirada del color de los topacios. Me encontré con ella durante un momento, y después simulé haberme distraído con la televisión.

—Espero que le guste —murmuré.

—Claro que sí —repuso él con ligereza, casi de forma casual, y estuve segura en ese segundo de que sabía que le ocultaba algo. También estaba segura de que no tenía idea de los detalles—. Vamos a llevarla a casa —sugirió, poniéndose en pie y pasándome el brazo por los hombros.

Yo vacilé.

—¿Qué? —me preguntó, exigente.

—Quería practicar un poco con Emmett... —había perdido todo el día en mi vital recado y me sentía como si me hubiera retrasado en algo.

Emmett, que estaba en el sofá, con Rose y en posesión del mando a distancia, claro, elevó la mirada y sonrió con anticipación.

—Excelente. El bosque necesita una buena tala.

Edward miró a Emmett con cara de pocos amigos y luego a mí.

—Habrá tiempo de sobra mañana —replicó.

—No seas ridículo —me quejé—. Precisamente lo que no tenemos es *tiempo*. Ese concepto ya no existe. Tengo un montón que aprender y…

Él me cortó de forma radical.

—Mañana.

Y su expresión era tal, que ni siquiera Emmett discutió.

Me sorprendió ver lo difícil que resultaba regresar a una rutina que, después de todo, también era nueva, pero arrojar a la basura la pequeñísima esperanza que había estado atesorando hasta ese momento hacía que todo me pareciera imposible.

Intenté concentrarme en los aspectos más positivos. Había una buena posibilidad de que mi hija sobreviviera a lo que se avecinaba, y Jacob, también. Si tenían algún tipo de futuro, eso ya era en sí mismo una especie de victoria, ¿no? Nuestro pequeño bando sabría defenderse si Jacob y Renesmee contaban con la oportunidad de huir en primer lugar. Sí, la estrategia de Alice sólo tendría sentido si en realidad íbamos a desarrollar una buena lucha. Así que también había allí una especie de victoria, considerando que los Vulturis no habían sido desafiados en serio durante milenios.

No iba a ser el fin del mundo, sólo el de los Cullen. El final de Edward y el mío, también.

Yo lo prefería así, al menos la última parte, de cualquier modo. No quería vivir otra vez sin Edward; si él tenía que abandonar este mundo, yo iría justo detrás de él.

Me preguntaba de vez en cuando si habría algo para nosotros al otro lado. Sabía que Edward en realidad no lo creía así, pero Carlisle sí. Yo misma no podía imaginarlo. Por otro lado, no era capaz de pensar que Edward dejara de existir en algún lugar o de algún modo. Si lográbamos estar juntos en algún sitio, el que fuera, entonces eso sería para mí un final feliz.

Y así continuó el patrón de mis días, sólo que mucho más duro que antes.

Edward, Renesmee, Jacob y yo fuimos a ver a Charlie el día de Navidad. La manada de Jacob al completo estaba allí, además de Sam, Emily y Sue. Era una gran ayuda tenerlos en las pequeñas habitaciones de Charlie, con sus cuerpos grandes y cálidos rebosando los asientos y atestando las esquinas alrededor del árbol escasamente decorado (se podía ver con exactitud dónde mi padre se había aburrido de colgar cosas y lo había dejado). Siempre se podía contar con los licántropos para que se pusieran a trajinar cuando se acercaba una lucha, no importaba lo suicida que fuera. La electricidad que desprendía su excitación ofrecía una corriente agradable capaz de disimular mi profunda falta de ánimos. Edward era, como siempre, mucho mejor actor que yo.

Renesmee llevaba puesto el guardapelo que le había dado al amanecer y en el bolsillo de su chaqueta el reproductor de MP3 que Edward le había regalado, una cosa diminuta capaz de albergar cinco mil canciones, con todas sus favoritas. En la muñeca llevaba la versión quileute intrincadamente trenzada de un anillo de compromiso. Edward había apretado los dientes al verlo, pero a mí no me molestó.

Pronto, demasiado pronto, se la tendría que entregar a Jacob para que la pusiera a salvo. ¿Cómo podía incomodarme un símbolo del compromiso en el que tanto confiaba?

Edward nos había salvado el día encargando un regalo para mi padre también. Había aparecido la jornada anterior, con un correo especial urgente veinticuatro horas, y Charlie se había pasado toda la mañana leyendo el grueso manual de instrucciones de su nuevo sistema de sónar para pesca.

Por el modo en que zampaban los hombres lobo, el almuerzo que había preparado Sue debía de estar muy bueno. Me pregunté qué aspecto habría tenido la reunión para alguien que la contemplara desde fuera. ¿Estábamos representando cada uno nuestro papel de manera lo bastante convincente? ¿Habría pensado un extraño que éramos un feliz círculo de amigos, disfrutando el día de vacaciones con la alegría normal en estos casos?

Creo que tanto Edward como Jacob se sintieron la mar de aliviados cuando llegó la hora de marcharse. Me pareció extraño gastar energía en mantener la fachada aparente de humanidad, cuando había tantas otras cosas mucho más importantes que hacer. Me costaba trabajo concentrarme. Al mismo tiempo, ésta era quizás la última vez que vería a Charlie y a lo mejor era algo positivo que estuviera demasiado aturdida para ser totalmente consciente de ello.

No había visto a mi madre desde la boda, pero comprendí que sólo podía alegrarme del distanciamiento gradual que se llevaba produciendo desde hacía dos años. Ella era demasiado frágil para el mundo en el que yo vivía ahora, y no quería que participara en él de ninguna manera. Charlie era más fuerte.

Quizá lo bastante fuerte para soportar ahora una despedida; yo, no.

Había mucho silencio en el coche; fuera, la lluvia apenas se cernía como una neblina, justo en el borde entre el estado líquido y el hielo. Renesmee estaba sentada en mi regazo, jugando con el guardapelo, abriéndolo y cerrándolo. Mientras la observaba, imaginaba las cosas que me habría gustado decirle a Jacob si no hubiera tenido que mantener mis palabras fuera de la cabeza de Edward.

Si alguna vez vuelve a estar segura, llévasela a Charlie. Cuéntale a mi padre toda la historia. Dile lo mucho que lo he querido y que no pude soportar dejarle ni siquiera cuando había terminado mi vida humana. Dile que fue el mejor de los padres. Dile que le haga llegar mi amor a Renée, con todas mis esperanzas de que esté feliz y contenta...

Tendría que pasarle los documentos a Jacob antes de que fuera demasiado tarde, y quería dejarle también una nota a Charlie. Y una carta para Renesmee, algo que ella pudiera leer cuando yo no estuviera para decirle por mí misma cuánto la quería.

No había nada inusual en el exterior de la casa de los Cullen cuando aparcamos en el prado, pero se podía escuchar alguna clase de tenue alboroto en el interior: muchas voces murmuraban y gruñían a la vez. Sonaba con intensidad y de forma parecida a una discusión. Pude distinguir la voz de Carlisle y la de Amun con más frecuencia que las de los demás.

Edward dejó el coche enfrente de la casa en vez de dar la vuelta e ir al garaje. Intercambiamos una mirada cautelosa antes de salir del vehículo.

La postura de Jacob cambió. Su rostro se tornó serio y precavido. Adiviné que ahora estaba en pleno estado Alfa. Obviamente, algo había ocurrido e iba a intentar conseguir la información que Sam y él podrían necesitar.

—Alistair se ha ido —murmuró Edward conforme se apresuraba subiendo los escalones.

Dentro del salón se estaba produciendo una confrontación que tenía incluso apariencia física. Había un círculo de espectadores alineados contra las paredes, todos los vampiros que se nos habían unido menos Alistair y los tres implicados en la pelea. Esme, Kebi y Tia eran las más cercanas a los tres vampiros del centro; en mitad de la habitación, Amun siseaba a Carlisle y Benjamin.

Edward endureció la mandíbula y se movió con rapidez para situarse al lado de Esme, arrastrándome de la mano. Yo apreté a Renesmee fuerte contra mi pecho.

—Amun, si quieres marcharte, nadie te obliga a quedarte —decía Carlisle con tranquilidad.

—¡Me estás robando la mitad de mi aquelarre, Carlisle! —chillaba Amun, apuntando con un dedo a Benjamin—. ¿Ha sido por eso por lo que me has hecho venir? ¿Para *robármelo*?

Carlisle suspiró, y Benjamin puso los ojos en blanco.

—Sí, claro, Carlisle emprende una lucha contra los Vulturis, pone en peligro a toda su familia, sólo para arrastrarme a mí a la muerte —repuso Benjamin con sarcasmo—. Sé razonable, Amun. Yo siento la obligación de hacer lo correcto quedándome aquí y no me estoy uniendo a ningún otro aquelarre. Y tú puedes hacer lo que quieras, claro, como te ha señalado Carlisle.

—Esto no va a terminar bien —gruñó Amun—. Alistair es el único cuerdo de esta reunión. Todos deberíamos salir por pies.

—Mira a quién estás llamando cuerdo —murmuró Tia en un aparte en voz baja.

—¡Nos van a masacrar a todos!

—No va a haber ninguna lucha —afirmó Carlisle con voz decidida.

—¡Eso es lo que tú dices!

—Si eso sucede, siempre puedes cambiarte de bando, Amun. Estoy seguro de que los Vulturis apreciarán tu ayuda.

Amun lo miró desdeñosamente

—Tal vez eso *sea* lo correcto.

La respuesta de Carlisle fue cariñosa y sincera.

—Yo nunca te tomaría esto en cuenta, Amun. Hemos sido amigos durante mucho tiempo, pero jamás te pediría que murieras por mí.

La voz de Amun se mostró ahora más controlada.

—Pero te estás llevando a mi Benjamin contigo.

Carlisle puso su mano sobre el hombro de Amun y él se la sacudió de un tirón.

—Me quedaré, Carlisle, pero irá en contra tuya. Me uniré a ellos si ése es el único camino para poder sobrevivir. Sois todos unos majaderos si pensáis que podéis enfrentaros a los Vulturis —los contempló con cara de pocos amigos, y después suspiró, nos miró a Renesmee y a mí de mala manera y añadió en tono exasperado—. Atestiguaré que la niña ha crecido, porque eso no es más que la verdad. Cualquiera podría verlo.

—Es lo único que hemos pedido.

Amun hizo una mueca.

—Pero no va a ser eso lo único que consigas, según parece —se volvió hacia Benjamin—. Te he dado la vida y la estás desperdiciando.

El rostro de Benjamin se volvió más frío de lo que jamás lo había visto y su expresión contrastó de forma extraña con sus rasgos juveniles.

—Es una pena que no pudieras sustituir mi voluntad con la tuya durante el proceso. Quizás entonces por fin habrías estado satisfecho conmigo.

Los ojos de Amun se entrecerraron. Le hizo un gesto brusco a Kebi y pasaron dando largas zancadas a nuestro lado en dirección a la puerta principal.

—No se va a marchar —me confió Edward en voz baja—, pero mantendrá aún más las distancias de aquí en adelante. No estaba marcándose un farol cuando hablaba de unirse a los Vulturis.

—¿Por qué se ha ido Alistair? —le susurré.

—No todo el mundo ve la situación en forma positiva. No ha dejado ni siquiera una nota. De sus rezongos cabe imaginar que considera inevitable la lucha. A pesar de su comportamiento, la realidad es que Carlisle le importa demasiado para alinearse con los Vulturis. Supongo que ha terminado decidiendo que era un peligro demasiado grande —Edward se encogió de hombros.

Aunque nuestra conversación sólo se había desarrollado entre nosotros, era evidente que todos habían podido escucharla. Eleazar contestó al comentario de Edward como si se hubiera estado dirigiendo a todos.

—Lo que se podía deducir de sus quejas era algo más que eso. No hemos hablado mucho de la agenda de los Vulturis, pero a Alistair le preocupaba que los Vulturis no nos escucharían, con independencia de lo bien que fuéramos capaces de demostrar vuestra inocencia. Está convencido de que encontrarán una excusa para salirse con la suya.

Los vampiros se miraron incómodos unos a otros. La idea de que los Vulturis pudieran manipular su propia ley sacrosanta para obtener sus objetivos no era una idea que les agradara. Sólo los rumanos mantuvieron la compostura, con sus medias sonrisas irónicas. Parecían divertidos de ver el esfuerzo que hacían los otros para pensar bien de sus viejos enemigos.

Comenzaron a la vez muchas discusiones en voz baja, pero yo escuché la de los rumanos. Quizá porque Vladimir, el del pelo claro, continuaba lanzando miradas en mi dirección.

—Tengo la gran esperanza de que Alistair tenga razón en esto —le murmuraba Stefan—. No importa el resultado de la contienda, el rumor se extenderá. Ya es hora de que nuestro mundo vea en lo que se han convertido los Vulturis. Nunca caerán mientras todos se crean esa tontería de que ellos son los custodios de nuestra forma de vida.

—Al menos cuando nosotros gobernábamos, éramos honrados sobre lo que éramos —replicó Vladimir.

Stefan asintió.

—Nunca nos hicimos pasar por puros ni nos hicimos llamar santos.

—Creo que ya ha llegado la hora de luchar —añadió Vladimir—. ¿Cuándo crees que volveremos a encontrar unas fuerzas como las de ahora para resistir de verdad? ¿O una oportunidad mejor que ésta?

—Nada es imposible. Quizás algún día…

—Hemos estado esperando ya *quince siglos,* Stefan, y lo único que han hecho ha sido fortalecerse más y más con los años —Vladimir hizo una pausa y me miró de nuevo. No mostró sorpresa alguna cuando vio que yo también le observaba—. Si los Vulturis ganan este conflicto, se marcharán más poderosos de lo que han venido, con nuevas conquistas que añadir a sus fuerzas. Piensa sólo en lo que esa neófita podría aportarles —apuntó hacia mí con su barbilla—. Y apenas está descubriendo su don. Y luego está el que mueve la tierra —Vladimir asintió en dirección a Benjamin, que se envaró. Casi todos estaban prestando atención a los rumanos, igual que yo—. Con sus gemelos brujos no tendrían necesidad de la ilusionista ni de la que lanza descargas —y sus ojos se movieron hacia Zafrina y Kate.

Stefan miró en dirección a Edward.

—Y tampoco necesitan exactamente al lector de mentes, pero ya veo por dónde vas. La verdad es que obtendrían mucho si ganaran esta vez.

—Más de lo que podemos permitir que consigan, ¿no estás de acuerdo?

Stefan suspiró.

—Creo que estoy de acuerdo. Y eso significa…

—Que debemos plantarles cara mientras todavía quede esperanza.

—Con que sólo los diezmáramos, incluso, si les pusiéramos al descubierto…

—Entonces, algún día, otros terminarían el trabajo.

—Y nuestra larga venganza podría cumplirse. Al fin.

Sus ojos se encontraron durante un momento y entonces murmuraron al unísono.

—Parece la única manera.

—Así que combatiremos —finalizó Stefan.

Aunque podía percibir que se sentían divididos entre el instinto de supervivencia y la venganza, la sonrisa que intercambiaron estaba llena de anticipación.

—Lucharemos —remató Vladimir.

Supuse que eso era algo bueno, ya que como Alistair, yo estaba segura de que no se podía evitar la batalla. En ese caso, la presencia de dos vampiros más en nuestro lado podría ayudar, pero aun así la decisión de los rumanos me hacía temblar.

—Nosotros también tomaremos parte en la batalla —anunció Tia, con su voz habitualmente grave más solemne que nunca—. Creemos que los Vulturis se sobrepasan en el ejercicio de su autoridad y no albergamos deseo alguno de pertenecerles —sus ojos se dirigieron a su compañero.

Benjamin sonrió con amplitud y lanzó una mirada pícara hacia los rumanos.

—Por lo que parece, soy una mercancía de interés, así que tendré que luchar por ganar el derecho a ser libre.

—Ésta no será la primera vez que haya peleado para defenderme del dominio de un rey —comentó Garrett en tono de broma. Caminó hacia delante y le dio una palmada en la espalda a Benjamin—. Aquí hablamos de defender la libertad contra la opresión.

—Nosotras estaremos al lado de Carlisle —expuso Tanya—. Y combatiremos con él.

El pronunciamiento de los rumanos parecía haberles hecho sentir a los demás la necesidad de hacer sus propias declaraciones.

—Nosotros no nos hemos decidido —admitió Peter. Miró hacia abajo, hacia su pequeña compañera; la expresión de los labios de Charlotte era de insatisfacción. Parecía como si ya hubiera tomado su decisión. Me pregunté cuál era.

—Lo mismo digo —dijo Randall.

—Y yo —añadió Mary.

—Las dos manadas lucharán junto a los Cullen —aseguró Jacob de repente—. No nos dan miedo los vampiros —agregó con una sonrisita de suficiencia.

—Qué niños —murmuró Peter.

—Infantiles —le corrigió Randall.

Jacob sonrió de forma provocadora.

—Bueno, yo estoy en ello, también —dijo Maggie, desprendiéndose con una sacudida de la mano de Siobhan, que la sujetaba—. Sé que la verdad está del lado de Carlisle, y eso no lo puedo ignorar.

Siobhan miró fijamente al miembro más joven de su aquelarre con ojos preocupados.

—Carlisle —dijo ella como si estuvieran a solas, ignorando el ánimo de repente formal de la reunión, y el arrebato imprevisto de declaraciones—, no quiero que esto termine en lucha.

—Ni yo tampoco, Siobhan. Ya sabes que es lo último que deseo —se sonrió a medias—. Quizás podrías concentrarte en mantener la paz.

—Ya sabes que eso no ayudaría —dijo ella.

Recordé la discusión de Rose y Carlisle sobre la líder irlandesa. Carlisle creía que Siobhan tenía un sutil pero poderoso don para hacer que las cosas sucedieran según su voluntad, aunque ella fuese la primera en no creérselo.

—No hará daño —dijo Carlisle.

Siobhan puso los ojos en blanco.

—¿Que visualice el resultado que deseo? —preguntó ella con sarcasmo.

Carlisle sonreía ahora de forma abierta.

—Si no te importa.

—Entonces no habría necesidad de que mi aquelarre se pronunciara, ¿no? —replicó ella—. Ya que no habría posibilidad de lucha.

Puso la mano en el hombro de Maggie, acercando a la niña hacia sí. El compañero de Siobhan, Liam, permaneció en silencio e inexpresivo.

Casi todo el mundo en la habitación pareció confundido por el intercambio claramente jocoso entre Carlisle y Siobhan, ya que no se lo explicaban.

Ése fue el final dramático de los discursos por esa noche. El grupo se dispersó poco a poco, algunos para cazar, otros para pasar el tiempo con los libros, las televisiones o los ordenadores de Carlisle.

Edward, Renesmee y yo fuimos a cazar y Jacob nos acompañó.

—Estúpidas sanguijuelas —masculló para sí mismo cuando salimos de la casa—. Se creen tan superiores… —y resopló.

—Se van a quedar pasmados cuando los «infantiles» les salven sus vidas superiores, ¿no? —dijo Edward.

Jake sonrió y le dio un puñetazo amistoso.

—Diablos, sí, ya lo creo.

Ésa no fue nuestra última cacería. Salimos de caza una vez más, cerca ya de la fecha en la que se esperaba la llegada de los Vulturis. Como el momento definitivo no era nada preciso, estábamos planeando quedarnos unas cuantas noches fuera, sólo por si acaso, en el gran claro, el que usaban para jugar al béisbol y Alice había distinguido en su visión. Todos sabíamos que vendrían el día en que la nieve cubriera el suelo por primera vez. No queríamos que los Vulturis se acercaran mucho a la ciudad y Demetri los llevaría con facilidad adonde nos encontrábamos. Me pregunté a quién rastrearía, y adiviné que sería a Edward, ya que no podía ser a mí.

Pensé en Demetri mientras cazaba, prestándole poca atención a mi presa o a los copos de nieve volantes que finalmente habían aparecido pero que se derretían antes de tocar el suelo rocoso. ¿Se daría cuenta Demetri de que no podía rastrearme? ¿Qué decisión tomaría al respecto? ¿Y Aro? ¿O es que Edward estaba equivocado? Había esas pequeñas excepciones a las que podía resistir, aquellos caminos alrededor de mi escudo. Todo cuanto estaba fuera de mi mente era vulnerable… abierto a las cosas que Jasper, Alice y Benjamin podían hacer. Quizá también el talento de Demetri trabajaba de una forma algo distinta.

Y entonces pensé algo que me hizo caer en la cuenta. El alce medio consumido que tenía entre las manos se me cayó al suelo pedregoso. Los copos de nieve se vaporizaron a unos cuantos centímetros del cuerpo caliente con pequeños sonidos siseantes. Me quedé mirando mis manos ensangrentadas con la mente en blanco.

Edward vio mi reacción y se apresuró a mi lado, dejando también su caza a medias.

—¿Qué te ha pasado? —me preguntó en voz baja, con los ojos barriendo el bosque que nos rodeaba, buscando aquello que había precipitado mi reacción.

—Renesmee —exclamé con voz ahogada.

—Está justo entre esos árboles —me tranquilizó él—. Puedo escuchar sus pensamientos y los de Jacob. Se encuentra bien.

—No es eso —le dije—. Estaba pensando en mi escudo... en que tú piensas que vale algo, que ayudará de alguna manera. Sé que los otros esperan que sea capaz de proteger a Zafrina y Benjamin, incluso si sólo puedo mantenerlo alzado unos dos segundos por vez. Pero ¿qué pasa si hemos cometido un error? ¿Qué pasa si tu confianza en mí es la causa de nuestra caída?

Mi voz se iba aproximando a la histeria, aunque mantuve el suficiente control para mantenerla en un tono bajo. No quería que Renesmee se alterara.

—Bella, ¿a qué viene esto? Claro que es maravilloso que puedas protegerte, pero no tienes la responsabilidad de salvar a nadie más. No te estreses sin necesidad.

—Sin embargo, ¿y si no puedo proteger a nadie? —susurré entre jadeos—. ¡Esto que yo hago es defectuoso, y errático! Va y viene sin ton ni son ni razón que lo explique. Quizá no puede hacer nada contra Alec.

—Chist —intentó calmarme—. No te dejes llevar por el pánico, y no te preocupes por Alec. Lo que él hace no es diferente a lo de Zafrina o Jane. Es sólo una ilusión… y no puede entrar en tu cabeza al igual que yo.

—¡Pero sí Renesmee! —siseé frenéticamente entre dientes—. Parecía tan natural que nunca me lo había cuestionado antes. Lo consideraba como parte de lo que ella es, pero pone sus pensamientos en mi cabeza igual que los pone en la de los demás. ¡Mi escudo tiene agujeros, Edward!

Le miré con fijeza, con desesperación, esperando que él comprendiera mi terrible revelación. Frunció los labios, como si estuviera intentando encontrar las palabras, pero su expresión era del todo relajada.

—Tú ya habías pensado en esto hace mucho tiempo, ¿a que sí? —le pregunté con exigencia, sintiéndome como una idiota por todos esos meses en los que había dejado pasar lo obvio.

Él asintió, con una ligera sonrisa alzándole una de las comisuras de la boca.

—La primera vez que ella te tocó.

Suspiré ante mi propia estupidez, pero su calma me había tranquilizado algo.

—¿Y eso no te molestó? ¿No lo ves como un problema?

—Tengo dos teorías, una más probable que la otra.

—Cuéntame primero la menos probable.

—Bueno, ella es tu hija —señaló él—. Genéticamente es mitad tuya. Solía gastarte bromas sobre cómo tu mente trabajaba en una frecuencia diferente al resto de nosotros. Quizá ella también.

Sin embargo, eso no me convencía.

—Pero tú oyes su mente con toda claridad, igual que *todo el mundo*. ¿Y si Alec funciona en una frecuencia distinta? ¿Y qué si…?

Me puso un dedo en los labios.

—Ya he considerado todo eso, razón por la que creo que esta otra teoría es más probable.

Apreté los dientes y esperé.

—¿Recuerdas lo que Carlisle me dijo sobre ella después de que te mostrara su primer recuerdo?

Claro que lo recordaba.

—Dijo: «Es un giro interesante, como si ella hiciera justo lo opuesto a lo que tú eres capaz de hacer».

—Sí. Y yo pensé lo mismo. Quizá tenga también tu talento y lo haya invertido.

Reflexioné sobre el tema.

—Tú mantienes a todo el mundo fuera... —comenzó él.

—¿Y ella no deja salir a nadie? —completé de forma vacilante.

—Ésa es mi teoría —dijo Edward—. Y si ella es capaz de meterse dentro de tu cabeza, dudo que haya un escudo en este planeta que pueda mantenerla a raya. Eso ayudará. Teniendo en cuenta lo que he visto, nadie se atreve a dudar sobre la verdad de sus pensamientos una vez que ha dejado que se los muestre. Y creo que nadie logra evitar que lo haga, si se acerca lo suficiente. Si Aro permite que le explique...

Me estremecí al pensar en acercar tanto a Renesmee al codicioso Aro de ojos lechosos.

—Bueno —siguió él, frotando mis hombros rígidos—, al menos no hay nada que pueda evitar que conozca la verdad.

—Pero... ¿la verdad será suficiente para detenerle? —murmuré.

Para eso, Edward no tenía respuesta alguna.

Fin de plazo

—¿Te vas? —preguntó Edward, imperturbable.

Aquella compostura suya era totalmente artificial. Estrechó a Renesmee un poco más contra el pecho.

—Sí, sólo faltan unas cosillas de última hora... —contesté con despreocupación.

Me dedicó una sonrisa, mi favorita.

—Vuelve pronto.

—Siempre.

Tomé su Volvo de nuevo, preguntándome si había echado un vistazo al cuentakilómetros después de mi último viajecito. ¿Había sacado ya las conclusiones pertinentes? Era manifiesto que yo tenía un secreto, pero ¿habría deducido la razón por la cual no confiaba en él? Aro no tardaría en estar al tanto de todo cuanto él supiera. Pensaba que Edward podía haber llegado a esa presunción, y eso explicaría por qué había dejado de pedirme explicaciones. Supuse que era un intento de no pensar ni especular demasiado a fin de apartar de su mente mi conducta. ¿Había relacionado esto con mi extraño comportamiento la mañana siguiente a la marcha de Alice, cuando quemé en el fuego mi libro? Ignoraba si había sido capaz de atar esos cabos.

Era deprimente el cielo del atardecer, ya coloreado con la oscuridad del crepúsculo. Atravesé el velo de tinieblas con los ojos fijos en los nubarrones. ¿Iba a nevar esa noche lo suficiente para cubrir el suelo y recrear un paisaje como el de la visión de Alice? Nos quedaban unos dos días según las estimaciones de mi esposo. Luego, nos desplegaríamos en el claro para atraer a los Vulturis hasta el escenario elegido para el encuentro.

Le estuve dando vueltas a mi último viaje a Seattle mientras cruzaba el bosque en penumbra. Tenía la impresión de saber cuál había sido el propósito de Alice al hacerme ir a ese punto de contacto de mala muerte adonde J. Jenks enviaba a sus clientes dudosos. ¿Habría sabido siquiera qué pedir de haber acudido a alguna otra de sus oficinas de aspecto menos sospechoso? ¿Habría descubierto a J. Jenks, proveedor de documentación ilegal, si le hubiera conocido como Jason Jenks o Jason Scott, un abogado de verdad? Debía elegir lo opuesto al buen camino. Ésa era mi pista.

Era noche cerrada cuando, tras ignorar a los obsequiosos aparcacoches de la entrada, dejé el vehículo en el estacionamiento del restaurante con unos minutos de antelación. Me puse las lentillas y me dirigí al interior del local para esperar a J. Aunque yo tenía una prisa enorme por solucionar aquel deprimente menester y regresar con mi familia, J se mostraba meticuloso y se tomaba su tiempo para no verse involucrado con sus clientes más inadecuados.. En lo más oscuro del aparcamiento tenía una entrega de lo más ofensiva para su sensibilidad.

Facilité el apellido Jenks en el recibidor y el solícito *maître* me condujo escaleras arriba hasta un saloncito privado caldeado por un fuego chispeante antes de hacerse cargo de mi gabardina; la prenda de color marfil me llegaba por debajo de la rodilla, pues la había elegido con el fin de ocultar mi traje de cóctel, un atuendo satinado de color gris ostra acorde al canon de Alice. Fue superior a mis fuerzas: me sentí halagada cuando se quedó boquiabierto. No me hacía a la idea de ser hermosa para todo el mundo, y no sólo para Edward. El *maître* balbuceó un elogio inarticulado mientras salía de la estancia con paso inseguro.

Permanecí junto a la chimenea y sostuve los dedos cerca de las llamas a fin de calentarlos un poco antes del inevitable apretón de manos. J estaba muy al tanto de que algo pasaba con los Cullen, pero se trataba de todos modos de un buen hábito.

Estuve especulando durante unos instantes con los posibles efectos y las sensaciones de poner la mano en el fuego hasta que la entrada de J me distrajo de mi mórbida fascinación. El *maître* se llevó también su abrigo, y evidenció que yo no era la única en haberse camuflado un poco para asistir a aquel encuentro.

—Lamento el retraso —se excusó J en cuanto estuvimos a solas.

—En absoluto. Es usted muy puntual.

Me ofreció la mano y noté sus dedos mucho más cálidos que los míos al estrechársela. La gelidez no pareció molestarle.

—Si me permite el atrevimiento, está usted despampanante, señora Cullen.

—Gracias. Llámeme Bella, por favor.

—Debo decir que trabajar con usted es una experiencia muy diferente a hacerlo con el señor Jasper —sonrió, indeciso—. Resulta... menos turbador.

—¿De veras?... Siempre he encontrado la presencia de Jasper de lo más... tranquilizadora.

—No me diga... —murmuró con extrema amabilidad mientras fruncía el ceño en señal manifiesta de desacuerdo. ¡Qué extraño! ¿Qué le habría hecho Jasper a aquel hombre?

—¿Le conoce hace mucho?

Mi interlocutor suspiró con gesto incómodo.

—Hemos tenido negocios durante cerca de veinte años, y mi antiguo socio le conocía desde hacía quince... —J se encogió del modo más discreto posible—. Jamás cambia.

—Sí, se divierte lo suyo de ese modo.

J meneó la cabeza como si de esta manera fuese a librarse de sus inquietantes ideas.

—¿No desea tomar asiento, Bella?

—De hecho, tengo algo de prisa. Me espera un largo trayecto al volante hasta volver a casa —contesté mientras sacaba del bolso un grueso sobre blanco con su dinero.

Se lo entregué.

—Vaya —repuso con una nota de desencanto en la voz. Se guardó el sobre en un bolsillo de la americana sin molestarse en contar el importe del mismo—. Confiaba en que tuviéramos la ocasión de hablar un minuto.

—¿Sobre qué...? —pregunté con curiosidad.

—Bueno, deje que le entregue primero su encargo. Deseo asegurarme de que queda satisfecha.

Se dio la vuelta, recogió un maletín y lo depositó encima de la mesa para abrir los cierres con más facilidad. Extrajo un sobre amarillento del tamaño del papel de oficio.

No tenía la menor idea de qué debía buscar, pero aun así abrí el sobre y examiné por encima los documentos. J había rotado la foto de Jacob y había cambiado la coloración para que no fuera evidente al primer golpe de vista que las fotografías del carné y del pasaporte eran la misma. Examiné la imagen del pasaporte de Vanessa Wolfe durante una fracción de segundo y luego la aparté enseguida, con un nudo en la garganta.

—Gracias —le dije.

Entrecerró los ojos de forma imperceptible. Noté su decepción. Esperaba un estudio más concienzudo de su trabajo.

—Puedo asegurarle que los documentos son perfectos. Pasarán con éxito el examen de cualquier experto.

—Estoy segura de ello. Aprecio de veras lo que ha hecho por mí, J.

—Es un placer, Bella. Siéntase libre de contactar conmigo en el futuro para cualquier necesidad relacionada con la familia Cullen.

No había la menor indirecta, por supuesto, pero aquello tenía toda la pinta de ser una invitación para que sustituyera a Jasper como enlace de la familia.

—¿Deseaba hablarme de algo?

—Eh, sí, es un poquito delicado…

Señaló la chimenea de piedra con la mano y me invitó a sentarme con la expresión del semblante. Me apoyé en el borde y él se puso a mi lado, sacando un pañuelo del bolsillo para secar el sudor que le perlaba la frente de nuevo.

—¿Es usted la hermana de la esposa del señor Jasper o está casada con su hermano? —inquirió.

—Soy la esposa de su hermano —le aclaré, preguntándome adónde podría conducir aquello.

—En tal caso, usted es la mujer del señor Edward.

—Sí.

Esbozó una sonrisa a modo de disculpa.

—He leído esos nombres muchas veces, ya sabe. Acepte mis felicitaciones… con retraso. Es una alegría saber que el señor Edward ha encontrado una pareja tan adorable después de todo este tiempo.

—Muchas gracias.

Hizo una pausa con el rostro bañado en sudor.

—He llegado a apreciar y respetar mucho al señor Jasper y al resto de la familia con el transcurso de los años, como podrá imaginar.

Asentí de forma cauta.

Inspiró hondo y espiró sin despegar los labios.

—Haga el favor de decir lo que desee, J.

Tragó otra bocanada de aire y empezó a farfullar las palabras a toda prisa y de forma atropellada.

—Dormiría mucho más tranquilo esta noche si me pudiera asegurar que no planean arrebatarle la niña a su padre.

—Vaya —solté un tanto asombrada. No comprendí la conclusión a la que había llegado hasta pasado un minuto largo—. Oh, no, no tiene nada que ver con eso —le dediqué una ligera sonrisa intentando tranquilizarle—. Únicamente busco un lugar seguro para ella en el caso de que nos sucediera algo a mi esposo y a mí.

—¿Y espera que eso ocurra? —inquirió, entornando los ojos; luego, se puso colorado y se disculpó—: No es de mi incumbencia.

Observé el modo en que se extendía el rubor debajo de la piel de las mejillas. Me alegré, como tantas otras veces, de no ser un neófito medio. Si dejábamos a un lado la naturaleza delictiva de su actividad, J parecía un hombre agradable y matarle hubiera sido una lástima.

—Nunca se sabe.

Suspiré.

Él frunció el ceño.

—En tal caso, le deseo la mayor de las suertes. Y por favor, no se moleste conmigo, querida, pero, si el señor Jasper acudiera a mí y me preguntara por los nombres elegidos en esos documentos…

—Debería informarle de inmediato. Nada me gustaría más que poder tener al tanto de toda la transacción al señor Jasper.

La sincera franqueza de mis palabras pareció suavizar un tanto la tensión del momento.

—Muy bien —repuso—. ¿Seguro que no puedo convencerla para que se quede a cenar?

—Lo lamento, pero voy con el tiempo justo.

—En tal caso, le deseo de nuevo salud y felicidad. Por favor, no vacile en contactar conmigo para cualquier nueva necesidad de la familia Cullen, Bella.

—Gracias, J.

Me marché con mi adquisición. Al mirar hacia atrás, vi a J contemplarme fijamente con una expresión en la que se entremezclaban la ansiedad y el pesar.

Invertí menos tiempo en realizar el viaje de vuelta. La noche estaba muy oscura, por lo que apagué las luces para no llamar la atención y pisé a fondo el acelerador. La mayoría de los coches había desaparecido cuando llegué a casa, incluyendo mi Ferrari y el Porsche de Alice. Los vampiros de dieta más tradicional se habían marchado a fin de saciar la sed lo más lejos posible. Hice un esfuerzo por no pensar en sus correrías nocturnas, acobardada ante la imagen mental de sus víctimas.

En el cuarto de estar sólo quedaban Kate y Garrett, discutiendo de modo juguetón sobre el valor nutritivo de la sangre animal. El vampiro intentaba probar el estilo de vida vegetariano por lo que logré deducir y al parecer lo encontraba difícil.

Edward debía de haberse marchado para acostar a la niña y Jacob estaba rondando no muy lejos de allí, sin duda. El resto de mi familia había salido también de caza, quizá en compañía de los otros miembros del aquelarre de Denali.

Todo aquello me dejaba la casa para mí sola, y me apresuré a sacarle partido a la situación.

El sentido del olfato me indicó que nadie había entrado en la habitación de Alice y Jasper en mucho tiempo, tal vez desde la noche misma de su marcha. Me metí a fondo en el profundo ropero hasta hallar el tipo de bolsa que buscaba. Debía de ser de Alice. Una especie de pequeña mochila de cuero negro, de las que se usan habitualmente como cartera, lo bastante diminuta como para que Renesmee la llevara sin desentonar. Acto seguido me apropié de todo el dinero que allí guardaban para gastos imprevistos, una cantidad equivalente al doble de los ingresos anuales de una familia media. Pensé que ese hurto pasaría desapercibido con mucha más facilidad en aquel dormitorio que en cualquier otro, pues todos se entristecían al pasar por allí. Metí en la mochila el sobre con el carné de conducir y los pasaportes falsos encima del dinero. Luego, me senté en la esquina de la cama de Alice y Jasper y contemplé el insignificante paquete. Eso era cuanto podía darles a mi hija y a mi mejor amigo para que salvaran la piel. Me dejé caer hacia el poste de la cama, vencida por la impotencia.

Pero ¿qué otra cosa podía hacer?

Permanecí sentada y con la cabeza gacha durante varios minutos antes de que se me ocurriera el atisbo de una idea.

Si…

Si daba por bueno que Jacob y Renesmee iban a escapar, eso equivalía a asumir que Demetri tenía que morir. Y este hecho concedía un cierto respiro a los posibles supervivientes, Alice y Jasper incluidos.

En tal caso, ¿por qué no iban a ayudar a Jacob y a mi hija? Renesmee gozaría de la mejor protección imaginable si se reunían y no había motivo alguno para que eso no ocurriera, salvo por el hecho de que Renesmee y el licántropo era puntos ciegos para Alice. ¿Cómo podía ella empezar a buscarlos?

Le estuve dando vueltas durante unos segundos antes de salir de la estancia en dirección al dormitorio de Carlisle y Esme. Como de costumbre, el escritorio de Esme estaba abarrotado de planos y guías, todo apilado en cuidados y altos montones. Encima de la superficie de trabajo tenía varios compartimentos, uno de los cuales estaba destinado a los útiles de papelería. Tomé del mismo una hoja en blanco de papel y un bolígrafo.

Entonces me quedé mirando a la marfileña página en blanco durante sus buenos cinco minutos, concentrándome en mi decisión. Alice no podía ver a Jacob o a Renesmee, pero sí podía verme a mí. La visualicé contemplando este momento, esperando con nerviosismo que no estuviera demasiado ocupada para prestar atención.

Lenta, deliberadamente, escribí las palabras «RÍO DE JANEIRO» ocupando toda la página.

Río me parecía el mejor lugar para indicarles: estaba muy lejos de aquí, Alice y Jasper ya se encontraban en Sudamérica según nuestras últimas informaciones y no es que nuestros viejos problemas hubieran dejado de existir porque los de ahora fueran peores: todavía quedaba el misterio del futuro de Renesmee, el terror de la celeridad de su crecimiento. Nosotros nos habríamos dirigido hacia el sur de todas formas. Ahora el trabajo de Jacob, y con suerte el de Alice, sería rastrear las leyendas.

Incliné la cabeza ante una necesidad repentina de sollozar, apretando los dientes. Era mejor que Renesmee continuara sin mí, pero ya la echaba tanto de menos que apenas podía soportarlo.

Inhalé un gran trago de aire y puse la nota al fondo de la mochila donde pronto la podría encontrar Jacob.

Crucé los dedos para que Jake al menos hubiera escogido el castellano como asignatura optativa, ya que era poco probable que en su instituto se impartiera el portugués.

No quedaba ya nada, salvo esperar.

Durante dos días, Edward y Carlisle permanecieron en el claro donde Alice había visto llegar a los Vulturis. El mismo lugar donde se produjo la matanza de los neonatos de Victoria. Me pregunté si Carlisle sentiría la situación como algo repetitivo, como un *déjà-vu*. Para mí, todo sería nuevo. Esta vez Edward y yo permaneceríamos al lado de nuestra familia.

Imaginábamos que los Vulturis estarían rastreando a Edward o a Carlisle. Me preguntaba si les sorprendería que su presa no huyera. ¿Les haría esto comportarse de un modo más cauteloso? No se me pasaba por la cabeza que los Vulturis sintieran ni siquiera una necesidad lejana de ser prudentes.

Aunque yo era invisible para Demetri, o eso esperaba, me quedé con Edward. Claro. Sólo nos restaban unas cuantas horas para permanecer juntos.

Edward y yo no habíamos tenido una gran escena de despedida, ni habíamos planeado ninguna, ya que ponerlo en palabras habría supuesto convertirlo en algo definitivo. Habría sido como mecanografiar la palabra «Fin» en la última página de un manuscrito. Así que no nos dijimos adiós y nos mantuvimos uno muy cerca del otro, casi tocándonos. Cualquiera que fuera el final que nos aguardaba, no nos encontraría separados.

Colocamos una tienda para Renesmee a unos cuantos metros dentro del bosque para protegerla, y tuvimos una sensación más de *déjà-vu* cuando nos vimos de nuevo acampando en aquel ambiente frío con Jacob. Era casi imposible creer cómo habían cambiado las cosas desde el pasado junio. Hacía siete meses, nuestro triángulo amoroso parecía no tener solución, tres clases diferentes de corazones rotos que no se podían evitar. Ahora todo estaba equilibrado a la perfección. Resultaba terriblemente irónico que las piezas del rompecabezas hubieran encajado por fin justo a tiempo de ser destruidas para siempre.

Comenzó a nevar de nuevo la noche anterior a Nochevieja. Esta vez, los pequeños copos de nieve no se disolvieron en el suelo pedregoso del claro. Mientras Jacob y Renesmee dormían, con el primero roncando tan sonoramente que me preguntaba cómo era que la niña no se despertaba, la nieve creó primero una delgada película de hielo sobre la tierra y luego fue engrosándose capa tras capa. Cuando el sol se alzó, la escena de la visión de Alice se mostró al completo. Edward y yo, cogidos de la mano, miramos a través del relumbrante campo blanco y ninguno de los dos dijo una palabra.

A lo largo de la mañana, temprano, los demás fueron reuniéndose. Llevaban en los ojos una muestra muda de sus preparativos, unos de un claro color dorado, otros de un escarlata intenso. Justo después de que nos reuniéramos todos, escuchamos a los lobos desplazándose por el bosque. Jacob salió de la tienda, dejando a Renesmee dormir un poco más, para encontrarse con ellos.

Edward y Carlisle estaban disponiendo a los otros en una formación abierta, con nuestros testigos alineados a los lados, como si estuvieran en un museo.

Yo lo observaba todo a distancia, esperando al lado de la tienda a que se despertara Renesmee. Cuando lo hizo, la ayudé a vestirse con las ropas que había preparado cuidadosamente dos días antes. Vestidos que parecían recargados y femeninos, pero que tenían la suficiente resistencia como para no estropearse; incluso aunque alguien los fuera a llevar montado encima de un hombre lobo gigante a través de un par de estados. Sobre la chaqueta, le puse una mochila de cuero negro con los documentos, el dinero y mis notas de cariño para ella y Jacob, Charlie y Renée. Ya tenía suficiente fuerza para que no le molestara y pudiera llevarla con comodidad.

Abrió los ojos como platos cuando leyó la agonía que mostraba mi rostro. Pero ella ya había adivinado lo suficiente para no preguntarme qué estaba haciendo.

—Te quiero —le dije—, más que a nada en el mundo.

—Yo también te quiero, mamá —contestó ella, y tocó el guardapelo que llevaba al cuello, en el que había una pequeñísima foto suya, con Edward y conmigo—. Siempre estaremos juntos.

—Sí, siempre estaremos juntos en nuestros corazones —le corregí con un susurro tan bajo como un suspiro—, pero cuando hoy llegue el momento, tienes que dejarme.

Sus ojos se abrieron aún más y me puso la mano en la mejilla. Su silenciosa negativa fue más fuerte que si la hubiera proclamado a gritos.

Yo luché para tragar saliva, pero sentía la garganta hinchada.

—¿Lo harás por mí? ¿Por favor?

Ella apretó los dedos con más fuerza contra mi cara.

¿Por qué?

—No te lo puedo decir —le susurré—, pero pronto lo entenderás. Te lo prometo.

En mi cabeza vi el rostro de Jacob.

Y yo asentí, y después le aparté los dedos.

—No lo pienses —le susurré al oído—. Y no le digas nada a Jacob hasta que te pida que huyáis, ¿vale?

Esto sí que lo entendió. Y asintió, también.

Saqué del bolsillo el último detalle.

Mientras empaquetaba las cosas de Renesmee, una chispa inesperada de color había captado mi atención. Un rayo casual de sol a través de una claraboya incidió sobre las joyas de aquella antiquísima y preciosa caja que había colocado en lo más alto de una estantería, en una esquina protegida. Lo consideré durante un momento y luego me encogí de hombros. Una vez recogidas y ordenadas las pistas de Alice, no podía esperar que la confrontación que se avecinaba pudiera resolverse de forma pacífica, pero… *¿Por qué no intentar empezar las cosas lo más amigablemente posible?*, me pregunté. *¿Es que podía eso hacer daño?* Así que debía de atesorar aún algo de esperanza, una esperanza ciega y sin sentido, porque subí por las baldas de la estantería hasta recoger de allí el regalo de Aro.

Y ahora me estaba abrochando la gruesa cadena de oro alrededor del cuello y sentí el peso del enorme diamante anidado en el hueco de mi garganta.

—Qué bonito —susurró Renesmee y entonces deslizó los brazos alrededor de mi cuello como un torno de banco. La estreché contra mi pecho y entrelazadas de esta manera, la saqué de la tienda hacia el claro.

Edward alzó una ceja cuando me aproximé, pero no hizo comentario alguno sobre mi accesorio ni el de Renesmee. Sólo pasó los brazos a nuestro alrededor y nos abrazó con fuerza durante un momento muy largo, y luego, con un profundo suspiro, nos soltó. No pude distinguir ningún tipo de adiós en sus ojos. Quizá tenía más esperanza de que hubiera algo después de esta vida de la que había sentido hasta ahora.

Nos colocamos en nuestros puestos, y Renesmee subió ágilmente hasta mi espalda para dejarme las manos libres. Yo estaba a unos cuantos pasos detrás de la línea frontal compuesta por Carlisle, Edward, Emmett, Rosalie, Tanya, Kate y Eleazar. Muy cerca de mí estaban Benjamin y Zafrina, ya que mi trabajo consistía en protegerles tanto como fuera capaz: eran nuestras mejores armas ofensivas. Si los Vulturis no podían verlos, aunque fuera durante unos cuantos momentos, eso podría cambiarlo todo.

Zafrina mostraba un aspecto rígido y fiero, con Senna casi como una imagen especular a su lado. Benjamin estaba sentado en el suelo, con las palmas presionando el suelo y mascullando en silencio sobre líneas de falla. La última noche había acumulado pilas de losas de piedra en posiciones que parecían naturales, y que ahora estaban cubiertas por la nieve en toda la parte de atrás del prado. No eran suficientes para herir a un vampiro, pero sí para distraerlos.

Los testigos se arracimaban a nuestra izquierda y derecha, unos más cerca que otros, ya que los que se habían declarado a nuestro favor tenían posiciones más próximas. Noté cómo Siobhan se frotaba las sienes, con los ojos cerrados en plena concentración, ¿le estaba siguiendo la corriente a Carlisle? ¿O intentaba visualizar una solución diplomática?

En los bosques a nuestras espaldas, los lobos invisibles estaban quietos y preparados; sólo escuchábamos su pesado jadeo y el latido de sus corazones.

Las nubes se espesaron, difundiendo una luz que tanto podía ser de la mañana como de la tarde. Los ojos de Edward se entrecerraron y mientras sometía a escrutinio lo que teníamos delante, estaba segura de que visualizaba esta escena por segunda vez, ya que la primera había sido cuando leyó en la mente de Alice. Todo debía de tener el mismo aspecto que cuando llegaron los Vulturis, así que sólo nos quedaban minutos o segundos.

Nuestra familia y aliados se prepararon.

Un enorme lobo Alfa de pelaje rojizo apareció de entre el bosque y se colocó a mi lado. Debía de haber sido demasiado duro para él mantenerse a esa distancia de Renesmee cuando ella estaba en un peligro tan inmediato.

La niña se inclinó para entrelazar los dedos en el pelo sobre su enorme paletilla y su cuerpo se relajó un poco. Se encontraba más tranquila cuando Jacob estaba cerca, y yo también me sentí algo mejor. Todo saldría bien mientras Jacob estuviera junto a Renesmee.

Sin arriesgarse a echar una mirada a sus espaldas, Edward se volvió hacia donde yo estaba. Yo alargué mi brazo para coger su mano y él me apretó los dedos.

Pasó lentamente otro minuto y me descubrí aguzando el oído para escuchar el sonido de alguien aproximándose.

Y entonces Edward se envaró y siseó bajo entre sus dientes apretados. Sus ojos se concentraron en el bosque justo al norte del sitio en el que estábamos.

Seguimos la dirección de su mirada y clavamos allí los ojos. Esperamos de esa guisa a que transcurrieran los últimos segundos.

Ansia de sangre

Llegaron con gran pompa y aureolados por una belleza singular. Aparecieron alineados en una formación rígida y formal, pero no se trataba de una marcha a pesar de lo conjuntado de su avance. Pasaban entre los árboles en perfecta sincronía, como una procesión de sombras negras suspendidas a pocos centímetros del suelo cubierto de nieve, de ahí ese desplazamiento suyo tan desenvuelto.

Los posiciones en las zonas exteriores del destacamento estaban ocupadas por miembros equipados con ropajes grises, pero la tonalidad se iba oscureciendo hasta llegar al más intenso de los negros en el centro de la formación. Era imposible verles los rostros, ensombrecidos y ocultos por las capuchas. El tenue roce de las pisadas parecía música debido a la regularidad de la cadencia, era un latido de ritmo intrincado que no mostraba ninguna vacilación.

No logré ver la señal a cuya orden se desplegó la formación, tal vez porque no hubo indicación alguna, sino milenios de práctica. Realizaron el movimiento con elegancia, pero fue demasiado rígido y agarrotado como para recordar la apertura de los pétalos de una flor, a pesar de que el colorido sugería tal semejanza. Se parecía más al despliegue de un abanico, grácil, pero muy angulado. Las grises figuras encapotadas se replegaron a los flancos mientras las de vestiduras más oscuras avanzaron por el centro con movimientos muy precisos y esmerados.

Progresaron con deliberada lentitud, sin prisa ni tensión ni ansiedad. Era el paso de los invencibles.

La escena me recordaba demasiado a la vieja pesadilla, salvo ese deseo mío de verles las caras y descubrir en ellos las sonrisas de la venganza. Los Vulturis se habían mostrado demasiado disciplinados hasta aquel momento, como si quisieran no evidenciar emoción alguna. No demostraron asombro ni consternación ante el variopinto grupo de vampiros que los esperaba, una camarilla que de pronto, y en comparación, parecía desorganizada y falta de preparación. Tampoco se sorprendieron al ver al lobo gigante situado en el centro de nuestra formación.

Hice un recuento de efectivos, no pude evitarlo. Eran treinta y dos, y eso sin contar a las dos figuras de capas negras y aspecto frágil que merodeaban en la retaguardia. Parecían las esposas. Lo protegido de su posición sugería que no iban a participar en el ataque. Aun así, nos sobrepasaban en número. Seguíamos siendo diecinueve combatientes y siete testigos que iban a presenciar cómo nos hacían puré. Nos tenían en sus manos incluso contando con el concurso de los diez lobos.

—Se acercan los casacas rojas, se acercan los casacas rojas —musitó Garrett para el cuello de su camisa antes de soltar una risa entre dientes y acercarse un paso a Kate.

—Así que han venido —comentó Vladimir a Stefan con un hilo de voz.

—Ahí están las damas, y toda la guardia —contestó Stefan, siseante—. Míralos, todos juntitos. Hicimos bien en no intentarlo en Volterra.

Y entonces, mientras los Vulturis avanzaban con paso lento y mayestático, como si esos efectivos no bastasen, otro grupo comenzó a ocupar las posiciones de retaguardia en el claro.

Aquella oleada de vampiros parecía no tener fin y una miríada de emociones les alteraba los semblantes, la viva antítesis de los rostros disciplinados e inexpresivos de la guardia de los Vulturis. Al principio, reinó entre los recién llegados la sorpresa y una cierta ansiedad al descubrir una inesperada fuerza de combate a la espera, pero esa preocupación pasó enseguida y se sintieron seguros gracias a la superioridad numérica y a su posición en retaguardia, detrás de la imbatible tropa de los Vulturis. Las facciones de los vampiros recuperaron la compostura y el gesto que tenían antes de habernos visto.

Los rostros eran tan transparentes que resultaba fácil comprender su disposición de ánimo. Ese gentío airado era presa del frenesí y todos reclamaban justicia. No había comprendido que el tema de los niños inmortales levantaba ampollas entre los hijos de la noche hasta que estudié aquellos semblantes.

Esa horda abigarrada y caótica de cuarenta y tantos vampiros eran los testigos de los Vulturis, los encargados de extender la buena nueva de que se había erradicado el crimen una vez que estuviéramos muertos y también de atestiguar que los cabecillas italianos se habían limitado a actuar con imparcialidad. La mayoría parecía albergar cierta esperanza no sólo de presenciar la masacre, sino también de participar a la hora de desmembrarnos y quemarnos.

No íbamos a durar ni un padrenuestro. Incluso aunque nos las ingeniáramos para neutralizar las ventajas de los Vulturis, ellos nos podrían aplastar por el simple empuje físico de sus cuerpos. Incluso aunque matáramos a Demetri, Jacob no iba a ser capaz de dejar atrás a todos ellos.

Mis compañeros más próximos lo percibían del mismo modo que yo, lo noté con claridad. La desesperación flotaba en el ambiente más que nunca y me dejó totalmente abatida.

Un vampiro de la fuerza enemiga parecía no pertenecer a ninguno de los bandos. Identifiqué a Irina mientras ella dudaba entre las dos compañías con una expresión diferente a la de todos los demás. No apartaba la mirada horrorizada de la posición de Tanya, situada en primera línea. Edward profirió un gruñido bajo pero elocuente.

—Alistair estaba en lo cierto —avisó a Carlisle.

Vi cómo el aludido interrogaba a mi marido con la vista.

—¿Que Alistair tenía razón...? —inquirió Tanya en voz baja.

—Cayo y Aro vienen a destruir y aniquilar —contestó Edward con voz sofocada. Habló tan bajo que sólo fue posible oírle en nuestro bando—. Han puesto en juego múltiples estrategias. Si la acusación de Irina resultara ser falsa, llegan dispuestos a encontrar cualquier otra razón por la que cobrarse venganza, pero son de lo más optimistas ahora que han visto a Renesmee. Todavía podríamos hacer el intento de defendernos de los cargos amañados, y ellos deberían detenerse para saber la verdad de la niña —luego, en voz todavía más baja, agregó—: Pero no tienen intención de hacerlo.

Jacob jadeó, malhumorado.

La procesión se detuvo de sopetón al cabo de dos segundos y dejó de sonar la suave música producida por el roce de los movimientos sincronizados. La disciplina sin mácula se mantuvo inalterable y los Vulturis permanecieron firmes y completamente inmóviles a unos cien metros de nuestra posición.

Oí el latido de muchos corazones enormes, más cerca que antes, en la retaguardia y a los lados. Me arriesgué a mirar por el rabillo del ojo a derecha e izquierda para averiguar qué había detenido el avance de los Vulturis.

Los licántropos se habían unido a nosotros.

Los lobos adoptaron posiciones a cada extremo de nuestra desigual línea, adoptando sendas formaciones alargadas en los flancos. Me percaté en un instante de que había más de diez lobos. Identifiqué a los ya conocidos y supe que había otros a los que no había visto nunca. Dieciséis licántropos distribuidos de forma equitativa en los lados, diecisiete si contábamos a Jacob. La altura y el grosor de las garras hablaban bien a las claras de la juventud de los recién llegados; eran muy, muy jóvenes. *Debería haberlo imaginado,* pensé para mis adentros. La explosión demográfica de los hombres lobo era inevitable con tanto vampiro suelto pululando por los alrededores.

Iban a morir más niños con aquella decisión. Me pregunté por qué Sam había permitido aquello y luego comprendí que no le quedaba otro remedio. Si un solo licántropo luchaba a nuestro favor, los Vulturis se asegurarían de rastrearlos y perseguirlos a todos. Se jugaban el futuro de su especie en este envite.

E íbamos a perder.

De pronto, me enfadé, y más que eso, se apoderó de mí un instinto homicida que disipó por completo mi absoluta desesperación. Un tenue fulgor rojizo realzaba el perfil de las sombrías siluetas que tenía delante de mí. En ese momento, únicamente deseaba contar con la oportunidad de hundir los dientes en ellas, desmembrarlas y apilar las extremidades para prenderles fuego. Estaba tan enloquecida que no habría vacilado en bailar alrededor de la pira mientras se tostaban vivos y habría reído de buena gana conforme se convertían en cenizas. Curvé hacia atrás los labios en un gesto automático y proferí por la garganta un feroz gruñido que nacía en el fondo de mi estómago. Comprendí que las comisuras de mis labios se habían curvado en una sonrisa.

Junto a mí, Zafrina y Senna corearon mi rugido ahogado. Edward y yo seguíamos tomados de la mano, y él me la estrechó, conminándome a ser cauta.

Casi todos los rostros de los Vulturis continuaban impasibles. Sólo dos pares de ojos traicionaban esa aparente indiferencia. Aro y Cayo, en el centro del grupo y cogidos de la mano, se habían detenido para evaluar la situación. La guardia al completo los había imitado y se habían detenido a la espera de que dieran la orden de matar. Los cabecillas no se miraban entre sí, pero era obvio que se hallaban en permanente contacto. Marco tocaba la otra mano de Aro, pero no parecía tomar parte en la conversación. No tenía una expresión de autómata, como la de los guardias, pero se mostraba casi inexpresivo. Al parecer se encontraba completamente hastiado, como la vez anterior que le vi.

Los testigos de los Vulturis inclinaron el cuerpo hacia delante, con las miradas clavadas en Renesmee y en mí, pero continuaron en las lindes del bosque, dejando un amplio espacio de maniobra entre ellos y los soldados. Irina asomó la cabeza por encima de los Vulturis, a escasos metros de las dos ancianas de cabellos canos, piel pulverulenta y ojos vidriados, y de los dos ciclópeos guardaespaldas.

Una mujer envuelta en una de las capas de un tono de gris más oscuro se había situado detrás de Aro. No podía estar segura del todo, pero daba la impresión de que le estaba tocando la espalda. ¿Era ése el otro escudo, Renata? Me pregunté si ella sería capaz de rechazarme.

No obstante, no iba a desperdiciar mi vida intentando tumbar a Cayo y Aro. Había otros objetivos más importantes.

Peiné la línea rival con la vista y no tuve dificultad alguna en localizar la posición de dos pequeñas figuras envueltas en capas grises, no muy lejos de donde se cocían las decisiones. Alec y Jane, probablemente los miembros más menudos de la guardia, permanecían junto a Marco, flanqueados al otro lado por Demetri. Sus adorables rostros no delataban emoción alguna. Lucían las capas más oscuras, en sintonía con el negro puro de las de los antiguos. Los gemelos brujos, como los llamaba Vladimir, eran la piedra angular de la ofensiva de los Vulturis. Las piezas selectas de la colección de Aro.

Flexioné los músculos mientras la boca se me llenaba de veneno.

Cayo y Aro recorrían nuestra fila con esos ojos como ascuas ensombrecidas por las capas. Vi escrito el desencanto en las facciones de Aro mientras su mirada iba y venía sin cesar, en busca de una persona a la que echaba en falta. Frunció los labios con disgusto.

En ese instante, me sentí más que agradecida por la deserción de Alice.

La respiración de Edward aumentó de cadencia conforme la pausa se prolongaba.

—¿Qué opinas, Edward? —inquirió Carlisle con un hilo de voz. Estaba ansioso.

—No están muy seguros de cómo proceder. Sopesan las opciones y eligen los objetivos clave: Eleazar, Tanya, tú, por descontado, y yo mismo. Marco está valorando la fuerza de nuestras ataduras. Les preocupan sobremanera los rostros que no identifican, Zafrina y Senna sobre todo, y los lobos, eso por supuesto. Nunca antes se habían visto sobrepasados en número. Eso es lo que les detiene.

—¿Sobrepasados...? —cuchicheó Tanya con incredulidad.

—No cuentan con la participación de los espectadores —contestó Edward—. Son un cero a la izquierda en un combate. Están ahí porque Aro gusta de tener público.

—¿Debería hablarles? —preguntó Carlisle.

Edward vaciló durante unos segundos, pero luego asintió.

—No vas a tener otra ocasión.

Carlisle cuadró los hombros y se alejó varios pasos de nuestra línea defensiva. Qué poca gracia me hacía verle ahí solo y desprotegido. Extendió los brazos y puso las palmas hacia arriba a modo de bienvenida.

—Aro, mi viejo amigo, han pasado siglos…

Durante un buen rato, reinó un silencio sepulcral en el claro nevado. Pude percibir cómo iba creciendo la tensión en mi marido cuando Aro evaluó las palabras de Carlisle. La tirantez iba a más conforme transcurrían los segundos.

Entonces, Aro avanzó desde el centro de la formación enemiga. El escudo del cabecilla, Renata, le acompañó como si las yemas de sus dedos estuvieran pegadas a la túnica de su amo. Las líneas Vulturis reaccionaron por vez primera. Un gruñido apagado cruzó sus filas, pusieron rostro de combate y crisparon los labios para exhibir los colmillos. Unos pocos guardias se acuclillaron, prestos para correr.

Aro alzó una mano a fin de contenerlos.

—Paz.

Anduvo unos pocos pasos más y luego ladeó la cabeza. La curiosidad centelleó en sus ojos blanquecinos.

—Hermosas palabras, Carlisle —resopló con esa vocecilla suya tan etérea—. Parecen fuera de lugar si consideramos el ejército que has reclutado para matarnos a mí y mis allegados.

Carlisle sacudió la cabeza para negar la acusación y le tendió la mano derecha como si no mediaran cien metros entre ambos.

—Basta con que toques mi palma para saber que jamás fue ésa mi intención.

Aro entornó sus ojos legañosos.

—¿Qué puede importar el propósito, mi querido amigo, a la vista de cuanto has hecho?

A continuación, torció el gesto y una sombra de tristeza le nubló el semblante. No fui capaz de dilucidar si Aro fingía o no.

—No he cometido el crimen por el que me vas a sentenciar.

—Hazte a un lado en tal caso y déjanos castigar a los responsables. De veras, Carlisle, nada me complacería más que respetar tu vida en el día de hoy.

—Nadie ha roto la ley, Aro, deja que te lo explique —insistió Carlisle, que ofreció otra vez su mano.

Cayo llegó en silencio junto a Aro antes de que éste pudiera responder.

—Has creado y te has impuesto muchas reglas absurdas y leyes innecesarias —siseó el anciano de pelo blanco—. ¿Cómo es posible que defiendas el quebrantamiento de la única importante?

—Nadie ha vulnerado la ley. Si me escucharais…

—Vemos a la cría, Carlisle —refunfuñó Cayo—. No nos tomes por idiotas.

—Ella no es inmortal, ni tampoco vampiro. Puedo demostrarlo en cuestión de segundos.

—Si ella no es una de las prohibidas —le atajó Cayo—, entonces, dime, ¿por qué has reclutado un batallón para defenderla?

—Son testigos como los que tú has traído, Cayo —Carlisle hizo un gesto hacia la linde del bosque, donde estaba la horda enojada; algunos integrantes de la misma reaccionaron con gruñidos—. Cualquiera de esos amigos puede declarar la verdad acerca de esa niña, y también puedes verlo por ti mismo, Cayo. Observa el flujo de la sangre por sus mejillas.

—¡Eso es un subterfugio! —le espetó Cayo—. ¿Dónde está la denunciante? ¡Que se adelante! —estiró el cuello y miró a su alrededor hasta localizar a la rezagada Irina detrás de las ancianas—. ¡Tú, ven aquí!

La interpelada le miró con fijeza y desconcierto. Su rostro parecía el de quien no se ha recuperado de la pesadilla de la que se ha despertado. Cayo chasqueó los dedos con impaciencia. Uno de los guardaespaldas de las brujas se colocó junto a Irina y le propinó un empellón. Ella parpadeó dos veces y luego echó a andar en dirección a Cayo ofuscada por completo. Se detuvo a unos metros del cabecilla, todavía sin apartar los ojos de sus hermanas.

Cayo salvó la distancia existente y le cruzó la cara de una bofetada.

El tortazo no debió de hacerle mucho daño, pero resultó de lo más humillante. La escena recordaba a alguien pateando a un perro. Tanya y Kate sisearon a la vez.

Irina se envaró y al final miró a Cayo; éste señaló a Renesmee con uno de sus dedos engarfiados. La niña seguía colgada a mi espalda, con los dedos hundidos en el pelaje de Jacob. Cayo se puso púrpura al verme tan furiosa. Un gruñido retumbó en el pecho de Jacob.

—¿Es ésa la cría que viste? —inquirió Cayo—. La que era manifiestamente más que humana…

Irina nos miró con ojos de miope, estudiando a mi hija por vez primera desde que pisó el claro. Ladeó la cabeza con la confusión escrita en las facciones.

—¿Y bien…? —rezongó el líder de los Vulturis.

—No… no estoy segura —admitió ella con tono perplejo.

La mano del anciano se tensó, como si fuera a abofetearla de nuevo.

—¿Qué quieres decir con eso? —quiso saber Cayo en un susurro acerado.

—No es igual, aunque creo que podría ser ella, es decir, me parece que lo es, pero ha cambiado. La que vi no era tan grande como ésa…

Su interlocutor soltó un jadeo entrecortado entre los dientes, de pronto perfectamente visibles. La vampira enmudeció antes de terminar. Aro revoloteó hasta la altura de Cayo y le puso una mano en el hombro a fin de calmarle.

—Sosiégate, hermano. Disponemos de tiempo para dilucidar esto. No hay necesidad de apresurarse.

Cayo le volvió la espalda a Irina con expresión malhumorada.

—Ahora, dulzura —empezó Aro con voz melosa y aterciopelada mientras extendía la mano hacia la confusa vampira—, muéstrame qué intentas decir.

Irina tomó la mano del Vulturis con algunos reparos. Él retuvo la suya por un lapso no superior a cinco segundos.

—¿Lo ves, Cayo? —murmuró—. Obtener lo que deseamos es muy fácil.

El interpelado no le respondió.

Aro miró por el rabillo del ojo a su público y a sus tropas, luego se volvió hacia Carlisle.

—Al parecer, tenemos un misterio entre manos. Da la impresión de que la niña ha crecido a pesar de que el primer recuerdo de Irina correspondía de forma indiscutible al de una inmortal. ¡Qué curioso!

—Esto es justo lo que intentaba explicar —repuso Carlisle.

Hubo un cambio en el tono de su voz, supuse que a causa del alivio. Ésa era la pausa en la que habíamos depositado nuestras dubitativas esperanzas.

Yo no experimenté alivio alguno. Me limité a esperar, insensible de pura rabia, al desarrollo de la estrategia que me había anunciado Edward.

Carlisle tendió la mano una vez más.

Aro vaciló durante un momento.

—Preferiría la versión de algún protagonista de la historia, amigo mío. ¿Me equivoco al aventurar que esta violación de la ley no es cosa tuya?

—Nadie ha quebrantado la ley.

—Sea como sea, he de obtener todas las caras de la verdad —la voz sedosa de Aro se endureció—. El mejor medio para conseguirlo es ese prodigio de hijo tuyo —ladeó la cabeza en dirección a Edward—. Asumo cierta participación por su parte a juzgar por cómo se aferra la niña a la compañera neófita de Edward.

Naturalmente que deseaba a mi marido. Se enteraría de los pensamientos de todos una vez que pudiera ver los pensamientos de Edward; los de todos, salvo los míos.

Mi esposo se volvió para depositar un beso apresurado en mi frente y en la de la niña. Luego, echó a andar con grandes zancadas por el campo nevado. Palmeó la espalda de Carlisle al pasar. Percibí un lloriqueo apenas audible a mis espaldas. El miedo de Esme se dejaba notar.

Observé un aumento de intensidad en el brillo de la neblina que envolvía a los Vulturis. No podía soportar la visión de Edward cruzando el blanco campo a solas, pero todavía se me hacía más difícil la idea de acompañarlo y poner a nuestra hija un paso más cerca de nuestros adversarios. Me debatí, presa de sentimientos encontrados. Me había quedado tan helada que un simple golpe habría hecho saltar mis extremidades en mil esquirlas de hielo.

Detecté una mueca de mofa en la sonrisa de Jane cuando Edward rebasó la mitad de la distancia de separación entre ambas fuerzas y quedó más cerca de ellos que de nosotros.

El desdén de ese mohín me sacó de mis casillas. Mi rabia aumentó, alcanzando incluso niveles superiores al ansia de sangre que había sentido cuando vi lo mucho que arriesgaban los lobos en aquella batalla condenada al fracaso. Paladeé el sabor de la locura. La demencia me cubrió con una oleada de puro poder. Tenía los músculos en tensión y actué sin pensármelo dos veces. Arrojé el escudo con todas mis fuerzas. Voló sobre el campo como una jabalina y alcanzó una distancia imposible, multiplicando por diez mi mejor lanzamiento.

El esfuerzo me hizo resoplar con furia.

El escudo se había convertido en un estallido de pura energía, en una suerte de nube atómica hecha de acero líquido. Latía como un ser vivo. Lo notaba desde el centro rematado en punta hasta los bordes.

No podía permitir que aquello volviera a su posición inicial como si se tratara de una tela elástica... Y en ese momento de fuerza en estado puro vi con absoluta lucidez que la resistencia y ese retroceso al estado anterior habían sido cosa de mi propia invención. Me había aferrado a esa parte de mí como autodefensa y de forma inconsciente no la había dejado ir. Ahora lo había hecho, había enviado mi escudo a cincuenta metros largos de nuestra posición sin esfuerzo alguno y sin que hubiera necesitado demasiada concentración. Lo noté tan sumiso a mi voluntad como cualquier otro músculo. Lo impulsé hacia delante y le di una forma larga y ovalada. De pronto, pasó a formar parte de mí todo cuanto estaba debajo de aquel escudo flexible de acero. La fuerza vital de ese interior se presentaba ante mis sentidos como puntos incandescentes, y me vi rodeada por un cegador chisporroteo de luz. Impulsé el escudo hacia el vasto claro y suspiré de alivio cuando la figura iluminada de Edward quedó bajo mi amparo. Sostuve allí la protección ovalada y contraje ese nuevo músculo a fin de rodear a Edward e interponer entre él y nuestros adversarios una lámina fina pero irrompible.

Todo había cambiado en apenas un segundo, pero nadie se había percatado todavía de esa brusca alteración, salvo yo. Mi esposo seguía caminando hacia el cabecilla de los Vulturis. Se me escapó una carcajada. Los demás me miraron, lo noté, y Jacob movió esos ojazos negros suyos y me los clavó como si me hubiera vuelto loca.

Edward se detuvo a escasos metros de Aro. Comprendí, no sin cierto pesar, que podía pero no debía evitar el intercambio de imágenes mentales, pues el objetivo de todos nuestros preparativos era conseguir que los Vulturis prestaran atención a nuestra versión de la historia. La idea me causaba verdadero malestar físico, pero al final, a regañadientes, retiré la protección y dejé expuesto a Edward. Se me habían pasado las ganas de reír y me concentré por completo en mi marido, lista para defenderle de inmediato si algo salía mal.

Él alzó el mentón con aire orgulloso y le ofreció una mano al líder de los Vulturis como si le concediera un gran honor. El anciano parecía lisa y llanamente encantado, pero nunca llueve a gusto de todos. Renata revoloteaba nerviosa a la sombra de su señor. El ceño de Cayo era tan hondo y permanente que daba la impresión de que esa piel traslúcida y fina como el papel iba a quedarse arrugada para siempre. La pequeña Jane exhibía los dientes mientras, a su lado, Alec entornaba los ojos para concentrarse mejor. Intuí que estaba listo para actuar en cuanto ella le avisara.

Aro se acercó sin pausa alguna. En realidad, ¿qué debía temer? Las grandes sombras proyectadas por los luchadores de ropajes gris claro, tipos fornidos como Felix, se hallaban a escasos metros. Gracias a su don abrasador, Jane podía tumbar a Edward contra el suelo y hacer que se retorciera de dolor. Alec le cegaría y le atontaría antes de que pudiera dar un paso hacia él. Nadie sabía que yo tenía el poder de detenerlos, ni siquiera mi marido, cuya mano tomó Aro con una sonrisa de despreocupación; de inmediato, cerró los ojos con fuerza y encorvó los hombros bajo el ímpetu de la primera oleada de información.

El Vulturis se hallaba ahora al corriente de todas las estrategias, todas las ideas y todos los pensamientos ocultos que Edward hubiera leído en las mentes de quienes había tenido a su alrededor en el último mes. Y aún más, también iba a enterarse de las visiones de Alice, de cada momento de silencio en nuestra familia, cada imagen reproducida por la mente de Renesmee, cada beso, cada roce entre Edward y yo… De eso, también.

Siseé con frustración. El escudo se agitó como reflejo de mi irritación, cambiando de forma y encogiéndose a nuestro alrededor.

—Cálmate, Bella —me susurró Zafrina.

Apreté los dientes.

Aro continuó concentrado en los recuerdos de Edward, que, con los músculos del cuello agarrotados, también había agachado la cabeza mientras leía la información que su interrogador iba obteniendo de él, así como la reacción del anciano a todo aquello.

Esta desigual ida y vuelta se prolongó durante tanto tiempo que empezó a cundir el nerviosismo entre los miembros de la guardia. Los murmullos crecieron hasta que Cayo ordenó guardar silencio con un brusco ademán. Jane se inclinaba hacia delante, como si no pudiera evitarlo, y el rostro de Renata estaba rígido a causa de la tensión. Estudié a esa protectora tan poderosa que ahora parecía asustada y débil. Ella era de gran utilidad para Aro, sin duda, pero seguro que no como guerrero. Su trabajo no era luchar, sino proteger. No había ansia de sangre en ella. A pesar de que yo era novata, supe que si la cosa hubiera estado entre ella y yo, la habría borrado del mapa.

Redirigí mi atención a Aro cuando se enderezó. Abrió los ojos enseguida con expresión sobrecogida y gesto precavido. No soltó la mano de Edward.

Éste tenía los músculos algo más relajados.

—¿Lo ves? —preguntó Edward con la voz sedosa que empleaba cuando estaba calmado.

—Sí, ya veo, ya —admitió Aro. Curiosamente, parecía divertido—. Dudo que nunca se hayan visto las cosas con tanta claridad entre dos dioses o dos mortales.

Los rostros de los disciplinados miembros de la guardia mostraron la misma incredulidad que yo

—Me has dado mucho en lo que pensar, joven amigo, no esperaba tanto —prosiguió el anciano sin soltar la mano de Edward, cuya posición rígida era la propia de quien escucha. Pero no le contestó—. ¿Puedo conocerla? —pidió Aro, casi lo imploró, con repentino interés—. En todos mis siglos de vida jamás había concebido la existencia de una criatura semejante. Menudo apéndice a nuestras historias…

—¿De qué va esto, Aro? —espetó Cayo antes de que Edward tuviera ocasión de responder.

La simple formulación de la pregunta hizo que atrajera a la niña contra mi pecho y la acunara con gesto protector.

—De algo con lo que tú ni siquiera has soñado, mi pragmático amigo. Tómate un momento para cavilar, porque la justicia que pretendíamos aplicar no alcanza a *este* caso.

Cayo soltó un siseo de sorpresa al oír semejantes palabras.

—Paz, hermano —le advirtió Aro en tono conciliador.

Todo aquello eran buenas noticias, en teoría. Se habían pronunciado las palabras que esperábamos y parecía estar próximo el indulto que ninguno creíamos posible. Aro se había abierto a la verdad y había admitido que no se había quebrantado la ley.

Pero yo mantenía los ojos fijos en Edward, que seguía rígido y envarado. Luego, revisé mentalmente la instrucción de Aro a Cayo, invitándole a «cavilar», y percibí el doble sentido del verbo.

—¿Vas a presentarme a tu hija? —volvió a preguntar Aro.

Cayo no fue el único en sisear ante esa nueva revelación.

Edward asintió a regañadientes. No obstante, Renesmee se había ganado a muchos otros. Y el anciano siempre había dado la impresión de llevar la voz cantante entre los Vulturis. ¿Actuarían los demás contra nosotros si él se ponía de nuestro lado?

El veterano líder seguía sin soltar la mano de mi esposo, pero al menos contestó ahora a la pregunta que el resto no había oído.

—Dadas las circunstancias, considero aceptable un compromiso en este punto. Nos reuniremos a mitad de camino entre los dos grupos.

Dicho esto, liberó al fin a Edward, que se volvió hacia nosotros. El líder Vulturis se unió a él y le pasó un brazo por el hombro de modo casual, como si fueran grandes amigos. Todo para mantener el contacto con la piel de Edward.

Comenzaron a cruzar el campo de batalla en nuestra dirección.

La guardia entera hizo ademán de echar a andar detrás de ellos, pero Aro alzó una mano con desinterés y los detuvo sin dirigirles siquiera una mirada.

—Deteneos, mis queridos amigos. En verdad os digo que no albergan intención de hacernos daño alguno si nos mostramos pacíficos.

El descontento de la tropa se expresó con gruñidos y siseos de protesta, y la reacción fue más ostensible que en la ocasión anterior.

—Amo —susurró con ansiedad Renata, siempre cerca de su maestro.

—No temas, querida —repuso él—. Todo está en orden.

—Quizá deberían acompañarte algunos miembros de tu guardia —sugirió Edward—. Eso haría que el resto se sintiera más cómodo.

El líder Vulturis asintió como si esa sabia observación debiera habérsele ocurrido a él. Chasqueó los dedos un par de veces.

—Felix, Demetri.

Los dos vampiros se situaron a su lado en un abrir y cerrar de ojos. No habían cambiado nada desde nuestro último encuentro. Ambos eran altos y de pelo oscuro. Demetri era duro y afilado como la hoja de una espada; Felix, corpulento y amenazador como una garrota con púas de acero.

Los cinco se detuvieron a mitad de camino.

—Bella, ven con Renesmee —me pidió Edward—, y algunos amigos…

Respiré hondo. Se me agarrotó el cuerpo como síntoma de mi oposición a la perspectiva de llevar a la niña al centro del conflicto, pero confiaba en Edward. Él sabría si Aro planeaba alguna traición sobre ese punto.

El cabecilla Vulturis había llevado tres protectores a esa conferencia al más alto nivel, por lo que decidí hacerme acompañar por otros dos. Los elegí en menos de un segundo.

—¿Jacob? ¿Emmett? —pregunté en voz baja.

Emmett se moría de ganas de venir y Jacob no iba a ser capaz de quedarse atrás.

Ambos asintieron, y Emmett lo hizo con una sonrisa de oreja a oreja.

Me flanquearon mientras cruzaba el campo. Se levantó otro runrún de descontento entre las filas de la guardia en cuanto vieron mis elecciones. Era obvio que no confiaban en el hombre lobo. Aro alzó una mano para acallar de nuevo las protestas.

—Tienes unas compañías de lo más interesantes —le comentó Demetri a Edward en un cuchicheo.

El interpelado no le respondió, pero Jacob dejó escapar entre los dientes un sordo gruñido.

Nos detuvimos a unos pocos metros de Aro. Edward se deshizo del brazo de Aro y se unió a nosotros con rapidez, tomando mi mano. Se produjo un momento de silencio cuando nos encontramos unos frente a otros. Felix hizo una leve venia a modo de saludo.

—Hola otra vez, Bella.

El guardia esbozó una ancha sonrisa llena de arrogancia mientras vigilaba el movimiento del rabo de Jacob con su visión periférica.

—Hola, Felix —contesté mientras dedicaba una seca sonrisa al ciclópeo vampiro.

—Tienes buen aspecto —rió entre dientes—. Te sienta bien la inmortalidad.

—Muchas gracias.

—Bienvenida, es una pena…

Interrumpió su comentario a la mitad y quedó en silencio, pero no necesitaba las facultades telepáticas de Edward para imaginar la frase completa: «Es una pena que vayamos a matarte dentro de poco».

—Sí, qué pena, ¿verdad…? —murmuré.

Felix pestañeó.

Aro no prestó atención alguna a nuestro intercambio dialéctico. Ladeó la cabeza con expresión fascinada.

—Oigo el latido de su extraño corazón —murmuró con una nota musical en la voz—. Huelo su extraño efluvio —luego, volvió hacia mí sus ojos brumosos—. En verdad, joven Bella, la inmortalidad te ha convertido en una criatura de lo más extraordinario. Parece que hubieras estado predestinada a esta vida.

Asentí con la cabeza en señal de reconocimiento por el piropo.

—¿Te gustó mi regalo? —inquirió cuando fijó la mirada en mi collar.

—Es hermoso y muy, muy generoso de tu parte. Gracias. Tal vez debí enviarte una nota de agradecimiento.

Aro se echó a reír, encantado.

—Sólo era una chuchería que tenía por ahí. Me pareció un adorno adecuado para tu nuevo rostro, como de hecho lo es.

Se produjo un siseo en el centro de la línea de los Vulturis. Alcé la cabeza para mirar por encima del hombro de Aro. Mmm. Al parecer, Jane no estaba muy contenta con la idea de que su señor me hubiera enviado un presente.

Aro carraspeó para atraer mi atención.

—¿Puedo saludar a tu hija, adorable Bella? —preguntó con dulzura.

Me obligué a recordar que esto era lo que habíamos estado esperando. Hice frente a la urgencia de dar media vuelta y huir con Renesmee. En vez de eso, me adelanté dos pasos. Mi escudo quedó atrás, como una capa que protegía al resto de mi familia y dejaba expuesta a mi niña. La sensación era espantosa.

El anciano se reunió con nosotras, radiante.

—Pero si es… maravillosa —murmuró—. Como tú y Edward —luego, con voz más alta, saludó—: Hola, Renesmee.

La niña me miró de inmediato. Asentí.

—Hola, Aro —contestó con tono muy formal con esa voz suya, aguda y armoniosa.

El anciano abrió los ojos, sorprendido.

—¿Qué es la cría? —masculló Cayo desde su posición en retaguardia, claramente molesto por tener que formular una pregunta.

—Mitad mortal, mitad inmortal —le anunció Aro a su compañero y al resto de la guardia sin apartar la mirada de Renesmee, pues seguía fascinado—. Esta neófita la concibió y la llevó en su vientre mientras todavía era humana.

—Imposible —se burló Cayo.

—¿Acaso los crees capaces de engañarme, hermano? —a juzgar por la expresión, Aro se lo estaba pasando en grande. Cayo dio un respingo—. ¿También es una treta el latido de su corazón?

Cayo torció el gesto y se sintió tan mortificado como si las amables preguntas de Aro hubieran sido bofetadas.

—Obremos con calma y cuidado, hermano —le advirtió Aro, todavía sonriendo a Renesmee—. Conozco bien tu amor por la justicia, pero no es preciso aplicarla contra esta pequeña por razón de su origen, y en cambio es mucho lo que queda por aprender de ella. No compartes mi entusiasmo por la recopilación de historias, bien que lo sé, hermano, pero muéstrate tolerante conmigo cuando añada un capítulo que me sorprende por lo imposible del mismo. Hemos venido esperando sólo justicia y la tristeza de una amistad traicionada, y ¡mira lo que hemos ganado a cambio! Un nuevo y deslumbrante conocimiento sobre nosotros mismos y nuestras posibilidades.

El vampiro le tendió la mano a la niña, pero no era lo que ella deseaba. Se inclinó hacia delante y se estiró hasta tocar el rostro de Aro con las yemas de los dedos.

La reacción del Vulturis no fue de sorpresa como solía ocurrir cuando Renesmee realizaba su actuación. Él estaba acostumbrado al flujo de pensamientos y de recuerdos con otras mentes, al igual que Edward.

La sonrisa de Aro se ensanchó y suspiró de satisfacción.

—Brillante —musitó.

Renesmee volvió a mis brazos y se relajó. Su carita estaba muy seria.

—Por favor —le pidió ella.

—Naturalmente que no tengo intención de herir a tus seres queridos, mi preciosa Renesmee —respondió Aro, cuya sonrisa se tornó muy amable.

El tono afectuoso y confortante de su voz me engañó durante un segundo, hasta que oí el rechinar de dientes de Edward y lejos, detrás de nuestras posiciones, el siseo ultrajado de Maggie ante semejante embuste.

—Me pregunto si… —comentó Aro con gesto pensativo. No parecía haber tomado conciencia de la reacción suscitada por su anterior afirmación. El anciano dirigió la vista hacia Jacob de forma inesperada. Sus ojos no reflejaron el disgusto con que los demás Vulturis contemplaban al gran lobo, antes bien, reflejaban una añoranza incomprensible para mí.

—No funciona de ese modo —contestó Edward con tono desabrido, abandonando la cuidadosa neutralidad de que había hecho gala hasta ese momento.

—Sólo era una idea peregrina —repuso el anciano líder mientras valoraba el potencial de Jacob sin tapujo alguno.

Luego, recorrió con la mirada las dos líneas de licántropos situados detrás de nosotros. Fuera lo que fuera que Renesmee le hubiera mostrado, de pronto, los lobos habían despertado en él un gran interés.

—No nos pertenecen, Aro. No acatan nuestras órdenes como tú crees. Están aquí por voluntad propia.

Jacob gruñó de forma amenazadora.

—Sin embargo, parecen estar muy vinculados a vosotros —repuso Aro—, y leales a tu joven compañera y a tu... familia. *Leales...* —su voz acarició el vocablo con suavidad.

—Ellos se han comprometido a la protección de la vida humana. Eso hace posible la coexistencia pacífica con nosotros, pero no con vosotros, a menos que os replanteéis vuestro estilo de vida.

Aro rió con júbilo.

—Sólo era una idea peregrina —repitió—. Tú mejor que nadie conoces cómo va esto. Ninguno de nosotros es capaz de controlar por completo los deseos del subconsciente.

Edward hizo una mueca.

—Sí, conozco de qué va la historia, y también la diferencia existente entre esa clase de pensamiento y el de otro con segundas intenciones. Nunca podría funcionar, Aro.

Jacob movió su gigantesca cabeza hacia Edward y soltó un débil gañido.

—Está intrigando con la idea de tener... perros guardianes —contestó Edward con un hilo de voz.

Se hizo un silencio sepulcral y al cabo de un segundo un coro de furibundos aullidos procedentes de toda la manada llenó el enorme claro.

Alguien impartió una seca orden, supuse que sería cosa de Sam, aunque no me di la vuelta para comprobarlo con la vista, y la protesta se cortó de raíz, dejando que reinara un silencio ominoso.

—Supongo que eso responde a la pregunta —admitió Aro con otra risa—. Esta manada ha elegido bando.

Edward siseó y se inclinó hacia delante. Le tomé del brazo para retenerle al tiempo que me preguntaba cuál podía haber sido la ocurrencia de Aro para provocar semejante reacción en mi marido. Felix y Demetri se deslizaron al unísono para adoptar posiciones ofensivas. Aro los contuvo con otro gesto de la mano. Todos volvieron a su postura anterior, Edward incluido.

—Queda mucho por discutir —concluyó Aro con el tono pragmático de un hombre de negocios— y más por decidir. Si vosotros y vuestro peludo protector me excusáis, mis queridos Cullen, he de deliberar con mis hermanos.

Argucias

La guardia permanecía en el lado norte del claro a la espera de que su líder volviera a sus filas, pero en vez de eso, Aro les ordenó adelantarse con un ademán de la mano.

Edward inició una retirada inmediata, empujándonos a Emmett y a mí. Retrocedimos a toda prisa sin apartar la mirada de la amenaza en ciernes. Jacob fue el más lento de todos a la hora de emprender el repliegue. Tenía erizada la pelambrera de los hombros y se erguía mientras le enseñaba las fauces a Aro. Renesmee le agarró del rabo al tiempo que retrocedía y le fue dando tirones para obligarle a caminar con nosotros. Nos reunimos con nuestra familia al mismo tiempo que las capas oscuras rodeaban de nuevo a Aro.

La distancia entre ellos y nosotros se había reducido a cincuenta metros, un espacio que cualquiera podía salvar con un buen salto en menos de un segundo.

Cayo comenzó a discutir con Aro de inmediato.

—¿Cómo soportas semejante infamia? —se puso con los brazos en jarras y los dedos curvados en forma de garras—. ¿Por qué permanecemos aquí mano sobre mano ante un crimen tan espantoso, burlados por una engañifa tan ridícula?

Especulé acerca del motivo por el cual no tocaba físicamente a Aro para compartir su opinión. ¿Acaso éramos testigos de una división en las filas de los Vulturis? ¿Podíamos tener tanta suerte?

—Porque es la verdad hasta la última palabra —respondió el interpelado con calma—. Observa el número de testigos. Todos ellos están en condiciones de dar testimonio: han visto a esa niña crecer y madurar en el breve tiempo que la han conocido. Todos ellos —prosiguió mientras hacía un gesto lo bastante amplio para abarcar desde Amun, situado en un extremo, hasta Siobhan, ubicada en el opuesto— se han percatado del calor de la sangre que corre por sus venas.

Cayo reaccionó de un modo extraño en cuanto su compañero pronunció la palabra «testigos» y su semblante, dominado por la ira, se serenó hasta convertirse en una máscara fría y calculadora. Lanzó una mirada a los apoyos de los Vulturis con una expresión un tanto nerviosa.

Le imité y contemplé a la enojada masa para percatarme de que ya no podía aplicársele ese adjetivo. El deseo alocado de acción se había convertido en confusión y una oleada de cuchicheos recorría las filas enemigas, pues intentaban buscar una explicación a lo sucedido.

Cayo seguía con mala cara, sumido en sus pensamientos. Lo aplomado de su expresión atizó los rescoldos de mi antiguo enojo y acabó por avivar las llamaradas de la preocupación. ¿Y qué ocurriría si la guardia avanzaba de nuevo a una señal invisible, como las que utilizaban mientras marchaban? Estudié mi escudo con ansiedad. Lo noté tan impenetrable como antes. Lo curvé hacia abajo en un domo ancho y bajo para proteger a todo nuestro grupo. Percibía a mis amigos y a los miembros de mi familia como finas columnas de luz, cada una con una tonalidad propia. Pensé que sería capaz de identificarlos con un poco de práctica, y de hecho, ya conocía la de Edward, porque era la más brillante de todas. Pero me preocuparon los huecos que existían alrededor de los puntos refulgentes. La cobertura únicamente me protegería a mí si los habilidosos Vulturis lograban meterse por *debajo*. La frente se me llenó de arrugas a causa del esfuerzo mientras intentaba *acercar* con sumo cuidado la armadura elástica a mi gente. Carlisle ocupaba la posición más alejada. Retraje el escudo centímetro a centímetro en un intento de envolverle el cuerpo con la mayor precisión posible.

El blindaje parecía predispuesto a cooperar. Aumenté su contorno, y cuando Carlisle cambió de posición para formar más cerca de Tanya, la protección se estiró con él y se ciñó a su chispa.

Lancé más hilos de la tela protectora y los fui situando alrededor de cada silueta iluminada que correspondía a un amigo o a un aliado.

Sólo había transcurrido un segundo y Cayo continuaba con las deliberaciones.

—Los hombres lobo —murmuró al fin.

Me invadió un pánico repentino cuando comprendí que casi todos los licántropos estaban desprotegidos. Me disponía a alcanzarles con mi escudo cuando me di cuenta de que, en realidad, sí que podía sentir su chisporroteo luminoso. Curioso. Retiré la capa protectora de Amun y Kebi, los dos miembros más alejados del grupo en ese momento, que se hallaban en compañía de los lobos. Las luces de ambos se extinguieron, pero no ocurrió lo mismo con los lobos: continuaban siendo columnas luminosas... o casi, por lo menos la mitad de ellos brillaban. Mmm. Extendí de nuevo el escudo y en cuanto Sam quedó cubierto, todos volvieron a brillar.

La interconexión entre ellos debía de ser mayor de lo imaginado. Si el macho Alfa se hallaba bajo cobertura, las mentes de los otros miembros de la manada estaban tan protegidas como la del líder.

—Ah, hermano —contestó Aro con aspecto apenado ante la afirmación de Cayo.

—¿También vas a defender esa alianza, Aro? —inquirió Cayo—. Los Hijos de la Luna han sido nuestros más acérrimos enemigos desde el alba de los tiempos. Les hemos dado caza hasta prácticamente extinguirlos en Europa y Asia; y a pesar de ello, Carlisle dispensa un trato de familiaridad a esa inmensa plaga, sin duda en un intento de derrocarnos más adelante, lo que sea para proteger su corrupto estilo de vida.

Edward carraspeó de forma tan audible que el cabecilla le miró. Aro se cubrió el semblante con una de esas manos suyas: finas y delicadas. Daba la impresión de estar avergonzado por el comportamiento del otro anciano.

—Estamos en pleno mediodía, Cayo —comentó Edward mientras señalaba hacia Jacob—, resulta claro que no son Hijos de la Luna. No guardan relación alguna con tus enemigos de allende los mares.

—Aquí criáis mutantes —le replicó el anciano de forma abrupta.

—Ni siquiera son hombres lobo —contestó Edward con voz invariable tras abrir y cerrar las mandíbulas—. Aro puede explicártelo todo si no me crees.

¿Que no eran hombres lobo? Miré a Jacob con desconcierto. Él alzó los lomos y los dejó caer, como si se encogiera de hombros. Tampoco él sabía de qué estaba hablando mi esposo.

—Mi querido Cayo, te hubiera avisado de que no tocaras ese punto si me hubieras hecho partícipe de tus pensamientos

—murmuró Aro—. Aunque esas criaturas se consideren licántropos, en realidad, no lo son. «Metamorfos» les encaja mejor. La elección de la figura lupina es pura casualidad. Podría haber sido la de un oso, un halcón o una pantera cuando se realizó la primera metamorfosis. En verdad te aseguro que estas criaturas no guardan relación alguna con los Hijos de la Luna. Únicamente han heredado esa habilidad de sus ancestros. La continuidad de la especie no se basa en la infección de otras especies, como ocurre en el caso de los hombres lobo.

Cayo fulminó con la mirada a Aro. Estaba irritado y flotaba en el ambiente algo más, una posible acusación de traición.

—Conocen el secreto de nuestra existencia —espetó el otro sin rodeos.

Edward parecía a punto de responder a esta acusación, pero Aro se le anticipó.

—También ellos son criaturas del mundo sobrenatural, hermano, y tal vez ellos dependan del secreto más que nosotros. Además, es difícil que nos expongan. Ve con cuidado, Cayo. Los alegatos capciosos no nos conducen a ninguna parte.

Cayo respiró hondo y asintió; luego, ambos ancianos intercambiaron una larga y significativa mirada.

Creí comprender la instrucción que se escondía detrás de la advertencia de Aro. Los cargos falsos no les iban a ayudar en nada a lograr que sus propios testigos se pusieran de su parte. Aro avisaba a su compañero de que pasaran a la siguiente estrategia. Me pregunté si la razón oculta tras esa aparente tensión entre los dos ancianos —representada en la negativa a tocar a su compañero y compartir sus pensamientos— no sería que a Aro le interesaban las apariencias mucho más que a Cayo, a quien la próxima matanza le parecía de mayor importancia que mantener una reputación intachable.

—Deseo hablar con la delatora —anunció de pronto Cayo, y se volvió para mirar a Irina.

La vampira no prestaba atención a la conversación de los líderes de los Vulturis. No apartaba la vista de sus hermanas y tenía un semblante agónico y crispado por el sufrimiento. El rostro de Irina dejaba bien a las claras que ella sabía ahora lo infundado de su acusación.

—Irina —bramó Cayo, descontento de tener que dirigirse a ella.

Ella alzó la vista, sorprendida en un primer momento y luego asustada.

Cayo chasqueó los dedos.

La vampira avanzó con paso vacilante desde el límite de la formación Vulturis para presentarse de nuevo ante el anciano caudillo.

—Has cometido un grave error en tus acusaciones, o eso parece —comenzó Cayo.

Tanya y Kate se adelantaron, presas de la ansiedad.

—Lo siento —respondió la interpelada en voz baja—. Quizá debería haberme asegurado de lo que vi, pero no tenía ni idea… —hizo un gesto de indefensión hacia nosotros.

—Mi querido Cayo —terció Aro—, ¿cómo puedes esperar que ella adivinara en un instante algo tan extraño e improbable? Cualquiera de nosotros habría supuesto lo mismo.

Cayo removió los dedos para silenciar a su homólogo.

—Todos estamos al tanto de tu error —continuó con brusquedad—. Yo me refiero a tus motivos.

Irina estaba hecha un manojo de nervios; esperó a que continuara, pero al final repitió:

—¿Mis motivos?

—Sí, para empezar, ¿por qué viniste a espiarlos?

La vampira respingó al oír el verbo «espiar».

—Estabas molesta con los Cullen. ¿Me equivoco?

—No, estaba enojada —admitió.

—¿Y por qué...? —la urgió Cayo.

—Porque los licántropos mataron a mi amigo y los Cullen no se hicieron a un lado y no me dejaron vengarle.

—Licántropos, no, metamorfos —le corrigió Aro.

—Así pues, los Cullen se pusieron de parte de los metamorfos en contra de nuestra propia especie, incluso cuando se trataba del amigo de un amigo —resumió Cayo.

Edward profirió por lo bajinis un refunfuño de disgusto mientras el Vulturis iba repasando una por una las entradas de su lista en busca de una acusación que encajara.

—Yo lo veo así —replicó Irina, muy envarada.

Cayo se tomó su tiempo.

—Si deseas formular alguna queja contra los metamorfos y los Cullen por apoyar ese comportamiento, ahora es el momento.

El anciano esbozó una sonrisa apenas perceptible llena de crueldad, a la espera de que Irina le facilitara la siguiente excusa. Con ello demostraba que no entendía a las familias de verdad, cuyas relaciones se basaban en el amor y no en el amor al poder. Tal vez había sobreestimado la fuerza de la venganza.

Irina apretó los dientes, alzó el mentón y cuadró los hombros.

—No deseo formular queja alguna contra los lobos ni los Cullen. Habéis venido aquí para destruir al niño inmortal y no existe ninguno. Mío es el error y asumo por completo la responsabilidad. Los Cullen son inocentes y vosotros no tenéis motivo alguno para permanecer aquí. Lo lamento mucho —nos dijo, volviéndose hacia nosotros, y luego se encaró con los testigos Vulturis—. No se ha cometido ningún delito, ya no hay razón válida para que continuéis aquí.

Aún no había terminado de hablar la vampira y Cayo ya había alzado una mano, sostenía en ella un extraño objeto metálico tallado y ornamentado.

Se trataba de una señal, y la reacción llegó tan deprisa que todos nos quedamos atónitos y sin dar crédito a nuestros ojos mientras sucedía. Todo terminó antes de que tuviéramos tiempo para reaccionar.

Tres soldados Vulturis se adelantaron de un salto y cayeron sobre Irina, cuya figura quedó oculta por las capas grises. En ese mismo instante, un horrísono chirrido metálico rasgó el velo de quietud del claro. Cayo serpenteó sobre la nieve hasta llegar al centro de la melé grisácea. El estridente sonido se convirtió en un géiser de centellas y lenguas de fuego. Los soldados se apartaron de aquel repentino infierno de llamaradas y regresaron a sus posiciones en la línea perfectamente formada.

El anciano líder se quedó solo junto a los restos en llamas de Irina. El objeto metálico de su mano todavía chorreaba lenguas de fuego sobre la pira.

Se oyó un débil chasquido y el surtidor de fuego dejó de vomitar fogonazos. Un jadeo de horror recorrió la masa de testigos congregada detrás de los Vulturis.

Nosotros estábamos demasiado consternados para proferir algún sonido. Una cosa era saber que la muerte se avecinaba a feroz e imparable velocidad y otra muy diferente ver cómo tenía lugar.

—Ahora sí ha asumido por completo la responsabilidad de sus acciones —aseguró Cayo con una fría sonrisa.

Lanzó una mirada a nuestra primera línea, deteniéndose brevemente sobre las formas heladas de Tanya y Kate.

Adiviné en ese instante que el Vulturis jamás había minusvalorado los lazos de una verdadera familia. Ésa era la táctica. Nunca tuvo interés en las reclamaciones de Irina, buscaba su desafío, un pretexto para poder destruirla y prender fuego al inflamable vaho de violencia que se condensaba en el ambiente. Había arrojado una cerilla.

Aquella tensa conferencia de paz se tambaleaba ahora con más vaivenes que un elefante en la cuerda floja. Nadie iba a ser capaz de detener el combate una vez que se desatara. La espiral de violencia no dejaría de crecer hasta que un bando resultara totalmente aniquilado. El nuestro. Cayo lo sabía.

Y también Edward.

Por eso, estaba atento y gritó:

—¡Detenedlas!

Por eso, saltó de la fila a tiempo de agarrar por el brazo a Tanya, que se lanzaba vociferando como una posesa hacia el sonriente Cayo. No fue capaz de zafarse de la presa de Edward antes de que Carlisle la sujetara por la cintura.

—Es demasiado tarde para ayudarla —intentó razonar Carlisle a toda prisa mientras forcejeaba con ella—. ¡No le des lo que quiere!

Fue más difícil contener a Kate. Lanzó un aullido inarticulado similar al de Tanya y dio la primera zancada de una acometida que iba a saldarse con la muerte de todos. La más próxima a ella era Rosalie, pero ésta recibió semejante porrazo que cayó al suelo antes de tener tiempo de hacerle una llave de cabeza. Por suerte, Emmett la aferró por el brazo y le impidió continuar; luego, la devolvió a la fila a codazo limpio, pero Kate se escabulló y rodó sobre sí misma. Parecía imparable.

Garrett se abalanzó sobre Kate y volvió a tirarla al suelo; luego, le rodeó el tórax y los brazos en un abrazo y engarfió los dedos alrededor de sus propias muñecas a fin de completar la presa de inmovilización. El cuerpo de Garrett se estremeció cuando la vampira empezó a lanzarle descargas. Puso los ojos en blanco, pero se mantuvo firme y no la soltó.

—Zafrina —gritó Edward.

Kate puso los ojos en blanco y sus gritos se convirtieron en gemidos. Tanya dejó de forcejear.

—Devuélveme la vista —siseó Tanya.

De modo desesperado, pero con toda la delicadeza de la que fui capaz, estiré el escudo hasta cubrir las llamas de mis amigos. Intenté retirarlo de Kate al mismo tiempo que envolvía a Garrett a fin de que, al menos, hubiera una fina capa entre ellos.

Para cuando terminé, Garrett había recuperado el control de sí mismo y la retenía en el suelo cubierto de nieve.

—¿Vas a tumbarme otra vez si dejo que te levantes, Katie? —susurró él.

Ella soltó un refunfuño por toda respuesta y no cesó de repartir golpes a diestro y siniestro.

—Escuchadme, Tanya, Kate —pidió Carlisle en voz baja pero con vehemencia—. La venganza ya no va a ayudarla. Irina no habría deseado que despilfarrarais la vida de esa manera. Meditad las consecuencias de vuestros actos. Si atacáis ahora, moriremos todos.

Los hombros de Tanya se encorvaron bajo el peso del sufrimiento y se echó hacia atrás, sobre Carlisle, en busca de apoyo. Kate dejó de debatirse al fin. Garrett y Carlisle continuaron consolando a las hermanas con palabras demasiado precipitadas para reconfortarlas de verdad.

Centré otra vez mi atención en la fuerza de las miradas cuya intensidad había menguado durante aquellos momentos de caos. Por el rabillo del ojo comprobé que Edward y todos los demás, incluidos Carlisle y Garrett, se habían puesto en guardia de nuevo.

La mirada más penetrante era la de Cayo, que contemplaba a Kate y Garrett en el suelo nevado con rabia e incredulidad. También Aro, sabedor de las habilidades y el potencial de Kate tras haber visto los recuerdos de Edward, observaba a la pareja con el desconcierto grabado en sus facciones.

¿Comprendía lo sucedido? ¿Se daba cuenta de que mi escudo había crecido en resistencia y sutileza más allá de lo que Edward me sabía capaz? ¿O pensaba acaso que Garrett había aprendido a generar una fuerza de inmunidad por su cuenta?

La guardia Vulturis había dejado a un lado la contención marcial y todos se inclinaban hacia delante, prestos para saltar y lanzar un contraataque en cuanto nosotros iniciáramos la ofensiva.

Los cuarenta y tres testigos permanecían detrás de ellos con una expresión diferente a la del comienzo, pues se había pasado de la confusión a la sospecha. La destrucción fulminante de Irina los había conmovido a todos. Se preguntaban cuál había sido el crimen de la vampira y cuál sería el curso de los acontecimientos ahora que no iba a producirse el ataque inmediato previsto por Cayo para distraer la atención de la brutal ejecución. Aro miró a sus espaldas. Comprobé cómo las facciones le delataban y dejaban entrever durante unos instantes su exasperación. Le gustaba tener público, y ahora le había salido el tiro por la culata. Stefan y Vladimir hablaban sin cesar y con alegría, para descontento de Aro.

Era evidente el interés del anciano líder por no desprenderse de la aureola de integridad de la que se habían investido los Vulturis hasta ahora, aunque no se me ocurría pensar que fueran a dejarnos en paz únicamente para salvar la reputación. Lo más probable es que, con ese fin, aniquilaran al público después de haber terminado con todos nosotros. Noté una repentina punzada de piedad por esa masa de desconocidos reunida por los vampiros italianos para presenciar nuestra muerte. Demetri les daría caza hasta acabar también con todos ellos.

Demetri debía morir. Por Jacob y Renesmee, por Alice y Jasper, por Alistair, y también por todos esos desconocidos, ignorantes del precio que habrían de pagar por este día.

Aro rozó el hombro de su compañero.

—Irina ha sido castigada por levantar falsos testimonios contra esa niña —de acuerdo, ésa era su excusa; luego, prosiguió—: ¿No deberíamos volver al asunto principal, Cayo?

El interpelado se envaró y endureció la expresión hasta resultar inescrutable. Miró hacia delante con la vista puesta en el infinito. Era extraño, pero su semblante me recordaba al de una persona que acabara de tomar conciencia de haber sido degradado.

Aro se adelantó. Renata, Felix y Demetri le siguieron de inmediato.

—Me gustaría hablar con unos cuantos testigos, por simple perfeccionismo —anunció—. Ya sabes, puro trámite —agregó mientras le restaba importancia al asunto con un ademán de la mano.

Acaecieron a la vez dos hechos. Cayo recuperó ese punto cruel del rictus y Edward siseó y cerró los puños con tantísima fuerza que se le marcaron los nudillos en esa piel suya dura como el diamante.

Me moría de ganas de preguntarle qué iba a pasar, pero Aro se hallaba lo bastante cerca como para escuchar la más leve voz. Carlisle lanzó una mirada cargada de ansiedad al rostro de Edward antes de endurecer el semblante.

Mientras Cayo había ido dando traspiés con acusaciones injustificadas e imprudentes intentos de provocar una lucha, Aro parecía haber urdido una estrategia de mayor eficacia. Cruzó el claro nevado con el sigilo de un espectro hasta llegar al extremo oeste de nuestra línea, deteniéndose a unos diez metros de Amun y Kebi. Los lobos más cercanos erizaron la pelambrera, pero no abandonaron sus posiciones.

—Amun, mi vecino del sur… ¡Cuánto tiempo ha pasado desde tu última visita! —dijo Aro con voz cálida.

El egipcio se quedó inmóvil a causa de la ansiedad. Kebi permanecía hierática como una estatua a su lado.

—Poco significa el tiempo para mí. Apenas noto su tránsito —murmuró el aludido sin mover casi los labios.

—Muy cierto —convino el Vulturis—, pero ¿no hay tal vez otro motivo para ese alejamiento? —Amun no respondió, por lo que el anciano prosiguió—: Organizar a los advenedizos en un aquelarre consume muchísimo tiempo, bien que lo sé yo. Por suerte, cuento con otros para hacerse cargo de esa tarea tan tediosa. No sabes cuánto me congratula que tus nuevas incorporaciones hayan encajado tan bien. Me encantaría que me los presentaras. Estoy convencido de que tu propósito es visitarme pronto.

—Por descontado —contestó el egipcio con un tono de voz tan carente de emoción que resultaba imposible saber si había miedo o sarcasmo en la respuesta.

—Bueno, de todos modos, ahora estamos todos reunidos… ¿No es maravilloso? —el interrogado asintió con semblante inexpresivo—. Por desgracia, el motivo de vuestra presencia aquí no es grato. ¿Os ha llamado Carlisle para que oficiéis como testigos?

—Sí.

—¿Y qué vais a atestiguar a favor de él?

—He observado a la niña en cuestión —Amun no dejó de hablar con esa fría inexpresividad en todo momento—. Fue evidente casi desde un principio que no era una niña inmortal…

—Quizá convendría redefinir nuestra terminología —le interrumpió el anciano—, ahora que parece haber nuevas clasificaciones. Por supuesto, con «niña inmortal» te refieres a una chiquilla humana transformada en vampiro tras ser mordida.

—Sí, a eso me refiero.

—¿Y qué más has observado en ella?

—Las mismas cosas que seguramente habrás apreciado tú en la mente de Edward. La pequeña es hija biológica suya. Crece. Aprende.

—Sí, sí —repuso Aro con una nota de impaciencia en la voz por otra parte amistosa—, pero en las pocas semanas de estancia aquí, ¿qué has visto?

—Crece muy… deprisa —replicó Amun con el ceño fruncido.

Aro sonrió.

—¿Crees que debería permitírsele vivir?

Se me escapó un siseo, y no fui la única. La mitad de los vampiros de nuestro grupo se hizo eco de la protesta y los testigos Vulturis hicieron otro tanto al otro lado del prado. El rumor flotó en el aire como un tenue chisporroteo. Edward echó un paso atrás y me rodeó la cintura con una mano a fin de contenerme.

El runrún no hizo darse la vuelta al Vulturis, pero Amun miró a su alrededor con manifiesta incomodidad.

—No he acudido para emitir juicios —arguyó, saliéndose por la tangente.

Aro soltó una risilla.

—Dame sólo una opinión.

El testigo alzó el mentón.

—No veo peligro alguno en la niña. Aprende más deprisa de lo que crece.

El líder Vulturis asintió, como si sopesara la cuestión, y echó a andar, pero el vampiro egipcio le llamó.

—¿Aro?

—Dime, amigo mío.

—He dado mi testimonio y nada más me retiene aquí. A mi compañera y a mí nos gustaría marcharnos ahora mismo.

Aro le dedicó la más amable de las sonrisas.

—Por supuesto. Me alegra haber tenido la ocasión de conversar contigo, aunque sea sólo un poco, y estoy seguro de que volveremos a vernos pronto.

Amun frunció los labios con fuerza hasta formar una línea mientras digería la amenaza apenas disimulada de esas palabras. Tocó el brazo de Kebi y luego ambos echaron a correr por el confín meridional de la pradera y desaparecieron entre los árboles. Estaba segura de que no iban a dejar de correr durante mucho, mucho tiempo.

Aro se deslizó a lo largo de nuestra línea en dirección este, rodeado por unos guardaespaldas muy nerviosos. Se detuvo a la altura de la enorme silueta de Siobhan.

—Hola, Siobhan, estás tan hermosa como de costumbre —la vampira hizo una inclinación de cabeza y permaneció a la espera—. Dime, ¿respondes a mis preguntas en el mismo sentido que Amun?

—Sí, pero tal vez añadiría algo —replicó ella—. Renesmee comprende los límites y no pone en peligro a los humanos. Es una mezcla de más calidad que nosotros, y no supone amenaza alguna para nuestra cobertura.

—¿No se te ocurre ninguna? —inquirió Aro, sombríamente.

Edward gruñó, un bajo y desgarrado sonido que surgió de lo más hondo de su garganta.

Los velados ojos carmesíes de Cayo refulgieron.

Renata tendió los brazos hacia su señor en ademán protector.

Garrett soltó a Kate para dar un paso hacia delante, ignorando la mano de ésta, que ahora pretendía refrenarle a él.

—Creo que no te sigo —contestó Siobhan con lentitud.

Aro se deslizó hacia atrás como si tal cosa, pero acabó más cerca de la guardia y con Renata, Felix y Demetri pegados a su sombra.

—No se ha quebrantado ley alguna —dijo Aro con tono conciliador, pero todos los asistentes intuimos que la salvedad estaba al caer. Necesité hacer un gran esfuerzo para contener la rabia que estaba a punto de subir por mi garganta y salir para gritar un desafío. Apliqué esa ira a mi escudo, haciéndolo más grueso, y me aseguré de que todos estuvieran protegidos—. No se ha quebrantado ley alguna —repitió—. Ahora bien, ¿podemos deducir de eso la ausencia de peligro? No —sacudió la cabeza con suavidad—. Son asuntos diferentes.

No hubo más reacción que una mayor tirantez en unos nervios ya tensos de por sí. Maggie, ubicada en los límites de nuestro grupo de luchadores, meneó la cabeza para sacarse la rabia de encima.

Aro anduvo con ademanes pensativos. Parecía levitar sobre la nieve más que pisarla. Cada paso le acercaba más y más a su guardia, bien que me di cuenta.

—La niña es única, singularmente única. Sería un despilfarro acabar con una criatura tan adorable, sobre todo cuando podríamos aprender tanto de ella… —suspiró, simulando una gran renuencia a continuar—. Pero existe un peligro imposible de ignorar, así de simple.

Nadie respondió a esta afirmación. Reinó un silencio sepulcral hasta que decidió retomar el monólogo. Daba la impresión de estar hablando para sí mismo.

—Resulta irónico que cuanto mayores son los logros técnicos del ser humano y más afianzan su dominio del planeta, más lejos estamos de ser descubiertos. Nos hemos convertido en criaturas más desinhibidas gracias a su incredulidad ante lo sobrenatural, pero la tecnología ha reforzado a los hombres hasta el punto de que serían capaces de amenazarnos y destruir a algunos de nosotros en caso de proponérselo.

»El secreto ha sido durante miles y miles de años una cuestión de conveniencia y comodidad más que de verdadera seguridad. Este último siglo tan belicoso ha alumbrado armas de tal potencia que ponen en peligro incluso a los inmortales. Ahora, nuestra condición de simples mitos nos protege de verdad de las criaturas que cazamos.

»Intuimos el potencial de esta criatura tan... sorprendente —alzó la mano para luego bajar la palma como si la apoyara sobre el hombro de Renesmee, aunque él se hallaba a cuarenta metros en ese momento, casi en el seno de la formación Vulturis de nuevo—. Ella sabe *con absoluta certeza* que siempre va a poder permanecer oculta tras el velo de oscuridad que nos protege, pero nosotros nada sabemos sobre qué clase de criatura va a ser ella en su edad adulta. Hasta sus propios padres están llenos de dudas. No hay forma de conocer cuál será su naturaleza al crecer —hizo una pausa para mirar primero a nuestros testigos y luego, y de un modo muy elocuente, a los suyos. Imitaba muy bien el tono de voz de quien está desgarrado por el contenido de su discurso. Sin apartar los ojos de su auditorio, prosiguió—: Únicamente lo conocido es seguro y aceptable. Lo desconocido es... vulnerabilidad.

La sonrisa de Cayo se ensanchó de forma maliciosa.

—Ahora estás mostrando tu juego, Aro —dijo Carlisle con voz sombría.

—Haya paz, amigo. No nos precipitemos —una sonrisa cruzó el rostro de Aro, tan amable como siempre—. Contemplemos el problema desde todos los ángulos.

—¿Puedo sugerir uno a vuestra consideración? —solicitó Garrett en voz alta tras adelantarse un paso.

—Nómada… —dijo Aro, asintiendo en señal de autorización.

Garrett levantó la barbilla, miró de frente a los corrillos de testigos situados al final del prado y dirigió a ellos su alocución.

—He venido aquí a petición de Carlisle en calidad de testigo, al igual que los demás —empezó—, y en lo tocante a la niña eso ya resulta innecesario. Todos vemos qué es.

»Me he quedado para ver algo más, a vosotros —señaló con el dedo a los desconfiados vampiros—. Conozco a dos de vosotros, Makenna y Charles, y compruebo que muchos otros sois vagabundos y azotacalles, como yo. No respondéis ante nadie. Sopesad con cuidado mis palabras.

»Los antiguos no han venido aquí a impartir justicia como os han dicho. Muchos lo sospechábamos y ahora ha quedado probado. Acudieron aquí mal informados, cierto, pero se presentaron porque tenían un pretexto válido para desencadenar la ofensiva. Sed testigos ahora de la debilidad de sus excusas a la hora de continuar su misión. Reparad en sus esfuerzos para encontrar una justificación a su verdadera intención: destruir a esa familia de ahí.

Garrett abarcó con el gesto a Carlisle y Tanya.

—Los Vulturis están aquí con la intención de borrar del mapa a quienes perciben como unos competidores. Quizá vosotros, como yo, miréis a ese clan de los ojos dorados y os maravilléis. No es fácil comprenderlos, en verdad, pero los antiguos miran y ven algo más que esa extraña elección, ven poder.

»He presenciado los lazos de unión de esa familia, y digo familia, no aquelarre. Estos extraños de ojos dorados niegan su propia naturaleza, pero ¿acaso no han encontrado algo más valioso que la simple gratificación del deseo? Los he estudiado un poco a lo largo de mi estancia en esta zona y me parece que algo intrínseco a esos vínculos familiares tan intensos, los cuales hacen posible todo lo demás, es el carácter pacífico de esta vida de sacrificio. No hay entre ellos el menor atisbo de agresión, a diferencia de lo visto en los grandes clanes sureños, cuyo número aumentaba y disminuía enseguida durante el transcurso de sus salvajes venganzas. Nadie se molesta en pensar en la dominación, y Aro lo sabe mejor que yo.

Contemplé el semblante del aludido llena de tensión, esperaba su reacción mientras el errabundo le lanzaba aquella invectiva. Pero el dirigente Vulturis mostró en sus facciones esa expresión de amable burla propia de un adulto que confía en que al niño se le pase el berrinche cuando comprenda que nadie le presta atención.

—Cuando nos informó de lo que se avecinaba, Carlisle nos aseguró a todos que no nos llamaba para luchar. Esos testigos de ahí —dijo mientras señalaba a Siobhan y Liam— estuvieron de acuerdo en dar testimonio a fin de ralentizar el avance de los Vulturis con su presencia y que así Carlisle tuviera la ocasión de defender su causa.

»Pero algunos de nosotros nos preguntábamos —prosiguió al tiempo que sus ojos se posaban en el rostro de Eleazar— si a Carlisle le bastaría tener la razón de su parte para detener la así llamada justicia. ¿Qué han venido a proteger los Vulturis? ¿Nuestra seguridad o su propio poder? ¿Pretenden eliminar a una criatura ilegal o una forma de vida? ¿Se quedarían satisfechos cuando el peligro resultara ser un simple malentendido o echarían los restos sobre el tema sin contar con la coartada de la justicia?

»Ahora tenemos las respuestas a esas preguntas en las palabras falaces de Aro, alguien provisto del don de conocer la verdad de las cosas, y en la sonrisa ávida de Cayo. Su guardia es una simple herramienta sin inteligencia, un instrumento en manos de sus maestros para lograr su objetivo: la dominación.

»Por eso, ahora se plantean nuevas preguntas que debéis responder. ¿Quién os gobierna, nómadas? ¿Respondéis ante alguien que no seáis vosotros mismos? Decidme, ¿vais a ser libres de elegir vuestro camino o van a ser los Vulturis quienes decidan vuestra forma de vida?

»He venido a prestar testimonio y me quedo para luchar. A los Vulturis no les importa nada la muerte de la chica. Persiguen la muerte de nuestro libre albedrío —entonces, volvió la cara a los ancianos—. ¡Sea lo que sea, decidlo! No soltéis más mentiras elucubradas. Sed consecuentes con vuestras intenciones y los demás lo seremos con las nuestras. Elegid ahora, y dejad que estos testigos vean cuál es el verdadero tema del debate.

Garrett volvió a posar una mirada inquisitiva en los testigos de los Vulturis. Sus rostros reflejaban el efecto evidente de la alocución.

—Podríais considerar la posibilidad de uniros a nosotros. Si acaso pensáis que los Vulturis os van dejar con vida para que podáis contar esta historia, os equivocáis. Tal vez nos destruyan a todos, pero también es posible que no —se encogió de hombros—. Quizá tengamos una posición más segura de lo que creen. Es posible que los Vulturis hayan encontrado al fin la horma de su zapato. En todo caso, os aseguro una cosa: si nosotros caemos, vosotros nos acompañaréis.

Garrett retrocedió y se situó junto a Kate nada más terminar su acalorado discurso. Luego, se inclinó hacia delante, medio en cuclillas, dispuesto para lanzarse a la matanza.

Aro sonrió.

—Un gran discurso, mi revolucionario amigo.

—¿Revolucionario…? —gruñó Garrett, que se mantenía listo para atacar—. Si me permites la pregunta, ¿contra quién me sublevo? ¿Acaso eres tú mi rey? ¿Deseas que también yo te llame amo, como esa guardia tuya tan servil?

—Paz, Garrett —terció Aro con ánimo tolerante—. Me refería únicamente a tu época de nacimiento. Veo que sigues siendo un patriota.

El mencionado le devolvió una mirada fulminante.

—Preguntemos a nuestros testigos —sugirió Aro—. Adoptaremos una decisión tras conocer su opinión —nos dio la espalda con despreocupación y se desplazó unos metros en dirección a las lindes del bosque para estar más cerca de sus nerviosos espectadores—. Decidnos, amigos míos, ¿qué opináis de todo esto? No es la niña lo que tememos, os lo puedo asegurar. ¿Corremos el riesgo de dejarla con vida? ¿Ponemos en peligro nuestro mundo para preservar a su familia? ¿O acaso tiene razón el impetuoso Garrett y os vais a unir a ellos contra nuestra repentina búsqueda del poder?

Los testigos soportaron el escrutinio del líder Vulturis con la prevención escrita en las líneas de la cara. Una mujer menuda de pelo negro miró de soslayo a su compañero, un vampiro de pelo rubio oscuro situado junto a ella.

—¿No tenemos más alternativa? —le preguntó de pronto, devolviéndole la mirada a Aro—. ¿O estamos de acuerdo con vosotros o luchamos contra vosotros?

—No, por descontado, mi encantadora Makenna —repuso Aro, fingiendo estar horrorizado de que alguien hubiera podido llegar a esa conclusión—. Podéis ir en paz tal y como hizo Amun, por supuesto, incluso aunque discrepéis con la decisión de esta asamblea.

Makenna intercambió otra mirada con su compañero; éste asintió de forma casi imperceptible.

—No hemos venido aquí a luchar —hizo una pausa, suspiró y agregó—: Acudimos sólo para oficiar de testigos, y nuestra conclusión es que la familia acusada es inocente. Todo cuanto afirma Garrett parece cierto.

—Ah, cuánto lamento que lo veas de ese modo —repuso Aro con tristeza—. Sin embargo, ésa es la naturaleza de nuestro trabajo.

—No es lo que veo, pero sí lo que siento —intervino el compañero de Makenna, el vampiro de pelo color maíz, con voz aguda y nerviosa. Miró a Garrett—. Él mencionó que los Vulturis tenéis una forma de identificar las mentiras. También yo tengo modo de saber cuándo oigo la verdad y cuándo no.

Dicho esto, se acercó un poco más a su compañera con el miedo brillando en los ojos mientras aguardaba la reacción de Aro.

—No nos temas, amigo Charles. El patriota se cree su discurso, eso no lo pongo en duda —comentó Aro riéndose entre dientes.

Charles entornó los ojos.

—Hemos cumplido nuestro cometido y ahora nos vamos —anunció Makenna.

Ella y Charles echaron a andar hacia atrás con paso lento y no se atrevieron a dar la espalda al claro hasta estar entre los árboles, ocultos de cualquier mirada. Otro desconocido emprendió una retirada idéntica y tres más le siguieron, corriendo como balas.

Evalué a los treinta y siete vampiros restantes. Unos pocos parecían demasiado confusos para adoptar una decisión, pero la mayoría había tomado buena nota de los derroteros de la confrontación. Renunciaban a irse en ese mismo momento y tomar ventaja a fin de saber con exactitud quién iba a darles caza, o eso supuse.

Estaba convencida de que Aro lo veía como yo. Se alejó de los testigos y regresó con su paso mesurado de siempre junto a su guardia. Se detuvo y se dirigió a ellos con voz clara.

—Nos superan en número, queridos amigos —anunció— y no podemos esperar ayuda exterior. ¿Debemos dejar sin solucionar esta cuestión para salvar la piel?

—No, amo —susurraron al unísono.

—¿Es más importante la protección de nuestro mundo que algunas bajas en nuestras filas?

—Sí —contestaron en voz baja—. No tenemos miedo.

Aro sonrió y se volvió hacia sus compañeros de ropajes negros.

—Es mucho lo que debemos considerar, hermanos —afirmó con voz lúgubre.

—Deliberemos —pidió Cayo con avidez.

—Deliberemos —repitió Marco con voz de absoluta desidia.

Aro nos dio la espalda una vez más y se puso de cara a los otros dos ancianos. Los tres se tomaron de las manos hasta formar un triángulo velado de negro.

Otros dos testigos de los Vulturis desaparecieron de manera sigilosa por el bosque en cuanto Aro centró su atención en el silencioso conciliábulo. Deseé por su bien que fueran de pies rápidos.

Había llegado el momento. Con cuidado, solté los brazos de Renesmee de mi cuello.

—¿Recuerdas lo que te dije, cielo?

Se le llenaron los ojos de lágrimas, pero asintió.

—Te quiero —me dijo.

Edward nos miraba con sus ojos de color topacio muy abiertos, y Jacob hacía lo propio por el rabillo de sus grandes ojos negros.

—Yo también te quiero —le aseguré. Le acaricié el medallón—. Más que a mi propia vida.

Jacob soltó un sonido quejumbroso mientras yo besaba la frente de mi hija.

Me puse de puntillas y susurré en la oreja del lobo:

—Espera a que estén distraídos para huir con ella. Vete lo más lejos posible. Cuando te hayas distanciado lo suficiente para poder caminar como hombre, Renesmee lleva todo lo necesario para poder manteneros y escapar.

Los rostros de Edward y Jacob eran el vivo retrato del horror a pesar de que uno de ellos era un animal.

Renesmee alzó las manos en busca de su padre. Él la tomó en brazos. Se abrazaron el uno al otro con fuerza.

—¿Era esto lo que me ocultabas? —me preguntó con un hilo de voz.

—A ti no, a Aro —susurré.

—¿Fue cosa de Alice?

Asentí.

El dolor y la comprensión le crisparon el semblante. ¿Había puesto yo la misma cara cuando uní todas las pistas de Alice?

El lobo gruñó por lo bajinis. Era un sonido áspero y sin altibajos, continuo como un ronroneo. Tenía de punta el pelaje del cuello y los colmillos al descubierto.

Edward besó a Renesmee en la frente y ambas mejillas; luego, la depositó sobre el lomo de Jacob. La pequeña gateó hábilmente encima del lomo hasta encontrar la hoyada situada entre las dos enormes paletillas. Allí se aferró con las manos al pelaje para no caerse.

Jacob se volvió hacia mí con el dolor refulgiendo en los ojos. El gruñido todavía retumbaba en su pecho.

—No podría confiarla al cuidado de nadie más —murmuré—. No podría soportar esto de no saber cuánto la quieres y tu capacidad para cuidar de ella, Jacob.

El lobo profirió otro aullido lastimero y agachó la cabeza para frotarme el hombro.

—Lo sé —musité—. Yo también te quiero, siempre serás mi mejor amigo.

Una lágrima del tamaño de una pelota de béisbol se deslizó por su pelaje bermejo.

Edward inclinó la cabeza junto al lomo donde había colocado a Renesmee.

—Adiós, Jacob, hermano mío…, hijo mío…

Los demás apenas fueron conscientes de la escena de despedida. Tenían los ojos fijos en el silente triángulo de brujos, pero habría jurado que algo sí oyeron.

—Entonces, ¿no hay esperanza? —susurró Carlisle. La voz no delataba miedo alguno, sólo resolución y resignación.

—Siempre hay esperanza —contesté en voz baja. *Eso podría ser verdad,* dije para mis adentros—. Sólo conozco mi propio destino.

Edward me tomó de la mano, sabedor de que estaba incluido en él. No hacía falta precisar que me refería a los dos cuando hablaba de «mi destino». Nosotros éramos dos partes de un todo.

La respiración de Esme sonaba entrecortada a mis espaldas. Se adelantó, acariciándonos los rostros al pasar, para situarse junto a Carlisle. Se tomaron de la mano.

De pronto, nos vimos rodeados por una sucesión de palabras de despedida y frases de cariño dichas a media voz.

—Te seguiré adonde quieras si sobrevivimos a esto, mujer —le aseguró Garrett a Kate con un susurro.

—A buenas horas me lo dices… —murmuró ella.

Rosalie y Emmett intercambiaron un beso rápido, pero cargado de pasión.

Tia acarició el semblante de Benjamin; éste le devolvió la sonrisa con alegría, le tomó la mano y la sostuvo junto a su mejilla.

No terminé de ver todas las manifestaciones de amor y dolor, pues el escudo percibió una repentina alteración en el aire que atrajo mi atención. No era capaz de determinar su procedencia, pero me percaté de que estaba dirigida a los extremos de nuestro grupo, en especial a Siobhan y Liam. La presión no causó daño alguno y luego desapareció.

No se manifestó ningún cambio en las formas calladas e inmóviles de los ancianos en conciliábulo, pero tal vez me había perdido alguna señal.

—Preparaos —susurré a los demás—. Está a punto de empezar.

Poder

—Chelsea intenta romper nuestras ligaduras, pero no logra encontrarlas —me susurró Edward—. No nos siente aquí —me traspasó con la mirada—. ¿Es cosa tuya?

Le dediqué una sonrisa fiera.

—He terminado con *todo* eso.

De pronto, se apartó de mi lado y tendió la mano hacia Carlisle. Al mismo tiempo, yo sentí una punzada muy aguda en el escudo a la altura donde protegía la luz de Carlisle. No era dolorosa, pero tampoco agradable.

—¿Estás bien, Carlisle? —inquirió Edward, fuera de sí.

—Sí, ¿por qué…?

—Por Jane —respondió mi esposo.

Una docena de ataques punzantes chocaron contra la superficie del escudo en cuanto pronunció su nombre. Doce brillos marcaron las diferentes zonas del impacto. Al parecer, la menuda vampira no había sido capaz de atravesar mi blindaje. Miré a mi alrededor de inmediato: todos estaban bien.

—Increíble —comentó Edward.

—¿Por qué no han esperado a la decisión? —siseó Tanya.

—Es el procedimiento habitual —respondió Edward con brusquedad—. Suelen incapacitar a los acusados en el juicio a fin de impedirles la escapatoria.

Miré al otro lado del claro. Jane contemplaba nuestras líneas con incredulidad e ira. Yo estaba muy segura de que nadie había aguantado de pie ni uno de sus feroces asaltos, a excepción de mí.

Nadie lo había deducido todavía, pero sabía que Aro iba a tardar medio segundo en suponer, si es que no lo había hecho ya, que mi escudo era mucho más poderoso de lo que él conocía a través de Edward. Era absurdo creer que podía mantenerlo en secreto cuando ya me habían dibujado una diana en la frente, por lo que le dediqué a Jane una enorme sonrisa de presunción.

Ella entornó los ojos y sentí la presión de otra punzada, ésta lanzada directamente contra mí.

Retiré los labios para enseñarle los dientes.

Jane profirió un grito penetrante, sobresaltando a todos, incluso a los componentes de la disciplinada guardia; a todos, menos a los tres ancianos, quienes siguieron centrados en su conferencia. Su gemelo la aferró por el brazo para retenerla cuando se agachaba para tomar impulso y saltar.

Los rumanos comenzaron a reír entre dientes como muestra de su sombría expectación.

—Te dije que era nuestro turno —le recordó Vladimir a Stefan.

—Tú sólo mira la cara de la bruja —le contestó el otro entre risas.

Alec palmeó con suavidad el hombro de su hermana antes de ampararla bajo el brazo. Volvió hacia nosotros su angelical rostro y nos miró con gran serenidad.

Esperé alguna presión o indicio de su ataque, pero no noté nada. Él continuó con la vista clavada en nosotros sin descomponer las agraciadas facciones. ¿Nos estaba atacando? ¿Sería capaz de atravesar el escudo? ¿Era la única que aún podía verle? Apreté la mano de Edward.

—¿Te encuentras bien? —inquirí con voz ahogada.

—Sí —me contestó él.

—¿Lo está intentando Alec?

Edward asintió.

—Su don opera más despacio que el de Jane. Se desliza... Va a tardar en llegar todavía unos segundos.

Entonces, en cuanto tuve una pista de lo que debía buscar, conseguí localizarlo.

Una extraña neblina relumbrante iba cruzando por encima del prado. Apenas era visible por culpa del blanco de la nieve. Me recordó a un espejismo: una leve distorsión de la vista, la insinuación de un resplandor débil. Alejé un poco la barrera de protección de Carlisle y el resto de la primera línea, temerosa de mantenerla cerca de ellos cuando se produjera el impacto de la calima deslizante. ¿Qué ocurriría si atravesaba mi blindaje intangible? ¿Debíamos echar a correr?

Un murmullo sordo recorrió el suelo que pisábamos y un golpe de aire alborotó la nieve del espacio intermedio existente entre nuestras fuerzas y las del enemigo. Benjamin también había visto la amenaza reptante y ahora intentaba alejar la niebla de nuestra posición. La nieve permitía ver con más facilidad cómo lanzaba un soplo de brisa tras otro contra la nube de vaho, pero ésta no se resentía en modo alguno del embate de los mismos. Parecía airecillo pasando de forma inofensiva por encima de una sombra, y la sombra era inmune a los efectos del vientecillo.

Los ancianos se separaron al fin, deshaciendo esa formación en triángulo, cuando en medio de un quejido desgarrador, se abrió una brecha honda y estrecha en la mitad del claro. La tierra tembló bajo mis pies durante unos instantes. Parte de la nieve acumulada cayó en picado al interior de la abertura, pero la niebla saltó limpiamente el obstáculo, del que salió tan incólume como del viento.

Aro y Cayo contemplaron la fisura abierta en la tierra con ojos como platos. Marco miró en la misma dirección, pero sin emoción alguna en su expresión.

No despegaron los labios y se pusieron a esperar también mientras la lengua de niebla se acercaba hasta nosotros. Jane había recobrado la sonrisa.

Entonces la calima se topó con un muro.

La noté en cuanto rozó mi escudo. Tenía un sabor denso y muy dulce, hasta resultar empalagosa. Me recordó en cierto modo ese embotamiento de la lengua tan característico de la novocaína.

La lengua de vaho culebreó arriba y abajo en busca de una brecha, de una debilidad en mi dique defensivo, y no lo logró. Los zarcillos fuliginosos rasparon de un lado para otro en su intento de hallar una vía, un acceso, y en el proceso dejaron entrever el sorprendente tamaño de la pantalla protectora.

Se levantó una oleada de gritos sofocados y exclamaciones a ambos lados de la fisura abierta por Benjamin.

—¡Bien hecho, Bella! —me felicitó éste en voz baja.

Volví a sonreír.

Llegué a ver los ojos entrecerrados de Alec, y cuando su neblina se arremolinó cerca de los límites de mi escudo, totalmente inofensiva, leí la duda en las facciones de su cara por vez primera.

Supe entonces que podía con esto y también que me había convertido en el objetivo prioritario del enemigo, la primera que debía morir, pues nosotros podríamos resistir en una posición de superioridad con respecto a los Vulturis siempre que yo permaneciera en pie. Además de mi persona, seguíamos contando con el concurso de Benjamin y Zafrina, mientras que ellos ya no tenían ningún otro sostén sobrenatural. Y así iba a ser mientras no me aniquilaran.

—Debo mantener la concentración —le confié a Edward con un hilo de voz—. Va a ser más difícil escudar a la gente adecuada cuando llegue el mano a mano.

—Yo los apartaré de ti.

—No, tú has de encargarte de Demetri. Zafrina los mantendrá alejados de mí.

Ella asintió con gesto solemne.

—Nadie tocará a esta joven —le prometió a Edward—. Tenía pensado ir a por Jane y Alec yo misma, pero aquí voy a hacer mejor papel.

—Jane es cosa mía —masculló Kate—. Necesita probar un poco de su propia medicina.

—Y Alec me debe demasiadas vidas, así que voy a ajustarle las cuentas —refunfuñó Vladimir en el otro costado—. Déjalo de mi mano.

—Yo sólo quiero a Cayo —dijo Tanya sin vida alguna en la voz.

El resto de los nuestros empezaron también a repartirse los adversarios, pero enseguida se vieron interrumpidos por Aro que al fin habló con calma, sin parecer muy afectado por la ineficacia de la neblina.

—Antes de votar… —empezó. Sacudí la cabeza con rabia. Estaba harta de aquella charada. El ansia de sangre me impelía de nuevo y me fastidiaba mucho que mi mejor forma de ayudar me exigiera mantenerme en la retaguardia. *Quería* luchar—. No tiene por qué haber violencia sea cual sea la decisión del concilio, os lo recuerdo.

Edward soltó una sombría carcajada.

Aro le miró con tristeza.

—La muerte de cualquiera de vosotros sería una pérdida lamentable para nuestra raza, pero sobre todo en tu caso, joven Edward, y en el de tu compañera neófita. Los Vulturis acogeríamos de buen grado a muchos de vosotros en nuestras filas. Bella, Benjamin, Zafrina, Kate. Se os ofrecen muchas alternativas. Consideradlas.

Chelsea intentó predisponer favorablemente nuestros ánimos, pero se estrelló impotente contra la barrera de mi blindaje. Aro recorrió nuestras filas en busca del menor indicio de vacilación, mas, a juzgar por su expresión, sólo encontró resolución en nuestros ojos.

Yo sabía lo mucho que deseaba retenernos a Edward y a mí, para recluirnos, tal y como había esperado hacer con Alice, pero aquella lucha era demasiado grande. No podía ganar mientras yo viviera. Estaba muy contenta de tener tanto poder que no le quedara más remedio que matarme.

—En tal caso, votemos —concluyó con aparente renuencia.

—La cría es una incógnita y no existe razón para tolerar la existencia de semejante riesgo —se apresuró a contestar Cayo—. Debemos destruirla a ella y a todos cuantos la protejan.

Se puso a la expectativa y sonrió.

Marco alzó sus ojos colmados de desinterés y pareció taladrarnos con la mirada mientras emitía su voto.

—No veo un peligro tan inmediato. La chica es bastante segura por ahora. Siempre podemos evaluarla otra vez más adelante. Dejémosles ir en paz.

Su voz era incluso más débil que los suspiros etéreos de sus hermanos.

Ningún miembro de la guardia relajó el ademán a pesar de esa discrepancia. La sonrisa de anticipación de Cayo no se alteró lo más mínimo. Era como si Marco no hubiera dicho absolutamente nada.

—Mío es el voto decisivo, o eso parece —musitó Aro.

De pronto, Edward se irguió a mi lado.

—¡Sí! —siseó.

Me arriesgué a mirarle de refilón. Su rostro refulgía con una expresión de triunfo que no alcanzaba a comprender. Se asemejaba a la que podría tener el Ángel de la Destrucción el día que el fuego redujera el mundo a cenizas. Hermoso y aterrador.

La guardia reaccionó al fin y entre sus miembros se oyó un murmullo incómodo.

—¿Aro? —le llamó Edward a voz en grito y con una nota casi triunfal en la voz.

El interpelado vaciló y antes de responder se tomó unos momentos para evaluar con precaución este nuevo estado de ánimo.

—¿Sí, Edward? ¿Tienes algo más…?

—Tal vez —repuso mi esposo, controlando aquel entusiasmo inexplicable—, pero antes, ¿te importa si clarifico un punto?

—En absoluto —contestó el líder de los Vulturis, que enarcó una ceja y habló con un tono de voz que sólo dejaba entrever un interés cordial.

Apreté los dientes. Cuanto más amable se mostraba, más peligroso era ese Vulturis.

—Según tú, el peligro potencial de mi hija radica en nuestra imposibilidad para determinar en qué va a convertirse cuando haya terminado su desarrollo. ¿Es ése el quid de la cuestión?

—Exacto, amigo mío —convino Aro—. Si pudiéramos estar completamente seguros de que cuando crezca va a ser capaz de mantenerse a salvo del mundo humano y no poner en peligro la seguridad de nuestra reserva... —dejó la frase en suspenso y se encogió de hombros.

—Bueno, pero si pudiéramos conocer con certeza cómo va a ser de mayor, ¿habría necesidad de un concilio y todo lo demás? —sugirió Edward.

—Si hubiera alguna forma de tener una certeza absoluta —admitió Aro con una voz tan suave que daba escalofríos. No veía adónde quería llevarle Edward, y la verdad, yo tampoco—, entonces, sí, no habría nada que debatir.

—Y entonces nos marcharíamos todos en paz y tan amigos como siempre, ¿no? —inquirió Edward con una nota de ironía en la voz.

Más escalofríos.

—Por supuesto, mi joven amigo. Nada me complacería más.

Edward soltó entre dientes una risita exultante.

—En tal caso, tengo algo que ofrecerte.

Aro entornó los ojos y replicó:

—Ella es única. Sólo podemos aventurar en qué se va a convertir.

—No tan única —discrepó mi marido—, poco común, sin duda, pero no es la única de su especie.

Reprimí la sorpresa. De pronto, la esperanza cobraba vida y eso suponía una peligrosa distracción, pues aquella neblina de apariencia mórbida seguía enroscándose cerca de mi escudo, en cuya superficie noté una punzante presión mientras me esforzaba por recuperar la concentración.

—Esto..., Aro, ¿tendrías la bondad de pedirle a Jane que dejara de atacar a mi esposa? Todavía estamos discutiendo las pruebas.

El cabecilla alzó una mano.

—Paz, queridos míos. Oigámosle.

La presión desapareció. Jane me enseñó los colmillos y yo no fui capaz de contenerme, así que le devolví la más ancha de las sonrisas.

—¿Por qué no te unes a nosotros, Alice? —pidió Edward en voz alta.

—Alice —susurró Esme, asombrada.

¡Alice!

¡Alice, Alice, Alice!

—¡Alice, Alice! —murmuraron otras voces a mi alrededor.

—Alice —exhaló el líder Vulturis.

Me embargaron el alivio y una alegría descomunal. Necesité toda mi fuerza de voluntad para mantener en alto el escudo. Los zarcillos fuliginosos seguían probando suerte en su búsqueda de puntos débiles y Jane lo vería en el acto si llegaba a encontrar algún hueco.

Entonces, los escuché atravesar el bosque a la carrera. Acortaban la distancia en silencio y lo más deprisa posible.

Ambos bandos permanecieron inmóviles y expectantes. Los testigos de los Vulturis torcieron el gesto y se mostraron confusos.

Alice apareció en el claro desde el sureste con esos elegantes movimientos suyos de bailarina. El éxtasis de ver su rostro de nuevo estuvo a punto de derribarme. Jasper, cuyos ojos destellaban con fiereza, le pisaba los talones. Junto a ellos corrían tres desconocidos.

El primero era una mujer de cabellos negros, alta y musculosa. Obviamente, se trataba de Kachiri. Tenía esas extremidades largas tan características de las amazonas, más pronunciadas incluso.

La siguiente era una vampira de tez olivácea con una larga coleta de pelo negro agitándose sin cesar a su espalda. Sus ojos de intenso color borgoña iban de un lado para otro, recorriendo con un pestañeo nervioso los preparativos bélicos.

El último era un joven de piel morena y brillante. Sus movimientos al correr no eran tan rápidos ni tan elegantes como los de sus acompañantes. Examinó el gentío congregado con unos ojos de color muy semejante a la madera de teca. Tenía el pelo negro y lo llevaba recogido en una coleta, al igual que la mujer, pero no tan larga. Era muy guapo.

Las ondas sonoras de un nuevo eco se extendieron entre los miembros de la expectante multitud, era el sonido de otro corazón palpitando más deprisa a causa del ejercicio.

Alice esquivó de un brinco los zarcillos de la neblina, que ya estaba disipándose, y se ladeó para atravesar mi escudo y culebrear hasta detenerse al lado de Edward. Estiré una mano para tocarle el brazo, y lo propio hicieron Edward, Esme y Carlisle. No había tiempo para mayores bienvenidas. Jasper y los demás la siguieron a través de mi escudo.

Los guardias observaron con gesto pensativo cómo los recién llegados cruzaban la invisible barrera sin dificultad alguna. Los de tez morena, Felix y los que eran como él, se concentraron en mi blindaje con esperanzas renovadas. No estaban seguros de lo que podía repeler mi escudo, pero ahora tenían claro que no frenaba un ataque físico, por lo cual me convertirían en el único blanco de su ataque relámpago en cuanto Aro diera la orden de arremeter. Me pregunté a cuántos podría cegar Zafrina y si eso iba a ralentizarlos lo suficiente para que Kate y Vladimir borraran del tablero a Jane y Alec. Eso era cuanto podía pedir.

Edward se envaró, furioso al leer los pensamientos del enemigo, a pesar de lo muy concentrado que estaba en el golpe de mano. Se controló antes de hablar.

—Mi hermana ha buscado sus propios testigos durante semanas —le dijo al anciano líder— y no ha regresado con las manos vacías. ¿Por qué no nos los presentas, Alice?

—El momento de los testimonios ha pasado —refunfuñó Cayó—. Dinos tu voto, Aro.

El aludido alzó un dedo para acallar a su hermano y clavó los ojos en el rostro de Alice, que se adelantó un poco y presentó a los desconocidos.

—Ésta es Huilen y él, su sobrino Nahuel.

Me sentí como si nunca se hubiera marchado al oír su voz.

Cayo entornó los ojos cuando Alice hizo mención del parentesco existente entre los recién llegados y los testigos de los Vulturis susurraron entre ellos. Todos percibían el cambio operado en el mundo de los vampiros.

—Testifica, Huilen —ordenó Aro—. Di lo que debas decir.

La menuda mujer contempló a Alice con algo de nerviosismo y ésta le dedicó un asentimiento para infundirle coraje. Kachiri apoyó su enorme mano sobre el hombro de la pequeña vampira.

—Me llamo Huilen —anunció la mujer con una dicción clara aunque marcada por un acento extranjero. Conforme continuó, se hizo evidente que se había preparado a fondo, había practicado para contar aquella historia que fluía con el ritmo propio de una canción infantil—. Hace siglo y medio, yo vivía con mi tribu, los mapuches. Mi hermana tenía una piel blanca como la nieve de las montañas y por ese motivo mis padres la llamaron Pire[8]. Era muy hermosa, tal vez demasiado. Un día me contó que se le había aparecido un ángel en el bosque y que acudía a visitarla por las noches. Yo la previne, por si

---

[8] «Nieve» en lengua mapuche o mapudungun. [N. de los T.]

los cardenales de todo el cuerpo no fueran suficiente aviso —Huilen sacudió la cabeza con melancolía—. Se lo advertí, era el *libishomen* de nuestras leyendas, pero ella no me hizo caso. Estaba como hechizada.

»Cuando estuvo segura de que la semilla del ángel oscuro crecía en su interior, me lo dijo. No intenté desanimarla de su plan de escapar, pues sabía que nuestros padres iban a estar más que predispuestos a destruir al fruto de su vientre, y a Pire con él. La acompañé a lo más profundo del bosque, donde buscó en vano a su ángel demoníaco. La cuidé y cacé para ella cuando le fallaron las fuerzas. Pire comía la carne cruda y se bebía la sangre de las piezas. No necesité de más confirmación para saber qué clase de criatura crecía en su vientre. Yo albergaba la esperanza de salvarle la vida antes de matar al monstruo.

»Pero ella sentía verdadera adoración por su hijo. Le llamaba Nahuel[9] en honor al gran felino de la selva. La criatura se hizo fuerte al crecer y le rompió los huesos, y aun así, ella le adoraba.

»No logré salvar a Pire. El niño se abrió paso desde el vientre para salir. Ella murió desangrada enseguida y no dejó de pedirme todo el tiempo que me hiciera cargo de Nahuel. Fue su último deseo, y accedí, aunque él me mordió mientras intentaba sacarle del cuerpo de su madre. Me alejé dando tumbos para esconderme a morir en la selva. No llegué demasiado lejos, pues el dolor era insoportable. El niño recién nacido gateó entre el sotobosque, me encontró y me esperó. Desperté cuando el dolor había cesado y me lo encontré aovillado junto a mí, dormido.

»Cuidé de él hasta que fue capaz de cazar por su cuenta. Cobrábamos nuestras piezas en las villas próximas al bosque don-

---

[9] «Puma» en lengua mapuche. [N. de los T.]

de habíamos instalado nuestra morada. Nunca nos hemos alejado de nuestro hogar hasta ahora, pero Nahuel deseaba conocer a la niña.

Huilen inclinó la cabeza a modo de reverencia y retrocedió hasta quedar casi oculta detrás de Kachiri.

Aro frunció los labios y miró al joven de tez bronceada.

—¿Tienes ciento cincuenta años, Nahuel? —inquirió.

—Década más o menos, sí —respondió con voz cálida e increíblemente hermosa. Hablaba sin apenas acento—. No llevamos registros.

—¿A qué edad alcanzaste la madurez?

—Fui adulto a los siete años, más o menos.

—¿Y no has cambiado desde entonces?

—No que yo haya notado —Nahuel se encogió de hombros.

Noté el repentino temblor de Jacob. No quería pensar en eso, aún no. Iba a esperar a que pasara el peligro y pudiera concentrarme.

—¿Y qué me dices de tu dieta? —quiso saber Aro, que se mostró interesado incluso a su pesar.

—Me nutro de sangre casi siempre, pero también tomo comida humana y puedo sobrevivir sólo con eso.

—¿Eres capaz de crear a otro inmortal? —inquirió el Vulturis con voz de repente muy intensa al tiempo que hacía una señal hacia Huilen. Me concentré en el escudo, temerosa de que únicamente estuviera buscando otra excusa.

—Yo, sí, pero no es el caso de las demás.

Un murmullo de asombro recorrió los tres grupos y Aro enarcó las cejas de inmediato.

—¿Las demás…?

—Me refiero a mis hermanas —explicó con un nuevo encogimiento de hombros.

Aro le miró como un poseso antes de lograr recobrar la calma.

—Quizá fuera mejor que nos contaras el resto de tu historia, pues me da la impresión de que hay más por saber.

Nahuel puso cara de pocos amigos.

—Mi padre vino a buscarme unos años después de la muerte de mi madre —el desagrado le desdibujó un tanto las facciones—. Estuvo encantado de localizarme —el tono del narrador dejó claro que la satisfacción no era mutua—. Tenía dos hijas, pero ningún hijo, y esperaba que me fuera a vivir con él, tal y como habían hecho mis hermanas.

»Le sorprendió que no estuviera solo, ya que el mordisco de mis hermanas no era venenoso, pero quién puede saber si eso es cuestión de sexo o de puro azar… Yo ya había formado una familia con Huilen y no estaba *interesado* —deformó la palabra al pronunciarla— en efectuar cambio alguno. Le veo de vez en cuando. Ahora, tengo otra hermana. Alcanzó la madurez hará cosa de diez años.

—¿Cómo se llama tu padre? —masculló Cayo.

—Joham —contestó Nahuel—. El tipo se considera una especie de científico y se cree que está creando una nueva raza de seres superiores.

No intentó ocultar el disgusto de su voz.

Cayo me miró.

—¿Es venenosa tu hija? —inquirió con voz ronca.

—No —respondí.

Nahuel alzó bruscamente la cabeza al oír la pregunta del líder Vulturis. Sus ojos de teca buscaron mi rostro.

Cayo miró a Aro en busca de una confirmación, pero el anciano se hallaba absorto en sus pensamientos. Frunció los labios y su mirada se posó en Carlisle, en Edward y por último en mí.

—Encarguémonos de esta aberración y vayamos luego al sur, a por el otro —urgió a Aro con un gruñido.

Aro clavó sus ojos en los míos durante un momento interminable y de gran tensión. No tenía ni idea de qué andaba buscando ni de lo que había encontrado, pues algo había cambiado en su rostro. La sonrisa de sus labios se había alterado, y también el brillo de sus ojos. Había adoptado una decisión, lo supe en ese instante.

—Hermano —contestó Aro con voz suave—, no parece haber peligro alguno. Estamos ante un desarrollo inusual, pero no veo la amenaza. Da la impresión de que estos niños semivampiros se parecen bastante a nosotros.

—¿Es ése el sentido de tu voto? —inquirió Cayo.

—Lo es.

—¿Y qué me dices del tal Joham, ese inmortal tan aficionado a la experimentación?

—Quizá deberíamos hacerle una visita —convino Aro.

—Detened a Joham si os place, pero dejad en paz a mis hermanas —intervino Nahuel, que no se andaba por las ramas—. Son inocentes.

Aro asintió con expresión solemne y luego se volvió hacia la guardia con una cálida sonrisa.

—Hoy no vamos a luchar, queridos míos —anunció.

Los integrantes de la guardia asintieron al unísono y abandonaron sus posiciones de ataque mientras la neblina se disipaba enseguida. Yo mantuve preparado el escudo por si acaso. Tal vez sólo fuera una treta.

Estudié sus expresiones antes de que Aro nos diera la espalda. Su rostro era tan benigno como de costumbre, pero a diferencia de antes, yo percibía un vacío extraño detrás de la fachada, como si sus triquiñuelas se hubieran terminado. Cayo echaba chispas por los ojos, eso resultaba obvio, pero ahora su rabia ardía por dentro. Marco parecía… aburrido, sí, aburrido, en realidad, no había otra palabra para describirlo. La guardia volvía a mostrarse impasible y actuaba con disciplina, sus miembros ya no eran individuos, sino parte de un todo. Formaron y se dispusieron a emprender la marcha. Los testigos reunidos por los Vulturis seguían mostrándose de lo más precavidos. Uno tras otro se fueron retirando hasta perderse por los bosques. Cuando su número fue demasiado pequeño, quienes se habían rezagado se dejaron de sutilezas y echaron a correr. Pronto no quedó nadie.

Aro nos tendió las manos en un gesto de disculpa, o casi. A sus espaldas, la mayor parte de la guardia, junto con Cayo, Marco y las misteriosas y silenciosas consortes, empezó a marcharse a toda prisa y en precisa formación. Sólo remolonearon por allí los tres componentes de lo que parecía ser su guardia personal.

—Me alegra que esto haya podido resolverse sin necesidad de apelar a la violencia —aseguró con dulzura—. Carlisle, *amigo* mío, ¡cuánto me alegra poderte llamar amigo otra vez! Espero que no haya resentimiento. Sé que tú comprendes la pesada carga del deber que hay sobre nuestros hombros.

—Ve en paz, Aro —contestó Carlisle con frialdad—. Haz el favor de recordar que nosotros debemos mantener el anonimato y la reserva en estas tierras, de modo que no dejes que tu guardia cace en esta región.

—Por descontado, Carlisle —le aseguró Aro—. Lamento haberme granjeado tu desaprobación, mi querido amigo. Tal vez llegues a perdonarme con el tiempo.

—Tal vez, con el tiempo, y si demuestras que vuelves a ser nuestro amigo.

Aro era la viva imagen del remordimiento cuando inclinó la cabeza y se deslizó hacia atrás antes de darse la vuelta. Contemplamos en silencio cómo el último de los Vulturis desaparecía entre los árboles.

Imperó el silencio, pero no bajé la guardia.

—¿De verdad ha terminado? —le pregunté a Edward en voz baja.

—Sí —respondió él con una ancha sonrisa—, sí. Se han rendido y ahora escapan como matones apaleados: con el rabo entre las piernas.

Soltó una risilla entre los dientes y Alice se unió a él.

—Es de verdad, no van a volver. Podemos relajarnos todos.

Se hizo el silencio durante otro segundo.

—Así se pudran —musitó Stefan.

Y entonces, todo estalló.

Se produjo una explosión de júbilo. Aullidos de desafío y gritos de alegría llenaron el claro. Maggie se puso a pegar golpes en la espalda de Siobhan. Rosalie y Emmett se dieron otro beso, esta vez más prolongado y ardiente que el anterior. Benjamin y Tia se abrazaron, al igual que Carmen y Eleazar. Esme mantuvo sujetos a Alice y a Jasper entre sus brazos. Carlisle se puso a agradecer efusivamente a los recién llegados de Sudamérica que nos hubieran salvado la vida. Kachiri permaneció cerca de Zafrina y Senna, cuyos dedos estaban entrelazados. Garrett alzó en vilo a Kate y se puso a darle vueltas en círculo.

Stefan lanzó un salivazo a la nieve y Vladimir apretó los dientes con expresión de amargura.

Me encaramé al gigantesco lobo de pelaje rojizo para retirar a mi hija de sus lomos y estrecharla contra mi pecho. Edward nos rodeó con los brazos al cabo de un instante.

—Nessie, Nessie, Nessie —canturreé.

Jacob se carcajeó con esos ladridos suyos y me frotó la nuca con el hocico.

—Cállate —mascullé.

—¿Voy a quedarme contigo? —inquirió mi hija.

—Para siempre —le prometí.

El futuro nos pertenecía, y Nessie iba a estar bien, rebosante de fuerza y salud. Al igual que el semihumano Nahuel, seguiría siendo joven dentro de ciento cincuenta años, y estaríamos juntos.

La felicidad se expandió en mi interior como la onda expansiva de una explosión, tan virulenta y fuerte que no estuve segura de sobrevivir a sus efectos.

—Para siempre —me dijo Edward al oído, repitiendo mi promesa.

No fui capaz de articular más palabras. Alcé la cabeza y le besé con una pasión capaz de prenderle fuego al bosque.

Y yo ni lo habría notado.

Y vivieron felices y comieron perdices

—Fue un cúmulo de circunstancias, pero al fin todo se redujo a... Bella —explicó Edward.

Nuestra familia y los dos invitados restantes permanecían sentados en el gran salón de los Cullen mientras, más allá de las ventanas, oscurecía el bosque.

Vladimir y Stefan habían desaparecido antes de que hubiéramos dejado de celebrarlo. Ambos estaban de lo más decepcionados con el giro final de los acontecimientos, aunque Edward aseguraba que habían disfrutado de la cobardía de los Vulturis lo bastante como para endulzarles la frustración.

Benjamin y Tia enseguida se pusieron a seguir el rastro de Amun y Kebi, ansiosos por hacerles saber el feliz desenlace del conflicto. Estaba segura de volver a verlos, al menos a Benjamin y a Tia... Ninguno de los nómadas se demoró demasiado. Peter y Charlotte mantuvieron una breve conversación con Jasper antes de marcharse también.

Las reencontradas amazonas también se habían mostrado impacientes por regresar a su entorno lleno de vegetación, pues se les hacía muy difícil vivir lejos de sus amadas selvas, aunque fueran más reacias a marcharse que el resto de los huéspedes.

—Debes traer a la niña de visita —había insistido Zafrina—. Prométemelo, jovencita.

Nessie había presionado su mano, apoyada en mi nuca, incorporándose a la súplica.

—Por supuesto, Zafrina —convine.

—Seremos grandes amigas, Nessie —aseguró la indómita mujer antes de partir en compañía de sus hermanas.

El éxodo continuó con el aquelarre irlandés.

—Bien hecho, Siobhan —la elogió Carlisle mientras se despedían.

—Ah, el poder de las ilusiones vanas… —respondió ella con sarcasmo mientras ponía los ojos en blanco—. Por supuesto, esto no ha terminado —añadió, esta vez hablando en serio—. Los Vulturis no van a perdonar lo ocurrido.

Edward era el único que podía responder a eso.

—Se han llevado un buen revolcón y su confianza se ha resquebrajado, pero sí, estoy seguro de que algún día se recobrarán del varapalo y entonces imagino que intentarán darnos caza por separado… —concluyó con ojos entrecerrados.

—Alice nos avisará cuando intenten asestar su golpe —repuso Siobhan con aplomo—, y volveremos a reunirnos en tal caso. Tal vez haya llegado la hora y nuestro mundo esté preparado para liberarse de los Vulturis.

—Tal vez llegue ese momento —replicó Carlisle— y estaremos juntos de ser así.

—Sí, amigo mío, así será —convino Siobhan—. Aunque yo sola meta la pata, ¿cómo vamos a fallar todos juntos?

Y luego soltó una gran carcajada.

—Exactamente —dijo Carlisle, que abrazó a Siobhan para estrechar a continuación la mano de Liam—. Haced lo posible por hallar a Alistair y explicadle lo sucedido. No me seduce la idea de que se pase toda una década escondido tras una roca.

Siobhan soltó otra risotada. Maggie nos abrazó a Nessie y a mí; después, el aquelarre irlandés se marchó.

El aquelarre de Denali fue el último en emprender la partida. Garrett se marchaba en su compañía, y allí se iba a quedar, de eso estaba bastante segura. Ni Tanya ni Kate soportaban la atmósfera de júbilo imperante. Necesitaban tiempo para lamentar la pérdida de su hermana.

Huilen y Nahuel fueron los únicos en quedarse, pese a que yo esperaba que se hubieran marchado con las amazonas. Carlisle se sumió en una intensa conversación con Huilen, y estaba fascinado. Nahuel permanecía sentado junto a ella, escuchando mientras Edward nos contaba a los demás el resto de la historia del conflicto, cuyas interioridades sólo él conocía.

—Alice le facilitó a Aro la excusa necesaria para abandonar la lucha. Probablemente, habría seguido adelante con su plan original de no haber estado tan aterrado por Bella.

—¿Aterrado ese…? ¿De mí? —salté, muy escéptica.

Me dedicó una sonrisa mientras me lanzaba una mirada que no reconocí del todo; era tierna, pero también con una nota de sobrecogimiento e incluso de exasperación. Luego, siguió hablando para los demás y para mí.

—Los Vulturis no han librado una lucha limpia en veinticinco siglos, y nunca, nunca jamás, han combatido en una batalla donde estuvieran en posición de desventaja, en especial desde que Jane y Alec se incorporaron a sus filas. Sólo han tomado parte en masacres sin oposición.

»Deberíais haber visto qué aspecto ofrecíamos a sus ojos. Alec priva a las víctimas de los sentidos y los sentimientos mientras se celebra el simulacro de juicio. Así nadie sale por pies cuando se anuncia el veredicto. Pero nosotros seguíamos allí: preparados, alerta y en superioridad, y teníamos dones sobrenaturales de nuestra parte mientras que Bella anulaba los suyos. Aro sabía que, al tener a Zafrina de nuestro lado, eran ellos quienes iban a quedarse ciegos en cuanto comenzara el combate. Estoy seguro de que habríamos sufrido unas pérdidas terribles, pero las suyas no habrían sido menores, y existía una alta posibilidad de que ellos perdieran. Nunca antes se habían enfrentado a esa eventualidad y no estaban dispuestos a hacerlo ahora.

—Resulta difícil sentirte cómodo cuando estás rodeado por hombres lobo del tamaño de un caballo —espetó Emmett mientras palmeaba el brazo de Jacob.

Éste le devolvió una enorme sonrisa.

—Lo primero que les detuvo fueron los lobos —dije yo.

—Por supuesto —coincidió Jacob.

—Totalmente de acuerdo —admitió Edward—. Ésa era otra imagen que jamás habían presenciado. Los verdaderos Hijos de la Luna no se mueven en manadas y no suelen tener mucho control de sí mismos. Diecisiete enormes lobos disciplinados era una sorpresita para la que no estaban preparados. De hecho, a Cayo le aterran los licántropos. Estuvo a punto de perder en un enfrentamiento con uno de ellos hace unos miles de años, y no lo ha olvidado jamás.

—Entonces, ¿existen hombres lobo de verdad, de los que se transforman con la luna llena y a los que les afectan las balas de plata? —quise saber.

Jacob gruñó.

—¿Hombres lobo *de verdad*? Entonces, ¿yo que soy, irreal?

—Ya sabes lo que quiero decir.

—Lo de la luna llena sí es cierto; lo de las balas de plata, no —me explicó Edward—. Los hombres lo incluyeron luego en los mitos con la finalidad de que pudieran creerse que tenían una oportunidad. No quedan muchos, la verdad, pues Cayo los ha cazado hasta su práctica extinción.

—¿Y por qué nunca lo has mencionado…?

—No surgió el tema.

Puse los ojos en blanco. Alice se hallaba debajo del otro brazo de Edward. Se inclinó hacia delante mientras se echaba a reír y me guiñó un ojo.

Le devolví la mirada de complicidad.

La quería con locura, por supuesto, pero empezaba a sentirme irritada con ella ahora que había tenido ocasión de asimilar que estaba de verdad en casa y que su defección no había sido más que un ardid para que Edward creyera que nos había abandonado. Me debía una explicación.

Alice suspiró.

—Hala, suéltalo todo, desahógate.

—¿Cómo pudiste hacerme eso, Alice?

—Era necesario.

—¿Necesario? —estallé—. Me tenías totalmente convencida de que íbamos a morir todos. He estado hecha una piltrafa durante semanas.

—Y eso podía haber ocurrido —repuso con calma—, y en tal caso debías estar preparada para salvar a Nessie.

La niña dormía sobre mi regazo. La aferré con más fuerza de forma instintiva.

—Pero conocías la existencia de otras opciones —la acusé—, sabías que existía una esperanza. ¿No se te ocurrió pensar que podías contármelo todo? Sé que Edward debía pensar que estábamos en un callejón sin salida cuando Aro le leyera la mente, pero a mí sí podías decírmelo.

Ella me dirigió una mirada pensativa.

—Yo no lo veo de ese modo —replicó—. Fingir no es lo tuyo, sólo eso.

—Ah, esto tiene que ver con mis dotes interpretativas…

—Baja un poco la voz, Bella. ¿Te haces una idea de lo complicado que ha sido montar todo esto? Ni siquiera estaba segura de que existiera alguien como Nahuel. Lo único que sabía era que debía encontrar a alguien a quien no podía ver. Prueba a imaginar cómo puede ser la búsqueda de un punto ciego. No es de las cosas más fáciles que he hecho, precisamente. Además, debíamos enviar de vuelta al testigo clave, como si no fuéramos ya bastante mal de tiempo. Y mantener los ojos abiertos todo el tiempo por si me lanzabas nuevas instrucciones, porque en algún momento me tendrás que explicar qué es lo que hay en Río.

»Y por encima de todo debía estar atenta a cualquier treta de los Vulturis a fin de dejarte las pistas necesarias para que pudierais estar listos y afrontar sus planes de ataque. Y yo sólo contaba con unas pocas horas para rastrear todas esas posibilidades. Y sobre todo, había de asegurarme de que creyerais que os había dejado en la estacada, para que Aro estuviera seguro de que no os reservabais ningún as en la manga. De lo contrario, jamás habría actuado como lo hizo. Y si te piensas que no me sentía fatal…

—Vale, vale —la interrumpí—. ¡Perdón! Sé que también fue duro para ti. Es sólo que… Bueno, te eché muchísimo de menos. No vuelvas a hacérmelo, Alice.

El trino de su risa se dejó oír por toda la habitación. Todos sonreímos al volver a escuchar esa música de nuevo.

—También yo te eché de menos, así que perdóname, e intenta contentarte con ser la superheroína del día.

Todos se rieron de nuevo y a mí me entró una gran vergüenza, por lo que oculté el rostro entre el pelo de Nessie.

Edward retomó el análisis de cada cambio de intención y los intentos de control acaecidos durante la confrontación, asegurando que era mi escudo lo que había provocado la huida de los Vulturis con el rabo entre las piernas. Todos, incluso Edward, me observaron de un modo que me hizo sentir muy incómoda. Era como si hubiera crecido treinta metros en el transcurso de la mañana. Estaban impresionados, y yo procuré ignorar sus miradas, manteniendo mis ojos fijos en el rostro dormido de Nessie y en la expresión inalterada de Jacob, para quien yo siempre iba a ser Bella, y eso resultaba un alivio.

La mirada más difícil de ignorar era precisamente la que más capacidad tenía de confundirme.

No era como si Nahuel (el semihumano y semivampiro) estuviera acostumbrado a pensar en mí del mismo modo que el resto. Hasta donde él sabía, yo me pasaba el día rodeada de vampiros hostiles y demoledores por lo que la escena del prado no tenía que haber sido nada extraña para él. Pero el joven no apartaba los ojos de mí, o tal vez no dejara de mirar a Nessie, lo cual también me hacía sentir muy incómoda.

No debía haber pasado por alto que Nessie era la única mujer de su clase que no era medio hermana suya.

Pensé que a Jacob todavía no se le había ocurrido esa idea y tuve la esperanza de que eso no ocurriera pronto, pues ya había tenido suficientes enfrentamientos por una larga temporada.

Al final, los demás empezaron a bombardear a preguntas a Edward y la discusión general se disolvió en un manojo de conversaciones privadas.

Me sentí extrañamente fatigada. No tenía sueño, por descontado, pero sí notaba en los huesos que el día había sido demasiado largo. Añoraba un poco de paz, algo de tranquilidad. Quería que Nessie descansara en su propia cama y sentir las paredes de mi casita alrededor.

Miré a mi esposo y por un instante creí que era capaz de leerle la mente. Noté que él sentía justo lo mismo, estaba listo para disfrutar de un poco de paz.

—Deberíamos acostar a Nessie…

—Quizá sea buena idea —convino enseguida—. Estoy convencido de que no ha descansado bien la noche pasada con tanto ronquido.

Sonrió a Jacob, que puso los ojos en blanco y luego bostezó.

—Hace la torta de tiempo que no duermo en una cama. Mi viejo estaría encantado de tenerme de nuevo bajo su techo, os apuesto lo que queráis…

Le acaricié la mejilla.

—Gracias, Jacob.

—Estaré cuando lo necesites, Bella, pero eso ya lo sabes.

Se puso en pie, se desperezó y nos besó en la coronilla a Nessie y a mí. Al final, palmeó el hombro de Edward.

—Os veo mañana, tíos. Supongo que ahora todo va a ser un muermazo, ¿no?

—Espero que sí, de corazón —contestó Edward.

Nos levantamos en cuanto él se hubo marchado. Fui alterando la posición para no mover a Renesmee. Estaba muy contenta de verla dormir tan profundamente después de que hubiera tenido que soportar tanta presión. Era tiempo de que volviera a ser una niña, protegida y segura durante los pocos años de su infancia.

La perspectiva de paz y seguridad me recordó la existencia de alguien que no había conocido ninguno de esos sentimientos ni un minuto.

—Ah, una cosa, Jasper —comenté mientras nos dirigíamos a la puerta.

Él se hallaba entre Alice y Esme, y no sabía por qué, pero la imagen parecía más hogareña de lo normal.

—¿Sí, Bella?

—Me pica la curiosidad. ¿Por qué J. Jenks se quedó helado de miedo nada más oír tu nombre?

Jasper se rió entre dientes.

—La experiencia me dice que el miedo es un incentivo más fuerte que la expectativa de lucro para que funcionen ciertas relaciones laborales.

Torcí el gesto mientras me prometía en mi fuero interno encargarme yo misma de esa relación laboral a partir de ese momento y ahorrarle a J el ataque al corazón, que debía de estar al caer.

Besamos y abrazamos a todos los miembros de nuestra familia antes de darles las buenas noches. Nahuel volvió a ser la única nota discordante. Nos miró con fijeza mientras nos marchábamos, como si deseara seguirnos.

Tras cruzar el río, caminamos cogidos de la mano a un ritmo apenas más veloz que el de los humanos. No había prisa. Me había hartado de estar siempre al límite y ahora quería tomarme mi tiempo. Edward parecía sentir lo mismo.

—Debo reconocer que en este momento Jacob me tiene muy impresionado —me dijo Edward.

—Los lobos ya no causan el mismo impacto, ¿eh?

—No me refería a eso. No ha pensado en todo el día que, de acuerdo con lo expuesto por Nahuel, Nessie habrá alcanzado su plena madurez en sólo seis años y medio.

Consideré el asunto durante cerca de un minuto.

—Ni la ve de ese modo ni tiene prisa por que crezca. Únicamente desea su felicidad.

—Lo sé. Como te he dicho, es impresionante. Me fastidia mucho decirlo, pero a la niña le podría haber ido peor.

Fruncí el ceño.

—No voy a pensar en eso hasta dentro de unos seis años y medio.

Edward se carcajeó y luego suspiró.

—Va a tener competidores por los que preocuparse cuando llegue el momento, por supuesto.

Fruncí más el ceño.

—Lo he notado. Le agradezco a Nahuel su comportamiento de hoy, pero tanta miradita resultaba un poco rara, y me da igual si Nessie es la única semivampira con quien no guarda parentesco.

—Ah, no la miraba a ella, te miraba a ti.

Eso era lo que me había parecido, pero no tenía mucho sentido.

—¿Y por qué…?

—Porque estás viva —contestó él en voz baja.

—No te sigo.

—Toda su vida, y tiene cincuenta años más que yo… —empezó a explicarme.

—Viejales —le interrumpí.

Él me ignoró.

—… se ha acostumbrado a pensar en él como una criatura diabólica, un asesino por naturaleza. También sus hermanas mataron a sus madres al nacer, pero a ellas no les preocupa nada de eso porque el tal Joham las ha criado con la idea de que los humanos son poco más que animales y ellos, dioses. Pero es Huilen quien ha educado a Nahuel, y Pire era la persona a quien Huilen más quería. Eso ha dado otra forma a su perspectiva, y en cierto modo, él se odiaba a sí mismo.

—Qué triste —murmuré.

—Entonces, llega y nos ve a nosotros tres, y comprende por vez primera que ser casi inmortal no tiene por qué ser necesariamente perverso. Me mira a mí y piensa en lo que podía haber sido su padre.

—Tú eres el ideal perfecto en todo —admití.

Me bufó y luego se puso serio otra vez.

—Cuando te mira, ve la vida que su madre debió haber llevado.

—Pobre Nahuel —musité.

Suspiré, ya que sabía que jamás podría pensar mal de él después de aquello, sin importar lo incómoda que pudiera sentirme por sus miradas.

—No estés triste por él. Ahora es feliz. Hoy, al fin, ha empezado a perdonarse.

Sonreí al saber de la felicidad de Nahuel y luego pensé que aquel día pertenecía al reino de la felicidad. Aunque la ejecución de Irina era una sombra oscura en un terreno iluminado por la luz blanca e impedía que la felicidad fuera perfecta, resultaba imposible negar la alegría. La vida por la cual tanto había luchado volvía a estar a salvo. Mi familia se había reunido y a mi hija le aguardaba un futuro infinito por delante. Iría a casa de mi padre al día siguiente para que viera que la dicha había reemplazado al miedo en mis ojos y así también él sería feliz. De pronto, tuve la seguridad de que no iba a encontrarle solo. En las últimas semanas no había podido estar muy atenta, pero en ese instante tomé conciencia de algo que había sabido hacía mucho tiempo. Sue y Charlie estaban juntos, la madre de los licántropos con el padre de los vampiros. Él ya no iba a estar solo. Sonreí satisfecha ante esta nueva perspectiva.

Pero el hecho más significativo en esta oleada de felicidad era el más seguro de todos: iba a estar con Edward para siempre.

No tenía interés alguno en revivir las últimas semanitas, pero debía admitir que me hacían valorar lo que tenía más que nunca.

La casita era un remanso de paz iluminado por la plateada luz azulada de la luna. Acostamos a Nessie en su cama y la arropamos con suavidad. La niña sonreía en sueños.

Me quité del cuello el regalo de Aro y lo dejé en una esquina de su habitación. Nessie podría jugar con él cuando quisiera. Le gustaban los objetos centelleantes.

—Una noche de celebración —murmuró mientras me ponía la mano debajo del mentón para buscar mis labios con los suyos.

—Espera —vacilé, y me eché hacia atrás.

Me miró, confuso, pues como regla general nunca me retiraba. Bueno, era más que una norma, aquélla era la primera vez.

—Quiero probar una cosa —le informé, y sonreí un poquito al observar su expresión de perplejidad.

Le puse las manos en ambas mejillas y cerré los ojos para concentrarme.

No me había salido demasiado bien cuando Zafrina había intentado enseñarme, pero ahora era consciente de que había mejorado mi dominio del escudo. Entendía a esa parte que no quería separarse de mí, el instinto irreflexivo de preservarme prevalecía por encima de todo lo demás. Ni de lejos resultaba tan fácil como proteger a otra persona que no fuera yo, y todavía notaba la tensión de la elasticidad, el deseo del escudo de recuperar su estado original, luchando por seguir protegiéndome. Tuve que esforzarme al máximo para quitármelo del todo. Requirió toda mi atención.

—¡Bella! —susurró Edward, asombrado.

Lo supe: había funcionado. Luego, me concentré todavía más y hurgué en los recuerdos específicos que había guardado para ese momento, dejando que fluyeran por mi mente y con la esperanza de que también lo hicieran por la de Edward.

Algunos de esos opacos vestigios de mi memoria humana eran difusos y poco claros, pues los había visto y escuchado con ojos y oídos débiles: la primera vez que vi su rostro, cómo me sentí la vez que me cogió en el prado, el sonido de su voz en la oscuridad de la inconsciencia cuando me salvó de James, su semblante debajo de un dosel de flores, aguardando para casarse conmigo, todos los preciosos momentos vividos en isla Esme, sus manos frías acariciando a nuestra hija a través de mi piel…

Además, tenía recuerdos mucho más agudos y perfectamente definidos: su rostro nada más abrir los ojos a la nueva vida, al amanecer interminable de la inmortalidad, aquel primer beso, esa primera noche…

De pronto, sus labios estuvieron sobre los míos y disminuí la concentración, a consecuencia de lo cual perdí la sujeción que me permitía mantener el escudo alejado de mí; éste volvió de inmediato a su posición original como si se tratara de una goma elástica, protegiendo de nuevo mis pensamientos.

—¡Upa! ¡Lo solté! —suspiré.

—Te he oído —dijo, jadeante—. ¿Cómo…? ¿Cómo lo has logrado?

—Fue idea de Zafrina. Practicamos en varias ocasiones.

Estaba ofuscado. Parpadeó dos veces y sacudió la cabeza.

—Ahora ya lo sabes —comenté, restándole importancia y con un encogimiento de hombros—, nadie ha amado tanto como yo te quiero a ti.

—Casi tienes razón —esbozó una sonrisa. Seguía teniendo los ojos más abiertos de lo habitual—. Conozco sólo una excepción.

—Embustero.

Comenzó a besarme otra vez, pero de pronto se detuvo.

—¿Puedes volver a hacerlo? —inquirió.

Le hice un mohín.

—Es muy difícil.

Aguardó con una expresión ávida.

—La más mínima distracción me impide aguantar.

—Me portaré bien —prometió.

Fruncí los labios y entorné los ojos, pero luego le sonreí.

Apreté las manos sobre su cara una vez más y retiré el escudo de mi mente para dejarme ir de nuevo hasta los nítidos recuerdos de la primera noche de esta vida nueva, demorándome en los detalles.

Reía sin aliento cuando la urgencia de su beso interrumpió otra vez mis esfuerzos.

—Maldita sea —refunfuñó mientras me besaba con ansia por debajo de la barbilla.

—Tenemos todo el tiempo del mundo para perfeccionarlo —le recordé.

—Por siempre y para siempre jamás —murmuró.

—Eso me suena a gloria.

Y entonces continuamos apurando con alegría esa pequeña pero perfecta fracción de nuestra eternidad.

Índice de vampiros

Ordenado alfabéticamente por aquelarre

* En posesión de un don sobrenatural mensurable
– Pareja estable (figura primero el de mayor edad)
Los nombres ~~tachados~~ corresponden a los fallecidos antes
del comienzo de esta novela

AQUELARRE DE LAS AMAZONAS	AQUELARRE DE LOS VULTURIS
Kachiri	Aro* – Sulpicia
Senna	Caius – Athenodora
Zafrina*	Marcus* – ~~Didyme~~*

AQUELARRE DE DENALI	GUARDIA DE LOS VULTURIS (PARCIAL)
Eleazar* – Carmen	Alec*
Irina – ~~Laurent~~	Chelsea* – Afton*
Kate*	Corin*
~~Sasha~~	Demetri*
Tanya	Felix
~~Vasilii~~	Heidi*
	Jane*
	Renata*
	Santiago

AQUELARRE EGIPCIO	NÓMADAS AMERICANS (PARCIAL)
Amun – Kebi	Garrett
Benjamin* – Tia	~~James~~* – ~~Victoria~~*
	Mary
	Peter – Charlotte
	Randall

AQUELARRE IRLANDÉS	NÓMADES EUROPEOS (PARCIAL)
Maggie*	Alistair*
Siobhan* – Liam	Charles* – Makenna

AQUELARRE DE LA PENÍNSULA DE OLYMPIC
Carlisle – Esme
Edward* – Bella*
Jasper* – Alice*
Renesmee*
Rosalie – Emmett

AQUELARRE DE LOS RUMANOS
Stefan
Vladimir

Agradecimientos

Como siempre, debo una gratitud inmensa a:

Mi maravillosa familia, por todo su apoyo y su amor inigualable.

Mi perspicaz y encantadora publicista, Elizabeth Eulberg, por crear a STEPHENIE MEYER a partir de la burda arcilla que una vez fue sólo la tímida Steph.

Todo el equipo de Little, Brown Books for Young Readers por cinco años de entusiasmo, fe, apoyo y un trabajo duro increíble.

Todos los fantásticos creadores y administradores de las páginas web aficionadas de la saga *Crepúsculo*. Me asombra lo estupendos que sois.

Mis magníficos e inteligentes fans, con vuestro incomparable buen gusto en música, películas y libros, por seguir queriéndome más de lo que merezco.

Las tiendas de libros, por hacer de esta serie un éxito con sus recomendaciones. Todos los escritores están en deuda con vosotros por vuestro amor y vuestra devoción por la Literatura.

Los numerosos grupos y músicos que me mantuvieron motivada. ¿Ya he mencionado a *Muse*? ¿No, de verdad? Qué mal. *Muse, Muse, Muse...*

Debo dar las gracias también a:

La mejor banda de todos los tiempos: *Nic y las Jens,* con la participación de Shelly C. (Nicole Driggs, Jennifer Hancock, Jennifer Longman y Shelly Colvin). Gracias por ampararme bajo vuestra gran ala, chicas. Me habría quedado encerrada en casa de no ser por vosotras.

Mis amigos Cool Meghan Hibbett y Kimberly «Shazzer» Suchy, que están muy lejos, pero son fuentes de cordura.

Mi mentora Shannon Hale, por entenderlo todo y por darle alas a mi amor por el humor «tipo zombi».

Makenna Jewell Lewis por el uso de su nombre, y su madre, Heather, por su apoyo al Arizona Ballet.

Las nuevas incorporaciones a mi *playlist* (lista de reproducción) de «inspiración literaria»: *Interpol, Motion City Soundtrack* y *Spoon.*

Índice

LIBRO TRES ⟷ Bella

SAGA CREPÚSCULO

LA SAGA QUE SE HA CONVERTIDO EN
UN FENÓMENO DE MASAS EN TODO EL MUNDO

El regalo perfecto
para los fans de la
SAGA CREPÚSCULO

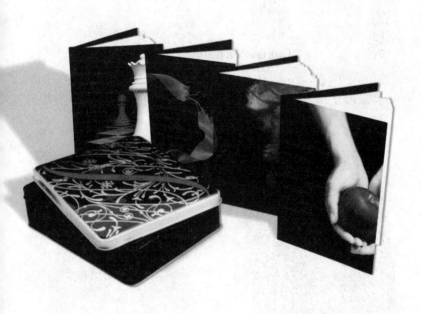

★ Un fantástico estuche metálico.

★ Cuatro cuadernos en tapa dura, inspirados en
Crepúsculo, Luna nueva, Eclipse y *Amanecer.*

Con imágenes y citas de la saga y de las
obras literarias que la han inspirado.

ESTE LIBRO SE TERMINÓ DE IMPRIMIR
EN LOS TALLERES GRÁFICOS DE
DÉDALO OFFSET, S. L.,
PINTO (MADRID), EN EL MES
DE SEPTIEMBRE DE 2009.